D0811371

Testjaarboek 2014

TEST
JAARBOEK
2014

bijna 2000 producten en diensten getest

MIX
Papier van
verantwoorde herkomst
FSC
www.fsc.org   FSC® C004472

1e druk, november 2013
© 2013 Consumentenbond, Den Haag
Auteursrechten op tekst, tabellen en illustraties voorbehouden
Inlichtingen: Consumentenbond

Auteur: Consumentenbond
Samenstelling: Alfred Jacobsen
Eindredactie: Vantilt Producties, Nijmegen
Grafische verzorging: PUUR Publishers/Maartje Vermeer
Foto omslag: iStockphoto
ISBN 978 90 5951 2399
NUR 600

INHOUD

INLEIDING

De Consumentenbond is een organisatie die opkomt voor de belangen van de consument. Daarnaast staan we bekend als testorganisatie. Niemand die zoveel producten en diensten geheel onafhankelijk en kritisch onderzoekt als wij.

In deze 26ᵉ editie van het *Testjaarboek* vindt u samenvattingen van tests die zijn verschenen tussen november 2012 en november 2013 in de *Consumentengids*, de *Digitaalgids*, de *Reisgids* en de *Gezondgids*. Het resultaat: een praktische, uitgebreide en objectieve koopwijzer.

Daarom is het *Testjaarboek* al jaren een waardevolle hulp bij het doen van een juiste aankoop. Op het Testoordeel van de Consumentenbond kunt u namelijk bouwen. De testapparaten worden anoniem ingekocht en zorgvuldig onderzocht, soms in samenwerking met buitenlandse zusterorganisaties. Ook de praktijkproeven naar diverse soorten dienstverlening gebeuren anoniem en onafhankelijk. Het resultaat: kritische en betrouwbare informatie over bijna 2000 apparaten, producten en diensten.

De tests zijn verdeeld in productcategorieën. Tests van universele afstandsbediening, audiostreamers, fotocamera's, televisies en dergelijke vindt u bij 'Beeld & geluid'. Het hoofdstuk 'Computer, internet & telefonie' bevat onder meer tests van draadloze routers, laptops, e-readers, smartphones, printers en tablets.

Onder 'Gezondheid & verzorging' vindt u tests van bijvoorbeeld antimuggenmiddelen, middeltjes bij winterkwalen en openbare toiletten. Natuurlijk ontbreekt ook de categorie 'Huis & tuin' niet, met tests van onder andere HR-combiketels, espressoapparaten, matrassen, vaatwassers en wasmachines.

Verder vindt u tests van gehakt, muesli, broodje gezond en spaghetti in het hoofdstuk 'Voeding'. Onder 'Vrije tijd & vervoer' ten slotte vallen onder andere tests van autonavigatie, elektrische fietsen, reisverzekeringen en autokosten.

Er zijn te veel tests om hier allemaal te vermelden. U vindt ze terug in de inhoudsopgave of het alfabetische register achterin. Per test vindt u steeds de belangrijkste resultaten en bovenaan kunt u lezen in welk nummer van welke gids u het uitgebreide, complete testverslag kunt vinden. Aan het eind van een test ziet u waar u de laatste, actuele gegevens op onze website kunt vinden.

U ziet bij de meeste tabellen in dit *Testjaarboek* (en op onze website) niet alleen of een product goed is, maar ook hoe het ene goede product toch nog kan verschillen van het andere goede product. In de kolom Testoordeel staat dan aangegeven hoe het geteste product heeft gescoord. Het product met de hoogste score staat bovenaan. Zie voor verdere instructies over de tabellen het kader 'Handleiding voor de tabellen'.

Veel plezier met en voordeel van deze editie!

Handleiding voor de tabellen

De aanbevelingen in de tests zijn gebaseerd op de volgende uitgangspunten:

- Beste uit de test is bedoeld voor producten met de beste testresultaten, ongeacht de prijs. Dus producten die in de test boven de rest uitsteken.
- Beste koop geldt voor producten met de beste prijs-kwaliteitverhouding. Hierbij zijn de testresultaten afgezet tegen de prijs van het product.
- Afrader slaat op producten die dusdanig slecht zijn dat we ze afraden.
- ++ = zeer goed + = goed = redelijk - = matig -- = slecht
  ■ = Beste uit de test ▶ = Beste koop ▼ = Afrader

BEELD & GELUID

Audiostreamers
Consumentengids april 2013

Een digitale collectie is makkelijker te bedienen dan een verzameling cd's of platen. Cd's verwisselen of zoeken naar dat ene album is verleden tijd. Op de pc is het eenvoudig om een muziekbestand te vinden. Je speelt eindeloos veel nummers achter elkaar en kunt eigen afspeellijsten maken. Bijvoorbeeld van de verzameling meest geliefde nummers. Voor een digitale collectie hoef je bovendien geen kastruimte te hebben, zoals bij een cd-collectie.

Digitaliseren
Op een harde schijf van 250 GB passen zonder moeite zo'n 800 cd's. Het exacte aantal hangt af van de kwaliteit van de muziekbestanden. Hoe lager de kwaliteit, hoe meer albums op de schijf passen. De kwaliteit kies je bij het digitaliseren van de collectie.

Een cd-collectie omzetten naar digitale bestanden op de pc kan een flinke klus zijn. Met 800 cd's ben je flink wat zondagmiddagen zoet. Het is een klus waar niet iedereen op zit te wachten. De cd's moeten stuk voor stuk in de computer worden gedaan. Vervolgens duurt het opslaan minstens een aantal minuten. Staan ze eenmaal op de harde schijf, dan wil je ze voorzien van de juiste informatie: artiest, nummer, jaartal, genre.

Er zijn programmaatjes, *tag editors*, die dat automatisch via internet doen. Maar die missen weleens wat, en dan moet je de informatie handmatig aanpassen. Gelukkig zijn er meer manieren om een collectie te digitaliseren. Je kunt bijvoorbeeld een bedrijf als Ripfacility inschakelen; dat digitaliseert de boel voor €1 tot €4,20 per cd.

Daarnaast kun je bestanden downloaden van internet, bijvoorbeeld via iTunes. De prijzen variëren van €0,70 tot €1,30 per nummer of €10 per album. Het voordeel is dat de albuminformatie altijd compleet is.

Audiostreamers

Merk & Type	Richtprijs	Testoordeel	Gebruiksgemak totaal	Installatie	Dagelijks gebruik	Geluidskwaliteit	Veelzijdigheid	Energiegebruik	Spotify	Deezer	Afstandsbediening	Apple Airplay	Tuneln FM
Weging voor Testoordeel (%)			40			30	25	5					
■▶ 1. **Sonos** Connect	€400	7,3	++	++	++	+	□	□	√	√			√
■ 2. **Cambridge** Sonata NP30	€600	7,1	+	+	+	++	□	+		√			
3. **Denon** DNP-720AE	€550	7,0	□	□	□	++	□	+				√	√
4. **Pioneer** N-30	€440	6,6	□	□	□	++	−	+				√	√
5. **Philips** Fidelio AW1000/10	€150	5,4	□	+	□	+	−	+	√	√			√

■ Beste uit de test ▶ Beste koop   ++ Zeer goed + Goed □ Redelijk − Matig −− Slecht

- De prijzen zijn van februari 2013.
- Het oordeel voor energiegebruik is gebaseerd op dagelijks 4 uur gebruik en 20 uur standby.
- We selecteerden spelers zonder eigen versterker en luidsprekers.
- Niet elk apparaat kan zelf draadloos verbinding maken met een thuisnetwerk. Bij de Sonos kochten we daarom een Bridge (€50) en bij de Pioneer de AS-WL300 adapter (€90). Beide zijn bij de richtprijs inbegrepen.

Van computer naar huiskamer

Maar hoe krijg je al dat fraais van de computer de huiskamer in? Laten we uitgaan van de volgende situatie: u heeft een stereo-installatie en een pc met daarop uw muziekcollectie. Een makkelijke en goedkope oplossing om ze met elkaar te verbinden is met een kabeltje, een 'mini jack-plug naar tulpstekker'. Te koop voor een paar euro bij de audiowinkel. De ene kant gaat in de koptelefooningang van de laptop of tablet, de twee tulpstekkers in de geluidsinstallatie. Kies op de versterker de juiste ingang en speel muziek af van de computer. Kleine moeite.

Nadeel is dat het lastig is om je laptop of tablet tijdens het afspelen te gebruiken. Bovendien ontbreekt een afstandsbediening: een nieuw nummer kiezen of vooruitspoelen moet altijd via de computer.

Miljoenen nummers

Je kunt muziek ook direct afspelen van internet. Dat heet *streaming*. Daarbij hoef je de nummers niet op te slaan op een harde schijf. Dat scheelt tijd, want het beheren van de collectie kost bij streaming weinig tijd. Nummergegevens en albumhoezen worden door de onlinemuziekdienst beheerd.

Enige struikelblok is de verbinding met internet. Valt die weg, dan kun je niet bij je (virtuele) verzameling. Spotify is de bekendste streaming muziekdienst. Een maandabonnement geeft toegang tot miljoenen nummers. Er is een gratis versie met reclame tussendoor. Wie dat niet wil, luistert voor €5 per maand zonder reclame. Voor €10 is de muziek ook te beluisteren op tablets en smartphones. Met Spotify kun je muziek ook opslaan in het geheugen van je apparaat: 'offline luisteren'. Wie luistert via internet, leert gemakkelijk nieuwe muziek kennen. Er zijn koppelingen via Twitter en Facebook om muziek met vrienden en andere muziekliefhebbers te delen en te ontdekken. Daarnaast zijn er hitlijsten en radiostations van artiesten.

Internetradio

Ook radio luisteren kan via internet. Het grote voordeel is dat je niet beperkt bent tot lokale radio, zoals bij de ether. Op internet zijn tienduizenden radiostations binnen bereik: van Amerikaanse *college*-radio tot Afghaanse religieuze muziek. TuneIn FM is zo'n onlineradiodienst. TuneIn heeft een zoekfunctie om zenders per genre en locatie te zoeken en af te spelen op de computer.

We gingen tot nu toe uit van de situatie waarin een stereo-installatie is aangesloten op een laptop of tablet. Maar wellicht heeft u inmiddels uw muziekverzameling gedigitaliseerd en op een harde schijf gezet. U luistert nu muziek via het kabeltje tussen de laptop en stereo. En misschien luistert u zelfs steeds vaker internetradio. Veel handiger is het dan om de stereoset en laptop draadloos met elkaar te verbinden via een thuisnetwerk. Voordeel is dat de computer met muziek niet in dezelfde ruimte hoeft te staan als de stereoset. Muziek van een pc in de werkkamer speel je draadloos af in de huiskamer. Helaas kan een stereoset meestal geen draadloos signaal ontvangen. Daarvoor is een ontvanger nodig, zoals een audiostreamer uit onze test. Een audiostreamer is de schakel tussen pc en geluidsinstallatie. Hij speelt muziek van de harde schijf op de stereoset. Daarnaast speelt hij webradio en, in sommige gevallen, muziek van Spotify of de vergelijkbare dienst Deezer. Om een indruk te krijgen van de mogelijkheden, hebben we vijf audiostreamers getest op geluidskwaliteit, gebruiksgemak, verbindingskwaliteit, veelzijdigheid en energiegebruik.

Geluidskwaliteit

Over de geluidskwaliteit kunnen we kort zijn: die is goed. Ons luisterpanel was tevreden over de klankkleur en helderheid. De systemen zijn vrij eenvoudig aan te sluiten, ook voor wie minder bedreven is met computers en draadloze netwerken. Een netwerkverbinding maken met een audiostreamer is niet veel moeilijker dan met een smartphone, tablet of laptop. Uitgezonderd de Pioneer: die is alleen draadloos te maken met een los aan te schaffen adapter, die weer via de pc moet worden ingesteld. Een lastige klus voor een beginner.

Zijn de pc en audiostreamer met het netwerk verbonden, dan kun je de muziekcollectie aanspreken. Bij alle spelers uit de test werkte dit goed. Zodra de streamer de pc met muziek 'ziet', verschijnt er een overzicht van mappen met muziekbestanden. Er zijn, net als bij een mediaspeler op de computer, veel manieren om muziek te beheren en af te spelen. Je kunt afspeellijsten maken met verschillende nummers en favorieten kiezen.

Afstandsbediening

Alle streamers uit de test zijn te bedienen met smartphone en tablet. Niet alle apps waarmee je ze bestuurt zijn even gebruiksvriendelijk. Vooral die van de Philips Fidelio valt tegen: de app stopt er regelmatig mee en reageert traag. Het kiezen van een volgend nummer kan een paar seconden duren. De bediening is daardoor soms een regelrechte ergernis. Geen aanrader dus, want de app is de enige manier om de Fidelio te bedienen. Dat het ook anders kan, bewijst Sonos Connect. Dat is een zeer gebruiksvriendelijk systeem met een goede app. Je kunt makkelijk de collectie doorzoeken op artiest, album of nummer. Het menu is overzichtelijk en biedt meer opties dan de andere spelers. Denk aan versneld doorspoelen en meldingen na het toevoegen van nummers aan een afspeellijst.

Bij drie van de spelers is een infraroodafstandsbediening meegeleverd, maar die werkt meestal niet beter dan de app. Er zijn te veel knoppen waarvan niet altijd duidelijk is wat ze precies doen. Ook werkt de afstandsbediening niet als de audiostreamer buiten het zicht is. Met een smartphone of tablet is dat geen probleem, zolang het draadloze netwerk in orde is. Muziek beluisteren door het hele huis kan ook. Sonos levert daarvoor verschillende apparaatjes, die aan te sluiten zijn op het Sonosnetwerk en centraal te bedienen met de bijbehorende app. Je kunt daarmee overal in huis dezelfde muziek afspelen of op elk apparaat andere. De audiostreamers van Philips en Denon hebben Airplay. Daarmee speel je muziek van onder meer laptops, tablets en smartphones van Apple af op je stereo.

Sonos Connect en Bridge

(Beste uit de test en Beste koop)

Prijs: €400

Testoordeel: 7,3

Hij is makkelijk te installeren en te bedienen met een tablet en smartphone. De app doet het goed. Ook afspeellijsten maken en beheren, en nummers doorspoelen gaat goed. Minpuntje is dat de Connect altijd stroom verbruikt, ook in de standby-stand (ongeveer 5 watt).

Cambridge Sonata NP30 (Beste uit de test)

Prijs: €600

Testoordeel: 7,1

Te bedienen met de smartphone en tablet of via de afstandsbediening. De bediening gaat vlot, net als nummers toevoegen aan een afspeellijst. Minpuntje is dat je maximaal 20 internetradiozenders als favorieten kunt opslaan. Ook ontbreekt toegang tot onlinemuziekdiensten als Spotify en Deezer.

Camera-accu's

Consumentengids juli/augustus 2013

Het zal je maar gebeuren: zoon of dochter krijgt het diploma uitgereikt en op het moment suprême houdt de camera ermee op: accu leeg, dag fotomoment. Wie zoiets weleens heeft meegemaakt, is blij om te horen dat een goede reserveaccu niet het volle pond hoeft te kosten. Er zijn goede merkvreemde accu's die zo'n 30% goedkoper zijn dan originele. En die kosten algauw €40. Soms vind je zelfs voor €15 een goede accu, maar met die prijs neem je wel een risico.

De ervaringen van consumenten met accu's zijn wisselend. De Consumentenbond testte vier alternatieve merken voor vier veelverkochte camera's.

Acceptabel verschil

'Ik heb de indruk dat de originele accu van mijn Canon-spiegelreflexcamera langer meegaat dan die van Jupio, maar dat verschil is klein', vertelt

Camera-accu's

Merk & Type	Richtprijs	Testoordeel	Capaciteit	Capaciteitsverlies	Zelfontlading	Leesbaarheid instructies	Opgegeven capaciteit
Weging voor Testoordeel (%)			35	35	25	5	mAh
Accu's voor Canon EOS 650D spiegelreflexcamera							
▶ 1. **Hähnel** HL-E8	€35	7,8	□	++	++	□	619	1120
2. **Hama** 00077384	€35	7,4	+	+	++	□	633	950
3. **Jupio** CCA0019	€40	6,7	□	+	+	– –	634	1120
4. **Canon** LP-E8	€50	6,5	+	□	□	++	644	1120
5. **Cellonic** CC-LPE8	€15	5,9	–	+	++	– –	532	1080
Accu's voor Sony NEX-5R compacte systeemcamera							
▶ 1. **Jupio** CS00024V2	€50	7,5	□	++	++	– –	427	1000
2. **Hähnel** HL-XW50	€50	7,0	+	+	++	□	450	950
3. **Cellonic** CC-NPFW50	€17	6,8	□	+	++	– –	432	1080
4. **Sony** NP-FW50	€70	6,8	+	+	□	□	466	1080
5. **Hama** 00077391	€45	5,7	– –	++	□	□	304	750
Accu's voor Nikon S3300 compactcamera							
1. **Nikon** EN-EL19	€40	8,1	+	++	++	□	217	700
▶ 2. **Hähnel** HL-EL19	€22	7,8	□	++	++	□	206	700
3. **Hama** 00077395	€23	7,2	□	+	++	□	213	600
4. **Cellonic** CC-ENEL19	€10	6,9	□	+	++	– –	205	700
5. **Jupio** CN10016	€30	5,9	–	+	++	– –	171	700
Accu's voor Panasonic Lumix DMC-TZ30 travelzoomcamera							
1. **Panasonic** DMW-BCG10	€50	8,3	+	++	++	++	255	895
▶ 2. **Hähnel** HL-PG10E	€35	7,8	+	++	++	□	251	820
▶ 3. **Hama** 00077374	€35	7,7	+	++	+	□	247	850
4. **Jupio** CPA0016V3	€40	6,7	□	++	+	– –	247	895
5. **Cellonic** CC-DMWCG10E	€15	6,4	□	+	□	– –	254	900

▶ Beste koop

++ Zeer goed + Goed □ Redelijk – Matig – – Slecht

- Capaciteit: de gemeten capaciteit ten opzichte van het origineel; de afwijking van de opgegeven capaciteit en het aantal foto's ten opzichte van het origineel.
- Capaciteitsverlies: capaciteitsverlies en afname aantal foto's na 50 keer laden en capaciteitsverlies na 100 keer laden.
- Zelfontlading: ladingverlies van een volle accu na 28 dagen bewaren bij 30 °C, en na 1 dag bij 60 °C.
- Aantal foto's: bij elke foto volledig in- en uitzoomen en elke tweede foto flitsen. Bij de spiegelreflex is de zoeker gebruikt, niet het scherm.

- Het merk Cellonic is alleen verkrijgbaar bij subtel.nl.
- De geteste accu's zijn ook te gebruiken in:
  - Canon: EOS 550D, 600D, 700D
  - Sony: alle NEX-modellen en de alpha A33, A35, A37 en A55
  - Panasonic: TZ25, TZ30, TZ31, 3D1, ZX1, ZX3, TZ20, TZ22, TZ6, TZ35, TZ7, TZ8, TZ10, TZ18
  - Nikon: S3300, S2600, S4300, S4150, S2500, S2550, S100, S3100, S3200, S2700, S2750, S3500, S4100, S4200, S5200, S6400, S6500

Ludo Wijnands uit Maastricht. Op basis van onze test kunnen we die indruk bevestigen. Gemiddeld maakten we met de alternatieve merken op één acculading 8% minder foto's dan met de originele. Acceptabel, gezien het prijsverschil.

De meeste fotocamera's worden niet wekelijks gebruikt. In de test hebben we daarom gesimuleerd dat een opgeladen accu twee maanden werkeloos in de camera zit. Gemiddeld verloren de nieuw gekochte accu's slechts 3% van hun lading door zelfontlading en leed de capaciteit er niet onder. Ook na een dagje bij 60 °C in een hete auto is er nauwelijks zelfontlading. Geen reden dus om van alternatieve accu's af te zien.

Steeds langer mee
Een lithiumionaccu kan heel lang meegaan als je hem goed gebruikt. In onze test hebben we gesimuleerd dat iemand twee jaar lang bijna elke week de accu oplaadt. In het eerste 'jaar' zien we dat de capaciteit gemiddeld maar 2,5% vermindert en in veel gevallen zelfs iets beter wordt. In ons tweede 'testjaar' zien we dit effect nauwelijks meer, en gaat de capaciteit gemiddeld ruim 3% achteruit.

Het belangrijkst is natuurlijk dat je met één acculading lang kunt fotograferen. In principe geldt: met een grotere capaciteit kun je langer fotograferen. Hoe groot de capaciteit is, herken je aan de cijfers voor de letters mAh. Met een accu van 1000 mAh kun je dus langer fotograferen op één lading dan met een accu van 750 mAh. Een punt om op te letten bij de aanschaf van een alternatieve accu, want sommige hebben een kleinere waarde dan het origineel. Bovendien is de echte capaciteit meestal kleiner dan opgegeven. Bij de originele en de alternatieve accu's van Hama en Hähnel is de capaciteit gemiddeld slechts 3% minder, maar bij die van Jupio en Cellonic gaat het om meer dan 10%.

Wie bang is voor gevaarlijke situaties met alternatieve merken, kunnen we geruststellen. Zelfs de accu's van het C-merk Cellonic reageerden goed op de kortsluiting en overspanning die we in de test veroorzaakten. De elektronica in de accu zorgt ervoor dat het opladen tijdig stopt en kortsluiting niet tot gevaarlijke situaties leidt.

Kans op schade
Frans Wijnen, importeur van Hähnel-camera-accu's, is vol vertrouwen: 'In tientallen jaren hebben wij slechts twee keer een claim ontvangen

en de schade aan de camera vergoed, ook al was de oorzaak niet meer te achterhalen.' Ook de merken Hama en Jupio stellen dat de kans op schade aan een camera nagenoeg nihil is en 'zeker niet groter dan bij het gebruik van een originele accu'.

Helaas geldt dit niet voor de naamloze accu's die op internet te vinden zijn. Die kun je beter niet kopen. Onze Duitse collega's van Stiftung Warentest testten in november 2010 vier accu's waarop geen naam van een fabrikant of aanbieder te vinden was. En die test bevestigde het vermoeden. Eén exemplaar had nog niet eens de helft van de aangegeven capaciteit, een andere overleefde de kortsluitingstest niet en dat is kwalijk. Martijn Evertse, directeur van het Nederlandse merk Jupio, legt uit hoe dat kan: 'Veel naamloze accu's bevatten afgekeurde cellen die bijna voor niets gekocht kunnen worden. Er zijn fabriekjes die daarmee zo weer een accu in elkaar zetten. De capaciteit is dan een stuk kleiner en het uitvalpercentage is fors hoger. Vaak beschikt dit soort accu's niet over oververhittings- en overspanningsbeveiliging.'

Niet ernstig, maar wel opvallend: uit de test blijkt ook dat verscheidene fabrikanten onderdelen uit dezelfde fabrieken betrekken. In een Canon-accu troffen we bijvoorbeeld cellen aan waarop 'Panasonic' stond. Hähnel-importeur Wijnen kijkt er niet van op: 'Het komt ook voor dat een originele accu in camera's van meerdere merken te gebruiken is.'

Lang leve de lithiumionaccu

- Gebruik de bijbehorende lader.
- Bewaar de accu – deels opgeladen – op een koele plek: Li-Ionaccu's doen het beter als het warm is, maar leven langer als het koud is.
- Laad de accu op bij een omgevingstemperatuur van 5 tot 35 °C.
- Zet de camera uit tijdens het laden.
- Maak de accu helemaal leeg en laad hem volledig op als de accuaanduiding op de camera niet meer klopt.
- De accu mag handwarm worden tijdens het opladen, maar gebruik hem niet als hij heet wordt en/of er een brandlucht is.
- Na het opladen hoeft de accu niet direct uit de lader verwijderd te worden.

Illegale kopie

Een accu waar duidelijk een cameramerk op staat, is overigens niet 100%

zeker op de markt gebracht door dat merk: het kan ook illegale namaak zijn. Hoe groot de kans is om zo'n namaakaccu te treffen, is niet bekend. Nikon heeft het over incidenten. Canon en Panasonic noemen dit een wereldwijd probleem, waar weinig informatie over is. Volgens Evertse van Jupio worden 'namaakoriginelen' vooral verkocht via internet.

Hij herkent de illegale producten makkelijk: 'Je ziet het meestal al aan de veel slechtere kwaliteit van de verpakking. Letters zijn een tikkeltje onscherp, de verpakking heeft soms scherpe randen of hoeken. Ook staan er vaak spelfouten op de verpakking, bijvoorbeeld Franse teksten zonder leestekens. Dit zul je bij een origineel product nooit zien.' Tien sprekende voorbeelden zijn te vinden op de website van Nikon.

Accu werkt niet

Nikon- en Canon-producten zijn verder te herkennen aan een holografisch zegel dat onder een andere kijkhoek duidelijk verandert van kleur. Lastig voor wie z'n accu's via internet aanschaft, want dan kun je dat niet controleren. Evertse heeft daarom nog een tip: 'Wie bij het zoeken naar een originele Nikon-accu leest dat hij niet werkt in een andere Nikon-camera, moet verder zoeken. Een originele accu werkt in alle camera's met dat accutype.'

Ook met merkaccu's gaat het soms mis, maar dan is het de elektronica die roet in het eten gooit. Hähnel-importeur Wijnen: 'Sony en Panasonic veranderen nog weleens iets aan hun camera's waardoor alternatieve accu's in nieuwe modellen niet meer werken en aangepast moeten worden. De laatste tijd komt dit gelukkig wat minder voor.' Maar wie vorig jaar een alternatieve accu heeft gekocht voor een Sony NEX-camera, ontdekt na aankoop van de nieuwste Sony NEX-6 waarschijnlijk dat de alternatieve accu niet oplaadt in deze camera.

Fotocamera's

Consumentengids juli/augustus 2013

Fotograferen heeft een enorme vlucht genomen. Alleen al op Facebook plaatsen gebruikers dagelijks zo'n 300 miljoen nieuwe foto's. Voor de meesten is fotograferen vooral het delen van vakantie-ervaringen en

Fotocamera's

Merk & Type	Richtprijs	Testoordeel	Fotokwaliteit	Snelheid	Bediening	Scherm	Flitser	Video	Zoeker	Optisch zoombereik	Sensorformaat diagonaal (mm)	Gewicht (gr)
Weging voor Testoordeel (%)			40	18	10	10	10	10	0			
Superzoom												
1. **Sony** Cyber-shot DSC-HX300	€500	7,1	+	+	□	+	□	+	+	50x	7	670
2. **Panasonic** Lumix DMC-FZ200	€450	7,0	+	+	□	+	□	+	□	24x	7	630
3. **Leica** V-Lux 4	€800	7,0	+	+	□	+	□	+	□	24x	7	640
4. **Nikon** Coolpix L820	€220	6,8	+	+	--	+	□	+	nvt	30x	7	510
5. **Panasonic** Lumix DMC-FZ62	€250	6,6	+	+	□	+	□	□	nvt	30x	7	525
Compacte systeem			40	15	8	10	5	10	5			
1. **Samsung** NX300 met 18-55 III OIS	€750	7,2	+	□	+	++	++	+	nvt	3x	28,3	780
2. **Sony** NEX-3N(L) met SEL-P1650	€500	7,0	+	□	+	+	□	+	nvt	3x	28,2	520
3. **Sony** NEX-5R met SEL1855 (nieuwe lens)	€550	6,6	+	□	+	+	□	□	nvt	3x	28,2	690
4. **Canon** EOS M met EF M 18-55mm	€450	6,5	+	-	+	+	nvt	□	nvt	3x	26,8	640
5. **Panasonic** Lumix DMC-G5K, G Vario 14-42	€550	6,5	+	+	□	+	+	□	+	3x	21,6	490
Spiegelreflex												
1. **Canon** EOS 700D + EF-S 18-55 IS STM Kit	€780	7,5	+	+	+	+	+	+	+	3x	26,8	1080
2. **Nikon** D7100 met 18-105 VR	€1250	7,4	+	□	+	+	++	++	++	7x	28,2	1670
3. **Canon** EOS 650D met EF-S 18-55 IS II	€580	7,3	+	+	+	+	+	+	+	3x	26,8	770
4. **Canon** EOS 100D + EF-S 18-55 IS STM Kit	€730	7,3	+	+	+	+	+	+	+	3x	26,8	890
5. **Nikon** D5200 met 18-55 VR	€670	6,8	+	□	+	+	+	□	++	3x	28,2	820
Geavanceerde compact												
1. **Nikon** Coolpix A	€980	7,3	+	□	+	++	+	+	nvt	nvt	28,3	330
2. **Fujifilm** X100S	€1300	7,1	+	□	+	+	+	+	nvt	nvt	28,3	470
3. **Fujifilm** X20	€600	6,8	+	□	+	+	+	□	++	4x	11	390
4. **Pentax** MX-1	€450	6,7	□	□	+	++	+	+	nvt	4x	10	420
5. **Nikon** Coolpix P7700	€420	6,5	+	□	+	+	□	+	nvt	7x	10	390

■ Beste uit de test   ▶ Beste koop

++ Zeer goed   + Goed   □ Redelijk   − Matig   −− Slecht

- De prijzen zijn van juni 2013.
- De superzoomtoestellen zijn beoordeeld volgens onze basistest, de andere toestellen ook volgens het testprogramma voor geavanceerde toestellen.
- De handleiding telt voor 2% mee in de beoordeling. En, behalve bij superzoomcamera's, telt scherpstellen voor 5% mee. Beide staan niet in de tabel.
- De Panasonic FZ200 en de Leica V-Lux 4 zijn vrijwel identiek.
- De Canon EOS M heeft geen ingebouwde flitser, alleen een flitsschoen voor een losse flitser (die niet getest is).

snelle kiekjes. Een kleine groep merkt gaandeweg steeds bewuster foto's te zijn gaan maken en begint te letten op de compositie en belichting. De oude compactcamera reageert traag en de mogelijkheden lijken te beperkt. Er is een aantal punten om op te letten bij de aanschaf van een toestel met meer mogelijkheden.

Zoom en groothoek

Het zoombereik speelt een belangrijke rol. Compactcamera's hebben meestal 3 tot 5 keer zoom en soms 10 keer. Er zijn ook kleine, lichte exemplaren die rond de 20 keer zoom hebben. En grote en vrij zware superzoomtoestellen. Alle camera's hebben een behoorlijke groothoek om landschappen vast te leggen of een groep mensen op de foto te krijgen in een kleine ruimte. Welk toestel geschikt is, hangt sterk af van het beoogde doel.

Grote sensor

Eenvoudige compactcamera's hebben een kleine sensor. Dat heeft gevolgen voor de fotokwaliteit; bij weinig licht zal een foto sneller 'ruis' vertonen. Spiegelreflexen voor consumenten hebben een sensor die een stuk groter is (van 22 tot 28 mm diagonaal). Bij de geteste compacte systemen – een stap in de richting van spiegelreflex, maar zonder spiegel – varieert de sensorgrootte van 15,9 tot 28 mm. Sinds kort zijn er ook geavanceerde compactcamera's met een grote sensor, sommige vergelijkbaar met die van een spiegelreflex. De truc voor de fabrikant is om een zo groot mogelijke sensor in een zo klein mogelijke behuizing te stoppen. De zoommogelijkheden van deze toestellen zijn daardoor juist weer beperkt.

Naast de sensor is ook de lens bepalend voor de fotokwaliteit. Vooral het diafragma speelt een belangrijke rol. Hoe groter de lensopening, des te meer licht er op de sensor komt. Er zijn veel lenzen te koop waarmee uitstekende resultaten te behalen zijn.

Superzoomcamera

Superzoomcamera's hebben meer dan 20 keer zoom. Qua uiterlijk en gewicht lijken ze op spiegelreflexcamera's. Ze hebben naast een scherm achterop een doorzichtzoeker die je tegen je oog houdt tijdens het fotograferen.

In de winkel wordt een groot zoombereik vaak verkocht als de betere keus: 'hoe meer zoom, des te beter de camera'.

Veel zoom is vooral handig om vanaf een flinke afstand onderwerpen dichtbij te halen. Situaties waarin veel zoom van pas komt, zijn bijvoorbeeld stedentrips en een safaritocht. Met 20 keer zoom kom je een heel eind. Volledig ingezoomd is daarmee een persoon van 1,80 meter vanaf 23 meter helemaal in beeld te fotograferen. Er zijn toestellen met nog meer zoombereik (zie de tabel). Houd er wel rekening mee dat de camera doorgaans zwaarder is naarmate hij meer zoom heeft. Hoewel superzooms door hun formaat goed in de hand liggen, kan het lastig zijn de camera stil te houden. Als je volledig hebt ingezoomd, wordt elke beweging van de camera sterk vergroot. Het zoekerbeeld wiebelt.

De meeste toestellen hebben daarom beeldstabilisatie om beweging van je handen te compenseren. Gebruik een statief om zeker te zijn van een geslaagde foto. Of steun de camera tegen een deurpost of op een muurtje.

Nikon Coolpix L820 (Beste koop)

Prijs: €220

Testoordeel: 6,8

Forse superzoomcamera met zoombereik van 22,5 mm groothoek tot 675 mm tele. Kan macrofoto's maken. Heeft geen doorzichtzoeker, maar een groot, scherp scherm met optionele hulplijnen. Werkt op AA-batterijen.

Spiegelreflexcamera

Tot voor kort lag een spiegelreflex voor de hand als je meer wilde met fotografie. Door de grote sensor kun je spelen met scherptediepte: zoals een portretfoto met mooie, wazige achtergrond. Ook stelt een spiegelreflex gemiddeld sneller scherp dan een compactcamera of een compacte systeemcamera zonder spiegel.

Een spiegelreflex heeft altijd een zoeker. Het zoekerbeeld op het scherm (Liveview) is bij Canon en Nikon meestal trager dan bij een compact- of compacte systeemcamera. Het lcd-scherm gebruik je daarom eerder om foto's te bekijken.

Met een spiegelreflex is meer maatwerk mogelijk. Er zijn verschillende lenzen: macrolenzen om bijvoorbeeld bloemen van dichtbij te fotograferen, groothoeklenzen, telelenzen en meer. Deze functie zit vaak ook in compactcamera's, maar door de grote sensor en betere lenzen is met spiegelreflex een hoger fototechnisch niveau te behalen. Lenzen met een groot diafragma (laag f-getal) hebben een grote lensopening en doen het daardoor beter bij weinig licht, mits goed stilgehouden.

Om alle mogelijkheden van een spiegelreflex te benutten, is enige fotografiekennis nodig. Ook ervaring met fotosoftware komt goed van pas, want met programma's als Photoshop en Lightroom valt er nog veel te schaven aan een foto.

Overigens gebruiken velen hun spiegelreflex op de automatische stand en met een allround zoomlens (18-200 mm). Zo'n systeem is erg zwaar. Daarom valt de keuze steeds vaker op compacte systemen zonder een spiegel.

IN DETAIL

Canon EOS 700D
(Beste uit de test)

Prijs: €780

Testoordeel: 7,5

Instapspiegelreflex, getest met 3 keer zoom standaardlens (EF-S 18-55 IS STM Kit) van 18 tot 55 mm. Heeft een groot draaibaar en scherp scherm. Met uitleg voor beginners in het menu. Filmt met stereogeluid.

Compacte systeemcamera

De populariteit van compacte systeemcamera's neemt gestaag toe. Gek is dat niet. Ze bieden de voordelen van spiegelreflexen: een grote sensor en verwisselbare lenzen, maar dan in een compacte behuizing. Dat kan doordat het spiegelhuis in het toestel ontbreekt. Het voordeel is dat de lenzen dichter bij de sensor kunnen worden geplaatst. De lenzen zijn daardoor kleiner en lichter dan die van een spiegelreflexcamera.

Een systeemcamera weegt gemiddeld zo'n 600 gram inclusief lens, een spiegelreflex met lens ruim een kilo.

Wie al fotografeert met een compactcamera en verder wil met fotografie hoeft minder te wennen aan de bediening. Ook bij een systeemcamera fungeert het scherm meestal als zoeker. En het scherpstellen gaat op dezelfde manier. De camera bepaalt het contrast tussen naast elkaar gelegen pixels op het sensorbeeld en stelt vervolgens scherp.

Voor beginners is er in de menu's vaak uitleg over de belangrijkste fotobegrippen. In begrijpelijke termen staat er bijvoorbeeld hoe je een portret maakt met een mooie, wazige achtergrond. Overigens bieden de meeste instapspiegelreflexcamera's dezelfde hulp.

Het lenzenassortiment van systeemcamera's is momenteel nog niet zo groot. Naarmate er meer toestellen worden verkocht, zal dat waarschijnlijk veranderen.

Sony NEX-3N(L) (Beste uit de test en Beste koop)
Prijs: €500
Testoordeel: 7,0
Compacte systeemcamera, getest met intrekbare SEL-P1650-lens met zoombereik van 16 tot 50 mm. Het draaibare scherm toont uitleg en hulplijnen. Kan handmatig en automatisch scherpstellen (op meerdere manieren).

Geavanceerde compactcamera

Er zijn fotografen die meer controle willen over hun compactcamera. Soms hebben ze een spiegelreflex en willen ze graag wat meer mogelijkheden hebben met een compactcamera 'voor erbij'. Deze geavanceerde toestellen wegen meestal wat meer dan normale compactcamera's, maar ze kunnen ook meer.

Geavanceerde compactcamera's hebben meer manieren om de belichting handmatig in te stellen. Net als bij de spiegelreflexen en de compacte systemen zijn foto's op te slaan in het RAW-bestandsformaat. Je kunt dan met speciale fotobewerkingssoftware nog veel sleutelen aan de foto's. Helderheid, contrast en witbalans kun je achteraf nog grotendeels instellen. Een 'normale' JPEG-foto kun je achteraf niet zo ingrijpend aanpassen. RAW-bestanden nemen veel meer ruimte in op de geheugenkaart.

Geavanceerde compactcamera's hebben een iets grotere sensor en lichtsterke lens dan 'normale' compactcamera's. Er zijn zelfs toestellen met een sensor zo groot als die van een spiegelreflex- of compacte systeemcamera, zoals de Nikon Coolpix A, een toestel met een vaste 28 mm-lens en een maximale diafragmaopening van f2.8. Zoomen kun je daar dus niet mee. Dat maakt het toestel vooral interessant voor landschaps- en straatfotografie. Door de lichtsterke lens en de grote sensor is er bij weinig licht een goede fotokwaliteit te behalen.

Pentax MX-1 (Beste koop)

Prijs: €450

Testoordeel: 6,7

Compactcamera met 4 keer zoom; van 28 mm groothoek tot 112 mm tele. Het draaibare scherm heeft een hoge resolutie en toont uitleg, hulplijnen en histogram (belichtingsgrafiek). Met een aparte draaiknop voor handmatige belichtingscompensatie.

Zie voor alle geteste fotocamera's www.consumentenbond.nl/digitalecameras.

Foto's aan de muur

Consumentengids november 2012

Een kant-en-klare reproductie uit de winkel kan mooi zijn, maar een professionele afdruk van een zelfgemaakte foto op groot formaat is natuurlijk veel leuker. Je bestelt hem via internet en binnen negen werkdagen wordt de print thuisbezorgd of kun je hem afhalen in de winkel. Een afdruk op canvas kent iedereen waarschijnlijk wel, maar ook andere technieken winnen aan populariteit. Canvas is voor het geteste formaat (90x60 cm) met gemiddeld €63 het goedkoopst. De professioneel uitziende *aluminium-dibond* en kunststofproducten kosten rond de €75. Plexiglas – altijd hoogglans – is met gemiddeld €126 flink duurder.

Afdrukkwaliteit

Bij canvas is de keuze gemakkelijk: het goedkoopste canvas uit de test is ook het beste. Dit doek komt van Top-Canvasfoto, het bedrijf dat als 'Top-Fotoalbum' ook al een Beste koop had bij de test van fotoboeken. De prints van afdrukcentrale Cewe, eerder verantwoordelijk voor vier best geteste fotoboeken, doen het eveneens goed. De prints die we bestelden bij Pixum en Media Markt komen hier vandaan.

De canvassen van Kruidvat worden gemaakt door Herinneringen Op Linnen, waar je ook rechtstreeks canvassen kunt bestellen van dezelfde kwaliteit. Deze kosten minder dan bij Kruidvat en de keuze in formaten is groter. Alle afmetingen tussen 20x20 cm en 90x160 cm zijn hier mogelijk. Reclameland heeft zeer lage prijzen, maar het resultaat ziet er ook goedkoop uit. Alle afdrukken hebben een matige afwerking en bij het dibond trek je bij het verwijderen van het verpakkingsmateriaal stukjes inkt van de print. Bij de Hema en Blokker is de software prima en ook de levertijd is goed. Maar de afdrukkwaliteit blijft op alle prints sterk achter en op meerdere exemplaren zijn de strepen van de printkoppen duidelijk zichtbaar.

De meeste prints worden direct op het materiaal afgedrukt. Bij kunststof, dibond en plexiglas is er telkens één aanbieder die 'smokkelt' door fotopapier op het materiaal of achter het plexiglas te plakken. Voor de afdrukkwaliteit pakt dit goed uit. Het geeft een mooi en streeploos resultaat, waar je bij andere prints nogal eens strepen van de printkoppen op het materiaal ziet. Nadeel van de prints met fotopapier is dat ze ongeschikt zijn voor gebruik in vochtige ruimten.

Foto's aan de muur

Merk & Type	Afmetingen (cm)	Totaalprijs	Testoordeel	Afdrukkwaliteit 50%	Productkwaliteit 15%	Gebruiksgemak software 25%	Levertijd 10%	Incl. ophangsysteem
Canvas								
1. **Top-Canvasfoto.com** Canvas	90x60x2	€39	7,8	+	+	+	++	
2. **Herinneringenoplinnen.nl** Canvas	90x60x3	€45	7,4	+	+	+	+	
3. **Kruidvat.nl** Canvas	80x60x3	€56	7,4	+	+	+	+	
4. **Pixum.nl** Canvas	90x60x2	€74	7,4	++	+	+	−	
5. **Webprint.nl** Canvas	90x60x2	€58	7,0	□	+	++	++	
6. **Albelli.nl** Canvas	100x70x2	€91	6,8	□	+	+	+	√
7. **Hema.nl** Canvas	90x60x2	€81	6,6	□	□	+	+	√
8. **Fotofabriek.nl** Canvas	90x60x3	€57	6,1	□	□	□	++	√
9. **Blokker.nl** Canvas	80x60x2	€86	6,1	□	+	+	+	√
10. **Reclameland.nl** Canvas	90x60x2	€40	5,2	−	□	□	++	√
Aluminium-dibond								
1. **Pixum.nl** Alu-dibond	90x60x0,3	€113	7,8	+	++	+	−	√
2. **Smartphoto.nl** Alu poster	90x60x0,3	€69	7,6	+	+	+	+	√
3. **Top-Canvasfoto.com** Dibond	90x60x0,3	€68	7,3	+	++	+	+	√
4. **Hema.nl** Alu witte toplaag	90x60x0,3	€96	6,6	□	+	+	+	√
5. **Webprint.nl** Alu witte toplaag	80x60x0,3	€78	6,5	□	+	++	++	√
6. **Reclameland.nl** Dibond	90x60x0,3	€44	5,3	□	□	□	□	
Kunststof								
1. **Pixum.nl** Kunststof	90x60x0,5	€91	7,6	+	++	+	−	√
2. **Fotoservice.Mediamarkt.nl** Forex	90x60x0,5	€81	7,2	+	+	+	□	
3. **Photobox.nl** Forex mat	80x60x1	€73	6,9	+	+	+	−	√
4. **PosterXXL.nl** Forex direct	90x60x0,5	€70	6,7	□	□	++	□	
5. **Hema.nl** Kunststof	90x60x1	€90	6,7	□	+	+	+	√
6. **Reclameland.nl** Forex	90x60x0,5	€35	5,0	−	□	□	+	
Plexiglas								
1. **PosterXXL.nl** Acrylglas fineart	90x60x0,4	€110	7,5	+	+	++	□	
2. **Pixum.nl** Acrylglas	90x60x0,5	€132	7,1	+	□	+	□	√
3. **Webprint.nl** Plexiglas	80x60x0,5	€108	6,4	□	□	++	++	√
4. **Hema.nl** Plexiglas	90x60x0,5	€120	6,1	□	□	+	+	√
5. **Blokker.nl** Plexiglas	90x60x0,5	€146	5,8	□	□	+	+	√

■ Beste uit de test   ▶ Beste koop   ++ Zeer goed   + Goed   □ Redelijk   − Matig   −− Slecht

• De prijzen zijn van augustus 2012 en inclusief verzend- en verwerkingskosten. • Productkwaliteit bestaat uit een paneloordeel en een test van de hechting van de inkt op het product. • Een levertijd van gemiddeld drie werkdagen of minder is als zeer goed beoordeeld, een levertijd van meer dan negen werkdagen als slecht. • Wanneer verschillende canvasdikten mogelijk waren, kozen we de dunste. • Alle aanbieders leveren ook andere formaten. De resultaten gelden voor het geteste formaat. • Het plexiglas van Albelli (100x70x0,5 cm, €141) eindigde in de test op de derde plaats. Omdat Albelli het productieproces heeft aangepast, staan de testresultaten niet meer in de tabel. • Bij Smartphoto, Photobox en PosterXXL (van kunststof) zijn de foto's niet direct op het materiaal geprint, maar op fotopapier dat op of achter het materiaal is geplakt. • De geteste forexprint van Media Markt is hetzelfde als die van Pixum, maar dan zonder ophangframe.

Goed belichte, scherpe foto's met een voldoende hoge resolutie geven de grootste kans op een mooi resultaat. In lichtere foto's vallen printerstrepen minder op. Het resultaat bij donkere foto's is lastiger voorspelbaar. Het nachttafereel kwam het best tot zijn recht op het doek van Top-Canvasfoto, de Alu poster van Smartphoto, het kunststof van Photobox en het Acrylglas van Pixum.

Portretrecht

Een portret van een professionele fotograaf mag u gebruiken voor eigen afdrukken. De fotograaf is echter niet verplicht bronbestanden af te staan om dit mogelijk te maken. Spreek daarom af of u bij een portret in opdracht de bronbestanden mag overnemen of kopen van de fotograaf. De fotograaf heeft het auteursrecht van de foto; daarom is voor openbaarmaking en publicatie toestemming van de fotograaf nodig.

Snel besteld

Het bestellen van een grote fotoafdruk gaat vrij eenvoudig via de website van de aanbieder. Je kiest formaat en materiaal, uploadt een foto en bepaalt welk deel op de print terecht moet komen. Bij PosterXXL gaat bestellen het makkelijkst. Na het uploaden van de foto kun je het materiaal en formaat nog aanpassen in één overzichtelijk scherm.

Pixum helpt de gebruiker op weg met de formaatkeuze: nadat je een foto hebt toegevoegd, geeft de website aan de hand van de fotokwaliteit een suggestie voor het formaat waarop de foto het best tot zijn recht komt. Meestal krijg je een waarschuwing wanneer de foto van een te lage kwaliteit is en in het ideale geval krijg je ook een bevestiging als de fotokwaliteit in orde is. Alleen bij Herinneringen Op Linnen en Kruidvat is er geen terugkoppeling over de kwaliteit.

De foto wordt meestal direct beeldvullend op het product geplaatst. Als de foto een andere lengte-breedteverhouding heeft dan de print, wordt een deel van de foto afgesneden. Alle aanbieders behalve Reclameland laten zien welk deel van de foto op de rand van het canvas terechtkomt. Dat is handig, want zo zie je duidelijk welk deel van de foto op de voorkant van het doek te zien is. Bij Herinneringen Op Linnen, Kruidvat en Fotofabriek kun je de zijkanten van het canvas onbedrukt laten.

Bij sommige aanbieders kun je bekijken hoe groot de afdruk uitvalt boven een virtuele bank. Bij Pixum en PosterXXL kun je je product in een virtuele woonkamer bekijken en zelfs de kleur van de muur en de vloer aanpassen. De mooie animaties geven een goed beeld van het formaat van de print.

Bij de meeste websites is het gebruiksgemak van het maken en bestellen van een print dus dik in orde. Alleen Reclameland heeft een erg onlogische bestelprocedure. Daar moet je eerst de bestelling afronden, vervolgens het beeldmateriaal uploaden en tot slot afrekenen. Na het 'afronden van de bestelling' word je bestookt met e-mails als je niet snel genoeg bent met betalen of met het aanleveren van beeldmateriaal.

Alles-in-éénprijzen

Herinneringen Op Linnen en Top-Canvasfoto hebben heldere alles-in-éénprijzen. Elders komen bovenop de geadverteerde productprijs verwerkings- en/of verzendkosten. Deze worden vaak pas bij het afrekenen duidelijk. Webprint laat als enige de extra kosten altijd in beeld zien. Op de bestelling hoef je doorgaans niet lang te wachten: de helft van de prints was al binnen vier werkdagen in huis. Webprint bezorgde de prints gemiddeld na twee werkdagen, Fotofabriek, Top-Canvasfoto en de Hema volgden snel daarna. De prints van Media Markt, Pixum en PosterXXL waren er pas na zeven werkdagen en de uit Londen afkomstige bestelling van Photobox na negen werkdagen.

Canvas

Bij canvas wordt de foto afgedrukt op doek. Dit wordt om een houten frame gevouwen en vastgeniet. Hoe dikker de rand, des te groter het deel van de foto dat je aan de rand kwijtraakt.

Canvassen zijn geschikt voor alle soorten foto's en ze komen in alle lichtomstandigheden goed tot hun recht. Doordat de inkt een beetje in het doek trekt, worden kleurvlakken mooi egaal en vallen foutjes in de foto minder op. Daarom is een canvas de beste keuze voor beginnende fotografen en voor foto's gemaakt met compactcamera's.

Niet alle doeken zijn even goed opgespannen. Je ziet het frame soms duidelijk door het doek heen komen. De inkt op de hoeken van het canvas is extra kwetsbaar voor beschadiging.

De verschillen in afdrukkwaliteit zijn bij canvas het grootst. Vooral donkere beelden geven onvoorspelbare resultaten: veel te donker of veel te licht.

+ Matte afdruk verdoezelt oneffenheden.

+ Voor alle soorten foto's.

+ Lichtgewicht.

− Door omvouwen verdwijnt de rand van de foto.

Aluminium-dibond

Dibondplaten bestaan uit twee flinterdunne lagen aluminium met daartussen een harde kunststof van 3 millimeter dik. Dibond is zwaar en degelijk en heeft een krachtige uitstraling. Het komt het best tot zijn recht in zacht licht; anders spiegelt het te veel.

Wij lieten de foto's afdrukken op de witte kant van het dibond, voor een natuurlijk effect, maar dit ziet er niet uit als echt aluminium. Bij sommige aanbieders kun je ook op geborsteld aluminium laten afdrukken. Dit is vooral geschikt voor zwart-witfoto's.

Pixum blinkt uit met een handig ophangframe en de keurige afwerking van het materiaal met afgeronde hoeken. De afdrukken zijn scherp, helder en goed van kleur. Smartphoto print niet direct op het materiaal, maar plakt fotopapier op het dibond. De wat geel getinte afdrukken zien er mooi uit, maar de randen van het fotopapier zijn kwetsbaar en het is niet watervast. De prints van Hema, Webprint en Reclameland hebben lelijke strepen van de printerkoppen.

+ Zwaar en degelijk.

+ Voor binnen en buiten.

+ Professionele uitstraling.

− Weerkaatst in direct licht.

Kunststof

Kunststof en forex zijn lichtgewicht schuimplaten van 5 of 10 millimeter dik. De platen van 10 millimeter zijn veel vormvaster en ogen chiquer. Het materiaal is geschikt voor alle soorten foto's. Photobox plakt als enige licht glanzend fotopapier op de schuimplaat. De rest print direct op het plaatmateriaal. Bij directe lichtinval weerkaatst het licht. Vooral donkere foto's hebben daar last van.

De prints van Pixum en Media Markt zijn het mooist, ze hebben levendige kleuren en een matte uitstraling. De platen zijn goed afgewerkt en hebben mooi afgeronde hoeken. Beide komen van afdrukcentrale Cewe Color die ook goed scoorde in ons onderzoek naar fotoboeken. Pixum levert standaard een ophangframe dat de dunne plaat verstevigt. Bij Media Markt is dit optioneel (€15).

De slechtste drie prints hebben opvallende strepen van de printerkoppen.

+ Matte en professionele uitstraling.
+ Lichtgewicht.
+ Voor binnen en buiten.
− Kan weerkaatsen in direct licht.
− Deukgevoelig.

Plexiglas

Plexiglas oftewel acrylglas, een transparante kunststof, geeft de foto een levendige, heldere en chique uitstraling. Het is zwaar, stevig en spiegelt sterk. Plexiglas is vooral geschikt voor lichte en heldere foto's. Donkere beelden met weinig contrast vallen weg in de spiegelingen van het licht. Oneffenheden in de foto vallen op. Dat maakt dit materiaal alleen geschikt voor scherpe foto's met weinig 'ruis'.

Bij een aantal prints kwam de foto niet helemaal tot de rand, waardoor een transparante streep aan een van de randen zichtbaar was. Bij donkere afdrukken valt dit extra op.

De foto wordt aan de achterkant van het materiaal geprint. Direct printen op het materiaal geeft alleen bij Pixum geen printerstrepen. PosterXXL plakt fotopapier tegen de achterkant van de plaat. De prints van Pixum, Webprint, Hema en Blokker zijn lichtdoorlatend.

+ Chique uitstraling.
− Spiegelt sterk in direct licht.

Zie de video op www.consumentenbond.nl/foto-aan-de-muur.

Homecinemasets

Consumentengids december 2012

De simpelste manier waarop je het geluid van de tv kunt verbeteren is met een soundbar. Deze langwerpige, liggende luidsprekerbox is eenvoudig aan te sluiten en ligt onder het tv-toestel. De meegeleverde losse baskast (*subwoofer*) zorgt voor de laagste tonen. Daardoor wordt het geluid niet alleen voller en zwaarder – je voelt het ook meer. De buren overigens ook.

Soundbar of 2.1-set

Soundbars zijn er met en zonder blu-rayspeler. Wie alleen het geluid van de tv wil verbeteren, heeft voldoende aan een apparaat zonder speler. Wie één systeem wil voor het afspelen van blu-rays, dvd's en cd's kiest een model met een speler. Met zo'n speler kun je bovendien naar FM-radio luisteren, foto's en video van de computer afspelen en zelfs internetten. Al werkt dit laatste nooit zo prettig als op een pc en tablet.

Hoewel de soundbars al gauw een beter geluid geven dan de kleine luidsprekers in de televisie, is de geluidskwaliteit van de meeste geteste soundbars niet heel geweldig. Alleen de prijzige LG BB5521A kunnen we aanbevelen. Hij heeft een goede geluidskwaliteit. Voor minder geld is er echter al een 2.1-set met betere geluidskwaliteit te koop. Voor wie geen bezwaar heeft tegen extra snoeren, is dat een betere keus.

Wie een iets ruimtelijker geluid wil, kan aan een 2.1-set denken. Die bestaat uit een blu-rayspeler, twee luidsprekers en een subwoofer (de '.1'). Zo'n set kan ook de traditionele stereotoren vervangen voor het afspelen van muziek. Doordat de twee losse luidsprekers een eind van elkaar staan, klinkt het geluid ruimtelijker. Er zijn wel meer snoeren nodig dan bij een soundbar. Tussenvormen zijn er ook: de losse luidsprekers van de Samsung HT-ES4200 2.1-set zijn samen te voegen tot een soundbar.

30

Homecinemasets

Merk & Type	Richtprijs	Testoordeel	Geluidskwaliteit	Stereogeluid	Surroundgeluid	Gebruiksgemak	Beeldkwaliteit	Foutcorrectie	Internetten	Media streamen van pc	Energiegebruik	Mogelijkheden
Weging voor Testoordeel (%)			40			25	5	10	5	5	5	5
2.1-systemen met blu-rayspeler												
1. **Sony** BDV-NF620	€380	7,2	+	++	□	□	++	+	□	□	++	+
2. **Sony** BDV-EF420	€330	6,7	+	+	-	□	++	+	□	□	++	+
3. **Panasonic** SC-BTT282	€300	6,5	+	+	-	□	++	□	□	□	++	+
4. **LG** HX722	€400	6,4	+	+	-	+	++	+	□	□	++	+
5. **Samsung** HT-E5200/XN	€280	6,2	□	+	-	□	++	□	□	+	+	+
6. **Pioneer** BCS-FS121	€350	5,9	□	□	□	□	++	+	--	-	+	+
7. **Philips** HTS4282	€300	5,4	□	□	-	□	++	-	□	□	++	+
8. **Samsung** HT-ES4200	€330	5,3	□	□	-	□	++	□	□	+	++	+
9. **LG** HX922	€550	5,1	□	□	-	□	++	+	□	□	+	+
10. **Philips** HTS7201/12	€460	5,0	□	□	-	□	++	+	□	□	++	□
Soundbars met blu-rayspeler												
1. **LG** BB5521A	€700	6,4	+	+	-	+	++	□	□	□	+	+
2. **Samsung** HT-E8200	€630	5,7	□	□	-	□	++	+	□	+	+	+
3. **Philips** HTS5131	€400	4,2	-	-	-	□	++	□	--	nvt	++	-
Soundbars zonder blu-rayspeler			53%			33%					7%	7%
1. **Teufel** Cinebar 21 Set	€550	5,8	□	□	□	□					++	--
2. **Philips** CSS2123	€150	4,5	-	□	-	-					++	--
3. **Samsung** HW-E350	€170	4,4	-	-	-	□					++	--

■ Beste uit de test ▶ Beste koop

- De prijzen zijn van oktober 2012.
- Bij soundbars en 2.1-sets weegt de stereogeluidskwaliteit zwaarder mee dan de surroundgeluidskwaliteit. Het oordeel voor de geluidskwaliteit omvat ook de oordelen voor de versterker en luidsprekers.
- Voor het gebruiksgemak is zowel de ingebruikname als het dagelijks gebruik beoordeeld.

++ Zeer goed + Goed □ Redelijk – Matig –– Slecht

- Bij 'foutcorrectie' wordt beoordeeld of beschadigde dvd's en blu-rayschijfjes goed worden afgespeeld.
- Het oordeel voor energiegebruik is gebaseerd op dagelijks 4 uur gebruik en 20 uur standby. Gebruik van de quickstart-stand is niet in dit oordeel meegewogen; die stand zorgt voor een hoger energiegebruik.

Soundbars en 2.1-sets zijn compact en gemakkelijk in gebruik te nemen, maar door het gebrek aan achterluidsprekers klinkt het geluid niet volledig om je heen. Wie op zoek is naar een thuisbioscoopervaring met echt surroundgeluid, kan beter kiezen voor een 5.1-systeem (zie het kader hierna).

Midden in de film

Filmliefhebbers die graag thuis van een bioscoopervaring genieten, kiezen een 5.1-systeem (zie consumentenbond.nl/homecinemasets). Dat heeft dezelfde onderdelen als een 2.1-set plus voorin een middenluidspreker voor stemmen en twee achterluidsprekers voor het ruimtelijk effect. Daardoor hoor je niet alleen goed de geluidsverschillen tussen links en rechts, maar ook tussen voor en achter. Bij een actiefilm waarbij een auto van achter naar voren het beeld in komt, hoor je het geluid van de achter- naar de voorluidsprekers zoeven. Al die luidsprekers vergen wel ruimte en het wegwerken van snoeren.

Aansluitcentrale

In de sets met een blu-rayspeler wordt alle andere apparatuur daarop aangesloten. Niet elke speler heeft evenveel aansluitmogelijkheden en daarom moet je voor aanschaf goed bedenken welke apparaten je wilt aansluiten. De meeste spelers hebben ten minste een HDMI-uitgang om zowel beeld als geluid in hoge kwaliteit door te geven naar de televisie. HDMI-ingangen kunnen van pas komen voor het aansluiten van het kastje voor digitale televisie, voor spelcomputers en voor het direct aansluiten van een computer.

Via de lijningang is een mp3-speler aan te sluiten. Meestal is er één usb-aansluiting en soms twee, voor het afspelen van foto's, video's en mp3's van een usb-stick of externe harde schijf.

Een geheugenkaartlezer voor het afspelen van foto's is zelden aanwezig. De ouderwetse scart- en componentaansluitingen voor analoge televisies komen op de spelers niet voor en ook een hoofdtelefoonaansluiting ontbreekt doorgaans.

Niet handig

De blu-rayspelers blinken niet uit in gebruiksgemak. De apparaten zijn ingericht op bediening via het scherm van de televisie, wat niet praktisch is wanneer je alleen naar muziek wilt luisteren. De kleine en vaak donkere schermpjes op de spelers zijn van een afstand lastig af te lezen en soms zitten ze verstopt achter een klep. Alleen de LG BB5521A is handig in het gebruik. Internetten is ook mogelijk via een internetportaal van de fabrikant of via een browser op de tv, maar echt praktisch is het niet. Tekst invoeren via de afstandsbediening gaat moeizaam. Soms is het mogelijk een draadloos toetsenbord aan te sluiten met een 'dongel' via de usb-poort. Maar ook dan is internetten geen pretje.

Sony BDV-NF620 (Beste uit de test)

Prijs: €380

Testoordeel: 7,2

Hij heeft twee boekenplankluidsprekers en een subwoofer. Het duurt 15 seconden voordat dvd's en blu-ray's afspelen. Het energiegebruik in standby is erg laag, behalve in de quickstart-stand.

Panasonic SC-BTT282 (Beste koop)

Prijs: €300

Testoordeel: 6,5

Met twee kleine luidsprekers, een subwoofer en een iPod-dock. Met een aan te schaffen cameramodule kun je ook Skypen. Hij is zuinig in standby, maar de quickstart-stand vreet energie.

LG Bb5521A

Prijs: €700

Testoordeel: 6,4

De beste soundbar. Hij kan behoorlijk hard. Het stereogeluid is goed, maar er is weinig surroundeffect. Het makkelijkst te bedienen van de geteste apparaten. Zeer goede afstandsbediening en vrij goed afleesbaar display.

Snelstart

Alle geteste apparaten zijn zuinig, zowel in standby als wanneer ze aan staan. Dat geldt echter niet voor het stroomverbruik in de speciale (quick-start)stand, die sneller opstarten mogelijk maakt. Hij verbruikt dan gemiddeld ruim 50 keer zo veel stroom als in de normale standby-stand. De grootste uitschieter is hierbij de Pioneer BCS-FS121. Deze verbruikt in de normale standby-stand keurig 0,3 W, ruim binnen de Europese regels die een maximum van 1 W voorschrijven. In de quickstart-stand is het verbruik in standby maar liefst 21,1 W, oftewel 70 keer zo veel. Wanneer we uitgaan van 20 uur standby en 4 uur gebruik per dag, dan zijn in deze stand de stroomkosten jaarlijks zo'n €43; bij gebruik van de normale standby-stand is dat €10.

Alleen de LG BB5521A blijft binnen redelijke grenzen met 2 W in de snel-startstand. Bij de rest van de spelers raden we het gebruik daarvan af. Zowel soundbars als 2.1-sets bieden een handige alles-in-éénoplossing voor muziek luisteren én voor beter geluid bij de televisie. Omdat niet iedereen dezelfde smaak heeft voor hoe geluid moet klinken, raden we aan de uitverkoren sets in de winkel te beluisteren.

Meer geteste systemen en filmpjes staan op consumentenbond.nl/homecinemasets.

Televisies
Consumentengids november 2012

Hadden we in 2007 de keuze uit ruim 400 verschillende tv-typen van de bekende tv-fabrikanten, nu zijn er ruim 800 te koop. Er zijn de laatste jaren vooral grotere televisies bijgekomen, met een beelddiagonaal van één meter of meer, en de groei gaat door.

In 2007 kochten we in Nederland nog vooral toestellen van 81 cm en kleiner, nu is bijna de helft van de verkochte tv's 102 cm of groter.

Dat we steeds grotere televisies kopen, komt vooral door de lagere prijzen. De verkoopprijs van lcd-televisies is sinds 2007 vrijwel gehalveerd. De toestellen worden steeds groter, maar onze huiskamers groeien niet mee. Hoe zit het dan met de aan te raden kijkafstand? Ons nieuwe onderzoek naar de kijkafstand laat dezelfde resultaten zien als vijf jaar geleden. En dezelfde vuistregel blijft van kracht: een prettige kijkafstand van bankstel tot televisie is ongeveer driemaal de beeldschermdiagonaal van de tv. Voor wie bijvoorbeeld op 4 meter zit, is een toestel van 140 cm optimaal, en bij een kijkafstand van 2,5 meter is een toestel van 81 cm optimaal.

Beeld
De beeldkwaliteit is zichtbaar vooruitgegaan. Zo kunnen tv's de beelden tegenwoordig veel vloeiender tonen, zonder dat er vegen in het beeld

34

verschijnen of het beeld hakkelt. Reden is de toegenomen snelheid waarmee de televisie beelden bewerkt en ververst. Dit wordt uitgedrukt in 'hertz'. Fabrikanten bedenken hiervoor indrukwekkende namen zoals 'Clear Motion Rate 800' of '1000 Hertz Perfect Motion Rate', maar het komt erop neer dat het beeld vaker ververst wordt. In het analoge en digitale televisiesignaal zitten meestal 50 losse beeldjes per seconde (50 hertz) en daar maakt de tv dan zelf meerdere beeldjes bij. Uit onze test blijkt overigens dat alle tv's van 200 hertz en meer hetzelfde goede resultaat geven. Verreweg de meeste televisies in de winkels zijn lcd-tv's, ongeveer 10% is een plasma-tv. Bij lcd-tv's is inmiddels het gebruik van led-achtergrondverlichting standaard. Het voordeel van led's boven de traditionele 'ccfl' verlichting (een soort tl-buisjes) is dat de tv-schermen daarmee dunner en zuiniger zijn. De traditionele verlichting zit dan ook alleen nog op simpele tv's. En moest je in 2007 nog zoeken naar een tv met een full hd-scherm van 1920x1080 pixels, nu zijn vrijwel alle grote tv's full hd.

Hd-ready televisies, met minder beeldpunten, zijn veelal kleiner en eenvoudiger. Een full hd-televisie heeft meer beeldpunten en kan daardoor meer details laten zien. Daarvoor heb je wel een full hd-signaal nodig, zoals bij hd-zenders via de provider en met films op blu-ray.

Kijkafstand

Er gaan steeds meer grote televisies over de toonbank. Daarom herhaalde de Consumentenbond een onderzoek van 2007, om uit te vinden welke kijkafstand we tegenwoordig als prettig ervaren. Was toen de grootste tv 107 cm, nu zaten er ook toestellen van 117 cm en 140 cm bij.

Op internet wordt vaak een kijkafstand geadviseerd waarbij het beeld het scherpst te zien is. Dan kun je uitkomen op zeer kleine kijkafstanden, zoals 1,25 meter bij een 81 cm-tv.

Opvallend genoeg is de optimale kijkafstand in ons onderzoek niet veranderd. Nog steeds is die ongeveer driemaal de beeldschermdiagonaal. Het maakt daarbij weinig uit of er wordt gekeken in *high definition* (hd) of in standaardkwaliteit (sd).

Bijzonder is wel dat mannen gemiddeld zo'n 50 cm dichterbij willen zitten dan vrouwen. Het kan voor het formaat van de nieuwe tv dus uitmaken wie hem koopt.

Televisies

Merk & Type	Richtprijs	Testoordeel	Beeldkwaliteit	Geluidskwaliteit	Speciale functies	Gebruiksgemak	Aansluitingen en tuners	Energiegebruik	3D-beeldkwaliteit	3D-type	3D-bril meegeleverd	Schermtype	Schermdiagonaal in cm (inch)	Internet
Weging voor Testoordeel (%)			40	20	17,5	12,5	5	5						
102-109 cm (40-43 inch)														
■ 1. **Samsung** UE40ES7000	€1600	7,6	+	+	++	+	+	+	+	a	2	lcd-led	102 (40)	√
■ 2. **Samsung** UE40ES8000	€1800	7,6	+	+	++	+	+	□	+	a	2	lcd-led	102 (40)	√
■ 3. **Philips** 40PFL8007K	€1700	7,3	+	+	+	□	++	+	+	a	2	lcd-led	102 (40)	√
■ 4. **Samsung** UE40ES6710	€1000	7,1	+	+	+	+	+	+	+	a	2	lcd-led	102 (40)	√
■ 5. **Philips** 40PFL7007H	€1500	7,1	+	+	+	□	+	+	+	a	1	lcd-led	102 (40)	√
■ 6. **Samsung** UE40ES6800	€1000	7,0	□	+	+	+	+	□	+	a	2	lcd-led	102 (40)	√
7. **LG** 42LS570S	€600	6,9	□	□	+	+	++	+	nvt	nvt	nvt	lcd-led	107 (42)	√
8. **Samsung** UE40ES6300	€700	6,9	□	+	+	+	+	+	+	a	2	lcd-led	102 (40)	√
▶ 9. **Samsung** UE40ES5500	€520	6,8	□	+	+	+	+	++	nvt	nvt	nvt	lcd-led	102 (40)	√
10. **Sony** KDL-40EX650	€620	6,8	□	+	+	□	+	++	nvt	nvt	nvt	lcd-led	102 (40)	√
11. **Sony** KDL-40HX750	€790	6,8	+	□	+	□	+	+	□	a	0	lcd-led	102 (40)	√
12. **Philips** 42PFL6007H	€1100	6,8	+	□	+	□	+	+	++	p	4	lcd-led	107 (42)	√
13. **Sony** KDL-40HX850	€1300	6,8	+	+	+	□	+	+	□	a	0	lcd-led	102 (40)	√
14. **Samsung** UE40EH5300	€500	6,6	□	□	+	+	+	++	nvt	nvt	nvt	lcd-led	102 (40)	√
15. **Panasonic** TX-L42DT50E	€1200	6,5	□	□	+	+	++	+	+	a	0	lcd-led	107 (42)	√
16. **Panasonic** TX-L42WT50E	€1700	6,5	□	□	+	+	++	++	+	a	2	lcd-led	107 (42)	√
17. **Samsung** UE40EH5000	€410	6,4	□	□	+	+	□	+	nvt	nvt	nvt	lcd-led	102 (40)	
18. **Philips** 40PFL5507H	€660	6,4	+	□	+	□	+	++	+	a	0	lcd-led	102 (40)	√
19. **Panasonic** TX-L42ET50	€1000	6,4	□	□	+	+	+	++	+	a	0	lcd-led	107 (42)	√
20. **LG** 42PM4700	€500	6,3	□	+	+	+	+	–	++	a	0	plasma	107 (42)	√
21. **Philips** 40PFL5007H	€600	6,3	+	–	+	+	□	+	++	nvt	nvt	nvt	lcd-led	102 (40)	√
22. **Panasonic** TX-L42ET5E	€800	6,3	□	–	+	+	+	++	++	p	4	lcd-led	107 (42)	√
23. **LG** 42PA4500	€420	6,2	□	□	+	+	□	–	nvt	nvt	nvt	plasma	107 (42)	
24. **LG** 42LM620S	€700	6,2	□	–	+	+	++	++	++	p	4	lcd-led	107 (42)	√
25. **Sony** KDL-42EX410	€550	6,1	□	□	++	□	□	+	nvt	nvt	nvt	lcd-led	107 (42)	
26. **LG** 42LS5600	€500	6,0	□	–	+	+	+	++	nvt	nvt	nvt	lcd-led	107 (42)	
27. **LG** 42LM760S	€1400	6,0	□	□	+	+	++	++	++	p	4	lcd-led	107 (42)	√
28. **Panasonic** TX-P42X50E	€450	5,9	□	□	+	□	–		nvt	nvt	nvt	plasma	107 (42)	
29. **Philips** 42PFL3507H	€500	5,9	□	–	+	□	+	++	nvt	nvt	nvt	lcd-led	107 (42)	√
30. **Panasonic** TX-L42E5E	€580	5,9	□	–	+	+	+	++	nvt	nvt	nvt	lcd-led	107 (42)	√
31. **Philips** 42PFL4007H	€590	5,9	□	□	+	□	+	++	nvt	nvt	nvt	lcd-led	107 (42)	√
32. **LG** 42LM660S	€930	5,9	□	–	+	+	++	++	++	p	4	lcd-led	107 (42)	√
33. **Panasonic** TX-P42GT50	€1200	5,9	□	□	+	+	++	--	+	a	0	plasma	107 (42)	√
34. **Samsung** PS43E450	€350	5,6	□	□	+	+	□	□	nvt	nvt	nvt	plasma	109 (43)	
35. **Samsung** PS43E490	€500	5,5	□	□	+	+	□	–	+	a	2	plasma	109 (43)	
36. **Sharp** LC40LE730E	€600	5,5	□	–	□	□	+	+	□	a	0	lcd-led	102 (40)	√
37. **Toshiba** 40RL933	€500	5,4	□	–	+	□	+	++	nvt	nvt	nvt	lcd-led	102 (40)	√
38. **Sharp** LC-40LE540E	€600	5,4	□	–	□	□	+	++	nvt	nvt	nvt	lcd-led	102 (40)	√

Televisies (vervolg)

Merk & Type	Richtprijs	Testoordeel	Beeldkwaliteit	Geluidskwaliteit	Speciale functies	Gebruiksgemak	Aansluitingen en tuners	Energiegebruik	3D-beeldkwaliteit	3D-type	3D-bril meegeleverd	Schermtype	Schermdiagonaal in cm (inch)	Internet
Weging voor Testoordeel (%)			40	20	17,5	12,5	5	5						
117-119 cm (46-47 inch)														
■ 1. **Samsung** UE46ES7000	€2000	7,6	+	+	++	+	+	□	+	a	2	lcd-led	117 (46)	√
■ 2. **Samsung** UE46ES8000	€2200	7,5	+	□	++	+	+	□	+	a	2	lcd-led	117 (46)	√
■ 3. **Samsung** UE46ES6710	€1250	7,2	+	+	+	+	+	+	+	a	2	lcd-led	117 (46)	√
■ 4. **Samsung** UE46ES6800	€1250	7,1	□	+	+	+	+	□	+	a	2	lcd-led	117 (46)	√
■ 5. **Philips** 46PFL7007H	€1800	7,1	+	+	+	□	+	□	+	a	1	lcd-led	119 (47)	√
■ 6. **LG** 47LM960V	€2500	7,1	+	+	++	+	++	□	++	p	4	lcd-led	119 (47)	√
▶ 7. **Samsung** UE46EH5300	€700	6,8	□	+	+	+	+	+	nvt	nvt	nvt	lcd-led	117 (46)	√
▶ 8. **Samsung** UE46ES5500	€700	6,8	□	+	+	+	+	+	nvt	nvt	nvt	lcd-led	117 (46)	√
9. **Sony** KDL-46HX750	€1050	6,8	+	+	□	+	+	□		a	0	lcd-led	117 (46)	√
10. **Sony** KDL-46HX850	€1600	6,8	+	+	□	+	+	□		a	0	lcd-led	117 (46)	√
11. **Sony** KDL-46HX920	€1700	6,8	+	+	□	+	+	□		a	0	lcd-led	117 (46)	√
12. **LG** 47LM860V	€1900	6,8	+	□	+	+	++	+	++	p	4	lcd-led	119 (47)	√
13. **Sony** KDL-46EX650	€840	6,7	□	+	+	□	+	+	nvt	nvt	nvt	lcd-led	117 (46)	√
14. **Samsung** UE46ES6300	€1000	6,7	□	□	+	+	+	+	+	a	2	lcd-led	117 (46)	√
15. **Samsung** UE46ES6100	€1075	6,7	□	□	+	+	+	+	+	a	2	lcd-led	117 (46)	√
16. **Philips** 47PFL6007H	€1250	6,7	+	□	+	□	+	+	++	p	4	lcd-led	119 (47)	√
17. **Panasonic** TX-L47WT50E	€2000	6,7	□	□	+	++	+	+	+	a	2	lcd-led	119 (47)	√
18. **Panasonic** TX-L47ET5E	€1000	6,5	□	□	+	+	+	+	++	p	4	lcd-led	119 (47)	√
19. **Philips** 46PFL5007H	€720	6,4	+	□	+	□	+	+	nvt	nvt	nvt	lcd-led	117 (46)	√
20. **Samsung** UE46EH5000	€610	6,3	□	□	+	+	□	+	nvt	nvt	nvt	lcd-led	117 (46)	
21. **LG** 47LM620S	€900	6,3	□	–	+	+	++	++	++	p	4	lcd-led	119 (47)	√
22. **LG** 47LS5600	€700	6,2	□	□	+	+	+	+	nvt	nvt	nvt	lcd-led	119 (47)	
23. **Panasonic** TX-L47E5	€770	6,2	□	□	+	+	+	+	nvt	nvt	nvt	lcd-led	119 (47)	√
24. **Philips** 46PFL5507H	€900	6,2	+	–	+	□	+	+	+	a	0	lcd-led	117 (46)	√
25. **LG** 47LM760S	€1700	6,0	□	□	+	+	++	+	++	p	4	lcd-led	119 (47)	√
26. **Philips** 47PFL4007H	€750	5,8	□	□	+	□	+	+	nvt	nvt	nvt	lcd-led	119 (47)	√
27. **LG** 47LM660S	€1300	5,8	□	□	+	+	++	++	++	p	4	lcd-led	119 (47)	√
28. **Sharp** LC-46LE540E	€800	5,6	□	□	□	□	+	+	nvt	nvt	nvt	lcd-led	117 (46)	√
29. **Sharp** LC46LE730E	€750	5,5	□	–	□	□	+	□	□	a	0	lcd-led	117 (46)	√
30. **Toshiba** 46TL933G	€800	5,5	□	□	□	□	+	+	+	a	0	lcd-led	117 (46)	√

■ Beste uit de test ▶ Beste koop

++ Zeer goed + Goed □ Redelijk – Matig – – Slecht

- Prijzen zijn van eind september 2012.
- Speciale functies zijn onder andere foto's kijken, apps en webbrowser op de tv, de tv in een computernetwerk en 3D-kijken.
- Alle televisies hebben een ingebouwde tuner voor digitale tv via de kabel (DVB-C) en via een kamerantenne (DVB-T). Sommige tv's zijn ook geschikt voor digitale tv via de satelliet (DVB-S).
- LG en Samsung hebben vaak meerdere typen die technisch gelijk zijn, maar een ander ontwerp of distributiekanaal hebben en vaak een andere prijs. Zie consumentenbond.nl/televisies.
- In de kolom 3D-type staat 'a' voor de actieve 3D-techniek en 'p' voor de passieve.
- Als er geen 3D-bril is meegeleverd, moet je deze los aanschaffen om 3D te kijken.

Geluid

Het moderne design van de platte tv ging ten koste van de ruimte voor de luidsprekers. Een paar jaar geleden zaten de luidsprekers vaak zichtbaar aan de zijkant of onderkant van het scherm. Anno 2012 heeft een televisie heel smalle randen en zie je aan de voorkant geen luidsprekers meer. Toch zijn de tv-fabrikanten erin geslaagd de geluidskwaliteit op een redelijk peil te houden.

Uit onze test blijkt dat de geluidskwaliteit van stemmen bij de meeste tv's in orde is. Wie vooral naar nieuwsprogramma's en talkshows kijkt, kan prima volstaan met het geluid van de tv. Het produceren van diepe basgeluiden zal echter nooit het sterkste punt zijn van een platte tv. Liefhebbers van films en muziekprogramma's zullen daarom baat hebben bij een externe geluidsset.

Mogelijkheden

Televisies zijn steeds meer 'alleskunners' geworden waarmee je kunt internetten, films huren, digitaal en in 3D kijken. Maar liefst 85% van de tv's die we in 2012 hebben getest, is aan te sluiten op internet en voorzien van een webbrowser, zogenoemde smart-tv's. Daarmee kun je direct, zonder computer, informatie van internet halen. Dit kan met apps van bijvoorbeeld YouTube of de NOS. Televisies van de meeste fabrikanten hebben ook apps waarmee je gemiste tv-programma's kunt kijken en films kunt huren.

Nieuwe tv's hebben niet alleen een internetaansluiting, maar ook minstens drie en veelal vier HDMI-aansluitingen. Dat is ook wel nodig voor alle moderne randapparatuur met HDMI, zoals de hd-decoder van de tv-provider, de spelcomputer en de blu-rayspeler. De analoge scartaansluiting is kind van de rekening geworden: een paar jaar geleden hadden tv's er bijna altijd twee en soms zelfs drie, nu nog maar één. En soms zit er geen scartaansluiting op, maar wordt er een verloopstukje bijgeleverd.

Digitale televisie heeft zich in een paar jaar razendsnel ontwikkeld. Voor een abonnement op digitale tv is geen losse decoder meer nodig: vrijwel alle televisies hebben een ingebouwde tuner om digitale tv te ontvangen via de kabel of via een kamerantenne. En aardig wat televisies hebben daarbij ook een tuner voor digitale tv via de satelliet.

Actief of passief

Eén van de nieuwere snufjes op tv's is 3D. Na het succes van 3D-films in de bioscopen sprongen tv-fabrikanten er op in en inmiddels heeft 3D zijn intrede in de huiskamer gedaan. Maar ook al zit het op steeds meer verkochte televisies, het gebruik ervan is (nog) niet erg populair. Een reden is mogelijk het onvermijdelijke 3D-brilletje.

Bij 3D krijgt het linkeroog een net iets ander beeld te zien dan het rechteroog. Onze hersenen interpreteren deze verschillen als diepte. Bij 3D-tv's is een speciaal brilletje nodig om de beelden te scheiden voor de beide ogen. Bij de actieve techniek laten de glazen in het 3D-brilletje om en om licht door, terwijl op de tv de beelden voor het linker- en het rechteroog razendsnel in hetzelfde tempo worden afgewisseld. Er is ook een 'passieve' techniek, waarbij zowel de glazen van het brilletje als het scherm op een speciale manier gepolariseerd zijn. Daardoor ziet het linkeroog alleen de even beeldlijnen en het rechteroog de oneven beeldlijnen van het scherm. Het 3D-beeld heeft dan wel iets minder detail dan bij de actieve techniek, maar die laatste heeft weer meer last van flikkerend beeld. Toshiba kwam in 2012 met een brilloze 3D-tv, de 55ZL2G, maar het 3D-effect ervan viel erg tegen, zeker gezien de prijs van €9000. Deze nieuwe techniek staat nog in de kinderschoenen.

De 3D-kwaliteit van tv's waarvoor wel een bril nodig is, wordt in onze test goed of zeer goed beoordeeld. Zeker bij grote tv's is het 3D-effect prima te zien, ongeacht de gebruikte techniek.

Thuis 3D kijken

1. Heb ik genoeg 3D-brillen?

Bij een tv met passieve 3D-techniek worden minstens vier brillen meegeleverd. Maar bij actieve 3D-tv's zitten meestal helemaal geen brillen, soms één of twee. Deze zijn los te koop vanaf €30 tot meer dan €100 per stuk, afhankelijk van het tv-merk en het ontwerp.

2. Wat kan ik kijken in 3D?

Nog geen van de Nederlandse tv-zenders zendt uit in 3D. Voor 3D-films ben je aangewezen op 3D-blu-ray, maar mondjesmaat komen er ook 3D-films via *video on demand* van de tv-providers. Veel tv's kunnen wel de gewone 2D-beelden omrekenen naar 3D-beelden, maar het diepte-effect is dan niet zo mooi.

3. Wat heb ik nog meer nodig?

Om 3D-blu-rayfilms af te spelen is een 3D-blu-rayspeler nodig. Die is te koop vanaf ongeveer €100, en daarmee algauw een paar tientjes duurder dan een speler die geen 3D aankan. Wie een Sony PlayStation 3 bezit, heeft geluk: daar zit namelijk een 3D-blu-rayspeler ingebouwd.

Philips 40PFL8007K (Beste uit de test)

102 cm beelddiagonaal

Prijs: €1700

Testoordeel: 7,3

Hij heeft een scherp en zeer vloeiend beeld en helder geluid met een goede balans tussen lage en hoge tonen. Ook het diepte-effect bij 3D-films is zeer goed. Het gebruik van de internetbrowser valt wat tegen.

Samsung UE46ES7000 (Beste uit de test)

117 cm beelddiagonaal

Prijs: €2000

Testoordeel: 7,6

Natuurlijke kleuren, goed contrast en vloeiende bewegingen: de beeld-kwaliteit is de beste uit de test. Hij is snel en gebruiksvriendelijk met een goede afstandsbediening, en simpel te verbinden met internet.

Zie ook het dossier *Televisies* op www.consumentenbond.nl/televisies.

Universele afstandsbedieningen
Consumentengids januari 2013

In veel huizen liggen zeker drie infraroodafstandsbedieningen: voor de tv, de tv-decoder, de dvd- of blu-rayspeler, de homecinemaset, de videorecorder enzovoort. Rommelig én onhandig, omdat je steeds moet wisselen van zapper voor het bedienen van de verschillende apparaten. Eén universele afstandsbediening voor meerdere apparaten lost dit pro-

Universele afstandsbedieningen

Merk & Type	Prijs	Installatiegemak	Werking	Bedieningsgemak	Functionaliteit	Installatiemethoden*	Gewicht	Macrotoets(en)	Kan ... apparaten bedienen	Formaat
1. Philips SRU6008	€25 - €77	+	++	+	++	alp	210 g	ja	8	21x5x3 cm
2. Philips SRT8215	€64 - €90	+	++	++	++	alp	203 g	ja	15	19x6x3 cm
3. Logitech Harmony Touch	€174 - €238	+	++	+	++	ap	160 g	ja	15	19x6x3 cm
4. Logitech Harmony 650	€60 - €84	+	++	+	+	ap	176 g	ja	5	22x6x4 cm
5. One for All Xsight Colors	€99 - €115	☐	++	+	++	clp	243 g	ja	18	23x6x3 cm
6. Logitech Harmony 300i	€14 - €40	+	++	☐	+	alp	168 g	ja	4	23x6x3 cm
7. One for All Smart Control PS3	€26 - €36	–	++	+	+	clz	150 g	ja	6	21x5x2 cm
8. Vivanco UR12	€11	––	+	+	++	cz	51 g	nee	12	15x5x1 cm
9. KlikAanKlikUit UCR-4285	€24 - €30	––	+	+	++	cz	181 g	nee	8	23x6x3 cm

++ Zeer goed + Goed ☐ Redelijk – Matig –– Slecht

INSTALLATIEMETHODEN:
a = met een Applecomputer
c = door het invoeren van codes

l = door middel van leren & kopiëren met de originele zapper
p = met een pc (met Windows)
z = via de zoekmethode

• De afstandsbedieningen zijn voor sterk uiteenlopende prijzen te koop. Daarom zijn de hoogste en de laagste tegengekomen prijs vermeld.

bleem op. Het ene moment heb je een tv-zapper en na een druk op de knop bedien je het volgende moment de dvd-speler.

Afstandsbedieningen waren enkele jaren geleden nog lastig in te stellen. Enkele van die zappers van de vorige generatie deden nog mee aan deze test. De gebruiker moet daarbij unieke apparaatcodes invoeren die horen bij het merk en model van het te bedienen toestel; ze staan in een boekje of op een los vel. Soms zijn er voor een tv-merk wel tien codes om uit te proberen; een tijdrovend proces. Een andere installatiemethode is via 'leren & kopiëren': met behulp van de infraroodsignalen uit de originele zapper. En er is de zoekmethode: net zo lang op de uit- of aan-toets drukken tot het apparaat reageert.

Nieuwe voorzieningen

Het is niet eens zeker dat zo'n afstandsbediening dan met álle apparaten goed werkt. Vooral moderne tv's zitten ingewikkeld in elkaar. Ze hebben internet, een ingebouwde decoder voor digitale tv, geven foto's weer en/of bewaren tv-uitzendingen op een externe harde schijf. Bladeren door de menu's van al die 'nieuwe' voorzieningen lukt een zapper van de oudere generatie niet of niet goed. In een enkel geval kwamen we alleen uit een menu door de tv helemaal uit te zetten en weer in te schakelen.

Computerinstallatie

Nieuwe universele afstandsbedieningen van Logitech, Philips en One for All laten zich met behulp van de computer instellen. Dat gaat veel makkelijker. Je koppelt een usb-kabel aan de computer en gebruikt een website of software om de juiste, actuele 'zapprofielen' te downloaden en op de zapper te zetten.

Het (online)bestand omvat tienduizenden apparaten. Bovendien beloven fabrikanten in de toekomst nieuwe apparaten toe te voegen aan de lijst. De pc-gevoede zappers hebben dus om meerdere redenen een streepje voor. Voor de prijs hoef je het niet te laten: de Logitech Harmony 300i is er al voor €14 (bij de goedkoopste webwinkel).

Extra knoppen

Veel afstandsbedieningen hebben extra knoppen om het zappen nog makkelijker te maken, bijvoorbeeld macrotoetsen die meerdere apparaten tegelijk inschakelen. Zo is er een tv-knop voor televisiekijken (die de tv plus de tv-decoder inschakelt), een filmknop (voor de tv plus de blu-ray- of dvd-speler) en een muziekknop (voor de cd-speler plus de versterker). De macrotoets kan ook commando's geven als 'start de dvd-speler en speel de video af via HDMI-poort 1 van de tv'. Veel zappers kunnen bovendien favoriete tv-zenders in lijstjes opslaan, zodat de gebruiker na een druk op de favorietenknop alleen langs die kanalen zapt die voor hem interessant zijn. Ook vrijwel iedere tv-decoder heeft zo'n favorietenfunctie, dus koop er niet een alleen vanwege deze functie.

Schermpje

Voor wie van simpel houdt: in de praktijk blijken universele afstandsbedieningen met een schermpje gemakkelijker in het gebruik dan die met louter knoppen. Zo kun je door informatieve keuzeschermen worden geloodst die helpen een functie te starten of een instelling aan te passen. Bij Logitech en Philips is de schermhulp beter uitgewerkt dan bij One for All. In de Logitech Harmony Touch, de duurste zapper in onze test, staat het scherm helemaal centraal: hij heeft bijna geen knoppen. Het relatief grote kleurenaanraakscherm heeft Nederlandstalige menu's. Zappen door te 'vegen en drukken' gaat heel goed, maar de zapper wisselt wel een dikke seconde trager van tv-kanaal dan we gewend zijn van meer conventionele bedieningen. Op veel van de universele afstandsbedieningen is het soms gissen welke functies bepaalde knoppen hebben. Er staan kreten bij als *Clear, Enter, Guide, Exit* en *List*. Vaak is er wel een vermoeden wat je ermee kiest, maar je weet het pas zeker door het te proberen. Soms ontbreken er knoppen die originele afstandsbedieningen wel hebben, zoals de scanknop om alle tv-zenders automatisch te vinden (scannen). Het is verstandig de originele afstandsbedieningen hiervoor te bewaren. Wil je een bepaald missend commando ook kunnen kiezen met de universele zapper, dan kun je meestal wel een knop 'omprogrammeren' voor die functie. Zie de handleiding voor de juiste procedure.

Schuin zappen

Twee aandachtspunten nog. De geteste zappers kunnen minstens vier apparaten bedienen (tv's, decoders enzovoort). Dat kan voldoende zijn, maar als er nu al vier apparaten in huis zijn, is het jammer dat een vijfde in de toekomst niet meer in de universele afstandsbediening past. Met andere woorden: neem de capaciteit wat ruimer dan de huidige behoefte. De Vivanco en KlikAanKlikUit kunnen niet zo goed 'onder een hoek zappen'; je moet het infraroodlampje aan de voorzijde mikken op het apparaat dat je bedient. Alle andere zappers konden wel probleemloos 45 graden schuin in de hand worden gehouden. Dat scheelt in het bedieningscomfort.

IN DETAIL

Philips SRU6008
Prijs: €25 tot €77
Voor velen is deze Philips waarschijnlijk het geschiktst. Hij koppelt een lage prijs aan een gebruikersvriendelijke installatie via de pc (Windows en Apple) én heeft goede, duidelijke knoppen.

Philips SRT8215
Prijs: €64 tot €90
De goedkoopste geteste afstandsbediening met een aanraakgevoelig kleurenscherm. Dat kan de favoriete zenders weergeven om direct te kiezen. Ook deze Philips heeft een prima pc-installatie.

Logitech Harmony Touch

Prijs: €174 tot €238

Erg luxe, maar ook erg prijzig. Het fraaie kleurenscherm bedien je als een smartphone met vegende bewegingen. Werkt erg prettig en gebruiks-vriendelijk, maar is een tikje traag. Met goede pc-installatie.

Logitech Harmony 650

Prijs: €60 tot €84

Hij heeft een prettige pc-installatie en is de goedkoopste met een kleuren-schermpje. Heeft macrotoetsen voor film en tv-kijken, muziek afspelen en een zelf te bepalen 'activiteit'.

One for All Xsight Colors

Prijs: €99 tot €115

Deze zwaargewicht belooft supersnelle installatie van 24 tv-merken via de automatische zoekfunctie, maar onze Sony-tv wordt niet goed ingesteld. De pc-installatie verloopt nogal stroef.

Logitech Harmony 300i

Prijs: €14 tot €40

Iets duurder dan de goedkoopste (Vivanco), maar met deze Harmony 300i heb je een moderne pc-installatiemethode. Dat maakt hem toekomstvast. Toch is hij geen aanrader: de knoppen zijn onhandig.

One for All Smart Control PS3

Prijs: €26 tot €36

Deze zapper is alleen met klassieke methoden in te stellen. Met de codes waren we een half uur aan het prutsen. Met de zoekmethode hadden we wel succes. Hij kan een Playstation 3 bedienen.

Vivanco UR12

Prijs: €11

Echt een afstandsbediening van de oude generatie. In te stellen met codes en een zoekfunctie, maar beide gaan moeizaam. De handleiding geeft geen heldere instructies. Geen aanrader voor wie weinig geduld heeft.

KlikAanKlikUit UCR-4285

Prijs: €24 tot €30

Een van de grootste afstandsbedieningen, terwijl hij geen scherm heeft of bijzondere functies. Is niet met de pc in te stellen, maar de handleiding helpt goed met codes invoeren of de zoekmethode.

Videocamera's

Consumentengids juli/augustus 2013

Om te filmen is een camcorder anno 2013 niet meer de enige optie, maar de beeldkwaliteit, zeker bij weinig licht, is beter dan die van de alternatieven. Door de optische zoom kun je ver inzoomen zonder kwaliteitsverlies of schokkerig beeld. Daarbij is de bediening van een camcorder eenvoudig en het geluid stukken beter dan bij een fotocamera of telefoon. De beeldkwaliteit van de filmpjes is net als bij telefoons erg afhankelijk van het apparaat. Meestal levert een camcorder veel mooiere en vloeiender beelden. En ook de geluidskwaliteit is stukken beter. Bovendien is de bediening van een fotocamera minder handig, omdat je tijdens het filmen andere knoppen moet gebruiken dan bij fotograferen.

Onder druk van alle concurrentie heeft de ontwikkeling van camcorders de laatste jaren niet stilgestaan. Ze zijn kleiner en goedkoper geworden, al zijn de veelkunners nog altijd pittig geprijsd. De bedragen lopen nu uiteen van grofweg €250 tot €1500.

Ook de beeldkwaliteit is verder verbeterd. Uit onze test blijkt dat de nieuwste camcorders, die sinds 2012 te koop zijn, scherpere beelden met betere kleuren en belichting maken dan oudere toestellen. En voor die prachtige filmpjes hoef je niet eens echt diep in de buidel te tasten. Ook enkele van de goedkopere modellen bieden een prima beeld- en geluidskwaliteit.

Bijna alle nieuwe camcorders kunnen filmen in *full hd* en zijn uitgerust met een aanraakscherm voor de bediening. Camcorders worden vaak in een serie op de markt gebracht: de toestellen lijken dan erg op elkaar, maar de duurdere varianten hebben iets meer mogelijkheden, zoals intern geheugen, gps of een ingebouwde projector, waarmee je beelden direct op een muur kunt projecteren. Ook een zoeker, ingebouwde videolamp, surroundgeluid, wifi en een microfoon- of hoofdtelefoon-aansluiting zijn extra's die vrijwel alleen op duurdere camcorders zitten. Bij de instapcamcorders moet je een losse geheugenkaart kopen om filmpjes op te slaan. Je kunt zo'n 1,5 uur in hd filmen op een kaartje van 16 GB. Dat kost meestal tussen de €20 en €30.

Sony HDR-PJ780VE (Beste uit de test)

Prijs: €1400

Testoordeel: 7,6

Een prijzige camcorder die schitterende en stabiele filmpjes maakt. Ook de geluidskwaliteit is zeer goed. Hij is erg compleet, met 32 GB intern geheugen, 10 keer optische zoom en leuke extra's als gps en een projector. Jammer dat het aanzetten meer dan 10 seconden duurt.

Sony HDR-TD30VE

Prijs: €950

Testoordeel: 7,1

De nieuwste 3D-camcorder maakt de mooiste 3D-films tot nu toe in onze test. Het 3D-effect is zeer goed: objecten lijken echt uit de tv naar voren te komen. Daarvoor heb je wel een 3D-tv met 3D-bril nodig. Ook de 2D-beeldkwaliteit is prima. Het geluid heeft helaas wat weinig lage tonen.

Panasonic HC-V720

Prijs: €460

Testoordeel: 6,8

Deze gebruiksvriendelijke camcorder van Panasonic heeft een prima beeldkwaliteit bij dag- en kunstlicht. Bij weinig licht heeft het beeld wat minder detail. Het scherm is zeer goed leesbaar, ook in fel zonlicht. Groot nadeel: de accu gaat slechts 85 minuten mee.

Kijk voor een kooptipfilmpje en de testresultaten van ruim 75 camcorders op www.consumentenbond.nl/camcorders.

COMPUTER,

INTERNET & TELEFONIE

Antivirus-apps
Digitaalgids mei/juni 2013

'Eentiende Android-apps is malware' stond begin maart 2013 op de site van de NOS. Bijna dagelijks verschijnen dergelijke doemberichten. Hebben criminelen massaal de mobiele telefoon ontdekt? Enig wantrouwen is in ieder geval op z'n plaats. De beweringen zijn bijna altijd afkomstig van antivirusbedrijven. Bovengenoemd nieuwsbericht was gebaseerd op een onderzoek van beveiligingsbedrijf Trend Micro. Daarbij werden ook alle 'glurende' apps die bijvoorbeeld gps-locaties doorsturen als 'malware' meegeteld. Dat gluren is ongewenst, maar niet per se illegaal of malafide.

De écht kwaadaardige apps zijn niet uit op uw gegevens, maar op uw geld. Veruit de populairste truc is ongemerkt sms'jes versturen naar dure betaalnummers. De app wist berichten of meldingen van deze nummers, waardoor u de aanval pas opmerkt als u de torenhoge maandrekening onder ogen krijgt.

Eurograbber
Ronduit beangstigend is 'Eurograbber', een variant van de bekende Zeus banktrojan. Deze probeert via slinkse trucs zowel computer als telefoon te besmetten om TAN-codes via sms te kunnen onderscheppen. Op deze manier heeft Eurograbber naar verluidt al miljoenen euro's binnengeharkt. Een andere truc is chantage. In Japan dook een 'X-Ray-app' op, die zogenaamd door kleding heen kon kijken. De gebruiker moest betalen, anders zou de app alle contactpersonen informeren dat deze app was geïnstalleerd.

Het goede nieuws is dat alle nu bekende dreigingen alleen als app op uw toestel kunnen komen. En voor installatie is altijd uw toestemming

Antivirus-apps

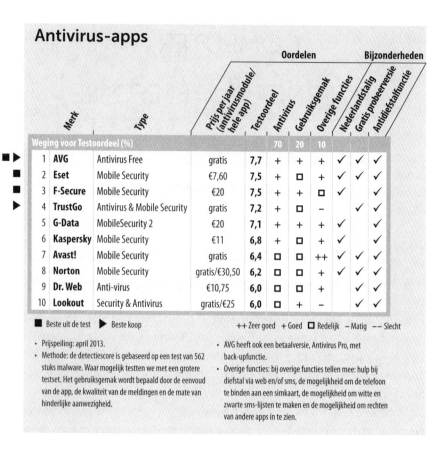

	Merk	Type	Prijs per jaar (antivirusmodule/hele app)	Testoordeel	Antivirus	Gebruiksgemak	Overige functies	Nederlandstalig	Gratis probeerversie	Antidiefstalfunctie
Weging voor Testoordeel (%)					70	20	10			
1	AVG	Antivirus Free	gratis	7,7	+	+	+	✓	✓	✓
2	Eset	Mobile Security	€7,60	7,5	+	□	+	✓	✓	✓
3	F-Secure	Mobile Security	€20	7,5	+	+	□	✓		✓
4	TrustGo	Antivirus & Mobile Security	gratis	7,2	+	□	–		✓	✓
5	G-Data	MobileSecurity 2	€20	7,1	+	+	+	✓		✓
6	Kaspersky	Mobile Security	€11	6,8	+	□	+	✓		✓
7	Avast!	Mobile Security	gratis	6,4	□	□	++	✓	✓	✓
8	Norton	Mobile Security	gratis/€30,50	6,2	□	□	+	✓	✓	✓
9	Dr. Web	Anti-virus	€10,75	6,0	□	□	+		✓	✓
10	Lookout	Security & Antivirus	gratis/€25	6,0	□	+	–		✓	✓

■ Beste uit de test   ▶ Beste koop   ++ Zeer goed   + Goed   □ Redelijk   – Matig   –– Slecht

- Prijspeiling: april 2013.
- Methode: de detectiescore is gebaseerd op een test van 562 stuks malware. Waar mogelijk testten we met een grotere testset. Het gebruiksgemak wordt bepaald door de eenvoud van de app, de kwaliteit van de meldingen en de mate van hinderlijke aanwezigheid.

- AVG heeft ook een betaalversie, Antivirus Pro, met back-upfunctie.
- Overige functies: bij overige functies tellen mee: hulp bij diefstal via web en/of sms, de mogelijkheid om de telefoon te binden aan een simkaart, de mogelijkheid om witte en zwarte sms-lijsten te maken en de mogelijkheid om rechten van andere apps in te zien.

nodig. De foute apps zijn te vinden op vage websites. Ze doen zich vaak voor als een populair spelletje, zoals Angry Birds. Daarnaast kunnen ze zich proberen te installeren via linkjes in mailtjes of op websites.

Maar ook in de officiële app-winkel (Google Play) is niet elke app te vertrouwen. Iedereen kan zonder controle vooraf een app in de winkel zetten. Google grijpt pas in als er meldingen binnenkomen. Waakzaamheid blijft dus geboden, ook bij Google Play.

Hoe groot is nu het risico op besmetting van een telefoon? Vodafone laat ons weten dat tot nog toe één geval bekend is waarbij malware de oorzaak was van een torenhoge sms-rekening. Dat wijst er niet op dat er sprake is van een groot probleem.

Op dit moment vinden wij een virusscanner op de mobiele telefoon nog geen bittere noodzaak, maar eerder een extra paar ogen om verkeerde beslissingen te voorkomen. Áls die scanner zijn werk doet.

Om dat te onderzoeken lieten we ruim 500 foute apps los op 10 anti-virus-apps, waaronder de gratis scanners van Avast!, AVG en TrustGo. Wat de antivirus-apps doen, is meekijken met elke installatie van een app en een waarschuwing geven als die app niet te vertrouwen is. Sommige apps kunnen ook op verzoek de hele telefoon scannen op bedreigingen.

Alleen Android?

Waarom hebben we het alleen over Android? Android is veel kwetsbaar-der voor malafide apps dan andere mobiele besturingssystemen. Dat komt doordat iedereen een app kan plaatsen in de app-winkel van Android. De app-stores van concurrenten iOS (Apple) en Windows Phone (Microsoft) controleren daarentegen elke app voordat deze in de winkel verschijnt. Daarom zijn er niet of nauwelijks kwaadaardige apps bekend voor deze systemen.

Dat er geen antivirus-apps zijn voor iOS en Windows Phone, heeft nog een reden. Virusscanners hebben toegang nodig tot het hele systeem en dat staan deze platformen – ook om veiligheidsredenen – niet toe.

Flinke onvoldoende

Het resultaat van de test: de virusscanners detecteerden 60% tot 81% van de foute apps. Daar zijn we niet van onder de indruk. Een virusscanner voor de computer met maar 80% detectie zou een flinke onvoldoende krijgen. Wat opvalt is dat juist het gratis AVG en TrustGo de meeste (81%) malware weten te onderscheppen. In ruil daarvoor moet u reclame ge-dogen. Omgekeerd blijkt een vertrouwde naam geen garantie. Avast! en Norton laten maar liefst vier van de tien foute apps door.

We onderzochten de apps ook op snelheid en gebruiksgemak. De apps vertragen de telefoon nauwelijks, ondanks dat ze continu op de ach-tergrond draaien. Zelfs onze eenvoudige testtelefoon (Samsung Galaxy S III mini) was niet merkbaar trager na de installatie van de antivirus-apps.

Sommige apps geven betere waarschuwingen dan andere. Bij Eset, Nor-ton en AVG (zie hierna) zagen we dat het makkelijk was de waarschuwing te negeren en de foute app gewoon te installeren.

Foute apps buiten de deur houden

- Installeer alleen apps uit de Google Play-store en nooit van andere winkels of websites.
- Klik op de telefoon niet zomaar op linkjes in mails, tweets, sms'jes of Facebookberichten. Daarmee kan een foute app zich proberen te installeren. Overigens kunnen apps zich in Android nooit zomaar installeren. De gebruiker moet altijd eerst toestemming geven.
- Controleer bij twijfel de betrouwbaarheid van de maker of de app. Lees vooraf ook reviews over de app.
- Kijk voor installatie of de app geen vreemde toestemming vraagt. In het bijzonder het verzoek om sms te mogen versturen is verdacht.
- Via www.payinfo.nl kunt u uw mobiele nummer opgeven. Vanaf dat moment blokkeert uw telecomprovider betaalde sms-diensten.

Extra's onnodig

Behalve virusdetectie bieden alle apps extra's, zoals antidiefstalfuncties en gegevensback-up. Norton en Lookout hanteren een opvallend 'freemium'-model: de belangrijkste functie (antivirus) wordt weggegeven, maar je moet betalen (€30 en €25) voor de aanvullende opties. AVG heeft behalve een gratis app een betaalversie met back-upfunctie. De gratis versie hebben we getest.

Zijn die extra's überhaupt de moeite waard? De belangrijkste is hulp bij diefstal. Als de telefoon gestolen is, kan de app de telefoon lokaliseren, blokkeren en helemaal wissen. Dat is zonder meer nuttig, alleen zijn er ook andere prima apps die dit kunnen en weinig of niets kosten, zoals Prey (gratis) en Cerberus (eenmalig €2,99).

Een andere functie die handig kan zijn, laat zien welke rechten de apps op uw telefoon hebben. U ziet bijvoorbeeld welke apps toegang hebben tot uw gps-locatie of adresboek. Maar ook hier geldt: gratis alternatieven als LBE Privacy Guard kunnen dit ook.

Bovendien heb je er veel meer aan als je de rechten van apps ook kunt intrekken. Helaas staat Android dat niet toe. In onze optiek zou Android, net als iOS, de gebruiker meer controle moeten geven over wat apps wel en niet mogen. Ook voor Google is er nog werk aan de winkel.

Tot slot kun je met bijna elke app lijsten van telefoonnummers maken die juist wel of niet mogen worden gebeld. Maar ongewenst uitgaand sms-verkeer kunnen de apps niet tegenhouden. Dat staat Android niet toe. Gelukkig kun je sms-betaaldiensten wél blokkeren met de dienst www.payinfo.nl.

Concluderend blijkt uit onze test dat de virusbescherming van deze apps tegenvalt. Aan het gratis AVG kun je je in elk geval geen buil vallen: dat kost niets en haalt de hoogste score.

AVG (Beste uit de test en Beste koop)

Antivirus Free

Prijs: gratis

Testoordeel: 7,7

Uitgebreide en veelzijdige gratis app. De virusmeldingen kunnen wel beter.

Eset (Beste uit de test)

Mobile Security

Prijs: €7,60 per jaar

Testoordeel: 7,5

Eenvoudige app die nogal vaak van zich laat horen. De hulp bij diefstal werkt alleen met sms.

F-Secure (Beste uit de test)

Mobile Security

Prijs: €20 per jaar

Testoordeel: 7,5

Gebruiksvriendelijke app. De hulp bij diefstal werkt alleen met sms.

TrustGo (Beste koop)

Antivirus & Mobile Security

Prijs: gratis

Testoordeel: 7,2

Gratis Engelstalige app met reclame. Haalt een relatief goede scanscore, maar kan verder niet heel veel.

Antivirussoftware

Digitaalgids januari/februari 2013

'Moet ik een antivirusprogramma installeren op mijn pc?' De meeste computergebruikers zullen direct ja zeggen, maar onder deskundigen is hier de laatste tijd steeds meer discussie over. Je kunt steeds minder blindvaren op antivirussoftware. Toch is het prettig om een beveiligings-programma te hebben dat meekijkt bij iedere klik. Vandaar dat we nog steeds een virusscanner aanraden.

Antivirus is er grofweg in twee smaken. Voor mensen die liever geen geld uitgeven, zijn er de gratis programma's van onder andere Avast, Avira en AVG. Dit zijn meestal uitgeklede versies van betaalde programma's. Ook zijn er betaalde pakketten: virusscanners die zijn uitgebreid met een firewall en andere extra's.

En de Mac dan?

Er wordt ons vaak gevraagd of we ook antivirus voor de Mac aanraden. Applecomputers zijn van nature niet veiliger dan Windowscomputers, maar Mac OS was lange tijd niet interessant voor virusmakers. Nu Mac OS populairder wordt, zien we dat meer Macgebruikers last krijgen van mal-ware. Toch weegt deze extra beschermlaag op een Mac op dit moment in onze opinie (nog) niet op tegen de kosten en de systeembelasting. Alleen voor wie maximale bescherming wil.

Malware

De belangrijkste taak van deze producten is natuurlijk dat ze ons be-schermen tegen alle mogelijke dreigingen op internet, samengevat met de term 'malware'. Dat testen we op meerdere manieren, waarbij we proberen zo veel mogelijk te doen wat echte computergebruikers ook doen. We downloaden bijvoorbeeld bekende foute software en we kijken hoe de programma's ermee omgaan. Steeds meer antivirussoftware kijkt al mee tijdens het surfen op internet om mogelijke infecties voor te zijn. Nieuw in deze test is het laden van honderden foute websites, om te controleren of de software die blokkeert.

Net als in voorgaande jaren zijn het de bekende namen die het best scoren op het tegenhouden van malware: G Data, Kaspersky, Bitdefender en F-Secure. Opvallend minder goed dit jaar scoort Avira, vorig jaar nog Beste uit de test. Van de gratis scanners is Avast! de enige die 'goed' scoort voor malwarebescherming.

Opmerkelijk is ook de slechte score van Security Essentials, de gratis te downloaden virusscanner van Microsoft (en bij Windows 8 voorgeïnstalleerd). Vorig jaar nog goed voor een Beste koop-predicaat, dit jaar krijgt het populaire programma een dikke onvoldoende voor bescherming tegen malware. Het programma blokkeert nauwelijks foute websites, maar ook op andere testonderdelen blijft het ver achter.

Windows 8

We hebben de nieuwe software nog niet kunnen testen op Windows 8. Ondanks de claims dat de programma's werken met Windows 8 wemelt het op internet van de klachten van Windows 8-gebruikers. Windows 8 zou uit zichzelf al veiliger zijn. En in Windows 8 wordt Security Essentials, onder de naam Windows Defender, standaard meegeleverd. Dat is natuurlijk positief, maar de teleurstellende prestatie van Microsoft Security Essentials in deze test met Windows 7 laat eens te meer zien dat u beter op uw gezond verstand kunt vertrouwen dan op deze virusscanner.

Gebruik

Dat antivirusprogramma's tegenwoordig meekijken bij het zoeken op internet is op zich prima: voorkomen is beter dan genezen. Maar de bemoeienis gaat soms te ver. Vooral AVG en Avira maken het bont. Die veranderen de standaardzoekmachine en installeren een speciale zoekwerkbalk in de browser. En het merendeel van de programma's zet ongevraagd vinkjes bij Google-zoekresultaten, om aan te geven dat de links veilig zijn.

Er zullen vast gebruikers zijn die het waarderen, maar wij rekenen er minpunten voor. We vinden dat goede beveiligingssoftware alleen van zich moet laten horen als het nodig is. Dus geen vinkjes bij zoekresultaten, maar ingrijpen als we toch op een foute pagina dreigen te belanden. Alleen Eset en G Data volgen die filosofie.

Nog een ergernis: veel mensen klagen dat de virusscanner hun systeem zo traag maakt. En dat klopt: vrijwel elke computer wordt merkbaar trager

Internet security software

van antivirussoftware. Wie daar een hekel aan heeft, kan Panda en Avast! beter links laten liggen. Met deze programma's deed onze test-pc 13 tot 15 seconden langer over het opstarten. Het kan ook anders. Microsoft, Eset en Norton vertragen de opstart nauwelijks.

IN DETAIL

G Data Internet Security 2013 (Beste uit de test)

Prijs: €40

Testoordeel: 6,9

Voor het derde jaar op rij levert het programma van G Data de beste bescherming tegen malware. Dit jaar scoort het pakket ook op de andere onderdelen goed.

Eset Smart Security 5 (Beste uit de test en Beste koop)

Prijs: €30

Testoordeel: 6,6

De bescherming tegen malware loopt wat achter bij de concurrentie, maar dit programma scoort prima op gebruiksgemak en systeembelasting. Ook de firewall is prima.

Kaspersky Internet Security 2013 (Beste uit de test)

Prijs: €40

Testoordeel: 6,6

De beveiligingssuite van Kaspersky beschermt goed tegen malware, is gebruiksvriendelijk en scoort redelijk op het gebied van systeembelasting. Jammer zijn de onnodige browserwerkbalk en de wel heel ingewikkelde firewall.

F-Secure Internet Security 2013 (Beste uit de test)

Prijs: €45

Testoordeel: 6,6

Goede bescherming tegen malware, en op het gebruiksgemak en de systeembelasting is weinig aan te merken. De 'geavanceerde' firewall is niet meer dan de Windows Firewall met wat uitbreidingen. Er is nauwelijks wat aan in te stellen.

Avast! Free Antivirus 7

Gratis

Testoordeel: 5,9

Dit is het best beschermende gratis programma. Het scoort niet geweldig op gebruiksgemak: vooral de constante meldingen (met geluid) zijn irritant.

Firewall

Dan de firewall, een vaak vergeten onderdeel van een goedbeveiligde computer. De ingebouwde Windows Firewall blokkeert al het ongevraagde binnenkomende verkeer, maar laat uitgaand verkeer ongemoeid. En dat is een risico. Trojaanse paarden die eenmaal de pc zijn binnengedrongen, zetten de verbinding open om uw gegevens terug te sturen of andere malware binnen te laten.

Avira, Eset en G Data leveren goede, geavanceerde firewalls die ook het uitgaande verkeer goed in de gaten houden en bovendien eenvoudig zijn af te stellen (van soepel tot zeer streng). Veel andere firewalls voegen weinig toe aan de Windows Firewall. En de 'geavanceerde firewall' van F-Secure is niets meer dan de Windows Firewall met een paar kleine extra's.

Zie voor meer informatie: www.consumentenbond.nl/virusscanners.

Draadloze routers
Digitaalgids november/december 2012

Waarschijnlijk heeft u al een draadloze router – veel providers leveren die bij hun abonnementen – maar de kans dat uw netwerk overal in huis probleemloos functioneert, is niet zo groot. Er kan van alles misgaan tussen het kastje op de begane grond en bijvoorbeeld de laptop op zolder: snelheid en bereik kunnen tekortschieten en zelfs de router van de buren kan een goede ontvangst in de weg zitten.

De router geeft het beste bereik als hij op een centrale plek in huis staat, maar dat kan vaak niet. Veel providers leveren modemrouters: modems met geïntegreerde draadloze router. Zo'n alles-in-éénkastje staat waar internet het huis binnenkomt – bijvoorbeeld in de meterkast – en dat is zelden de beste plek.

Een krachtiger modemrouter installeren is vaak niet mogelijk, omdat de internetprovider alleen zijn eigen model ondersteunt. De oplossing: sluit een losse router via een netwerkkabel aan op de modemrouter en zet het nieuwe kastje op een betere plek.

Draadloze routers

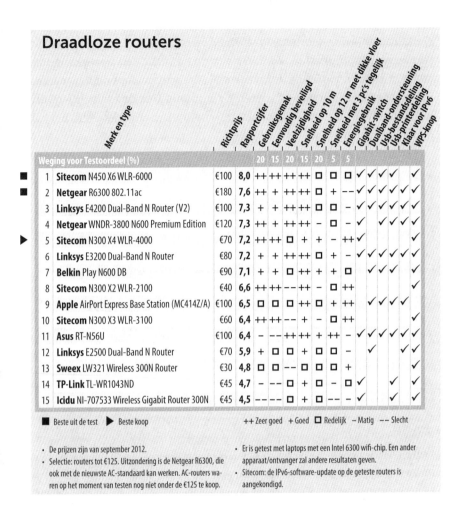

	Merk en type	Richtprijs	Rapportcijfer	Gebruiksgemak	Eenvoudig beveiligd	Veelzijdigheid	Snelheid op 10 m	Snelheid op 12 m met dikke vloer	Snelheid met 3 pc's tegelijk	Energiegebruik	Gigabit-switch	Dualband-ondersteuning	Usb-bestandsdeling	Usb-printerdeling	Klaar voor IPv6	WPS-knop
Weging voor Testoordeel (%)				20	15	20	15	20	5	5						
■ 1	**Sitecom** N450 X6 WLR-6000	€100	8,0	++	++	++	++	□	□	□	✓	✓	✓	✓		✓
■ 2	**Netgear** R6300 802.11ac	€180	7,6	++	+	++	++	□	+	--	✓	✓	✓	✓	✓	✓
3	**Linksys** E4200 Dual-Band N Router (V2)	€100	7,3	+	+	++	++	□	□	-	✓	✓	✓	✓	✓	✓
4	**Netgear** WNDR-3800 N600 Premium Edition	€120	7,3	++	+	++	++	-	□	-	✓		✓	✓	✓	✓
▶ 5	**Sitecom** N300 X4 WLR-4000	€70	7,2	++	++	□	+	+	-	++	✓					✓
6	**Linksys** E3200 Dual-Band N Router	€80	7,2	+	+	++	++	□	+	-	✓	✓	✓	✓	✓	✓
7	**Belkin** Play N600 DB	€90	7,1	+	+	□	++	+	+	□		✓	✓	✓		
8	**Sitecom** N300 X2 WLR-2100	€40	6,6	++	++	--	++	-	□	++						✓
9	**Apple** AirPort Express Base Station (MC414Z/A)	€100	6,5	□	□	□	++	□	+	++		✓	✓	✓		
10	**Sitecom** N300 X3 WLR-3100	€60	6,4	++	++	--	+	-	□	++						✓
11	**Asus** RT-N56U	€100	6,4	-	--	++	++	+	++	-	✓	✓	✓	✓	✓	✓
12	**Linksys** E2500 Dual-Band N Router	€70	5,9	+	□	□	+	□	□	-	✓				✓	✓
13	**Sweex** LW321 Wireless 300N Router	€30	4,8	□	□	--	□	□	□	+						
14	**TP-Link** TL-WR1043ND	€45	4,7	-	--	□	+	□	-	□	✓				✓	
15	**Icidu** NI-707533 Wireless Gigabit Router 300N	€45	4,5	--	--	□	+	□	--	-	✓				✓	

■ Beste uit de test   ▶ Beste koop   ++ Zeer goed   + Goed   □ Redelijk   – Matig   –– Slecht

- De prijzen zijn van september 2012.
- Selectie: routers tot €125. Uitzondering is de Netgear R6300, die ook met de nieuwste AC-standaard kan werken. AC-routers waren op het moment van testen nog niet onder de €125 te koop.
- Er is getest met laptops met een Intel 6300 wifi-chip. Een ander apparaat/ontvanger zal andere resultaten geven.
- Sitecom: de IPv6-software-update op de geteste routers is aangekondigd.

Router vervangen

Wij hebben 15 routers getest, waarvan 9 'dualband'. Uit onze test blijkt dat zo'n dualbandrouter een oplossing kan zijn als het draadloze netwerk trager is geworden doordat steeds meer buren ook draadloos internetten. Dan kun je de router laten uitzenden op de minder gebruikte 5 GHz-frequentie. Nadeel is wel dat het signaal minder ver draagt dan de 2,4 GHz-frequentie, waarop standaard wordt uitgezonden. Alle geteste dualbandrouters kunnen zelfs op beide frequenties tegelijk werken. Dat maakt het mogelijk om per locatie in huis de beste frequentie kiezen. Let op: om dualband te kunnen gebruiken, moet ook het ontvangende apparaat dit kunnen.

Welke router je ook gebruikt, de snelheid en het bereik blijven afhankelijk van de omstandigheden. Zo kan het signaal maar een beperkt aantal dikke muren en plafonds door, zeker als die van gewapend beton zijn. En meer zendvermogen is wettelijk verboden. Dus ook al suggereren fabrikanten dat hun routers overal in huis snel internet leveren, het zal niet altijd lukken.

Woordenlijst

Accesspoint. Een draadloos toegangspunt waarmee draadloze apparaten verbinding kunnen maken. Bij een draadloze router is een toegangspunt ingebouwd.

Gigabit-switch. Een verdeelkast voor een bekabeld netwerk. In elke router is een switch ingebouwd met vier aansluitingen. Een standaardswitch werkt op 100 MBit/s, een gigabit-switch op 1000 Mbit/s.

IP-adres. Een uniek nummer waarmee je op internet met websites en andere computers kunt communiceren. (Draadloze) routers geven aangesloten apparaten (interne) IP-adressen, die vaak beginnen met 192.168.1 of 192.168.0.

SSID. De naam van het draadloze netwerk. De meeste routers geven het netwerk een naam met daarin de merknaam vermeld. Weet u niet welk netwerk van u is? Open de lijst met beschikbare netwerken, haal de stroom van uw router af en kijk welke er verdwijnt.

Usb-bestands- en printerdeling. Routeropties waarmee je een printer of usb-opslag kunt delen met alle computers op het netwerk.

WEP, WPA en WPA2. WEP is een sterk verouderde, onveilige methode om een draadloos netwerk te beveiligen. Vervang apparatuur die met WEP moet werken. WPA is beter, maar niet 100% veilig. WPA2 is de veiligste methode, mits je een goed wachtwoord gebruikt. Alle nieuwe apparaten ondersteunen WPA2.

Testresultaten

In deze routertest hebben we goed gekeken naar het gebruiksgemak. Voor een gevorderde computergebruiker is installeren meestal een koud kunstje. Maar voor wie dat nooit eerder heeft gedaan, kan het installeren lastig zijn.

Antivirus in de wolken

Sitecom biedt als enige fabrikant (consumenten)routers met ingebouwde antivirus aan – niet te verwarren met de firewall. Het beschermt alle aangesloten apparaten, dus ook de smartphone en tablet. Al het internetverkeer via de browser wordt gescand op phishing, virussen en andere malware. Het is niet een complete vervanging voor een normaal antiviruspakket. Malware die buiten de browser om gaat, zoals via een usb-stick, wordt niet tegengehouden. De antivirusdatabase bevindt zich online (in de 'cloud') en biedt daardoor sneller bescherming tegen de nieuwste dreigingen. Bij veel Sitecomrouters is het eerste half jaar gratis, daarna €14,95 per jaar. We hebben deze dienst niet getest op kwaliteit.

De routers zijn getest in drie scenario's: op 10 meter afstand zonder obstakels, op 12 meter met een dikke vloer ertussen en een test met drie pc's tegelijkertijd, en dat op de 2,4 en 5 GHz-frequentieband. De hoogste snelheden bereikten we met dualbandrouters bij 10 meter afstand zonder obstakels op de 5 GHz. Vooral de Netgear R6300 maakte hier indruk door 150 Mbit/s te halen, al is dat hooguit de helft van de theoretische snelheid (300 of 450 Mbit/s). Zoals verwacht is de 2,4 GHz-frequentie vaak sneller bij een grotere afstand en met meer obstakels.

Op 2,4 GHz liet de Asus RT-N56U de hoogste draadloze snelheden zien. Bij 10 meter afstand zonder obstakels ligt de gemiddelde snelheid boven de 100 Mbit/s, terwijl door een dikke vloer daar nog steeds 50 Mbit/s van overblijft. Voor ervaren computergebruikers is de Asus daarom een goede keus. Maar niet voor iedereen. De (Engelstalige) installatieprocedure is incompleet en niet helemaal duidelijk, met mogelijk een niet-werkend of onbeveiligd netwerk als gevolg. De meeste routers zijn goed beveiligd met WPA2 – uit de fabriek of na installatie.

Van Sitecom hebben we vier routers getest. De goedkope Sitecom WLR-2100 (€40) en -3100 (€60) zijn snel (79 en 71 Mbit/s) zolang ze geen obstakels tegenkomen, maar bij een dikke betonnen vloer zakt de snelheid tot onder de 25 Mbit/s – bij het afspelen van een hd-film kan er dan af en toe een hapering optreden. In een groter huis kan het dus zijn dat er niet overal bereik is. Is een groot bereik niet nodig, dan zijn deze relatief goedkope Sitecoms een prima optie. Ook omdat ze eenvoudig veilig zijn te installeren, automatisch beveiligd zijn en weinig stroom verbruiken.

Wil je een eenvoudige installatie én een goed bereik, dan zijn de duurdere Sitecom WLR-4000 (€70) en dualband 6000 (€100) een betere keus. De drie geteste routers van Linksys zijn ook eenvoudig te installeren en zeker de E3200 en E4200 zijn aanraders. Er is wel een maar: de installatie gaat met een cd. Heb je geen apparaten met cd/dvd-speler of werkt de installatie door een (software)probleem niet, dan wordt er geen alternatieve installatiemethode aangeduid. In dat geval moet je de instellingen handmatig in het menu van de router aanpassen; zie het kader 'De router instellen'.

Minirouter

De router van Apple valt op door het design: hij is nog geen twee pakjes speelkaarten groot, terwijl andere routers soms het formaat broodtrommel ontstijgen. Dat gaat wel ten koste van het aantal poorten: slechts één voor een netwerkkabel tegen vier voor andere routers. Wel heeft hij een audio-uitgang om via de Airplay-functie op Apple-apparaten draadloos muziek af te spelen. Installatie op Windows-computers werkt alleen onder Windows 7 met Service Pack 1 (SP1).

De routers van Icidu en TP-link zijn geen aanraders voor onervaren gebruikers. Ze scoren slecht op installatiegemak en beveiliging. Het draadloos verbinden van een apparaat maakt geen deel uit van de (Engelstalige) standaardinstallatie, en de draadloze beveiliging staat standaard uit. Ook levert Icidu de netwerkkabel, die voor de installatie nodig is, niet mee.

Op het punt van energiegebruik zijn er duidelijke verschillen. Iets om rekening mee te houden, want routers staan altijd aan. Een verschil van 5 watt lijkt niet veel, maar dat is op jaarbasis ruim €10. Een zuinige router verdient zichzelf zo in een paar jaar terug.

Snellere AC-standaard

Moderne routers werken volgens de N-standaard met een theoretische snelheid tot 300 of 450 Mbit/s. De nieuwe AC-standaard belooft draadloze snelheden tot 1000 Mbit/s (1 Gbit/s) en meer. Net als bij vorige standaarden zullen deze snelheden niet worden gehaald. Wat in de praktijk wél haalbaar is, is nog niet te testen, omdat er nog geen apparaten zijn met AC-ontvanger. De geteste Netgear R6300 bezit al AC-technologie, maar werkt ook volgens de N-standaard.

De router instellen

Router op modemrouter. Heeft de modemrouter van uw provider een slecht bereik, dan kunt u er een losse router op aansluiten volgens de meegeleverde installatieaanwijzingen. Vaak gaat dit zonder grote problemen, maar soms zitten twee routers in een netwerk elkaar in de weg. U kunt problemen verwachten als het IP-adres dat de modemrouter aan uw pc geeft, begint met de drie zelfde cijfergroepen als die van de nieuwe router. Veel losse routers hebben het IP-adres 192.168.0.1 of 192.168.1.1. De oplossing ligt in het uitschakelen van de zogenoemde DHCP-server in de nieuwe router, maar dit vereist wat technische instellingen. Op consumentenbond.nl/routerinstellen staan aanwijzingen.

Routerinstellingen wijzigen. Het wachtwoord, het kanaal of de kanaalbreedte aanpassen gaat meestal via het configuratiemenu in de router. Dit is doorgaans te benaderen door in de adresbalk van de browser 192.168.0.1 of 192.168.1.1 (bij modemrouters ook 192.168.178.1) te typen en in te loggen met als gebruikersnaam en wachtwoord 'admin'. U vindt deze gegevens ook aan de onderkant van de router en in de handleiding.

Hogere snelheid. Een methode om een hogere snelheid te halen, is het gebruik van bredere kanalen. Deze oplossing werkt alleen als de snelheid thuis wordt beperkt door afstand en muren of plafonds. Als er veel naburige netwerken zijn, kan het juist averechts werken. Standaard worden kanalen gebruikt van 20 MHz. Veel routers hebben de mogelijkheid om 40 MHz in te stellen. Er zijn ook routers die zelf bekijken wat de beste instelling is. De instelling is te wijzigen in het configuratiemenu van de router (zie hierboven).

Tips voor beter bereik

- Zoek voor de router een betere plek in huis. Het draadloze radiosignaal gaat voornamelijk loodrecht, maar weerkaatst ook. Minder muren en vloeren is beter.
- Met 'powerline-adapters' gebruikt u stopcontacten en het stroomnetwerk om het internetsignaal door het huis te verspreiden. Gebruik ze om de draadloze router zonder kabels elders in huis te kunnen plaatsen of als alternatief voor een draadloos netwerk op plekken met slecht of geen draadloos bereik.

- Als uw router dualband ondersteunt en het te verbinden apparaat ook, probeer dan de 5 GHz-band.
- Gebruik een 'range-extender': een kastje dat u plaatst op een punt waar nog wel bereik is. Hij vangt het signaal op en stuurt het versterkt door.
- Probeer het draadloze kanaal waarop de (modem)router communiceert te wijzigen in het configuratiemenu. Een kanaal waarop nog weinig routers van buren zitten, werkt vaak sneller. Sommige routers passen het kanaal zelf aan.
- Makkelijk verbinden via WPS. Een tablet of laptop draadloos aansluiten op een router is lastig. Lukt het instellen niet of ziet u er erg tegenop, dan kan WPS (ook wel OPS genoemd) handig zijn – mits de router dit ondersteunt. Druk op de WPS-knop op de router en kies binnen twee minuten in het te verbinden apparaat voor de WPS-optie. Op een computer met Windows 7 of Vista met SP2 klikt u op het icoontje voor draadloos netwerken rechtsonder in het scherm. Kies uw netwerk uit de lijst en verbind ermee. Op een Android-smartphone of -tablet zit vaak een WPS-optie in de wifi-instellingen. Apple-systemen verbinden via WPS is meestal lastig of niet mogelijk.

IN DETAIL

Sitecom N450 X6 WLR-6000 (Beste uit de test)
Prijs: €100
Testoordeel: 8,0
Biedt als grootste voordeel ten opzichte van de WLR-4000 ook dualband voor hogere snelheid op korte afstand of bij last van naburige netwerken.

Netgear R6300 (Beste uit de test)
Prijs: €180
Testoordeel: 7,6
Router die ook met de nieuwste AC-standaard kan werken. Omdat er nog geen AC-ontvangers zijn, biedt hij voorlopig geen meerwaarde.

E-readers
Consumentengids juni 2013

In deze tijd van tablets lijkt een e-reader haast hopeloos ouderwets. Met z'n trage zwart-witscherm verbleekt hij naast een geavanceerd apparaat als de iPad. Maar een e-reader heeft overtuigende voordelen ten opzichte van een tablet.

E-readers zijn een stuk lichter, de schermen zijn veel beter leesbaar bij direct zonlicht en de accu houdt het wekenlang vol tussen twee oplaadbeurten. Daarnaast zijn e-readers flink goedkoper. Voor wie alleen wil lezen is een e-reader nog steeds een goede keus. Maar de voordelen van e-readers zijn niet zo groot dat ze tabletbezitters verleiden er een e-reader bij te kopen. Naarmate tablets terrein winnen, dreigt de e-reader dan ook schaarser te worden.

De e-reader lijkt bovendien uitontwikkeld: de nieuwste modellen zijn maar een beetje beter dan de voorgaande generatie. Belangrijkste innovatie is de ingebouwde achtergrondverlichting: de schermen van veel nieuwe readers hebben regelbare ledverlichting, waardoor je er ook mee in het donker kunt lezen.

Dan het vullen van de e-reader met digitale boeken, dat gaat bij de meeste readers met dezelfde bestanden: ePub, de afkorting van *electronic publication*.

Alleen de Kindle-modellen van Amazon zijn vreemde eenden in de bijt: zij ondersteunen dit universele bestandsformaat niet. Op de Kindle passen alleen boeken uit de webwinkel van Amazon, maar die heeft geen Nederlandstalige boeken.

Een ePub omzetten naar het Kindle-formaat kan met het programma Calibre, maar alleen als het ePubbestand onbeveiligd is.

Kobo Glo (Beste uit de test)

Richtprijs: €140

Testoordeel: 8,5

Dit topmodel van Kobo heeft achtergrondverlichting. De bibliotheekfunctie is mooi vormgegeven, en er zijn veel opties voor tekstweergave. De menustructuur is prima en geheel in het Nederlands.

Op het gebruiksgemak valt wel wat aan te merken: het aanraakscherm reageert niet altijd even goed en de reader is soms traag.

Uniek voor Kobo-e-readers is dat je, als je wifi hebt, zonder de computer te gebruiken Nederlandstalige boeken kunt kopen in de Kobo-webwinkel.

Amazon Kindle Paperwhite (Beste uit de test)

Richtprijs: €150/€210

Testoordeel: 8,4 (wifi) / 8,5 (3G)

Dit nieuwe model is een uitstekende e-reader. De bediening is overzichtelijk en gebruiksvriendelijk. De achtergrondverlichting heeft veel standen en zorgt, ook bij veel omgevingslicht, voor een beter contrast. Helaas is Kindle alleen aan te raden voor wie Engelstalige boeken leest. Je kunt namelijk alleen bij de webwinkel van Amazon terecht en die verkoopt geen Nederlandstalige boeken. Ook de bediening is niet in het Nederlands. Daarnaast is de Paperwhite aan de zware kant. Op de 3G-variant kun je boeken kopen bij Amazon via wereldwijd gratis mobiel internet. Een fantastische optie, maar daarvoor betaal je wel €60 meer.

Sony PRS-T2 (Beste uit de test)

Richtprijs: €130

Testoordeel: 8,3

Sony's PRS-T2 is een prima e-reader, met een goed scherm en gebruiksvriendelijke menu's. Maar hij blijft een beetje achter bij de concurrentie: achtergrondverlichting ontbreekt en er zijn weinig opties voor tekstweergave. Er zijn nog wel fysieke bladerknoppen naast het aanraakscherm. De reader heeft wifi, maar dat is niet echt nuttig, omdat het lastig is om boeken te kopen via de reader. Wie boeken met kopieerbeveiliging op de reader wil zetten, heeft speciale software van Sony nodig.

Kobo Touch (Beste uit de test)

Richtprijs: €100

Testoordeel: 8,2

Deze Kobo heeft geen achtergrondverlichting en is een goedkoper alternatief voor de Kobo Glo. Het gebruiksgemak van de software is prima, maar het aanraakscherm en de reader zijn soms traag, vooral in vergelijking met modernere readers. De Kobo Touch heeft wifi, en met de reader kunnen boeken direct gekocht worden in de webwinkel van Kobo.

Amazon Kindle (Beste uit de test)

Richtprijs: €100

Testoordeel: 8,1

Dit model Kindle heeft nauwelijks toeters en bellen: geen aanraakscherm en geen achtergrondverlichting. Bladeren gaat met fysieke knoppen aan de zijkant. Het scherm is prima, en de e-reader is heerlijk licht. Hij heeft wel wifi. Ook bij deze e-reader gelden de beperkingen van een Kindle: boeken kopen kan alleen bij Amazon en de menu's zijn niet in het Nederlands.

Bebook Pure

Richtprijs: €80

Testoordeel: 7,4

Een zeer eenvoudige reader zonder enige extra's, zoals een aanraakscherm, achtergrondverlichting en wifi. De bediening is redelijk, maar de menu's zijn wel heel simpel vormgegeven. De behuizing komt solide over en het leescomfort is goed.

Zie voor de volledige test www.consumentenbond.nl/e-readers.

Goedkope software

Digitaalgids september/oktober 2013

Software kopen kan flink in de papieren lopen. Windows 8 kost rond de €100, een volledige versie van Adobe Photoshop zelfs €900. Wie gaat zoeken naar voordelige alternatieven komt al snel op advertentiesites

Praktijktest spotgoedkope software

Aangeboden product	Waar?	Prijs (ex verzendkosten)	Nieuwprijs	Wat ontvingen we?	Legaal of illegaal?
Adobe Creative Suite CS6 Master Collection	Marktplaats	€12,50	€3200	kopie op blanco dvd met crack, die we niet aan de praat kregen	**Illegaal**
Windows 7 Ultimate	Speurders	€19,95	€285	kopie op blanco dvd	**Illegaal**
Adobe Photoshop en Premiere Elements	Marktplaats	€30,00	€130	originele schijfjes met licentiecodes	**Legaal**
Adobe Photoshop CC 14 Windows	Speurders	€14,99	Abonnement (€24,59/maand)	kopie op blanco dvd (defect) in doosje met gekopieerd hoesje	**Illegaal**
Microsoft Office XP	Speurders	€15,00	niet meer te koop	upgrade-versie op dvd	**Legaal**
Microsoft 8 Pro	Marktplaats	€9,95	€125	kopie op blanco dvd	**Illegaal**
Microsoft Office 2011 Mac	Marktplaats	€15,00	€189	gekraakte illegale versie (via rapidshare)	**Illegaal**
Microsoft Office 2003	Speurders	€10,00	niet meer te koop	originele dvd met werkende productcode	**Legaal**
Microsoft Office Pro 2013	Marktplaats	€7,00	€439	kopie op blanco dvd met crack	**Illegaal**
Adobe Photoshop CC 14 voor Mac	Marktplaats	€25,50	Abonnement (€24,59/maand)	gekopieerde dvd met crack	**Illegaal**

uit als Marktplaats en Speurders. Daar kwamen we deze software tegen voor soms nog geen tientje.

Kan dit wel legaal aanbod zijn of is hier sprake van illegale kopietjes? We waren nieuwsgierig en bestelden tien voordelige aanbiedingen van Windows, Office en Photoshop met prijzen van €7 tot €30. Het absolute toppunt was Adobe Creative Suite CS6. Voor dat pakket, bestaande uit onder meer Photoshop, Illustrator en Indesign, tel je normaal meer dan €3000 neer. Wij betaalden op Marktplaats slechts €12,50.

Het contact met de meeste verkopers verliep keurig. We werden netjes op de hoogte gesteld dat het pakketje op de bus ging. In één geval kwam de dvd niet aan. Nadat we hierover ons beklag deden, kregen we alsnog een link toegestuurd om de software te downloaden.

Hoe keurig de verkopers zich ook voordeden, het resultaat was niet best. In maar liefst zeven van de tien gevallen ging het om illegaal materiaal. In zes gevallen kregen we zelfgebrande schijfjes binnen, met stift beschreven welke software het betrof. Soms met een zelfgetypte installatiehandleiding erbij.

In zes van de zeven gevallen betrof het gekraakte software. Dat betekent dat hackers de beveiliging hebben gekraakt, waardoor het pakket zonder of met een gestolen licentiecode onbeperkt te gebruiken is. In sommige gevallen moesten we zelf eerst nog de 'crack' uitvoeren door een bestandje te overschrijven of een kraakprogrammaatje te starten. In een geval lukte ons dat niet.

Wat is illegale software?

Alleen software met een geldige licentie mag u gebruiken. Software zonder zo'n licentie is dus illegaal. De maker van een pakket heeft het auteursrecht op het programma en mag daarom bepalen wat u mag doen met de software. De licentie zit meestal in de doos.

Bij digitale levering moet u akkoord gaan met de voorwaarden voordat u het pakket downloadt. In een licentie van opensource-software staat vaak dat u het programma onbeperkt mag kopiëren, terwijl commerciële software juist bepaalt dat hierop beperkingen zitten. Ook staat er vaak in dat u de software niet mag doorverkopen. Dat laatste kunt u gerust negeren. Het Hof van Justitie heeft bepaald dat doorverkoop wel degelijk is toegestaan, ook al verbiedt de licentie dat. De verkoper moet de software dan wel verwijderen van zijn eigen computer.

Cracks

Dit soort cracks is al jarenlang een probleem voor softwareontwikkelaars. Ze worden veel verspreid via BitTorrent en nieuwsgroepen. De versie van Windows 8 die wij ontvingen, troffen we ook aan op The Pirate Bay. Het is bekend dat dit soort software nog weleens met een virus is besmet, al sloegen onze virusscanners geen alarm bij de door ons bestelde pakketten.

Eén dvd (met Photoshop CC 14) bleek onleesbaar. De verkoper reageerde niet meer op onze mails en is er met de buit (€15) vandoor. De andere aanbieders van illegale software hebben we nadien nog per mail om een reactie gevraagd. De enige die reageerde deed of zijn neus bloedde, en beloofde ermee te stoppen.

Bij onze testaankopen ontvingen we niet alleen maar illegale software. In drie van de tien gevallen kregen we wel de originele dvd's met de productcode op een sticker. Dat ging in alle gevallen om oudere versies die wel goedkoop waren, maar niet extreem goedkoop. Het ging om een 2012-versie van Adobe Photoshop en Premiere Elements (voor €30, vorig jaar nieuw te koop voor €130), en oude versies van Office (XP en 2003).

Brave burgers

Het gebruik van illegale software in ons land valt mee. Van de lezers van de *Digitaalgids* heeft 72% een legale versie van Word of Office. Slechts 15% zegt de software via via te hebben gekregen.

Ook uit ander onderzoek komt een redelijk 'braaf' beeld naar voren. Volgens de Business Software Alliance (BSA) is 27% van alle software (privé en bedrijven samen) in ons land illegaal. In Centraal- en Oost-Europa ligt het illegaal gebruik op maar liefst 60%.

Helft verdacht

Het aanbieden van dure software voor verdacht lage prijzen via Marktplaats is populair, zo blijkt uit een kleine steekproef. In meer dan de helft van de advertenties voor Windows 8, Office 2013 en Photoshop vonden we de prijs wel bijzonder scherp. Bij Photoshop CS6 van Adobe was de situatie het ergst. Van de 37 gevonden advertenties vonden we er slechts een boven de €20.

In een reactie erkent Marktplaats dat er illegale software via de site wordt aangeboden. Toch stelt het bedrijf zich nogal passief op. 'Het is de verantwoordelijkheid van kopers en verkopers om zich aan de wet te houden. Marktplaats speelt geen rol in de uiteindelijke transactie tussen beiden', is de wat afhoudende reactie van voorlichter Jasper Teijsse.

Marktplaats treedt naar eigen zeggen wel op wanneer ze getipt wordt door softwareproducenten. 'Tips van consumenten bekijken we voordat de advertenties al dan niet worden weggehaald', voegt hij toe. Jaarlijks komen er 800.000 tips binnen bij Markplaats over advertenties die niet aan de regels voldoen.

Het mag duidelijk zijn dat dit systeem verre van waterdicht is. Bovendien is onze indruk dat veel illegale advertenties wekenlang blijven staan. Een op de vijf advertenties voor Photoshop CS6 stond er na drie weken nog op.

Herken illegale software

Aan deze signalen herkent u de verkoper van illegale software:

1 Extreem lage prijzen voor pakketten die in de winkel minstens honderden euro's kosten.
2 Aanbieder verkoopt meerdere exemplaren of meerdere softwaretitels.
3 Aanbieder is nog maar kort actief op de advertentiesite.
4 Telefoonnummer ontbreekt.
5 Advertentieteksten als 'geen probeerversie' of 'werkt zonder problemen'. De verkoper laat hiermee doorschemeren dat het om een gekraakte versie gaat.
6 Advertentie staat vol taalfouten of met amateuristische afbeeldingen.

'Op de hoogte'

Microsoft reageerde alleen met een kort statement op onze vragen. Het bedrijf zegt 'op de hoogte te zijn' van het illegale aanbod en samen te werken 'met Marktplaats en Speurders om de verkoop tegen te gaan'. Ondanks aandringen weigerde het bedrijf nadere uitleg te geven.

De Business Software Alliance (BSA) was spraakzamer. Die club is door softwareproducenten opgericht, juist om softwarepiraterij te bestrijden. De woordvoerder laat weten dat er wel degelijk veel wordt gedaan door bedrijven als Microsoft in de strijd tegen illegaal aanbod op advertentiesites, maar 'er glipt er weleens eentje tussendoor'.

De BSA noemt softwarepiraterij grootschalige georganiseerde criminaliteit. In 2011 vertegenwoordigde het gebruik van illegale software in ons land een waarde van €463 miljoen. De BSA spoort zelf overtreders op, ook omdat de politie er nauwelijks achteraan gaat. Advocaat Polo van der Putt: 'Het staat niet hoog op de agenda van de politie. Er zijn mij geen zaken bekend waarin het tot vervolging is gekomen.'

Van der Putt denkt, in tegenstelling tot de BSA, niet dat er misdaadnetwerken achter zitten. 'Wij hebben tot nu toe geen aanwijzingen dat verkoop via advertentiesites onderdeel is van grootschalige georganiseerde criminaliteit. Het lijken vooral eenmansacties van mannen met enige IT-affiniteit.'

Vier jaar cel

Wie illegale software verkoopt, loopt risico op een celstraf. 'Op eenmalige verkoop van een pakket staat een jaar cel. Als het om een bedrijfsmatige activiteit gaat, kan dat oplopen tot vier jaar', legt advocaat Tjeerd Overdijk uit, gespecialiseerd in intellectueel eigendom.

Overtreders worden vaak opgespoord door middel van het IP-adres. 'Vooral duurdere software stuurt het IP-adres van een misbruiker door. Aan de hand daarvan wordt de provider gevraagd om adresgegevens. Daarna gaat er een deurwaarder langs op kosten van de overtreder. Die moet algauw €4 à 5000 betalen', legt Overdijk uit.

Van der Putt noemt een recent voorbeeld uit zijn eigen praktijk, waarbij hij voor een fabrikant een verkoper heeft aangepakt die illegale software verkocht op Marktplaats. 'We hebben eerst een proefkoop gedaan. Toen bleek dat het om illegale software ging, is bij de rechtbank verlof gevraagd en heeft de deurwaarder op de computer van de aanbieder de bewuste software aangetroffen. De zaak is geschikt voor enkele tienduizenden euro's.' Niet alleen de verkoper is strafbaar, ook de koper pleegt een misdrijf. 'Als je bewust illegale software gebruikt, ben je strafbaar', zegt Tjeerd Overdijk. 'Dat kan maximaal 6 maanden gevangenisstraf opleveren en een boete. Ook is er kans op een schadeclaim van de softwaremaker.' Hij erkent echter dat consumenten niet gauw in de problemen komt door illegale software te installeren. 'Ik heb nog nooit meegemaakt dat we achter een particulier aangingen voor een schadeclaim', zegt Overdijk.

Koopje

'Als het te mooi lijkt om waar te zijn, is het dat ook meestal' blijkt ook bij software op te gaan. Software van honderden euro's is niet voor een prikkie legaal te koop op advertentiesites. Met de tips in het kader 'Herken illegale software' pikt u ze er zo uit. Toch zijn er op Marktplaats of Speurders zeker koopjes te halen, bij consumenten die hun pakketten niet meer gebruiken en te koop aanbieden.

En kijk ook eens naar de gratis opensource-alternatieven: OpenOffice.org en Paint.net zijn bijvoorbeeld prima alternatieven voor Microsoft Office en Photoshop.

Voordelig én legaal

Besparen op legale software kan ook. Enkele opties:

1 *Koop een oudere versie.* Wie tevreden is met een oude versie kan flink wat geld besparen. Een goed voorbeeld uit onze praktijktest is Office

2003. Het is tien jaar oud, maar er is niets mis met dit pakket. Het wordt legaal aangeboden op Marktplaats voor bedragen tussen de €10 en €15. Houd er wel rekening mee dat er na verloop van tijd geen updates meer worden uitgebracht. Bij Office 2003 en Windows XP stopt dat in april 2014. Dat brengt veiligheidsrisico's met zich mee.

2 *Koop in Amerika.* Over de grens is software vaak voordeliger dan in Nederland. In de Verenigde Staten is software vaak veel voordeliger. Voor Europeanen is het vaak niet mogelijk om bij Amerikaanse websites als Amazon software te bestellen, maar er zijn Amerikaanse bedrijfjes als www.FromUS2EU.com die dit tegen een vergoeding voor u doen. Zelfs met alle andere extra kosten (21% omzetbelasting bij invoer, €10-20 inklaringskosten) kan het de moeite lonen. Laat u niet afschrikken door licentieteksten die het gebruik van software in een andere regio verbieden: dat mag gewoon.

3 *Koop in Duitsland.* Ook bij onze oosterburen is de software vaak voordeliger dan bij ons. Zo kwamen we op www.pro-jex.de Windows 7 tegen voor €40. In ons land betaal je het dubbele. Ook op Amazon.de is software (iets) voordeliger dan bij ons. Let wel op of in de software als taal behalve Duits ook Nederlands kan worden ingesteld.

4 *Schoolgaande of studerende kinderen?* Wie schoolgaande of studerende kinderen heeft, kan terecht op www.surfspot.nl voor aantrekkelijk geprijsde pakketten van onder meer Microsoft, AutoCAD, Adobe en McAfee. U moet wel kunnen aantonen dat u (of uw kind) recht heeft om software aan te schaffen via Surfspot. Ook via eBay worden deze 'Student & Teacher'-versies aangeboden.

Laptops
Consumentengids september 2013

Er zijn nog altijd genoeg redenen om te kiezen voor een laptop in plaats van een tablet. Een laptop is handiger voor tekstverwerken, het bewerken van foto's en video's en met verschillende programma's tegelijk werken. Wij testten 20 laptops: van goedkope, voor wie vooral e-mailt en af en toe een webpagina bezoekt, tot prijzige alleskunners (zie de tabel). Opvallend is dat de duurdere laptops niet altijd beter scoren. Zo is de Samsung Ativ Book 5 van €800 sneller en zuiniger dan zijn broer van €1600, de Samsung Ativ Book 8.

Jargon verklaard

Processor: de chip die alle berekeningen van de computer uitvoert.

Grafische kaart: belangrijk voor videobewerking en het spelen van games.

HDD: harde schijf. Hierop worden bestanden en programma's bewaard.

SSD: solid state drive. Ook voor het opslaan van bestanden en programma's. Stiller, sneller, zuiniger én duurder dan HDD.

1 terabyte: 1024 GB.

Zuinig én snel

Laptops worden steeds energiezuiniger: dankzij slimme technologie heeft de processor – het hart van de laptop – steeds minder stroom nodig om zijn berekeningen uit te voeren. Intel, de grootste processorfabrikant, heeft onlangs een nieuw type processor op de markt gebracht dat weer sneller en zuiniger is dan z'n voorgangers: de 'vierde generatie' Core-processoren.

Voor wie een nieuwe laptop zoekt, is dit een goed moment om er één met een eerdere generatie Intel-processor aan te schaffen. Die worden door de introductie van het nieuwe type namelijk goedkoper.

Op dit moment zijn processoren van de vierde generatie nog schaars en duur. We hebben er één getest: de Apple MacBook Air 11.6" (MD712N/A). Voor de meeste gebruikers is de accuduur prima: zeven uur bij tekstverwerken en af en toe internetten. Maar bij intensief gebruik (zoals videobewerking) is de accu al na twee uur leeg.

Apple MacBook Air 11.6" (MD712N/A) (Beste uit de test)

Testoordeel: 6,6

Prijs: €1200

Deze MacBook Air weegt slechts 1,08 kilogram en heeft een accuduur van ruim zeven uur bij tekstverwerken en internetten. De laptop draait op het gebruiksvriendelijke Mac OS X.

Laptops

Merk & Type	Richtprijs	Testoordeel	Gebruiksgemak	Hardware	Rekenkracht	Accuduur	Veelzijdigheid	Behuizing en scherm	Energiegebruik	Schermdiagonaal (inch)	Harde schijf (GB)	Intern geheugen (GB)	Gewicht met accu (kg)	Processor [1]
Weging voor Testoordeel (%)		25	20	15	10	5	5	2						
Zeer kleine laptop (< 30,5 cm scherm)														
■ 1. **Apple** MacBook Air 11.6" MD712N/A	€1200	6,6	□	+	++	++	−	+	++	11,6	256	4	1,1	IC i5 4250U
■ 2. **Sony** Vaio Duo 11	€1250	6,6	□	+	++	□	+	□	+	11,6	128	4	1,3	IC i5 3317U
3. **HP** Envy x2 11-g000ed (C0U51EA)	€700	6,3	□	□	□	++	+	++	++	11,6	64	2	1,4	IA Z2760
4. **Acer** Aspire P3-171-3322Y2G06as	€600	6,0	□	□	+	+	−	+	++	11,6	60	2	1,4	IC i3 3229Y
5. **Asus** X202E-CT001H	€400	5,7	□	□	−	+	□	+	++	11,6	320	2	1,4	ICe 847
Kleine laptop (< 35,6 cm scherm)														
■ 1. **Samsung** Ativ 7 NP730U3E-K01NL	€1000	7,1	□	+	++	++	□	□	+	13,3	128	4	1,5	IC i5 3337U
2. **Sony** Vaio SVT-1313L1ES	€790	6,8	□	+	+	+	□	□	++	13,3	524	4	1,7	IC i3 3217U
3. **Toshiba** Satellite U920T-109	€1000	6,6	□	□	++	+	□	□	+	12,5	128	4	1,5	IC i3 3217U
4. **Lenovo** IdeaPad U310 Touch	€700	6,4	+	+	+	+	+	−	+	13,3	500	4	1,8	IC i5 3337U
5. **Asus** X301A-RX252H	€400	5,8	□	+	□	++	□	□	++	13,3	320	4	1,7	ICe 1000M
Standaard laptop (< 40,6 cm scherm)														
■ 1. **Samsung** Ativ 5 NP530U4E-K01NL	€800	7,3	□	+	++	++	+	+	++	14,0	524	6	1,8	IC i5 3337U
■ 2. **Samsung** Ativ 8 NP880Z5E-X01NL	€1600	7,1	□	+	+	++	+	□	+	15,6	1000	8	2,6	IC i7 3635QM
3. **Sony** Vaio SVE-14A3V1E	€760	6,9	+	+	+	++	++	□	+	14,0	750	4	2,2	IC i5 3230M
▶ 4. **HP** 650 (H5V57EA)	€440	6,2	□	+	□	+	+	□	+	15,6	500	4	2,3	IC i3 2348M
▶ 5. **Acer** Aspire V5431P987B4G50Mass	€500	6,0	+	+	−	□	+	□	+	14,0	500	4	2,1	IP 987
Grote laptop (> 40,6 cm scherm)														
■ 1. **Toshiba** Satellite C870-1DJ	€580	6,5	□	+	+	□	□	□	+	17,3	500	4	2,5	IC i5 3230M
2. **Asus** X75VD-TY216H	€640	6,3	□	+	+	□	□	□	+	17,3	750	6	3,0	IC i5 3230M
3. **Samsung** NP350E7C-S09NL	€720	6,3	□	+	□	+	+	□	+	17,3	750	6	2,8	IC i5 3210M
4. **Packard Bell** LE11BZ-2145NL8	€400	5,6	+	+	−−	+	□	□	+	17,3	500	4	2,8	AMD E1-1200
5. **Toshiba** Satellite C870D-116	€400	5,5	□	□	−	+	□	−	+	17,3	320	4	2,5	AMD E1-1200

■ Beste uit de test   ▶ Beste koop

++ Zeer goed   + Goed   □ Redelijk   − Matig   −− Slecht

- De prijzen zijn van augustus 2013.
- Voor het Testoordeel zijn ook de meegeleverde software (10%), garantie (5%) en het geluidsniveau (3%) meegerekend.
- Besturingssysteem: alle laptops hebben een Nederlandstalige 64-bitsversie van Windows 8, behalve de HP Envy (Windows 8 32 bits) en de Apple Macbook Air 11.6" (Mac OS X 10.8).
- < = kleiner dan

- > = groter dan
- Bij de Samsung Ativ-modellen gaat het om de Ativ Book.
1) Processornaam is afgekort:
  IC = Intel Core
  IA = Intel Atom
  ICe = Intel Celeron
  IP = Intel Pentium

Samsung Ativ Book 7 NP730U3E-K01NL (Beste uit de test)

Testoordeel: 7,1

Prijs: €1000

Door z'n energiezuinige processor snel en zeker zeven uur te gebruiken met de accu. Het matte scherm werkt prettig. Voor €200 meer met aanraakscherm en betere grafische kaart te koop.

Acer Aspire V5-431P-987B4G50MASS (Beste koop)

Testoordeel: 6,0

Prijs: €500

Eén van de goedkoopste laptops in de test met een aanraakscherm. De Intel Pentiumprocessor is niet erg snel, maar rap genoeg om zonder haperingen te internetten en een film te kijken.

Toshiba Satellite C870-1DJ (Beste uit de test)

Testoordeel: 6,5

Prijs: €580

Deze laptop heeft een bescheiden processor. Door het grote scherm en de redelijke resolutie kun je op het bureaublad veel icoontjes kwijt en verschillende programma's tegelijk openen. De draadloze internetverbinding is wel wat traag.

Harde schijf of SSD

Wie muziek, foto's en documenten opslaat, zet ze op de harde schijf (HDD). Hoe meer gigabytes of terabytes die schijf heeft, hoe meer je kwijt kunt. Toch heeft niet iedereen een grote harde schijf nodig.

Voor wie een stille laptop zoekt of vaak met zware programma's werkt, is de *solid state drive* (SSD) een beter alternatief. Dit type opslagmedium is stiller en zuiniger en sneller met het opstarten van het besturingssysteem en het opstarten van programma's.

Laptops met een SSD zijn wel duurder en hebben minder opslagruimte. Een van de minder prijzige voorbeelden is de HP Envy (€700): mede dankzij zijn SSD is dit de stilste laptop uit de test.

Een mengvorm is ook mogelijk: sommige laptops hebben zowel een SSD voor de snelheid als een HDD voor veel opslagruimte. In onze test zijn dat de Sony Vaio SVT en de Samsung Ativ Book 5.

Alle geteste laptops met een schermgrootte van 11 en 12 inch (29,5 en 31,8 cm) hebben enkel een SSD, behalve de Asus X202E.

Aanraakscherm

Sinds de introductie van Windows 8 hebben steeds meer laptops een aanraakscherm. Daarmee is dit besturingssysteem makkelijker te bedienen dan met een muis. Een punt van aandacht is wel dat aanraakschermen altijd een glanzende afwerking hebben en daardoor bij fel licht slecht leesbaar zijn. Bovendien moet je zo'n aanraakscherm vaak schoonmaken.

Voorheen waren laptops met een aanraakscherm nog stevig geprijsd, maar nu zijn ze al vanaf €400 te koop. Welke laptops zo'n scherm hebben, staat op consumentenbond.nl/laptops.

Onlineback-updiensten

Digitaalgids november/december 2012

Dat je een veiligheidskopie van belangrijke documenten moet maken, weet iedereen. Een harde schijf heeft geen eeuwig leven. Helaas maakt lang niet iedereen back-ups, soms met desastreuze gevolgen. Gelukkig is het eenvoudig om er wat aan te doen. Naast de traditionele back-upsoftware die kopieën bewaart op een lokale harde schijf, zijn er veel aanbieders van onlineback-up. Die maken net als de reguliere software op gezette tijden automatisch back-ups, maar hebben één groot voordeel: de data worden extern opgeslagen. Bij brand, diefstal of een crash van de back-upschijf zijn uw waardevolle bestanden veilig. En je hoeft je geen zorgen meer te maken of de externe harde schijf vol is of nog wel in goede conditie verkeert.

Wie een back-up wil maken van zijn pc heeft twee opties, en beide hebben hun voordelen. Met een lokale back-up (Windows 7 heeft die optie zelfs standaard ingebouwd) kun je het volledige systeem opslaan, inclusief geïnstalleerde software. De back-updiensten doen dat (met uitzondering van Carbonite) niet. Een onlineback-up daarentegen geeft meer zekerheid. Ingeval van brand of diefstal is de lokale kopie ook verdwenen. Voor de meeste zekerheid raden wij daarom aan zowel een

Onlineback-updiensten

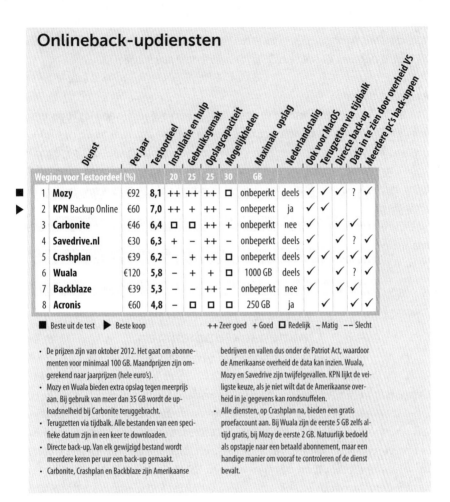

Dienst	Per jaar	Testoordeel	Installatie en hulp	Gebruiksgemak	Opslagcapaciteit	Mogelijkheden	Maximale opslag	Nederlandstalig	Ook voor MacOS	Terugzetten via tijdbalk	Directe back-up	Data in te zien door overheid VS	Meerdere pc's back-uppen
Weging voor Testoordeel (%)			20	25	25	30	GB						
■ 1 Mozy	€92	8,1	++	++	++	□	onbeperkt	deels	✓	✓	✓	?	✓
▶ 2 KPN Backup Online	€60	7,0	++	+	++	–	onbeperkt	ja	✓	✓			
3 Carbonite	€46	6,4	□	□	++	+	onbeperkt	nee	✓		✓		✓
4 Savedrive.nl	€30	6,3	+	–	++	–	onbeperkt	deels	✓		✓	?	✓
5 Crashplan	€39	6,2	–	+	++	□	onbeperkt	deels	✓	✓	✓	✓	✓
6 Wuala	€120	5,8	–	+	+	□	1000 GB	deels	✓		✓	?	✓
7 Backblaze	€39	5,3	–	–	++	–	onbeperkt	nee	✓		✓		✓
8 Acronis	€60	4,8	–	□	□	□	250 GB	ja	✓		✓		✓

■ Beste uit de test ▶ Beste koop ++ Zeer goed + Goed □ Redelijk – Matig –– Slecht

- De prijzen zijn van oktober 2012. Het gaat om abonnementen voor minimaal 100 GB. Maandprijzen zijn omgerekend naar jaarprijzen (hele euro's).
- Mozy en Wuala bieden extra opslag tegen meerprijs aan. Bij gebruik van meer dan 35 GB wordt de uploadsnelheid bij Carbonite teruggebracht.
- Terugzetten via tijdbalk. Alle bestanden van een specifieke datum zijn in een keer te downloaden.
- Directe back-up. Van elk gewijzigd bestand wordt meerdere keren per uur een back-up gemaakt.
- Carbonite, Crashplan en Backblaze zijn Amerikaanse

bedrijven en vallen dus onder de Patriot Act, waardoor de Amerikaanse overheid de data kan inzien. Wuala, Mozy en Savedrive zijn twijfelgevallen. KPN lijkt de veiligste keuze, als je niet wilt dat de Amerikaanse overheid in je gegevens kan rondsnuffelen.

- Alle diensten, op Crashplan na, bieden een gratis proefaccount aan. Bij Wuala zijn de eerste 5 GB zelfs altijd gratis, bij Mozy de eerste 2 GB. Natuurlijk bedoeld als opstapje naar een betaald abonnement, maar een handige manier om vooraf te controleren of de dienst bevalt.

lokale back-up te maken van het hele systeem als een externe back-up van alle bestanden.

Apple-gebruikers zullen wellicht iCloud aanwijzen als onlineback-up-optie. Hoewel iCloud slimme mogelijkheden heeft, levert het geen volwaardige back-up. iCloud slaat de 1000 recentste foto's op in een zogeheten fotostream. Oudere foto's niet. Ook is het aantal bestandsformaten dat je kunt opslaan beperkt.

Synchronisatiediensten lijken sterk op onlineback-up, maar zijn wezenlijk anders. Diensten als Dropbox, Google Drive en Microsoft Skydrive zijn bedoeld als reiskoffer voor een kleine groep bestanden waar je bij wilt kunnen. Daarom is de opslagruimte beperkt. Microsoft is het royaalst met 7 GB gratis opslag. Vaak is dat tegen betaling tot 100 GB te vergroten. Dropbox en de andere hebben ook apps, zodat je ook op tablet en telefoon bij de bestanden kunt. De diensten werken met een speciale map op de computer, waar je bestanden naartoe sleept. Bestanden in deze map worden automatisch gesynchroniseerd met de opslag online, maar andere bestanden blijven ongemoeid. Het is dus geen vervanging voor onlineback-up.

Per ongeluk

Dankzij de lage prijzen van grote harde schijven is bij veel mensen de hoeveelheid bestanden sterk gegroeid. In onze zoektocht zochten we daarom naar onlinediensten die minimaal 250 GB aan opslag aanbieden. Veel Nederlandse aanbieders, waaronder Argeweb, Frits en Mindtime, vielen hierdoor helaas af. Het eveneens Nederlandse Cloud2 viel in tweede instantie af, toen bij nader onderzoek bleek dat de 'onbeperkte opslagruimte' niet meer dan 50 GB was.

Onze selectie bestaat hierdoor voornamelijk uit Amerikaanse aanbieders. Dat betekent dat de software Engelstalig is, wat voor sommige gebruikers een drempel is. Een groter minpunt is dat zo'n aanbieder onder Amerikaans recht valt. Dankzij de Patriot Act (een vergaande wet ter bestrijding van terrorisme) heeft de Amerikaanse overheid het recht om uw data in te zien. Dat mag al als het bedrijf activiteiten in Amerika ontplooit. Alleen bij KPN is dat zeker niet het geval. Wuala en Savedrive zijn twijfelgevallen.

Sommige Nederlandse aanbieders blijken wederverkoper van een buitenlandse dienst. In deze test zit Savedrive.nl. Daar koop je in feite een abonnement op de Britse back-updienst Livedrive – met Engelstalige software. Opmerkelijk: Savedrive brengt minder in rekening dan de Britten zelf. Ook Liveschijf, Clouddrive en Everyday Back-up (niet getest) verkopen Livedrive onder een andere naam.

Aan de slag

Ook bij onlinediensten krijg je software die ervoor moet zorgen dat de bestanden worden gekopieerd naar een server van de aanbieder. Over het algemeen is die software gebruiksvriendelijk. BackBlaze is het simpelst in te stellen. Na installatie scant de software uit zichzelf de harde schijf en doet een voorstel welke bestanden relevant zijn voor back-up.

De andere diensten laten de gebruiker kiezen welke mappen en bestanden je wilt back-uppen. Vaak kun je ook bestandstypen aanwijzen, zodat bijvoorbeeld alle foto's worden opgeslagen. Let op: onder andere Backblaze en Carbonite nemen heel grote bestanden boven de 4 gigabyte (denk aan films) niet standaard mee.

Verder zien we vooral verschillen in de instelmogelijkheden. Bij aanbieders als Crashplan is er van alles in te stellen, tot en met hoeveel bandbreedte en processorkracht de back-upsoftware mag gebruiken. Dat is fijn voor de techneut, maar wie minder technisch is, raakt algauw van slag.

Hoe werkt onlineback-up?

Hoe gaat een back-up maken in zijn werk? We nemen KPN Back-up Online als voorbeeld.

- *Account en software.* Ga naar www.kpn.com/zakelijk/cloud/opslag-en-backup/backup-online.htm en maak een account aan. Per mail krijg je een link toegestuurd om de software te downloaden.
- *Selecteren.* Na installatie kun je opgeven welke mappen geback-upt moeten worden.
- *Uploaden.* Het uploaden kan beginnen. KPN is snel, maar via ADSL of kabel kan een back-up van tientallen gigabytes toch een paar dagen duren.
- *Instellingen.* Door op 'Instellingen' te klikken, kun je enkele zaken aanpassen. Bijvoorbeeld op welke tijden er een back-up gemaakt moet worden en hoe vaak je per e-mail berichten wilt ontvangen over de voortgang van de back-up.
- *Terugzetten.* Een back-up terugzetten gaat door op 'Mijn computer' te klikken en vervolgens het tabblad 'Herstel'. Daar kun je de map (of het bestand) opzoeken die je wilt terugzetten.

Back-uppen

Na het eenmalige instellen heb je verder geen omkijken naar het back-upproces. KPN Back-up Online maakt eenmaal per dag een kopie van alle gewijzigde bestanden. Bij Wuala en Acronis kan dat meerdere keren per dag. Savedrive en Crashplan gaan nog een stap verder en maken van elk bestand direct een kopie zodra je er een wijziging in aanbrengt. Ook

Mozy en Carbonite werken zo, maar ze wachten met data opslaan totdat ze geen computeractiviteit meer bespeuren. Dat moet voorkomen dat de computer vertraagt. Handig is dat onder andere KPN en Carbonite je per mail laten weten of de back-up is geslaagd.

Belangrijk om te weten: de meeste back-updiensten maken kopieën van losse bestanden, niet van het volledige systeem. Het maken van een lokale back-up blijft daarom van belang.

Alleen Carbonite heeft een abonnement ($99 per jaar) waarbij gebruikers een volledige systeemkopie (*mirror* of *image*) kunnen maken, inclusief besturingssysteem en alle software. Bij calamiteiten kan de computer volledig in oude staat hersteld worden.

Terugzetten

Bij het terugzetten kun je opgeven of je alles wilt downloaden of slechts een paar bestanden. Daarbij kun je kiezen uit de laatste kopie of een oudere versie. Bij de meeste diensten verloopt dit proces eenvoudig, via de software zelf. BackBlaze echter laat je inloggen op de site en daar een downloadlink aanvragen via de mail. Zo'n mail kan lang op zich laten wachten. Omslachtig. Ook Livedrive doet ingewikkeld. Je hebt een tweede softwarepakket nodig om een back-up terug te zetten.

Snelheid

Behalve gebruiksgemak is de snelheid natuurlijk van belang. Voor de eerste back-up moet je de tijd nemen. Meestal is de internetverbinding de bottleneck. ADSL of kabel levert vaak niet meer dan 3 à 4 Mbit/s uploadsnelheid. Bij een snelheid van 2 Mbit/s kost het bijna vijf etmalen om 100 GB te back-uppen. Gelukkig werkt de software op de achtergrond zonder de pc al te zeer te vertragen. Het terugzetten van bestanden gaat een stuk sneller. De downloadsnelheden van ADSL en kabel liggen veel hoger.

Voor onlineback-up is glasvezelinternet een uitkomst, omdat de uploadsnelheid daar gelijk is aan de downloadsnelheid. In onze praktijktest met een snelle glasvezelverbinding bleek KPN de snelste. Met een gemiddelde uploadsnelheid van 22 Mbit/s was de upload van 10 GB binnen het uur gepiept. De andere deden er 2 tot 3,5 uur over. Hier moet bij gezegd dat dit soort metingen van veel factoren afhangt. De bevindingen zijn dan ook indicatief, en niet in de tabel verwerkt.

Carbonite lijkt liever niet te willen dat je grote back-ups maakt. De dienst beperkt de bandbreedte tot 2 Mbit/s. Vanaf 35 GB gaat de kraan verder dicht tot 512 kbit/s. En na 200 GB moet je het doen met een schamele 100 kbit/s.

Sommige aanbieders bieden aardige extraatjes. Met de software van Crashplan kun je – gratis – ook een back-up maken op de eigen harde schijf, of die van een vriend. Met Mozy kun je eveneens een lokale back-up maken, maar alleen met een (betaald) abonnement.

Steeds meer back-upaanbieders leveren ook apps voor iPhone, iPad en Android-toestellen. Zo heb je altijd de beschikking over je bestanden. Handig om onderweg even een document in te kijken.

Kleine lettertjes

Back-updiensten zijn onbekenden aan wie je je privégegevens toevertrouwt. Daarom bestudeerden we de kleine lettertjes aandachtig. We kwamen enkele opmerkelijke zaken tegen. Livedrive (Savedrive.nl) schrijft dat het tot 72 uur (!) kan duren voordat je een gemaakte back-up terug kunt zetten. Bij onze test waren de bestanden overigens direct beschikbaar.

En wat als je een keer een rekening vergeet te betalen? Bij Wuala en Crashplan krijg je 30 dagen de tijd, maar Mozy en Carbonite behouden zich het recht voor om bij betalingsachterstand direct de data te verwijderen.

Carbonite en Backblaze schrijven verder dat ze gerechtigd zijn op ieder moment te stoppen met de dienst, waardoor gebruikers geen toegang meer hebben tot hun gegevens. Mozy heeft een vergelijkbare bepaling, maar zegt wel te 'streven' naar een redelijke termijn. Ook KPN belooft 'inachtneming van een redelijke termijn'. En de opvallendste – zeker voor een back-updienst: Wuala vermeldt dat dataverlies niet onmogelijk is.

Printers (inkjet-)
Consumentengids februari 2013

Om de inktkosten van de printers te bepalen, laten we in ons testlab meer dan 500 zwarte tekstpagina's direct na elkaar uit de printer komen, totdat de zwarte cartridge leeg is. Daarna printen we meer dan 250 pagina's in

All-in-one inkjetprinters

Merk & Type	Richtprijs	Testoordeel	Printen totaal	Kwaliteit tekstafdruk	Kwaliteit fotoafdruk	Gebruiksgemak printen	Scannen	Kopiëren	Energiegebruik	Wifi	Automatisch dubbelzijdig printen	Minimale inktkosten zwarte tekstpagina	Minimale inktkosten A4-foto	Gebruikte cartridges
Weging voor Testoordeel (%)		60					12,5	12,5	5					
■ 1. **HP** Photosmart 7510	€160	7,6	+	++	+	□	+	+	+	√	√	€0,04	€0,84	364XL
■ 2. **Epson** XP-800	€220	7,6	+	+	+	□	+	+	++	√	√	€0,05	€0,74	26XL
3. **Canon** MG5450	€130	7,4	+	++	++	□	+	+	++	√	√	€0,04	€0,59	550/551XL
4. **Canon** MG6350	€170	7,4	+	++	++	□	+	+	++	√	√	€0,05	€0,63	550/551XL
5. **Epson** XP-700	€180	7,4	+	□	+	□	+	+	++	√	√	€0,06	€0,83	26XL
▶ 6. **Brother** MFC-J5910DW	€140	7,3	+	□	+	+	+	+	++	√	√	€0,02	€0,56	LC1280XL
7. **Epson** XP-600	€140	7,3	+	+	+	□	+	+	+	√	√	€0,04	€0,84	26XL
8. **HP** Officejet 4620	€110	7,1	+	+	+	□	+	+	++	√		€0,04	€0,73	364XL
9. **Dell** V525w	€115	7,1	+	+	+	+	+	+	+	√	√	€0,04	€1,63	Series 33
10. **Canon** MG4250	€80	6,8	+	+	+	+	+	□	++	√	√	€0,04	€0,61	540/541XL
11. **HP** Photosmart 5520	€100	6,8	+	++	□	–	+	+	++	√	√	€0,04	€0,71	364XL
12. **HP** Photosmart 7520	€190	6,8	+	□	□	++	□	+	++	√	√	€0,05	€0,70	364XL
13. **HP** Photosmart 6520	€140	6,7	+	+	–	□	+	+	++	√	√	€0,05	€0,78	364XL
14. **Canon** MG3250	€70	6,6	+	+	+	+	+	+	++	√	√	€0,05	€0,59	540/541XL
15. **Canon** MG2250	€50	6,5	+	+	+	+	+	+	++			€0,05	€0,59	540/541XL
16. **HP** Deskjet 3520	€90	6,5	+	++	□	–	+	+	++	√	√	€0,04	€0,74	364XL
17. **HP** Deskjet 3055A	€60	6,4	□	+	+	□	+	++	++	√		€0,06	€1,09	301XL
18. **Brother** DCP-J140W	€70	6,4	□	–	+	+	+	□	++	√		€0,05	€1,05	LC985
19. **HP** Deskjet 2510	€60	6,3	□	+	+	□	+	+	++			€0,06	€0,91	301XL
20. **Epson** XP-305	€75	5,8	□	+	–	□	□	□	++	√		€0,04	€1,00	18XL
21. **Epson** XP-205	€60	5,7	□	+	–	□	□	+	++	√		€0,04	€0,89	18XL
22. **Epson** XP-102	€50	5,3	□	+	–	+	□	□	++			€0,04	€1,13	18XL

■ Beste uit de test ▶ Beste koop

++ Zeer goed + Goed □ Redelijk – Matig – – Slecht

- De prijzen zijn van januari 2013.
- In de tabel staat een selectie van printers die in 2012 op de markt zijn gekomen. Op consumentenbond.nl/printers staan nog veel meer geteste printers.
- De Beste uit de test HP Photosmart 7510 is inmiddels opgevolgd voor de 7520, maar de 7510 is op het moment van publicatie nog verkrijgbaar.

- De Beste koop is gebaseerd op de aanschafkosten en verbruikskosten over 5 jaar, uitgaande van een gemiddelde gebruiker die 375 pagina's per jaar afdrukt (250 pagina's zwarte tekst, 100 pagina's tekst met kleur en 25 kleurenfoto's op A4-formaat).
- Voor het Testoordeel zijn ook netwerkmogelijkheden (5%) en foto printen vanaf usb-stick of geheugenkaart (5%) meegewogen.

kleur, tot één van de kleurencartridges leeg is. Dat zijn een heleboel printjes, terwijl velen de laatste jaren thuis aanzienlijk minder zijn gaan printen. Om te achterhalen of dit invloed heeft op de inktkosten is het onderzoek sinds kort uitgebreid met een extra inktkostentest. Over een periode van 3 weken worden 30 afdrukken gemaakt: 20 zwarte tekstpagina's en 10 grafieken in kleur. Telkens 1 of 2 pagina's per keer. Na elke printopdracht wordt de printer uitgezet en we gebruiken hem niet elke dag, net zoals thuis.

Uit deze test blijkt dat de printer meer inkt gebruikt wanneer je af en toe print dan wanneer je de pagina's achter elkaar afdrukt. De extra inkt wordt gebruikt om de spuitmondjes in de printkop schoon te houden. Deze spuitmondjes zijn heel klein en printerfabrikanten hameren erop dat ze niet verstopt mogen raken. De printkop met de spuitmondjes beweegt bij de meeste printers heen en weer boven het papier. Op elk punt van het papier dat moet worden bedrukt, laten de spuitmondjes een drup-peltje inkt vallen. Hoe hoger de printkwaliteit is ingesteld, hoe kleiner de druppels zijn. Een grote hoeveelheid van deze kleinere druppels zorgt voor een gedetailleerdere afdruk.

Als één van de spuitmondjes verstopt raakt door opgedroogde inkt, kan er geen druppel meer door. Dat is niet best voor de kwaliteit van de afdruk en ook niet best voor de printkop, die in het ergste geval stuk kan gaan. Dan is de printer meteen total loss, want vervanging van de printkop is duurder dan een nieuwe printer. Het is dus van het grootste belang verstoppingen te voorkomen. De printerfabrikanten nemen dit wel heel serieus en gebruiken inkt om veelvuldig schoon te maken.

Dubbelzijdig

De eenvoudigste manier om het milieu te sparen is dubbelzijdig printen. De duurdere printers doen dit automatisch. Natuurlijk kun je met elke printer handmatig dubbelzijdig printen door eerst de oneven pagina's van een document af te drukken, de vellen papier om te draaien en deze nogmaals te bedrukken met de even pagina's. Sommige printers geven op het scherm instructies voor hoe je dit moet doen.

Voorbereidingstijd

Veel printers hebben bijna elke keer als je ze aanzet tijd nodig voordat ze starten met printen, soms zelfs meer dan een minuut. Wat de printer precies doet in deze tijd is onduidelijk, maar zeker is dat het inkt kost. Hoeveel verschilt sterk per printertype en cartridgeserie. De test is uitgevoerd met 15 printers, die gebruikmaken van 5 cartridgeseries.

HP-printers met de 364-cartridgeserie, onder andere de populaire Photosmart-printers, verbruiken maar liefst 2,5 tot 3 keer zoveel inkt bij af en toe een afdruk maken. Veel inkt verdwijnt in het opvangsponsje in de printer. De 30 testafdrukken kosten €3 aan inkt als je ze achter elkaar print. Worden dezelfde testafdrukken in een tijdspanne van drie weken gemaakt, dan kosten ze €8,30. Slechts ongeveer eenderde van de inkt komt dus daadwerkelijk op het papier terecht.

De goedkopere Deskjet-printers van HP die gebruikmaken van de 301-cartridgeserie zijn juist zeer zuinig. Deze printers gebruiken bijna geen extra inkt. Het verschil tussen deze en de 364-serie is dat de 301 een gecombineerde kleurencartridge heeft met een geïntegreerde printkop. Omdat de printkop met de cartridge vervangen wordt en niet het hele leven van de printer mee hoeft te gaan, is de schoonmaak blijkbaar minder van belang.

Bij de printers van Canon is hetzelfde patroon te zien. De 540/541-cartridgeserie met een gecombineerde kleurencartridge verbruikt de helft minder aan inkt dan de 525/526-serie met losse cartridges voor elke kleur. De 30 testafdrukken kosten met de 540/541-serie €4,90 en met de 525/526-serie €8,60 bij incidenteel gebruik.

Ondanks de losse kleurencartridges valt het extra inktverbruik van de Epson 18-cartridgeserie mee. Printers met deze cartridges zijn ongeveer de helft meer inkt kwijt bij af en toe printen: de 30 testafdrukken kosten dan €4,80 in plaats van €3,10.

Nieuw, niet beter

Opvallend in de test is dat de nieuwe HP Photosmart-printers geen goede fotoafdrukken maken. De foto's zijn wat korrelig en de kleuren een beetje mat. De foto's van de vorige Photosmarts uit 2011 waren wel goed. Een nieuwere printer is dus geen garantie voor betere kwaliteit. De vernieuwingen bij printers zitten niet zozeer in de kwaliteit van de afdrukken, maar meer in extra functies, zoals de mogelijkheid om te printen vanaf een smartphone of tablet. Ook hebben steeds meer printers een aanraakscherm, wat de bediening een stuk eenvoudiger maakt.

Uitleg van de fabrikanten

We vroegen de printerfabrikanten om uit te leggen hoe ze de hoeveelheid schoonmaakinkt bepalen en waarom dit verschilt per printer. Is het wel echt nodig om zoveel inkt te gebruiken?

Canon geeft aan dat zijn printers bijhouden hoelang ze uitstaan. 'Hoe langer de printer uit heeft gestaan, hoe meer inkt hij gebruikt om de printkop schoon te maken. Elke cartridgeserie werkt op zijn eigen manier en heeft zijn eigen schoonmaakprogramma. Wij gaan er bij printers met wifi vanuit dat ze niet uitgezet worden. Als ze dan aangezet worden, spuiten ze altijd wat inkt door de spuitmondjes om te checken of alles werkt. De printkoppen moeten in optimale conditie zijn voor goede afdrukken.'

HP laat weten dat het automatisch schoonhouden van de spuitmondjes met inkt moet voorkomen dat er lucht in het tankje komt. 'Elke printer gebruikt een eigen schema om bij te houden wanneer en met hoeveel inkt er schoongemaakt moet worden. Dit is afgestemd op het soort gebruik dat bij een printer wordt verwacht. Printers met de 364-cartridges zullen veel foto's printen, printers met de 301-cartridges met name tekstdocumenten.'

Epson is verbaasd over de resultaten en wijst erop dat heel veel factoren invloed hebben op het aantal pagina's dat geprint kan worden met één cartridge en daarmee op de inktkosten. Uitleg over het hoe en waarom printers inkt gebruiken voor het schoonhouden van de printkop ontbreekt in de reactie van Epson.

Hoe wij testen

De printkwaliteit en printsnelheid worden beoordeeld met vier verschillende documenten: een zwarte tekstpagina, een pagina met tekst en grafieken in kleur, een opgemaakte pagina met tekst en foto's in kleur en een kleurenfoto op fotopapier.

Ook de veegvastheid en de waterbestendigheid worden bepaald. Een foto op fotopapier laten we hiervoor 24 uur drogen. Onder een hoek van 45 graden wordt er vervolgens wat water op gedruppeld. Daarnaast wrijven we een druppel water met een doekje lichtjes over de foto om te zien of de inkt blijft zitten. Verder wegen ook gebruiksgemak, geluid en printmogelijkheden mee in het oordeel voor printen.

Duidelijkheid graag

De Consumentenbond erkent dat de printkop schoongemaakt moet worden, maar vraagt zich af of hier wel zoveel inkt voor nodig is. Fabrikanten zouden duidelijker moeten zijn over de hoeveelheid inkt die gebruikt wordt voor de reiniging en op welke momenten reiniging plaatsvindt.

Op de cartridgeverpakking staat al het aantal pagina's dat je ermee kunt printen. Dit aantal is gebaseerd op internationale afspraken die zijn vastgelegd in een iso-norm. Maar ook deze norm gaat ervan uit dat alle printjes in één keer gemaakt worden. En dat zegt dus weinig over het realistische inktverbruik.

Besparen op inktkosten

In de tabel staan per printer de minimale inktkosten per pagina. Deze kosten zijn berekend met de inktverbruiktest waarin de cartridge in één keer leeggeprint is. Er is ook een extra test gedaan om te bepalen hoeveel inkt het scheelt wanneer 30 afdrukken in één keer worden gemaakt en wanneer hetzelfde aantal wordt geprint in de loop van drie weken. Hoeveel de kosten voor ieder persoonlijk zijn, hangt af van hoeveel en hoe vaak je print. Zeker is dat bij minder printen er naar verhouding meer inkt gebruikt wordt voor het schoonmaken.

Om de inktkosten te beperken is het verstandig de prijzen van de originele cartridges goed te vergelijken.

Uit een prijspeiling blijkt dat het verschil tussen de goedkoopste en duurste winkel gemiddeld ruim €7 per cartridge is. Een andere mogelijkheid is alternatieve cartridges gebruiken, dus van een ander merk dan de printer. Hiermee is misschien nog meer op inktkosten te besparen.

IN DETAIL

HP Photosmart 7510 e-AIO (Beste uit de test)

Prijs: €160

Testoordeel: 7,6

Tekstpagina's, grafieken en foto's: deze uitgebreide all-in-one met wifi drukt het allemaal snel en goed af. Ook gekopieerde pagina's zien er zeer goed uit. Jammer genoeg zijn de foto's niet vochtbestendig.

Brother MFC-J5910DW (Beste koop)

Prijs: €140

Testoordeel: 7,3

Deze A3-printer met wifi is Beste koop door de lage inktkosten. Afdruk-ken van foto's op fotopapier zien er goed uit. Tekstpagina's worden snel geprint, maar de randjes van de letters zijn niet helemaal scherp.

Draadloos

Op de allergoedkoopste printers na zijn alle nieuwe printers met het computernetwerk thuis te verbinden. Altijd draadloos, soms ook bedraad. Zo kun je vanaf iedere computer of laptop in huis draadloos printen; een usb-kabel is niet meer nodig. In theorie is draadloos aansluiten zeer eenvoudig: de meegeleverde software die op de computer wordt geïn-stalleerd, zoekt zelf naar de printer in het netwerk. Maar de praktijk blijkt weerbarstiger: correcte installatie vergt vaak meerdere pogingen.

Voor printen vanaf een smartphone of tablet moet je een gratis app van de printerfabrikant downloaden. Nadat de app verbinding heeft gemaakt met de printer, kun je foto's en webpagina's afdrukken. Dit werkt eenvou-dig en de printkwaliteit is hetzelfde als bij een printopdracht vanaf een computer. Steeds meer printers ondersteunen ook Apple AirPrint, dat standaard in het besturingssysteem iOS op iPhones en iPads zit. AirPrint vindt zelf de printer in het netwerk, waarna je direct kunt printen vanuit de browser en andere apps.

De scankwaliteit van all-in-oneprinters is prima in orde. Het scannen gaat ook behoorlijk snel, behalve bij Epson-printers, die meer dan ander-halve minuut nodig hebben voor het scannen van een tijdschriftpagina met tekst en afbeeldingen. Bij veel printers is ocr-software meegeleverd, waarmee je de tekst van een scan kunt omzetten in een bewerkbaar bestand.

Zie www.consumentenbond.nl/printers.

Printers (laser-)

Digitaalgids maart/april 2013

Nederland kiest massaal voor de all-in-one inkjetprinters, die breed uit-
gestald staan in de winkels. Slechts 5% van de printerkopers in 2012 koos
een laserprinter. Zijn het de hardnekkige vooroordelen die potentiële
kopers tegenhouden? Laserprinters zijn allang niet meer de enorme
kantoormachines die energie slurpen, veel lawaai maken en pas voordelig worden bij honderden afdrukken per week.

Laten we die kosten eens onder de loep nemen. Als we de laserprinters
uit deze test vergelijken met de Canon Pixma MG2250, een veelverkochte inkjetprinter die goedkoop is in aanschaf en redelijk goedkoop
in het gebruik, blijkt dat ze allemaal op termijn voordeliger zijn. Bij
duurdere lasers is die termijn erg lang, maar de meeste laserprinters
kosten tegenwoordig slechts een paar tientjes meer dan de goedkoopste inkjets.

Kleur op? Zwart op slot

Ook kleurenlaserprinters hebben, net als veel inkjetprinters, de onhebbe-
lijke gewoonte om te stoppen met printen als een van de kleuren op is. De
enige uitzondering is de Epson C1700.

Kosten

Met de lagere inktkosten per pagina haal je dat verschil in aanschaf er
binnen een paar jaar uit. In het geval van onze Beste koop zwartprinters,
de Brother HL-2130 (€55), ligt dat omslagpunt bij 400 zwarte tekstprintjes
(dat zijn 17 printjes per maand in 2 jaar), zie ook de grafiek. Er zijn nog
wel behoorlijke verschillen tussen laserprinters onderling. De inktkosten
lopen uiteen van 2 tot bijna 8 cent per zwarte tekstpagina.

De kleurenlasers zijn in prijs gezakt tot onder de €150 en daardoor ook
interessant geworden voor de huis-tuin-en-keukengebruiker. De aanschaf van een kleurenlaser haal je er nu ook eerder uit, omdat ook kleurenafdrukken met een laser iets goedkoper zijn. Bij twee kleurenprinters
ligt het omslagpunt al bij 500 kleurenpagina's met tekst en grafieken.

Wat de lasers in de kaart speelt, is dat inkjets prijzige inkt gebruiken
om de printkoppen te reinigen. De inktkosten per pagina worden zo

Laserprinters

Merk en type	Testoordeel	Richtprijs	Kosten 100 zwarte tekstpagina's	Kosten 100 pagina's en afbeeldingen in kleur	Printen pagina's met tekst	Kwaliteit kleurenfoto	Afdruksnelheid 5 zwarte tekstpagina's	Gebruiksgemak printen	Scannen	Kopiëren	Energiegebruik	Automatisch dubbelzijdig	Wifi	Ethernet	Afmetingen
Weging voor Testoordeel (%)					60			12,5	12,5	5					
Zwart															
■ 1 **HP** LaserJet Pro 1102 W	7,9	€100	€5,64	nvt	+	nvt	++	□	nvt	nvt	++		✓		•
■ 2 **HP** LaserJet Pro 400 M401dw	7,9	€300	€2,34	nvt	+	nvt	++	□	nvt	nvt	+	✓	✓	✓	•••
■ 3 **Epson** Aculaser M1400	7,7	€90	€4,13	nvt	+	nvt	++	+	nvt	nvt	+				••
■ 4 **HP** LaserJet Pro P1606dn	7,7	€170	€4,10	nvt	+	nvt	++	+	nvt	nvt	++	✓		✓	••
5 **Samsung** ML-2165W	7,6	€80	€5,79	nvt	+	nvt	++	□	nvt	nvt	++		✓		•
6 **Samsung** ML-2165	7,5	€65	€5,79	nvt	+	nvt	++	□	nvt	nvt	++				•
7 **Samsung** ML-2160	7,5	€70	€5,79	nvt	+	nvt	++	□	nvt	nvt	++				•
8 **Canon** i-Sensys LBP 6670 DN	7,5	€215	€2,21	nvt	+	nvt	++	+	nvt	nvt	□	✓		✓	••
9 **Canon** i-Sensys LBP 6680x	7,5	€300	€2,21	nvt	+	nvt	++	+	nvt	nvt	□	✓		✓	••
10 **Canon** i-Sensys LBP 6000	7,3	€80	€4,03	nvt	+	nvt	++	□	nvt	nvt	++				••
▶ 11 **Brother** HL-2130	7,1	€55	€4,26	nvt	+	nvt	++	□	nvt	nvt	++				•
12 **Dell** B1160w	7,0	€90	€4,22	nvt	+	nvt	++	□	nvt	nvt	++		✓		•
Kleur															
1 **Epson** Aculaser C1700	6,8	€125	€4,13	€28,89	+	–	+	+	nvt	nvt	+				•••
2 **Brother** HL-3040CN	6,4	€130	€2,52	€18,67	□	–	++	□	nvt	nvt	□			✓	••••
3 **Canon** i-Sensys LBP 7010C	6,4	€130	€2,90	€19,45	□	–	+	□	nvt	nvt	++				••
4 **Canon** i-Sensys LBP 7018C	6,4	€135	€2,90	€19,45	□	–	+	□	nvt	nvt	++				••
All-in-one Zwart															
■ 1 **HP** LaserJet Pro M1217nfw	7,7	€190	€5,88	nvt	+	nvt	++	□	+	+	++		✓	✓	•••
2 **Samsung** SCX-3405W	7,6	€120	€5,65	nvt	+	nvt	++	□	+	+	++		✓		••
3 **Samsung** SCX-3400	7,4	€105	€5,20	nvt	+	nvt	++	□	+	++	++				••
4 **Samsung** SCX-3405	7,4	€105	€5,20	nvt	+	nvt	++	□	+	++	++				••
5 **Samsung** SCX-4727FD/SEE	7,1	€190	€2,99	nvt	+	nvt	++	□	+	+	++	✓			•••••
6 **Dell** B1265dnf	7,1	€280	€3,51	nvt	+	nvt	++	+	+	+	++	✓		✓	•••••
All-in-one Kleur															
1 **Samsung** CLX-3305FW	6,8	€320	€3,90	€28,58	+	–	++	□	+	+	+		✓	✓	••••

■ Beste uit de test   ▶ Beste koop

++ Zeer goed   + Goed   □ Redelijk   – Matig   –– Slecht

- De prijzen zijn van februari 2013.
- De inktkosten zijn berekend door originele tonercartridges volledig leeg te printen. De oordelen voor printen vanaf een camera (5%) en voor netwerkmogelijkheden (5%) zijn buiten de tabel gelaten.
- Afmetingen: hoe meer bolletjes, des te groter de printer (max. 5 bollen).
- De Beste koop is gebaseerd op de aanschafkosten en inktkosten over 5 jaar, uitgaande van een gemiddelde gebruiker die 375 pagina's per jaar afdrukt (250 pagina's zwarte tekst, 100 pagina's met tekst en afbeeldingen (indien mogelijk in kleur) en 25 foto's in kleur op A4-formaat (indien mogelijk). De Beste koop voor kleurenprinters wordt apart berekend. Geen van de geteste kleurenlaserprinters krijgt een predicaat omdat geen model het vereiste Testoordeel van minimaal 7,0 haalt.

stiekem hoger dan je denkt. Wie weinig print, verliest op die manier soms zelfs tweederde van de inkt in een cartridge. Bij een laserprinter speelt dit niet.

Kwaliteit

Dan de kwaliteit van kleurenafdrukken. Dat laserprinters niet geschikt zijn om in kleur af te drukken, is slechts ten dele waar. Grafieken en routekaartjes in kleur zien er bij alle geteste kleurenlasers prima uit, zelfs beter dan bij inkjetprinters. Foto's afdrukken is een ander verhaal: omdat lasers poeder gebruiken en geen vloeibare inkt, zien foto's er altijd dof uit. Alleen de Epson Aculaser C1700 krijgt een voldoende voor een pagina met tekst en foto, maar de kwaliteit haalt het nog steeds bij lange na niet bij die van inkjetprinters.

Er is overigens een eenvoudige oplossing voor dit euvel: laat foto's afdrukken bij een fotocentrale, zoals Hema of Kruidvat. Al vanaf een paar foto's per keer is dat ook goedkoper dan ze zelf afdrukken met een inkjetprinter.

Besparen met kloontoner

Bij inkjetprinters is het slim om cartridges van een ander merk te kopen: die printen vaak even goed, maar zijn goedkoper. Ook op toner (de 'inkt' voor laser) blijkt flink te besparen. Op basis van een kleine rondgang schatten we de besparing op 20 tot 40%. Dat gaat om aardige bedragen, want een nieuwe tonercartridge kost al snel €50 per kleur.

We deden ook een kleine proef om te kijken hoe de kwaliteit bevalt. We kochten alternatieve toner voor een zwarte HP Laserjet 1012 (Toner Products Nederland, €25 in plaats van €55 voor origineel) en voor een kleuren-Samsung CLP-315 (huismerk 123inkt.nl €110 in plaats van €131 voor origineel). De kwaliteit van zwarte tekst was prima. Die prints met de kleurentoner waren fletser, maar de meeste mensen zullen dat voor grafieken en routekaartjes waarschijnlijk niet bezwaarlijk vinden.

Supersnel

De kwaliteit van tekstafdrukken staat buiten kijf. Laserprinters blijven kampioen in het afdrukken van scherpe letters met zeer strakke randen. Door de inkt die iets uitloopt ogen letters geprint met een inkjet vaak

Na hoeveel printjes is de laser voordeliger?

Vergeleken met de inkjet Canon MG2250

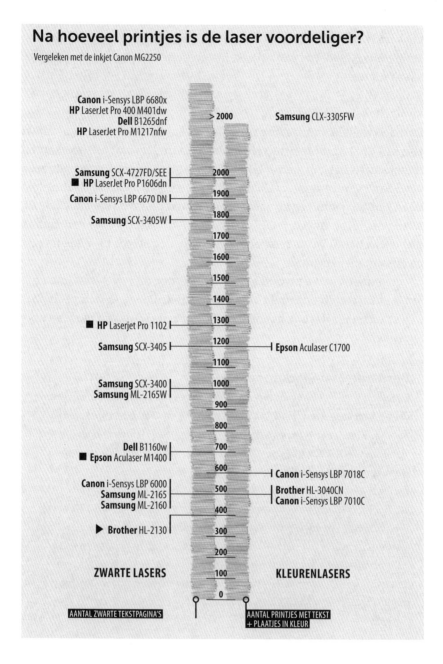

Canon i-Sensys LBP 6680x
HP LaserJet Pro 400 M401dw
Dell B1265dnf
HP LaserJet Pro M1217nfw

> 2000

Samsung CLX-3305FW

Samsung SCX-4727FD/SEE
■ **HP** LaserJet Pro P1606dn — 2000
Canon i-Sensys LBP 6670 DN — 1900
Samsung SCX-3405W — 1800

1700

1600

1500

1400

■ **HP** Laserjet Pro 1102 — 1300

Samsung SCX-3405 — 1200 — **Epson** Aculaser C1700

1100

Samsung SCX-3400 — 1000
Samsung ML-2165W

900

800

Dell B1160w — 700
■ **Epson** Aculaser M1400

600 — **Canon** i-Sensys LBP 7018C

Canon i-Sensys LBP 6000 — 500 — **Brother** HL-3040CN
Samsung ML-2165 — **Canon** i-Sensys LBP 7010C
Samsung ML-2160 — 400

▶ **Brother** HL-2130 — 300

200

ZWARTE LASERS — 100 — KLEURENLASERS

0

AANTAL ZWARTE TEKSTPAGINA'S

AANTAL PRINTJES MET TEKST
+ PLAATJES IN KLEUR

wat rafelig. Lasers zijn ook supersnel: om 5 zwarte tekstpagina's af te drukken, hebben de meeste modellen 20 seconden nodig – tweemaal zo snel als de gemiddelde inkjetprinter.

Wat klopt er dan van lawaaierig, energieslurpend en kolossaal? Tegenwoordig weinig meer. Alleen de Dell B1160w maakt veel lawaai. Het energiegebruik in standby en in de uit-stand is vrijwel nihil. De Canon i-Sensys LBP6670 en 6680 gebruiken nog 10 watt in standby, en de Brother HL-3040CN heeft veel energie nodig om op te starten. En wat de omvang betreft: er zijn onderlinge verschillen, maar groter dan inkjetprinters zijn ze allang niet meer.

Met alle voordelen van een laser, blijft er eigenlijk nog maar één scenario over waarbij de inkjetprinter nog steeds de betere keuze is. Alleen wie foto's of veel in kleur print, kan beter kiezen voor een inkjetprinter.

HP Laserjet Pro 1102 W (Beste uit de test)
Prijs: €100
Testoordeel: 7,9
Er is niets aan te merken op deze snelle laserprinter, die alleen in zwart afdrukt. Hij drukt de scherpste letters van allemaal af en ook de opgemaakte tekstpagina's met foto's zien er zeer goed uit. Via wifi is vanaf elke computer of tablet in huis draadloos te printen.

Brother HL-2130 (Beste koop)
Prijs: €55
Testoordeel: 7,1
Drukt zwarte tekstpagina's zeer goed en snel af, maar heeft verder geen extra's. Een voordelige en goede keus, ook voor iemand die weinig print. De inktkosten van €0,04 per pagina zijn gunstig. Alleen enkele (veel) duurdere laserprinters zijn voordeliger per pagina.

Epson Aculaser C1700
Prijs: €125
Testoordeel: 6,8
Deze gebruiksvriendelijke kleurenlaserprinter drukt prima teksten af, maar een A4-foto oogt wat dof. Een tekstpagina met enkele afbeeldingen in kleur ziet er wel goed genoeg uit. Helaas zijn de inktkosten voor een kleurenpagina wat aan de hoge kant: 29 cent.

HP Laserjet Pro M1217nfw (Beste uit de test)

Prijs: €190

Testoordeel: 7,7

De beste all-in-one print, scant en kopieert goed. Alleen het scannen van kleurenfoto's duurt wat lang (25 seconden). Handig is de automatische papierdoorvoer voor het scannen en kopiëren van een stapel papier. Kan draadloos en bedraad verbonden worden met het thuisnetwerk.

Zie ook het dossier op www.consumentenbond.nl/printers.

Providermonitor

Digitaalgids september/oktober 2013

Nieuw in de Mobiele Providermonitor: Simyo en Hollandsnieuwe. Deze dochters van KPN en Vodafone staan meteen met goede totaaloordelen bovenaan. Klanten van Hollandsnieuwe waarderen de transparantie en het ontbreken van hoge buitenbundeltarieven. Simyogebruikers vinden de bundelsamenstelling 'flexibel'. Wel kende Hollandsnieuwe veel storingen bij het bellen. Deze provider gebruikt het Vodafone-netwerk en de storingen noteerden we ook van Vodafone-klanten.

Mobiele providermonitor

	Provider	Testoordeel	Halfjaarsscore (jan-juni)	T.o.v. vorige halfjaar	Kwaliteit bellen en sms	Storingen bellen	Storingen sms	Kwaliteit mobiel internet	Storingen mobiel internet	Tevredenheid
1	Simyo	8,0[1]	nvt	nvt	8,6[1]	4%	2%	7,6	15%	7,9
2	Hollandsnieuwe	7,7	nvt	nvt	8,2[1]	9%[2]	4%	7,3	11%	7,5
3	Telfort	7,6	7,6	=	8,5[1]	4%	2%	7,3	14%	7,2
3	KPN	7,6	7,7	▼	8,5[1]	5%	3%	7,6	12%	6,7
4	Hi	7,5	7,6	▼	8,3[1]	7%	4%	7,5	13%	6,8
5	Tele2	7,4	nvt	nvt	8,3[1]	7%	4%	7,0	12%	6,9
6	Vodafone	7,3	7,4	▼	8,3[1]	8%[2]	3%	6,9	17%[2]	6,8
7	T-Mobile	7,3	7,5	▼	8,4[1]	6%	2%	6,7	18%[2]	6,8

1) = een relatief hoge score   2) = een relatief lage score

Seniorentelefoons
Consumentengids maart 2013

Wie alleen wil bellen en sms'en, heeft aan een simpel mobieltje van zo'n €30 ruim voldoende. Seniorentelefoons zijn flink duurder, maar met een goed toestel ben je wel verzekerd van een eenvoudig menu dat goed leesbaar is, extra luide beltonen en een speciaal laadstation, waardoor gepruts met een klein stekkertje tot het verleden behoort. En, heel belangrijk: in geval van nood bereik je vrienden of familie na één druk op de speciale knop.

Seniorentelefoons

	Merk & Type	Richtprijs	Testoordeel	Gebruiksgemak	Geschikt voor slechtzienden	Geschikt voor slechthorenden	Bellen en sms'en	Accu	Degelijkheid	Veelzijdigheid	Laadstation	Zaklamp	Bluetooth voor headset	Camera	Radio
Weging voor Testoordeel (%)			50					20	15	10	5				
■	1. **Doro** PhoneEasy 612	€130	7,7	+	+	+	+	++	+	+	√		√	√	√
■	2. **Doro** PhoneEasy 515	€115	7,5	+	+	+	+	++	+	+	√	√	√	√	√
	3. **Tiptel** Ergophone 6020+	€130	7,4	+	++	+	+	++	+	+	√		√	√	√
▶	4. **Bea-fon** S200	€85	7,2	+	+	□	□	+	+	+	√	√			
	5. **Doro** PhoneEasy 715	€120	7,2	+	□	□	□	++	+	+	√	√	√	√	√
	6. **Fysic** FM-9100	€120	6,5	+	+	+	□	□	+	□		√	√	√	√
	7. **Alcatel** One Touch 536	€60	6,4	□	□	+	+	++	+	+	√	√	√		√
	8. **Emporia** Click	€105	6,2	□	□	+	□	+	+	+	√	√	√	√	
	9. **Alcatel** One Touch 282	€45	6,1	□	+	+	□	+	++	□	√	√			√
	10. **Doro** PhoneEasy 505	€60	5,9	□	□	□	+	+	+	□					
	11. **Vodafone** 155	€40	5,3	–	□	□	□	++	+	□	√	√			
	12. **Profoon** PM-585	€60	4,6	□	□	□	□	–	+	□	√	√			

■ Beste uit de test ▶ Beste koop   ++ Zeer goed + Goed □ Redelijk – Matig –– Slecht

- De prijzen (van januari 2013) zijn webwinkelprijzen inclusief verzendkosten.
- Gebruiksgemak: onder andere gebruiksklaar maken, handleiding, scherm, toetsen, menu, dagelijks gebruik, draagbaarheid en geschiktheid voor wie een lichte beperking van zicht, gehoor of beweging heeft.
- Bellen en sms'en: onder meer geluidskwaliteit luidspreker en microfoon, gevoeligheid van de antenne, sms schrijven en ontvangen.
- Accu: beltijd, standby-tijd en oplaadtijd.
- Degelijkheid: schok- en waterbestendigheid, constructie en krasbestendigheid.
- Veelzijdigheid: onder meer noodknop, wekker, kalender, rekenmachine, bluetooth en radiofunctie.
- De Vodafone 155 is prepaid en is niet simlockvrij. Ook te koop als Alcatel 155.

De Consumentenbond testte 12 seniorentelefoons. Ons testpanel van 9 personen tussen de 60 en 78 jaar ervoer dat lang niet alle telefoons aan het ideaalbeeld voldoen. Maar er zijn meer goede modellen om uit te kiezen dan bij de vorige test in 2010. Doro valt op met drie prima toestellen, maar heeft ook één mindere. De Bea-fon S200 is Beste koop. De geteste telefoons zijn licht, redelijk compact en passen prima in de broekzak of handtas. De helft van de toestellen is een klaptelefoon die de knoppen automatisch blokkeert bij het sluiten. Dat voorkomt per ongeluk bellen vanuit de broekzak. Je kunt bovendien gemakkelijk een gesprek aannemen of beëindigen door het toestel te openen of te sluiten.

Goed zichtbaar

Seniorentelefoons hebben grotere letters op het scherm dan andere mobieltjes. Het nadeel van grote letters is dat er minder van in beeld passen. Bij bijvoorbeeld de Profoon PM-585 en de Alcatel One Touch 282 zijn slechts twee regels tegelijk leesbaar en dat is niet zo overzichtelijk. Ook worden teksten in het menu nogal eens afgeknipt, en dan moet je wachten tot de tekst langzaam voorbij schuift. Bij Doro, Emporia en Tiptel is de grootte van de letters in te stellen.

De schermen van de meeste testtelefoons zijn redelijk tot goed. De Profoon PM-585 heeft een oranje scherm dat weinig contrast heeft en slecht afleesbaar is.

Alle geteste telefoons hebben een verlicht toetsenbord en dat is handig in het donker. Vooral de Doro PhoneEasy 505 heeft een prettige, heldere achtergrondverlichting van de toetsen.

Ons testpanel trof bij de Alcatel One Touch 536 een handleiding aan met opvallend kleine letters, wat niet zo handig is bij een seniorentelefoon. Pas na vergroten met een kopieerapparaat is de handleiding goed leesbaar.

Tegen het oor

Op de telefoons van Alcatel en Vodafone na hebben alle telefoons extra luide beltonen. Sommige toestellen kunnen daarnaast de gebruiker attenderen op een inkomend gesprek door het ledlampje te laten knipperen. Een oortelefoon met microfoontje (headset) aansluiten, helpt om een beller beter te kunnen verstaan bij omgevingsgeluid. Draadloze headsets geven meer bewegingsvrijheid, maar de telefoon moet dan wel bluetooth hebben (zie de tabel).

94

Een aantal van de geteste telefoons heeft speciale ondersteuning voor hoorapparaten in de T-stand (ringleidingprogramma). Bellen met de telefoon tegen het oor geeft echter met een modern digitaal hoorapparaat een even goede of zelfs betere geluidskwaliteit. Overigens storen telefoons niet of nauwelijks op moderne digitale hoorapparaten. Analoge hoorapparaten ondervinden wel storing van mobieltjes.

Redder in nood

Bij bijvoorbeeld een valpartij is een noodknop op de telefoon een uitkomst. Druk je die in, dan gaat er een alarm af. De noodfunctie werkt bij elke telefoon net even anders en dus is het verstandig deze functie te proberen wanneer er niets aan de hand is. Licht vooraf de personen op de noodlijst in, zodat ze voorbereid zijn op het ontvangen van een nood-sms of -gesprek en weten hoe ze moeten reageren, want je wilt elkaar dan wel snel kunnen bereiken.

Bij de meeste toestellen wordt eerst een nood-sms gestuurd naar vooraf ingestelde contacten, waarna het toestel automatisch één voor één deze noodnummers belt, totdat er wordt opgenomen.

Andere benaderingen zijn er ook. Bij de Alcatel One Touch 536 wordt pas een nood-sms gestuurd als alle noodgesprekken mislukken.

We raden aan alleen mobiele nummers te gebruiken voor de noodcontacten. Vaste telefoons kunnen geen tekstberichten ontvangen en dus worden de sms'jes dan voorgelezen. Tijdens het voorlezen van het noodbericht is de lijn bezet en dat is niet handig wanneer de seniorentelefoon hetzelfde nummer probeert te bereiken. De ontvanger van een nood-sms moet weten dat hij moet wachten tot hij automatisch gebeld wordt. Want wie direct terugbelt naar de persoon in nood, kan een bezette lijn treffen en daar kun je elkaar zo net mislopen.

Bij antwoordapparaten en voicemail gaat het ook niet goed. De noodfunctie denkt dan dat er succesvol een noodgesprek tot stand is gekomen, terwijl je nog niemand gesproken hebt. Je moet dan zelf deze functie opnieuw activeren en dat is niet de bedoeling in een noodsituatie. Sommige telefoons zijn hiertegen beveiligd: de ontvanger van het gesprek moet een toets indrukken (welke verschilt per telefoon) om te bevestigen dat de noodfunctie iemand van vlees en bloed aan de lijn heeft en geen apparaat. Ook in het aannemen van noodgesprekken zitten verschillen. Zo schakelt de Fysic FM-9100 automatisch op de luidspreker over. De Bea-fon S200 neemt tot een uur na het indrukken van de noodknop automatisch de inkomende gesprekken op.

Bea-fon S200 (Beste koop)

Prijs: €85

Testoordeel: 7,2

Hij heeft een helder scherm dat goed afleesbaar is in zonlicht. De knoppen voor de zaklamp en om het toetsenbord te vergrendelen zijn lastig te bedienen. Met uitgebreide noodfunctie. Geschikt voor dragers van een hoorapparaat (M3/T3). Te koop in zwart en wit.

Doro Phone-Easy 612 (Beste uit de test)

Prijs: €130

Testoordeel: 7,7

Gebruiksvriendelijke klaptelefoon met een groot scherm en een uitgebreide noodfunctie. Functies die je niet wilt gebruiken, kun je uit het menu verwijderen. Geschikt voor dragers van een hoorapparaat (M3/T4). Te koop in zwart, paars en grijs.

Doro PhoneEasy 515 (Beste uit de test)

Prijs: €115

Testoordeel: 7,5

Deze gebruiksvriendelijke telefoon heeft de luidste beltonen en is licht en compact. Sneltoetsen geven eenvoudig toegang tot de camera en berichten. Geschikt voor hoorapparaatdragers (M3/T3). In zwart en wit.

Smartphones

De Samsung Galaxy S III en iPhone 5 zijn populaire smartphones met een groot scherm, maar als seniorentelefoon zijn ze minder geschikt. De letters op het scherm kunnen vergroot worden, maar niet álle teksten en knoppen worden dan groter. De vederlichte bediening via het aanraakscherm bleek voor een aantal panelleden nadelig, want wie trillende handen heeft, kiest algauw het verkeerde. En hoewel er speciale programmaatjes zijn voor de noodfunctie en zaklamp, gaat de bediening ervan altijd via het scherm en niet met speciale toetsen.

Geen 112

De noodlijst biedt ruimte voor vier of vijf nummers. Het alarmnummer 112 hoort op die lijst niet thuis. Miranda Post, woordvoerder van de nationale politie: '112 is bedoeld voor spoedeisende situaties. Wat de politie betreft is een noodknop op de telefoon vooral bedoeld voor de persoonlijke kring van de gebruiker, zoals buren, kinderen en thuiszorg. Na bijvoorbeeld een valpartij in huis, is het veel wenselijker om iemand dichtbij te bellen die over een sleutel beschikt dan 112.'

Extra's

Standaard toont elk toestel gemiste oproepen en zijn de beltonen aan te passen. Bellen kan zowel met de telefoon aan het oor als via de luidspreker. Ongeveer de helft van de toestellen heeft voorkeuzetoetsen voor het snel kiezen van geprogrammeerde nummers. En met allemaal kun je bellen en sms'en in heel Europa. Alleen met de Doro's kun je ook telefoneren in de Verenigde Staten.

De toestellen hebben verder eenvoudige extra's zoals een wekker, een rekenmachine en een kalender. Het invoeren van afspraken gaat via het cijfertoetsenbord en dat is even klikken.

Andere extra's die niet op elk toestel zitten, zijn een radio, camera en zaklamp. De radio werkt alleen met een aangesloten headset. De camera maakt matige foto's, maar kan soms toch handig zijn, bijvoorbeeld om foto's aan contacten toe te voegen. De zaklamp is met een eigen knop te bedienen. Het ledlampje geeft weinig licht, maar dat kan net voldoende zijn om de sleutels in je tas te vinden.

Bij een aantal toestellen kun je functies die je niet gebruikt uit het menu halen.

Online kopen

Het makkelijkst is om de telefoon en het abonnement los van elkaar aan te schaffen. Zo'n los verkochte seniorentelefoon is meestal 'simlockvrij'. Dat betekent dat je hem kunt gebruiken in combinatie met een prepaid simkaart of een abonnement van een willekeurige mobieletelefonieprovider. Seniorentelefoons zijn maar zeer beperkt te koop in telefoon- en elektronicawinkels. In webwinkels is de keus groter. Webwinkels met het Thuiswinkel Waarborg die seniorentelefoons verkopen, zijn onder meer seniorentelefoonstore.nl, bol.com en centralpoint.nl.

Smartphones

Digitaalgids mei/juni 2013

Smartphones zijn er vanaf €100 tot wel €900. Grofweg geldt: hoe beter, hoe duurder. Maar lang niet iedereen heeft zo'n duur topmodel nodig. We presenteren de beste modellen in verschillende categorieën.

Met een *budgetmodel* tot circa €250 heb je een eenvoudig toestel om mee te e-mailen, internetten en kennis te maken met apps. De schermen zijn wat minder scherp dan die van duurdere modellen. Eenmaal verknocht aan de smartphone hunkert u waarschijnlijk naar meer. Voor de meeste mensen raden we daarom een *middenklasser* aan: die kost iets meer (€200-400), maar daarvoor krijgt u een betere camera.

iPhone en zo

Uit onze test blijkt dat Android-toestellen de beste prijs-kwaliteitverhouding hebben. Dat neemt niet weg dat er ook toptoestellen zijn met iOS, Windows Phone en BlackBerry als besturingssysteem:

Beste iPhone: Apple iPhone 5, €640, testoordeel 8,0

Beste Windows Phone: Samsung Ativ S, €490, testoordeel 7,6

Beste BlackBerry: BlackBerry Z10, €650, testoordeel 7,6

Voor de intensieve smartphonegebruiker zijn *topsmartphones* de beste keus. Deze toestellen presteren op alle fronten bovengemiddeld: een camera die kan concurreren met uw compactcamera en een zeer scherp scherm. De snelle processor en het grote intern geheugen zorgen ervoor dat de smartphone altijd vlot reageert.

TOPSMARTPHONES   IN DETAIL

LG Optimus 4x HD (Beste uit de test)

Prijs: €400

Testoordeel: 8,0

De LG Optimus 4x HD is een zeer goede Android-smartphone, met een zeer helder en scherp scherm met grote inkijkhoek. Internetten via de browser gaat gemakkelijk, maar trekt de accu wel snel leeg. Bij navigeren blinkt hij niet uit. De locatiebepaling is onnauwkeurig en de luidspreker kan niet luid genoeg.

Samsung Galaxy S Advance (Beste uit de test)

Prijs: €250

Testoordeel: 7,9

De Galaxy S Advance is een handzaam en licht toestel met een goed scherm dat kleuren mooi weergeeft. De 5-megapixelcamera maakt prima foto's; video's zijn van mindere kwaliteit. Door de zwakke antenne kunnen gesprekken wegvallen in gebieden met slechte dekking. Dat is in Nederland gelukkig bijna nergens meer.

Samsung Galaxy S III (Beste uit de test)

Prijs: €490 (16GB)

Testoordeel: 8,2

De Galaxy S III was een van de topsmartphones van 2012, en is nu voordeliger geprijsd na de komst van opvolger S4. De S III is licht, snel en heeft een prima camera. Bovendien komen zowel foto's als kleine letters goed tot hun recht op het scherpe beeldscherm. Ondanks het vrij grote scherm past hij nog net in de broekzak.

Samsung Galaxy Note II (Beste uit de test)

Prijs: €600

Testoordeel: 8,3

De Samsung Galaxy Note II heeft groot en scherp 5,5 inch-scherm dat zoveel informatie kan tonen dat hij twee apps naast elkaar kan laten zien. Ook typen gaat makkelijk. Met de meegeleverde pen kun je tekenen en schrijven met speciale apps. Stop hem alleen niet in de broekzak, want dat gaat niet passen.

MIDDENKLASSERS (€200-€400)   IN DETAIL

Samsung Galaxy S III mini

Prijs: €300

Testoordeel: 7,7

Het kleine broertje van de populaire Galaxy S III heeft een prima contrastrijk scherm, dat net iets minder scherp is dan dat van de S III. En de camera heeft een grotere afdrukvertraging. Maar al met al heb je voor veel minder geld een prima smartphone met dezelfde software als de S III.

HTC One V

Prijs: €260

Testoordeel: 7,4

De HTC One V heeft een grotendeels aluminium behuizing en is een van de laatste HTC-telefoons met de herkenbare knik ('kin') in het ontwerp. Het krasvaste scherm is met 3,7-inch relatief klein, maar reageert soepel. Ook teksten typen gaat prima. Let op: de accu kan niet worden vervangen.

LG Optimus L7

Prijs: €210

Testoordeel: 7,3

De LG Optimus L7 is een prima smartphone met een fijn groot scherm dat redelijk scherp is. Hij heeft een camera aan de voorkant. Dat is bijzonder voor een telefoon in deze prijsklasse. Het interne geheugen is met 4 GB aan de kleine kant.

BUDGETMODELLEN (TOT €250)   IN DETAIL

Sony Xperia Miro

Prijs: €170

Testoordeel: 7,0

De Xperia Miro is een zeer aantrekkelijk geprijsde, lichte en compacte smartphone. Hij kan tegen een stootje: de val- en regentest doorstond hij probleemloos, en zowel de behuizing als het scherm is bijzonder krasvast. Het scherm is met 3,5 inch aan de kleine kant en niet echt scherp. Voor de camera hoef je hem niet te kopen.

Sony Xperia Go

Prijs: €240

Testoordeel: 7,3

De Sony Xperia Go is een licht en compact toestel met een bijzondere eigenschap: hij is waterdicht en overleeft met gemak een zwempartij in de vissenkom. Het 3,5 inch-scherm is erg helder maar niet zo scherp, en dat merk je vooral bij het lezen van kleine letters. Het scherm is krasvast, maar de achterkant niet. De camera maakt redelijke foto's, zij het met een grote afdrukvertraging.

Tips

- Een 4 inch-scherm biedt een prettige balans tussen schermformaat en draagbaarheid. Een groter model biedt meer typecomfort en overzicht bij e-mailen en internetten. Een kleiner model past beter in de broekzak.
- Kies een smartphone met ten minste 4 GB interne opslag, zodat u voldoende apps kunt installeren. Onzeker of u later meer opslag nodig heeft? Kies dan een model waar een geheugenkaart in kan. Juist de topsmartphones zijn vaak niet uit te breiden met extra geheugen. Koop daarom de variant van het model met voldoende opslagruimte.
- Bellen via het 4G-netwerk is met deze toestellen niet mogelijk. Van de Samsung Galaxy S III is wel een 4G-variant te koop.

Stroomnetadapters met wifi

Digitaalgids juli/augustus 2013

De nieuwste generatie stroomnetadapters heeft ook een wifizender. Op papier ideaal, want nu kun je op de zolderverdieping met weinig of slecht bereik niet alleen je desktopcomputer aansluiten, maar dankzij de wifizender ook je smartphone en tablet gebruiken. Hoe snel en gebruiksvriendelijk zijn ze in de praktijk? We hebben zeven basissets getest (twee adapters, één basisstation voor bij de router en één met wifi), die allemaal werken volgens de Homeplug AV-standaard.

Installeren is een fluitje van een cent: prik de adapters in twee stopcontacten en ze 'zien' elkaar. Druk een paar seconden op de 'Pair'-knop op beide adapters en de verbinding is versleuteld. Bij de meeste sets is het ook eenvoudig om het wifinetwerk op te zetten: ze hebben een WPA2-wachtwoord op een stickertje staan. Dit vult u in op uw tablet, smartphone of laptop en u bent draadloos verbonden. Alleen bij Zyxel vinden we geen wachtwoord, maar moeten we een knop ('WPS') indrukken om het wifiwachtwoord uit de router te kopiëren. Ingewikkeld. De door Zyxel meegeleverde installatiesoftware is ook ondermaats. De Netgear heeft standaard geen draadloze versleuteling. Die moet u dus zelf instellen.

Stroomnetadapters met wifi

Merk en type	Richtprijs	Testoordeel	Snelheid	Installatie	Gebruiksgemak	Handleiding	Extra's	Snelheid via stroomnet (geclaimd) Mbit/s	Gemeten snelheid op 50m Mbit/s
Weging voor Testoordeel (%)			50	25	10	10	5	Mbit/s	Mbit/s
1. D-Link DHP-W311AV	€80	8,3	++	++	++	+	+	500	94
2. Sitecom LN-555	€120	8,1	++	++	++	– –	+	500	95
3. Devolo dLAN 500 Wifi Kit (9087)	€100	7,8	+	++	++	+	–	500	76
4. Linksys PLWK400	€90	7,3	+	++	+	+	+	400	76
5. Netgear XWNB5201	€100	7,0	+	□	++	+	□	500	90
6. ZyXEL PLA231 (met PLA4201)	€95	6,9	++	–	++	□	++	500	95
7. TP-Link TL-WPA281 Starter Kit	€55	6,5	□	++	□	□	+	300	65

■ Beste uit de test ▶ Beste koop

- Prijspeiling: juni 2013.
- Selectie: Goed verkrijgbare stroomnetadapters (setjes van 2 waarvan 1 met wifi). Zyxel had geen set van 2 adapters, zodat wij zelf een adapter met wifi (PLA231) combineerden met één zonder (PLA4201).
- Methode: de snelheden zijn gemeten over een elektriciteitskabel

++ Zeer goed + Goed □ Redelijk – Matig – – Slecht

van 25 en 50 meter. Er is bij 50 meter gemeten met en zonder storingsbron; een van de adapters stak in een oud stekkerblok. De wifisnelheid is niet gemeten.
- Bijzonderheden: Devolo heeft een beheer-app voor tablets en smartphones, waar onder meer de maximale tijd ingesteld kan worden dat wifi gebruikt mag worden door de kinderen.

Geen 500 Mbit

De door de fabrikanten voorgespiegelde snelheden (300 tot 500 Mbit/s) via het stroomnet worden bij lange na niet gehaald. We meten 'slechts' snelheden van gemiddeld 80 Mbit/s, maar daar kun je ruim mee uit de voeten. Op 50 meter (zonder obstakels) zakt de snelheid iets terug, maar de traagste (de TP-Link) haalt nog altijd 65 Mbit/s. De snelheid via wifi is niet gemeten, maar we verwachten tussen de 50 en de 100 Mbit/s, de praktijksnelheid van een standaard 802.11n-netwerk. De Devolo en de Netgear hebben ledlampjes die met stoplichtkleuren een indicatie geven van de snelheid.

Het stroomverbruik valt met 2 tot 4 watt ogenschijnlijk mee, maar omdat de adapters continu aanstaan, kost dat toch €10 tot €20 per jaar. De zuinigste is de Linksys PLWK400 met in standby net minder dan 2 watt, de D-Link verbruikt het dubbele.

Tablets
Digitaalgids september/oktober 2013

Asus liet met de Google Nexus 7 in 2012 zien dat een goede tablet helemaal niet duur hoeft te zijn. De Nexus 7 bood nette prestaties en een prima schermkwaliteit voor de helft van de prijs van een iPad. De fabrikant zette hiermee een nieuwe standaard neer voor 7 à 8 inch-tablets en sindsdien proberen andere tabletmakers het succes van de Nexus te evenaren. Al die concurrentie is goed nieuws voor de consument: inmiddels is er een groot aanbod van tablets tussen de €100 en €200 die prima geschikt zijn als kennismakingstablet of als tweede (gezins)tablet.

De betere minitablets zijn ook te gebruiken als 'hoofdtablet': voor surfen, mailen, films en foto's kijken zijn ze prima geschikt. Zonder uitzondering komen ze van grote tabletmerken als Acer, Samsung, HP en Asus. De Acer Iconia B1-A71 bijvoorbeeld biedt voor €130 (16 GB) een prima prijs-kwaliteitverhouding.

Maar niet alles wat A-merken produceren is een schot in de roos. Op de HP Slate 7 (€150) valt wel het een en ander aan te merken: de schermkwaliteit valt tegen en de prestaties zijn wisselvallig.

Maar het kaf vinden we toch vooral onder de 7 en 8 inch-tablets van onbekende merken als Cresta en Cherry die in speelgoedwinkels en drogisterijen liggen voor prijzen vanaf €50. Uit eerdere tests blijkt dat ze vaak traag zijn en de schermen ondermaats (fletse kleuren, kleine kijkhoek). Ook kampen ze vaak met softwareproblemen, blijkt uit onze enquête. Omdat het vaak gaat om partijen die tijdelijk verkrijgbaar zijn, zitten ze niet in onze test.

7 inch ideale maat?

Kleine tablets zijn niet alleen goedkoop, maar ook handig om mee te nemen onderweg of op vakantie. Omdat de kleinere schermen minder krachtige hardware nodig hebben, is de snelheid vaak dik in orde. Voor e-mailen, internetten en ook voor spelletjes en het bekijken van foto's en films zijn veel 7 à 8 inch-tablets prima geschikt. De 10 inch-tablets blijven de beste keuze als u veel gebruikmaakt van het virtuele toetsenbord: voor het schrijven van e-mails zijn grotere tablets dus geschikter. Ook is alles op een 10 inch-scherm een slag groter, wat de bediening en leesbaarheid ten goede komt.

Tablets

Merk & Type	Goedkoopste uitvoering	Testoordeel	Gebruiksgemak 35%	Prestaties 15%	Beeldkwaliteit 15%	Veelzijdigheid 15%	Accu 15%	Behuizing 5%	Accuduur bij webbrowsen uur:min
Grote tablets (vanaf 9 inch)									
1 **Apple** iPad retina	€470	8,4	++	++	++	□	++	++	13:30
2 **Microsoft** Surface RT [1]	€350	8,0	++	+	+	□	++	++	8:20
3 **Apple** iPad 2	€390	8,0	++	++	+	□	++	++	9:50
4 **Samsung** Galaxy Tab 2 10.1	€265	7,8	+	+	+	+	++	++	8:50
5 **Asus** MeMo Pad 10.1 K001	€290	7,8	++	+	+	+	+	+	5:40
6 **Toshiba** Excite Pro	€450	7,7	++	++	+	□	+	+	7:10
7 **Sony** Xperia Tablet Z	€500	7,6	++	++	+	□	+	+	6:10
8 **Samsung** Galaxy Tab 3 10.1	€380	7,4	++	+	+	□	+	+	5:50
9 **Asus** VivoTab Smart	€400	7,4	++	+	+	□	+	+	8:30
10 **Archos** 97 Titanium HD	€245	7,3	++	+	++	□	−	++	4:40
Kleine tablets (t/m 8 inch)									
1 **Apple** iPad mini	€325	8,2	++	++	+	□	++	++	13:00
2 **Samsung** Galaxy Note 8	€375	7,8	++	+	+	+	+	+	7:50
3 **Samsung** Galaxy Tab 2 7.0	€175	7,7	+	+	+	+	+	++	7:10
4 **Acer** Iconia A1-810	€190	7,6	++	+	+	+	+	+	6:20
5 **Acer** Iconia W3-810	€330	7,6	++	+	□	□	++	+	8:10
6 **Samsung** Galaxy Tab 3 8.0	€300	7,5	++	++	+	□	□	+	5:40
7 **Samsung** Galaxy Tab 3 7.0	€200	7,3	++	+	+	□	□	+	5:20
8 **HP** Slate 7	€150	7,1	++	+	□	□	+	+	7:20
9 **Acer** Iconia B1-A71	€130	6,5	+	+	□	□	−	+	4:00

■ Beste uit de test   ▶ Beste koop   ++ Zeer goed   + Goed   □ Redelijk   − Matig   −− Slecht

Ondanks de populariteit van kleine tablets verschijnen er nog altijd goede 10 inch-tablets op de markt. Daar zitten prijzige varianten tussen, zoals de Sony Xperia Tablet Z (€500) en de Toshiba Excite Pro (€450). Zij moeten het vooral hebben van hun snelheid en scherpe schermen.

Maar de grote verrassing uit deze test is de Asus MeMo Pad 10.1. Hij scoort beter dan de Toshiba en de Sony, terwijl hij met €290 flink goedkoper is. Hoewel hij nergens echt uitblinkt, laat hij weinig steken vallen: een degelijke behuizing, een mooi scherm en soepele bediening.

Bijkomend voordeel is dat Asus (in tegenstelling tot bijvoorbeeld Samsung) niet te veel heeft toegevoegd aan de 'kale' Android-versie.

Besturingssysteem	Schermdiameter (inch)	Interne opslagruimte: bruto-netto (GB)	Gewicht (gram)	Garantie (mnd)	HDMI	Usb	SD-kaartlezer	Gps	3G/4G
iOS 6	9,7	16 (13)	654	12				*	*
Windows RT	10,6	32 (22)	688	24	✓	✓	✓		
iOS 5	9,7	16 (10)	605	12				*	*
Android 4.0	10,1	16 (10)	582	24		✓	✓	*	
Android 4.1	10	16 (9)	546	24	✓	✓	✓	✓	
Android 4.2	10	16 (10)	622	24	✓	✓	✓	✓	
Android 4.1	10,8	16 (9)	482	24		✓	✓	✓	*
Android 4.2	10	16 (9)	511	24		✓	✓	✓	*
Windows 8	10,1	64 (58)	570	24	✓	✓	✓		
Android 4.1	9,7	8 (5)	638	24		✓	✓		
iOS 6	7,9	16 (13)	307	12				*	*
Android 4.1	8	16 (10)	340	24		✓	✓	✓	*
Android 4.0	7	8 (5)	346	24		✓	✓		*
Android 4.2	8	16 (11)	397	12	✓	✓	✓	✓	
Windows 8	8	32 (9)	899	12	✓	✓	✓		
Android 4.2	8	16 (10)	314	24		✓	✓	✓	*
Android 4.1	7	8 (4)	299	24		✓	✓	✓	*
Android 4.1	7	8 (5)	364	12		✓	✓		*
Android 4.1	7	8 (5)	323	12		✓	✓	✓	

- Prijspeiling: augustus 2013.
- Testmethode: De tablets zijn beoordeeld op prestaties, gebruiksgemak, schermkwaliteit, accuduur (webbrowsen met wifi) en veelzijdigheid. De tablets zijn getest met het meegeleverde besturingssysteem. In sommige gevallen is de tablet met een lagere versie getest.
- Bijzonderheden: De 8 GB-versie van de Acer Iconia B1-71 kost evenveel als de 16 GB-versie. Sommige tablets die geen aansluitingen hebben voor HDMI, usb en SD-kaarten, kunnen via los verkochte verloopstekkers toch gebruikmaken van HDMI- en usb-apparatuur en SD-kaarten.

* = Alleen op duurdere modellen of als optie.
1) Microsoft Surface RT is exclusief toetsenbord.

Als u al bekend bent met Android, voelt de bediening vertrouwd aan. Hij zou een Beste koop zijn geworden, als de Samsung Galaxy Tab 2 10.1 niet in prijs was verlaagd.

Oud verslaat nieuw

Die Galaxy Tab 2 zorgt voor de tweede verrassing, of eigenlijk zijn opvolger, de Galaxy Tab 3. De 7 en 10 inch-opvolgers van de immens populaire Galaxy Tab 2 leggen het namelijk op de meeste fronten af tegen hun voorgangers – die al een jaar op de markt zijn. Vooral op accuduur troeft de oude generatie de nieuwe af: met de Tab 2 10.1 kunt u 3 uur langer surfen en bijna 2 uur langer films kijken. Ook de schermkwaliteit van de nieuwe Galaxy Tabs is er niet op vooruitgegaan, en de kijkhoek zelfs achteruit.

De werksnelheid van de Tabs 3 is wel iets beter: browsen en gamen gaat allemaal net even iets vlotter dankzij snellere onderdelen. De Tab 2 was al Beste koop, en recente prijsdalingen maken de Galaxy Tab 2 helemaal interessant. Let alleen op dat de Tabs 2 naar verwachting niet heel lang meer op de markt blijven, nu hun opvolgers ook al in de schappen liggen. Ondanks alle nieuwe Android-tablets komen de beste tablets nog altijd uit de stal van Apple. Zowel de iPad met retinascherm als de iPad mini steekt nog steeds met kop en schouders boven de concurrentie uit. De lange accuduur en goede prestaties dragen bij aan hun hoge scores. De grote iPad (9,7 inch) onderscheidt zich daarnaast met het zeer scherpe retinascherm.

Slimme accessoires

Voor bijna elke tablet zijn honderden accessoires te koop. Bij een hoop daarvan vragen we ons af wat je eraan hebt, maar twee soorten zijn wel degelijk nuttig.

Bluetoothspeakers. De kwaliteit van tabletspeakers is meestal niet om over naar huis te schrijven. Luistert u veel muziek of kijkt u vaak films? Dan kan een losse bluetoothspeaker (vanaf €50) een uitkomst zijn: leuk voor thuis en op vakantie dankzij de ingebouwde accu.

Toetsenbord. Werkt u vaak aan documenten op uw tablet? Dat gaat sneller op een echt toetsenbord dan op het scherm. Er zijn genoeg tablettoetsenborden waarop u bijna net zo snel typt als op een laptop. Prijzen lopen uiteen van €20 tot €140. De duurdere bieden ook extra bescherming tegen beschadigen. Inmiddels zijn er genoeg toetsenborden voor kleine 7 à 8 inch-tablets. Zelfs op die kleinere toetsenborden kun je soms nog verbazingwekkend goed typen.

Windows 8

En dan hebben we Windows 8 nog niet besproken. Zijn de Windows 8-tablets het overwegen waard? Microsoft wilde met de introductie van Windows 8 vooral mensen bedienen die, behalve films kijken en surfen op internet, hun tablet willen gebruiken om te tekstverwerken of presentaties te maken.

Nieuwe Nexus

Hoewel de huidige Google Nexus 7 nog prima mee kan, is hij helaas niet meer te koop. Het goede nieuws: in september 2013 kwam de opvolger uit, helaas net te laat voor deze test. Die heeft snellere onderdelen, een tweede camera en een full hd-scherm. De prijs van de nieuwe Nexus ligt voor de 32 GB-versie rond de €270.

Het bedrijf kwam eind 2012 met de eigen Surface RT-tablet om het goede voorbeeld te geven aan andere fabrikanten. De Surface RT is een heel degelijke tablet, die een stuk interessanter is na de recente prijsverlaging van Microsoft. Voor het maken van aantekeningen, lange documenten en presentaties zijn er geen betere tablets te vinden. Toegegeven, dat komt ook doordat het nog steeds een van de weinige Windows RT-tablets is. Toch kampt hij met een groot nadeel: zijn besturingssysteem.

Windows RT is een mobiel besturingssysteem dat er hetzelfde uitziet als Windows 8, maar toch heel anders is. Op Windows RT draaien geen gewone Windows-programma's, maar alleen speciale apps uit de app-winkel van Windows.

iOS voor de iPad en Android werken precies hetzelfde. Het probleem is alleen dat de Windows Store nog lang niet zo veel apps heeft als Google Play en de Apple Store. Het aantal van 62.000 tablet-apps in de Nederlandse Windows Store steekt schril af tegen de bijna 400.000 specifieke apps voor de iPad.

Al met al zijn Windows RT-tablets nu nog alleen interessant voor productieve gebruikers die het niet erg vinden dat populaire apps als Facebook en YouTube ontbreken in de app-store.

GROTE TABLETS (VANAF 9 INCH)   IN DETAIL

1. Apple iPad retina (4e generatie) (Beste uit de test)

Prijs: €470

Testoordeel: 8,4

Ruim een jaar na de introductie voert de vierde generatie iPad nog steeds de lijst aan van beste tablets. Het mooie en zeer scherpe scherm is ideaal voor het kijken van films en bijvoorbeeld het lezen van e-books. En iOS is erg makkelijk te bedienen.

4. Samsung Galaxy Tab 2 10.1 (Beste koop)

Prijs: €265

Testoordeel: 7,8

Niet meer de jongste, maar vanwege recente prijsdalingen toch interessant. Opvallend is dat hij beter scoort dan zijn opvolger, de Galaxy Tab 3 10.1. Vooral de accuduur is een stuk beter: met de Tab 2 kunt u drie uur langer internetten dan met de Tab 3.

5. Asus MeMo Pad 10.1 K001

Prijs: €290

Testoordeel: 7,8

Prima alternatief voor de Galaxy Tabs. De MeMo Pad komt met een relatief schone versie van Android 4.1 (te upgraden naar 4.2). Dit betekent dat er weinig aanpassingen zijn aan het startscherm. Ook opvallend is de ingebouwde gps-sensor: vrij uniek voor een tablet in deze prijsklasse. De accuduur is wel minder dan bij de Galaxy Tab 2 10.1.

KLEINE TABLETS (TOT EN MET 8 INCH)   IN DETAIL

1. Apple iPad Mini (Beste uit de test)

Prijs: €325

Testoordeel: 8,2

De beste tablet onder de kleintjes. Ligt lekker in de hand dankzij zijn dunne en lichte formaat. De snelle onderdelen zorgen ervoor dat internetten en films kijken soepeltjes gaat. Misschien nog wel het grootste pluspunt is de accuduur van 13 uur.

4. Acer Iconi A1-810 (Beste koop)

Prijs: €190

Testoordeel: 7,6

Budgettablet van Acer met een prima prijs-kwaliteitverhouding. Qua prestaties kan deze 8 inchtablet mee met de beste Android-tablets: gamen, films kijken, internetten gaat allemaal soepel. Zijn gewicht (bijna 400 gram) is wel aan de hoge kant.

Traceer-apps

Digitaalgids september/oktober 2013

Voor telefoon en tablet bestaan tientallen gratis en betaalde apps om een gestolen apparaat op te sporen. Wij hebben er 14 getest.

1   Zoek mijn iPhone

VOOR iPhone, iPad, iPod touch of Mac (ingebouwd)

Apples eigen 'Zoek mijn iPhone'-functie is onderdeel van de iClouddienst. Het werkt prima, maar jammer genoeg niet via sms (zie kader 'Geheime sms'jes').

Op afstand blokkeren of wissen is ook mogelijk. In iOS 7, dat net uit is, wordt de functie nog beter: de dief kan de traceerfunctie moeilijker uitzetten en hij blijft zelfs werken nadat de gestolen telefoon op afstand is gewist.

Geheime sms'jes

Slimme traceer-apps kun je op twee manieren opdracht geven om op afstand de telefoon te blokkeren of soms zelfs over te nemen. De eerste manier is via een webdienst, maar daarvoor moet de telefoon met internet verbonden zijn. Slimme apps maken daarnaast gebruik van sms. Je kunt dan een sms sturen naar het toestel met speciale codes die de app de opdracht geven om de telefoon bijvoorbeeld te blokkeren.

2 Android Apparaatbeheer (standaard)

Onlangs lanceerde Google 'Android Apparaatbeheer', een eigen oplossing voor het vinden en wissen van Android-smartphones. Voor de functie is geen aparte update van Android nodig, de meeste telefoons kunnen er gebruik van maken. De dienst is heel eenvoudig van opzet. U kunt een telefoon op afstand vinden, een geluid laten afspelen en vergrendelen of op afstand wissen. Jammer genoeg werkt het allemaal (nog) niet heel soepel. Traceren ging goed, maar wissen op afstand lukte bij een aantal testtelefoons maar met moeite. Ons advies: probeer het uit, en mocht het niet werken, gebruik dan een alternatief zoals Cerberus of Avast!.

Over de test

We hebben 14 traceer-apps onderzocht op de werking en de mogelijkheden. Naast de besproken apps onderzochten we:

- F-Secure Mobile Security
- G-Data MobileSecurity 2
- Norton Mobile Security Lite
- Lookout Security & antivirus
- Kaspersky Mobile Security
- ESET mobiel Security
- AVG Mobile antivirus
- TrustGo Antivirus & Mobile security

3 Windows Phone
VOOR Windows Phone (ingebouwd)

Microsofts oplossing voor Windows Phone werkt zowel met sms als via internet. De sms'jes worden verstuurd door Microsoft vanaf de site, u hoeft het niet zelf te doen. Deze dienst is daarin uniek. Voor optimale werking vinkt u beide opties (pushberichten verzenden en locatie opslaan) aan.

4 Samsung Dive
VOOR Samsung Galaxytoestellen met Android (ingebouwd)

Samsung heeft al een eigen app voor hulp bij diefstal op de Galaxy-toestellen gezet. U moet een Samsung-account maken en ermee inloggen op uw telefoon om deze dienst te activeren.

5 Cerberus
VOOR Android (€2,99)

Tussen het grote aanbod van betaal-apps valt de app van Cerberus op door de vele mogelijkheden in het bedienen op afstand. Met Cerberus kun je op afstand geluid opnemen, screenshots maken en zelfs wifi aanzetten. En dat alles zowel via internet als via sms. En hij is ook heel gemakkelijk in het gebruik. Tot Google zelf met een goede oplossing komt, is Cerberus onze favoriet.

6 Avast! Mobile Security & Antivirus
VOOR Android (gratis)
De gratis app van het bekende antivirusbedrijf Avast! kan zo in een James Bond-film. Hij vermomt zich als een andere app, compleet met verzonnen naam en logo. Avast komt daaruit tevoorschijn als u een speciale code intoetst. Maar Avast! kan zichzelf nog dieper verstoppen in de telefoon, en blijft dan zelfs werken als de dief de fabrieksinstellingen terugzet. Om dat te doen geeft Avast! zichzelf wel nogal bijdehand volledige toegang tot het systeem ('root-toegang'). Dat spreekt ons minder aan. Een aanrader voor wie (gratis) heel uitgebreide hulp-bij-diefstal wil.

7 Prey
VOOR Windows, Mac OS, Linux, Android, iOS (gratis)
De gratis opensource-antidiefstaloplossing voor alle platformen. Prey is voor smartphones beperkt in de mogelijkheden en werkt met een vertraging in het doorgeven van de resultaten. Maar Prey werkt prima, en voor Windows en Linux is het een van de weinige oplossingen.

Conclusie
De eerste keus is de oplossing die al in de telefoon of tablet zit. Voor de Android-gebruiker die wat meer wil, raden we Cerberus (eenmalig €2,99) of Avast! (gratis) aan.

USB 3.0-geheugensticks (32 GB)
Digitaalgids mei 2013

Bestanden worden steeds groter en usb-sticks krijgen steeds meer opslagcapaciteit. Goed dus dat de sticks de afgelopen jaren ook sneller zijn geworden. Sinds een paar jaar zijn er 'SuperSpeed'-geheugensticks

USB 3.0-geheugensticks van 32 GB

Merk en type	Richtprijs	Rapportcijfer	1000x 5 MB-bestand schrijven (in sec)	10 GB-bestand schrijven (in sec)	1000x 5 MB-bestand lezen (in sec)	10 GB-bestand lezen (in sec)
Weging voor Testoordeel (%)			30	30	20	20
1 **SanDisk** Cruzer Extreme 32GB	€45	8,5	57[1]	97[1]	41[1]	78[1]
2 **Transcend** JetFlash 780 32GB	€40	7,2	74[1]	114[1]	48[1]	94[1]
3 **Corsair** Flash Voyager GT Speed 32GB	€45	5,8	121	244	39[1]	72[1]
4 **Patriot** Supersonic Rage XT 32GB	€40	4,8	152	235	53	111
5 **Adata** S102 Pro Superior Series 32GB	€35	4,3	138	243	76	150
6 **Adata** S107 32GB	€35	4,3	139	258	74	144
7 **Corsair** Flash Voyager Slider 32GB	€40	4,0	159	286	81[2]	157[2]
8 **Corsair** Flash Survivor Stealth 32GB	€45	4,0	158	281	79[2]	157[2]
9 **Kingston** DataTraveler R3.0 32GB	€30	3,7	195	252	103[2]	199[2]
10 **Verbatim** Store'n'Go V3 32GB	€25	3,2	503[2]	1000[2]	58	115
11 **Transcend** JetFlash 760 32GB	€30	3,1	293	548[2]	83[2]	164[2]
12 **Kingston** DataTraveler 111 32GB	€25	2,6	522[2]	1040[2]	89[2]	174[2]

■ Beste uit de test ▶ Beste koop ▼ Afrader

- Prijspeiling: april 2013.
- Selectie: goed verkrijgbare sticks van 32 GB tot circa €40.
- Testmethode: we gebruikten een snelle Windows 7-pc, zodat de computer niet de vertragende factor kon zijn tijdens het kopiëren van data van en naar de usb 3.0-stick. We gebruikten het Windows-kopieercommando Xcopy in combinatie met een geautomatiseerde tijdregistratie om te bepalen hoelang het schrijven of lezen duurt.
- 1) relatief hoge score
- 2) relatief lage score

voor de snelle usb 3.0-poorten, die op nieuwe computers zitten. Zo'n snelle aansluiting (meestal te herkennen aan een blauw lipje) heeft een theoretische maximumsnelheid van zo'n 480 MB per seconde en is tien keer zo snel als usb 2.0. Daarmee zou je bijvoorbeeld een speelfilm van 5 GB in 10 seconden naar de stick kunnen kopiëren. Een usb 3.0-geheugenstick werkt probleemloos in een usb 2.0-poort, maar wel op usb 2.0-snelheid.

1001 bestanden

Hoe snel zijn de sticks in de praktijk? We testten 12 usb 3.0-geheugensticks met een capaciteit van 32 GB en met een prijs tot ongeveer €45. Nog duurdere sticks hebben vaak extra's of hebben een sterkere behuizing. De schrijftest bestond uit het opslaan van 1000 verschillende bestanden van ieder 5 MB en één groot bestand van 10 GB.

De theoretische maximumsnelheid van usb 3.0 halen ze zeker niet. Ook verrassend is dat de kwaliteiten ver uiteenlopen. De SanDisk Cruzer Extreme is de snelste door bij het merendeel van de lees- en schrijftesten meer dan 100 MB/s te halen. De Transcend JetFlash en de Flash Voyager GT Speed komen in de buurt.

De Kingston DataTraveler 111 was hier de hekkensluiter: de 1000 kleine bestanden kostten hem 522 seconden. De SanDisk deed het in slechts 57 seconden. Het grote bestand 'wegzetten' duurde ruim 17 minuten, tegen ruim 1,5 minuut voor de SanDisk. Drie grote videobestanden van ieder 10 GB wegschrijven (bijna de volledige capaciteit van de stick) kost 50 minuten bij de Kingston en slechts 5 minuten bij de SanDisk.

Bij de leestest (dezelfde bestanden, maar dan lezen vanaf de stick) was de Kingston niet de langzaamste, maar hij behoorde wel tot de achterhoede. De claims 70 MB/s lezen en 30 MB/s schrijven op de verpakking van Kingston zitten er dus vooral bij het schrijven behoorlijk naast. Wij maten snelheden die je eerder verwacht van een usb 2.0-stick.

Encryptiesoftware

Alleen SanDisk levert software mee op de stick: SecureAccess voor encryptie en wachtwoordbescherming. Transcend biedt op zijn website nl.transcend-info.com gratis software om te downloaden, tipt de verpakking. Het gaat om Engelstalige programma's voor onder andere back-up en beveiliging. Zulke toepassingen zijn zeker nuttig, al hebben Windows, Mac OS en Linux zelf al capabele back-upprogramma's. Voor de sticks zonder versleutelsoftware is TrueCrypt een krachtige (Engelstalige) oplossing: gratis te downloaden van www.truecrypt.org.

Usb 3.0-sticks zijn nog niet zo 'gewoon' dat ze bij de Hema en Bruna te koop zijn; alleen computer- en elektronicawinkels hebben ze in de schappen liggen. Onlinefilialen van deze winkels bieden meer keus. Goed op internet zoeken en de prijzen vergelijken loont. Overigens levert iedere winkel de geheugensticks FAT32-geformatteerd. Om er bestanden groter dan 4 GB op te kunnen zetten, moet u ze opnieuw formatteren in NTFS-indeling (Windows) of HFS+ (Apple).

De geheugensticks zijn best robuust. Ze werden gewassen in een wasmachine en overreden door een auto. Alle sticks overleefden deze 'ongelukjes'.

GEZONDHEID & VERZORGING

Allergenen in cosmetica
Gezondgids juni 2013

Je zou het als leek niet verwachten, maar claims als 'voor de gevoelige huid' en 'hypoallergeen' stellen weinig voor. Ze fungeren vooral als verkooptruc van de fabrikant. Want ook in producten waar dergelijke claims op staan, zitten in de praktijk vaak stoffen die een allergische reactie kunnen uitlokken. En ja, dat mag zomaar. Martine Koetsier, jurist bij de Consumentenbond legt uit: 'De termen "hypoallergeen", "voor de gevoelige huid" en "dermatologisch getest" zijn niet wettelijk vastgelegd. Fabrikanten kunnen die dus naar eigen goeddunken op de verpakking zetten, ook als de betreffende producten boordevol allergenen zitten.' De claims 'dermatologisch getest' en 'klinisch getest' zijn zelfs helemaal gebakken lucht: producten met zo'n claim kunnen op een willekeurige voorbijganger of op de buurvrouw zijn getest. Het betekent niet meer dan dat. En of de testpersoon daarna last had van rode, branderige vlekken of jeuk, is voor de claim niet relevant.

Contactallergie
'Verscheidene mechanismen spelen een rol bij het ontstaan van een allergie. Wanneer cosmetica een allergische reactie geven, is dit meestal contactallergie. Dit betekent dat de huid reageert met roodheid, jeuk en een branderig gevoel. Of de huid gaat schilferen of zwellen. Je wordt niet met zo'n allergie geboren, die ontstaat vaak plotseling', legt Thomas Rustemeyer, dermatoloog aan het VU medisch centrum uit. Welke stoffen in cosmetica (verzorgingsproducten) zijn eigenlijk verantwoordelijk voor allergische reacties? Dat kunnen middelen zijn die de houdbaarheid van cosmetica verlengen, zoals isothiazolinonen. In de praktijk leiden deze stoffen nogal eens tot vervelende huidreacties. Rustemeyer: 'Isothiazolinonen hebben een sterke werking. Er is maar weinig van nodig om deze stoffen hun werking als conserveermiddel te laten doen. Maar er is ook maar weinig van nodig om iemand er allergisch op te laten reageren.

Allergenen in cosmetica*

Ingrediënt	Waar zit het in?	Doel
Isothiazolinonen: **Methyl(chloro)** **isothiazolinone**	Gezichtscrèmes Doucheproducten Gezichtsreinigingsproducten Bodylotions	Conserveermiddel: verlengt de houdbaarheid van cosmetica
Hydroxyisohexyl **3-cyclohexene** **carboxaldehyde (HICC)**	Deodorants Parfums Crèmes Reinigingsproducten	Geurstof
Octocryleen	Zonnebrandmiddelen	Uv-filter: absorbeert uv-stralen om de huid te beschermen
Linalool **Limoneen**	Badproducten Doucheproducten Gezichtscrèmes Gezichtsreinigingsproducten	Geurstoffen
Ammoniumpersulfaat	Haarbleekproducten	Blondeert het haar

* Veelvoorkomende stoffen in cosmetica waarbij is aangetoond dat ze tot allergische reacties kunnen leiden.

BRONNEN VOOR DEZE TABEL:
1) Cosmetovigilance in the Netherlands: Trend report 2011-2012. RIVM Report 320113005/2012.
2) Meesters et al. Study on the cytochrome P450-mediated oxidative metabolism of the terpene alcohol linalool: indication of biological epoxidation. Xenobiotica, Juni 2007; 37(6):604-616.

Helaas zijn er weinig goede producten zonder bekende allergene stoffen. Hypoallergeen is niet meer dan een verkoopkreet.'

Behalve conserveermiddelen kunnen bepaalde geurstoffen de huid irriteren en allergieën uitlokken. De geurstoffen linalool (ruikt naar lavendel, rozenhout) en limoneen (citrusachtige geur) zijn niet allergeen bij de productie, maar kunnen na verloop van tijd wel veranderen in stoffen die een allergie kunnen uitlokken. Na opening komt er zuurstof bij en ondergaan ze een chemische verandering. Een andere stof die vaak allergische reacties uitlokt, is het relatief nieuwe uv-filter octocryleen, een vaak gebruikt ingrediënt van zonnebrandmiddelen. Deze stof kan vervelende bijwerkingen hebben, zoals een branderig gevoel, jeuk en roodheid. Gelukkig zijn er uv-filters waarvan geen nadelige effecten bekend zijn. Maar desondanks maken de fabrikanten daar weinig gebruik van. Het Nederlands instituut voor onderzoek van de gezondheidszorg (Ni-

Loze kreten

- Pas op met de term 'hypoallergeen' op een middel. Dit geeft ten onrechte het idee dat het product allergische reacties voorkomt. De term 'hypoallergeen' is niet wettelijk vastgelegd, waardoor de fabrikant deze claim makkelijk kan gebruiken, ook al zit het product boordevol allergieveroorzakende stoffen.
- 'Dermatologisch getest' is een begrip dat weinig garantie geeft. Het product is getest door dermatologen op vrijwilligers, maar dit kunnen ook slechts twee personen zijn. Als het product tot huidreacties heeft geleid, is dat bovendien nergens terug te vinden. Want ook dan kan de fabrikant zeggen dat het dermatologisch getest is.
- Producten die de leus 'voor de gevoelige huid' dragen, kunnen toch stoffen bevatten die allergische reacties veroorzaken. Controleer bij twijfel altijd de ingrediëntendeclaratie op de verpakking.

vel) schat dat in 2011 landelijk zo'n 17.000 klachten door het gebruik van cosmetica zijn gemeld bij huisartsen. Het merendeel (14.000) van deze klachten is afkomstig van vrouwen en wordt vooral veroorzaakt door het gebruik van huid- en haarverzorgingsproducten. Denk aan oogcontourcrèmes, make-up(removers), zonnebrandmiddelen, bad- en doucheproducten en haarkleurmiddelen.

Het Rijksinstituut voor Volksgezondheid en Milieu (RIVM) verzamelt jaarlijks via www.cosmeticaklachten.nl en meldingen van dermatologen klachten als gevolg van cosmeticagebruik en bundelt deze in een rapport. Opvallend is dat er geen 'parabenen' worden genoemd in het laatste rapport, terwijl over deze stoffen veel te doen is geweest. Dermatoloog Rustemeyer: 'Parabenen zijn behoorlijk veilige conserveermiddelen. In het verleden werd gedacht dat ze de hormoonafbraak beïnvloedden, maar dat is nooit bewezen. Ze worden niet vaak meer gebruikt in cosmetische producten en toch zetten sommige fabrikanten "zonder parabenen" of "vrij van parabenen" op hun verpakking. Dit zegt dus niets.' Een voorbeeld hiervan is de speciale parabeenvrije productlijn van Sanex.

Er is al met al nogal wat cosmetica te koop met claims die de consument op het verkeerde been zetten. Dus koop geen grote hoeveelheden tegelijk, probeer het eerst uit en stop het gebruik direct bij irritatie. Wie allergisch is voor bepaalde stoffen doet er verder goed aan eerst op het etiket te lezen welke ingrediënten in de cosmetica zitten en zo nodig uit te wijken naar een ander product.

Bij aankoop en gebruik

- Check het etiket op stoffen waar u gevoelig voor bent, of waarvan bekend is dat ze allergeen kunnen zijn (zie tabel).
- De term 'pH-neutraal' op cosmetica betekent dat het pH-gehalte gelijk is aan de pH-graad van de huid. De pH is een maat om de zuurgraad van een product aan te geven en loopt van 0 tot 14, waarbij 0 extreem zuur is en 14 extreem basisch (tegenovergestelde van zuur). Citroensap heeft bijvoorbeeld een pH van 2, ammoniak van 11,5. De pH-waarde van de huid is 5,5. De term 'pH-neutraal' op een product zegt verder niets over andere stoffen die in het product gebruikt zijn, en beschermt dus niet beter tegen allergische reacties dan middelen met een andere pH-graad.
- Controleer de houdbaarheid van een product. Als er bijvoorbeeld 12M op staat, is het na openen 12 maanden houdbaar. Staat dit er niet op, dan moet er ergens anders een tenminste-houdbaar-tot-datum op staan.
- 'Over het algemeen zijn verzorgingsproducten van Dermolin, Physiogel, Eucerin (met de donkerblauwe dop) en Neutral relatief veilig', stelt dermatoloog Thomas Rustemeyer.

Wat kunt u zelf doen?

Verklein de kans op een allergische reactie door het product na opening in elk geval niet meer te gebruiken als de houdbaarheidstermijn is overschreden. Er is een kans dat ingrediënten na verloop van tijd een andere werking krijgen en de huid kunnen irriteren. De houdbaarheidstermijn is vaak te herkennen aan een symbool, een geopend rond doosje met daarin de letter M voorafgegaan door een getal dat het aantal maanden houdbaarheid na opening aangeeft (12M betekent 12 maanden houdbaar na opening). Bij ernstige irritatie na gebruik van een cosmetisch product kunt u het best naar de huisarts gaan. Neem het product en de verpakking mee. De huisarts voert een gevoeligheidstest uit of verwijst door naar een dermatoloog of allergoloog. Die schrijft meestal een ontstekingsremmer (cortison) voor.

Als er sprake is van een allergische reactie door cosmetica kunt u via de dermatoloog een allergiepas aanvragen. Hierop worden de stoffen vermeld waar u allergisch voor bent. Met deze pas kunt u op zoek naar verzorgende producten waar deze stoffen niet in zitten door de ingrediëntenlijsten te controleren.

Klachten na gebruik van cosmetica kunt u melden op www.cosmeticaklachten.nl van het RIVM of via 0800-0488, een initiatief van de Nederlandse Voedsel- en Warenautoriteit.

DA gezichtsreinigingsmelk en -lotion

Claim: voor de droge of gevoelige huid.

Irriterende stof op ingrediëntenlijst: methylisothiazolinone.

Klacht: rood en jeukend gezicht en handen.

Reactie van DA: 'De reinigingsmelk is een *rinse off*-product. Dit betekent dat het slechts een heel korte contacttijd heeft met de huid – in tegenstelling tot bijvoorbeeld dag- en nachtcrèmes. Daarnaast is de concentratie van de allergene stof uitermate laag.'

De Consumentenbond: Dit neemt niet weg dat het tot allergische klachten kan leiden. Ook reinigingsproducten kunnen dit effect hebben, blijkt uit het RIVM-rapport.

Vichy zonnebrandlijn

Claim: hypoallergeen.

Irriterende stof op ingrediëntenlijst: octocryleen.

Klacht: jeukende, rode huid, uitslag (met name na blootstelling aan de zon).

Reactie van Vichy: 'Octocryleen staat, voor zover bekend bij Vichy, niet bekend als allergene stof.'

De Consumentenbond: Uit ons onderzoek is gebleken dat octocryleen wel degelijk kan leiden tot een allergische reactie.

Dove Pure & Sensitive douchegel en crème mousse

Claim: hypoallergeen.

Irriterende stof op ingrediëntenlijst: methylisothiazolinone.

Klacht: jeukende, rode huid.

Reactie van Dove: 'De Dove Pure & Sensitive doorstaat het testprotocol zoals wij dit hebben opgesteld. De gemiddelde groep mensen met een gevoelige huid laat geen allergische reactie zien.'

De Consumentenbond: Toch kunnen mensen met een aanleg voor allergie wel allergisch reageren.

Nivea gezichtsreinigingsmelk en -tonic
Claim: voor de gevoelige huid.
Irriterende stof op ingrediëntenlijst: linalool en limoneen.
Klacht: rood en jeukend gezicht, soms een schilferige en gezwollen huid.
Reactie van Nivea: 'De aanwezigheid van deze geurstoffen betekent niet dat het product minder getolereerd wordt door de huid, en schadelijk is voor de gezondheid.'
De Consumentenbond: Nee, niet vanzelfsprekend, maar een gevoelige huid is beter af zonder deze stofjes.

Kruidvat hypoallergene lijn: bodylotion, shampoo, (zeepvrije) wasgel
Claim: hypoallergeen.
Irriterende stof op ingrediëntenlijst: methyl-chloro-isothiazolinone en methylisothiazolinone.
Klacht: jeukende, rode huid.
Reactie van Kruidvat: 'De leave-on producten zoals de hypoallergene bodylotion van Kruidvat worden opnieuw geformuleerd. Er zal geen methyl-chloro-isothiazolinone meer worden gebruikt als conserveringsmiddel.'
De Consumentenbond: Belofte maakt schuld. Wij houden het in de gaten.

Antimuggenmiddelen
Gezondgids juli 2013

Muggen zijn ware plaaggeesten. Ze jagen je op zwoele avonden naar binnen, verstoren de nachtrust en trakteren je op jeukende bulten. De markt voor antimuggenmiddelen is dan ook groot, van wierook en klamboes tot verstuivers en smeermiddelen.

Jarenlang bevatten veel smeersels het ingrediënt Deet. Sinds kort zijn er ook – weer – middelen op basis van PMD (paramenthanediol) te koop. PMD is minder bekend, maar werkt net zo goed als Deet. PMD ligt ook in de winkel onder de naam Citriodiol, de natuurlijke variant van het ingrediënt.

Samen met professor Willem Takken, entomoloog aan de Wageningen Universiteit, bekeken we een negental antimuggenmiddelen. Overigens verkopen veel aanbieders meer producten met diverse percentages Deet dan de negen die hier aan bod komen.

Middelen met PMD werken zes à acht uur. Hoelang een product met Deet beschermt, wordt uitgedrukt in percentages. Middelen met 30% Deet beschermen ongeveer zes uur, die met 50% Deet meer dan acht uur. Lagere percentages werken niet slechter, maar korter tegen muggen. Je moet je dus vaker insmeren.

In Nederland worden producten verkocht met maximaal 50% Deet. Een hoger percentage maakt het middel niet effectiever, maar vergroot wel de kans op bijwerkingen, zoals huidirritatie.

Voor Deet en PMD geldt: na het zwemmen of hevig transpireren is opnieuw opbrengen noodzakelijk. Het zijn allebei bestrijdingsmiddelen en dus niet onschuldig. Smeer daarom niet vaker dan noodzakelijk en zorg er ook voor dat het middel niet in je mond en ogen komt.

Smeer- en gebruikstips

- Smeer dun; royaal smeren beschermt niet beter.
- Smeer niet te vaak, de producten werken een aantal uren.
- Was altijd je handen na het insmeren. Geen water bij de hand? Gebruik dan een stick, roller of de rug van je hand.
- Smeer het middel bij kinderen nooit op lichaamsdelen die ze in hun mond stoppen.
- Gooi de restanten na gebruik bij het chemische afval.
- Gebruik producten met Deet niet in de buurt van kunststoffen en gelakte oppervlakken.
- Niet iedere luchtvaartmaatschappij laat de middelen toe in de handbagage; check dit vooraf.

Met kleine kinderen

Deet heeft enkele nadelen die PMD niet heeft. Van de aangebrachte Deet wordt 20% geabsorbeerd door de huid en komt in de bloedbaan terecht. Bij PMD is dit aanzienlijk minder. Zwangere vrouwen en kinderen tussen de 3 en 6 jaar wordt daarom afgeraden middelen te gebruiken met meer dan 30% Deet.

Soms kom je er niet onderuit. In Nederland zijn muggen vooral irritant, maar in de tropen kan een steek dodelijk zijn. Reis je naar zo'n risicogebied en ben je net zwanger of neem je een kind tussen de 3 maanden en 3 jaar mee, gebruik dan bij voorkeur producten met PMD. Neem vooraf altijd contact op met de huisarts.

Entomoloog Willem Takken licht toe: 'Er zijn geen studies over de effecten bij kinderen tot 3 jaar afgerond. Kom je in gebieden waar muggen ziekten overdragen, dan moet je wel smeren. We weten al wel veel over de invloed op kinderen vanaf 3 maanden. Producten met PMD vind ik dan beter, omdat die niet de gerapporteerde bijeffecten van Deet hebben.' Smeer kinderen jonger dan 3 maanden liever niet in met PMD of Deet. Deze middelen zijn niet getest op zeer jonge kinderen. Baby's kun je binnen Europa het best beschermen door lichaamsbedekkende kleding en een klamboe over de box en het ledikant.

Een belangrijk voordeel van PMD is dat de geur die muggen weghoudt ook op korte afstand werkt. Deet werkt alleen op de plaats waar je het smeert. Door bijvoorbeeld doekjes met PMD aan de wieg te hangen, kun je je baby extra beschermen.

Onaangename verrassing

Willem Takken ontdekte een ander nadeel van Deet. Hij had een antimuggenmiddel met Deet in zijn koffer opgeborgen. Bij aankomst wachtte hem een onaangename verrassing. Het flesje was gaan lekken. Hij kon de koffer met inhoud weggooien. Deet lost namelijk kunststoffen op. Takken: 'Ik zorg er nu voor dat het flesje extra goed is ingepakt, bijvoorbeeld door het in een metalen doosje te stoppen.'

Pas ook op met insmeren en daarna snel weer de zonnebril opzetten; het resultaat is dan vaak een plakkerige zonnebril.

Alle producten met Deet wegdoen is zeker niet nodig. Het middel werkt goed, maar is voor sommige groepen minder geschikt. Check altijd het etiket: staat er Deet, PMD of Citriodiol op, dan heb je een goed werkend middel in handen.

Tegen ziekten

Antimuggenmiddelen beschermen tegen muggen, maar niet tegen de ziekten die ze kunnen verspreiden, zoals malaria. Reis je naar een gebied waar deze ziekten voorkomen, neem dan contact op met de huisarts, GGD of het Landelijk Coördinatiecentrum Reizigersadvisering (www. lcr.nl) en neem de juiste voorzorgsmaatregelen.

Klamboe en citronella

Sommigen houden niet van al dat gesmeer en zweren bij andere middeltjes. 'Knoflook eten, vitamine B slikken en citroenplanten in huis zijn geen effectieve muggenwerende maatregelen. Maar er zijn alternatieve voorzorgsmaatregelen die wel werken', aldus Dr. Perry van Genderen van Travel Clinic Havenziekenhuis. 'Bijvoorbeeld 's avonds een lange broek, sokken en een shirt met lange mouwen aantrekken zodat de huid bedekt is.' Verder houden horren voor ramen en deuren muggen buiten en ook slapen onder een klamboe helpt. Let bij het kopen van een hor of klamboe goed op de dichtheid. Deze wordt weergegeven in een *mesh*-waarde (aantal gaatjes per vierkante inch). Hoe hoger deze waarde, des te dichter het gaas. Zoek vooraf op wat de minimale *mesh*-waarde is voor het land waar je heen gaat, bijvoorbeeld op www.sgzopreis.nl/folders.

Zijn er toch muggen de kamer binnengedrongen, zet dan de ventilator of airconditioning aan: muggen houden niet van tocht. Nog effectiever is voorkómen dat er muggen zijn. Broedplaatsen rondom huis zijn eenvoudig aan te pakken. Bijvoorbeeld door het afdekken van de regenton. Zorg ook dat er geen water in afvoerputjes, emmers en dakgoten blijft staan. Citronellakaarsen zijn een matig muggenwerend middel. Zo'n kaars kan het aantal beten met 30% verminderen. Doordat citronella niet voldoende bescherming biedt tegen muggen, mag het sinds 2012 niet meer als antimuggenmiddel verkocht worden, maar de kaarsen zijn nog wel volop verkrijgbaar en alle beetjes helpen.

In de zon

In Nederland is geen zonnebrandmiddel te koop dat ook muggen weert. Arnoud Aalbersberg van marktleider Care Plus: 'De belangrijkste reden is dat het tot onnodig huidcontact met Deet of Citriodiol zou leiden. Je smeert iets tegen zonnebrand terwijl er niet altijd bescherming tegen insecten nodig is. Bovendien wordt de kracht van het zonnebrandmiddel verminderd door het antimuggenmiddel en omgekeerd wordt de werkingsduur van het antimuggenmiddel verkort door het zonnebrandmiddel.'

Zonnen in een gebied met muggen doe je door 30 minuten voor het zonnen een zonnebrandmiddel op te smeren. Na 20 minuten volgt het antimuggenmiddel. Wacht daarna nog 10 minuten voor je de zon in gaat.

Picksan muggen stop

Prijs: €9,95

Prijs per ml: €0,10

Bevat: PMD

Soort: spray

- Biedt goede en langdurige bescherming.
- Bevat 4% van het ingrediënt PMD.
- Op de flacon staat dat het beschermt tegen ziekten die overgedragen worden door muggen. Maar het werkt alleen tegen de muggen die de ziekten verspreiden.

Etos anti-insect lotion

Prijs: €6,10

Prijs per ml: €0,12

Bevat: 50% Deet

Soort: lotion

- Biedt goede en langdurige bescherming.
- Etos stelt dat de lotion geschikt is voor kinderen vanaf 2 jaar. Producten met 50% Deet worden door medici pas vanaf 6 jaar aanbevolen.
- Het product zou 10 uur werken, maar de richtlijn is iedere 8 uur weer insmeren.

Bye Bites spray

Prijs: €9

Prijs per ml: €0,15

Bevat: 40% Deet

Soort: spray

- Geeft een goede en langdurige bescherming.
- De spray is handig in het gebruik.
- Spray voor het gezicht eerst in je hand.
- De voorlichting op de verpakking en de bijsluiter zijn goed en overzichtelijk.

Care Plus anti-insect natural

Prijs: €11,10

Prijs per ml: €0,18

Bevat: PMD (onder de naam Citriodiol)

Soort: spray

- Geeft een goede en langdurige bescherming.
- De spray bevat 40% van het natuurlijke ingrediënt Citriodiol.
- Spray voor het gezicht eerst in je hand.
- Het product heeft een goede en duidelijke bijsluiter.

Care Plus anti-insect

Prijs: €11,10

Prijs per ml: €0,22

Bevat: 50% Deet

Soort: lotion

- Biedt goede en langdurige bescherming.
- Vergelijkbaar met de Etoslotion (50% Deet), maar €5 duurder (€0,10 per ml).
- Het product zou 10 uur werken. Wij raden aan de richtlijnen van de vaccinatiecentra te volgen. Dit houdt in iedere 8 uur weer insmeren.

Jaico muggenmelk

Prijs: €9,85

Prijs per ml: €0,20

Bevat: 27% Deet

Soort: gel

- Goed voor middellang gebruik.
- De exacte ingrediënten zijn niet vermeld.
- Door de etherische oliën zou het product tussen de 8 en 12 uur werken. Wij raden aan de richtlijnen van de vaccinatiecentra te volgen: iedere 6 uur opnieuw insmeren.

Jaico muggenmelk

Prijs: €8,60

Prijs per ml: €0,17

Bevat: 20% Deet

Soort: roller

- Handig voor kort gebruik, bijvoorbeeld onderweg.
- Hij werkt goed en je houdt schone handen.
- Het product zou 6 tot 8 uur werken, maar de richtlijn is om iedere 4 uur opnieuw te rollen.

Autan stick

Prijs: €9,70
Prijs per ml: €0,19
Bevat: 20% Deet
Soort: stick

- Handig voor kort gebruik, zoals onderweg.
- De stevige stick werkt stroef; je houdt wel schone handen.
- Autan raadt aan de stick maximaal 2x per 24 uur te gebruiken, maar bij 20% Deet wordt iedere 4 uur insmeren aangeraden.
- De waarschuwingen voor het gebruik van Deet staan op de achterzijde van het etiket.

Bye Bites softgel

Prijs: €8
Prijs per ml: €0,16
Bevat: natuurlijke plantenextracten
Soort: gel

Dit product bleek een vreemde eend in de bijt. Op de site van Bye Bites stond het als antimuggenmiddel. Maar het bevat onder meer citronellaolie en deze olie mag niet meer verkocht worden als antimuggenmiddel. Na onze opmerkingen is de site aangepast.

Cholesterolzelftests

Gezondgids juni 2013

De Consumentenbond testte drie merken cholesteroltests die het totaal cholesterol in het bloed meten en vergeleek de uitkomsten met die uit een laboratoriumtest. De cholesterolwaarden die uit de thuistests kwamen, bleken nogal te schommelen in vergelijking met de uitkomsten van de laboratoriumtest. Bovendien vonden alle gebruikers van de thuistests het zelf aflezen en interpreteren van de uitslag lastig. Maar los daarvan kun je eigenlijk weinig met de uitslag van een thuistest. Want met alleen kennis van het totaal cholesterol weet je namelijk nog niet hoe groot het risico is op het ontwikkelen van hart- en vaatziekten, zo vertelt internist Frank Visseren, internist vasculaire geneeskunde in het UMC Utrecht.

Met een thuistest prik je jezelf in de vinger met een prikpen, ook wel lancet genoemd. De bloeddruppel die hierdoor opwelt, druppel je op de testcassette. Na drie minuten moet je uit de zijkant van de testcassette een plastic strip trekken. Dan komt de bloeddruppel in contact met een filter dat in zo'n 6 tot 12 minuten blauw kleurt. Daarmee zou het totaal cholesterolgehalte af te lezen moeten zijn via een schaalverdeling op de testcassette. Met een bijgeleverde conversietabel zou het afgelezen resultaat om te rekenen moeten zijn naar de in Nederland gebruikte eenheid millimol per liter (mmol/l) cholesterol. Maar dat blijkt geen sinecure.

Handleiding

De deelnemers aan onze test zijn het meest positief over de handleiding en compleetheid van de MediHome-test. 'De gebruiksaanwijzing is heel compleet. Er wordt ook in uitgelegd wat cholesterol is en hoe de resultaten geïnterpreteerd moeten worden', aldus een testpersoon. Ook is de inhoud van de MediHome-verpakking in alle gevallen compleet en staan de benodigdheden duidelijk vermeld in de gebruiksaanwijzing. Positief van de Test-Pointthuistest is dat hij twee lancetten bevat. Maar over de handleiding zijn de gebruikers minder tevreden: 'De handleiding is slordig en kan meer structuur en illustraties gebruiken. Opmerkelijk is dat waarschuwingen pas aan het einde worden genoemd, terwijl je dat soort informatie moet weten voordat je aan de test begint.' De bijsluiter van de Easy Hometest biedt de middenweg: mooi in kleur, met plaatjes en in een handzaam formaat, maar in kleine letters. Veel informatie op een klein oppervlak. Bij de Easy Hometest missen 12 van de 15 gebruikers een belangrijk onderdeel: de conversietabel. Dus hoe hoog je cholesterol is volgens de in Nederland gebruikte eenheid mmol/l, weet je dan na een uitgave van €20 nog steeds niet.

De testcassettes van de drie merken zien er allemaal hetzelfde uit. De verschillen zitten vooral in de compleetheid, de gebruikersvriendelijkheid van de handleidingen en de bijgeleverde materialen in de verpakking.

Cholesteroltests

Merk	Prijs circa	Labresultaten*	Testkwaliteit	Gebruiksgemak	Volledigheid	Gebruiksaanwijzing
MediHome	€16	□	+	+	+	+
Easy Home	€20	□	□	+	−	+
Test-Point	€17,40	□	−	□	−	−

++ Zeer goed   + Goed   □ Redelijk   − Matig   −− Slecht

* Juistheid ten opzichte van laboratoriumtest.

Bij geen van de tests is de weergave en werking van het lancet goed uitgelegd in de gebruiksaanwijzing. Er moet een onderdeel van verwijderd worden, maar welk? Na diverse pogingen is het vaak wel gelukt, al zijn er in enkele gevallen huis-, tuin- en keukenpraktijken toegepast om in de vinger te prikken. De verschillende prikpennen van alle tests zijn instelbaar, zodat de naald eventueel wat dieper prikt, maar daar zijn slechts enkele deelnemers door eigen ondervinding achter gekomen. Het zelf prikken is soms vreemd of eng, en het blijkt moeilijk voldoende bloed te verzamelen en dat precies te mikken in het daarvoor bestemde rondje op de testcassette, aldus meerdere deelnemers.

Bij het laatste, niet onbelangrijke onderdeel van de test heeft iedereen moeite met het aflezen en interpreteren van de resultaten. Als eindresultaat moet je het uiterste blauwe puntje gebruiken, maar dat blijkt in de praktijk lastig te bepalen. 'Dat blauwe streepje loopt vaak vaag over in een kleurloos streepje', vertelt een deelnemer.

Het totaal cholesterol is uiteindelijk met behulp van de conversietabel en/of bijsluiter te interpreteren als laag, gemiddeld of hoog. Maar zo'n uitslag blijkt in de praktijk niet veel te betekenen. Internist Frank Visseren: 'Totaal cholesterol is een optelsom van goed én slecht cholesterol, maar je weet dan niet wat de verhouding is. Daarvoor heb je het totaal cholesterolgehalte én het HDL-gehalte nodig. Pas dan kun je, sámen met gegevens over leeftijd, geslacht, bloeddruk en leefstijl, zoals roken, het risico op hart- en vaatziekten berekenen. Ik ben geen voorstander van een test waarmee alleen het totaal cholesterol is te meten. Als je het risico wilt weten op het krijgen van een hartinfarct of een herseninfarct heb je de verhouding tussen het totaal cholesterol en het HDL-gehalte nodig.'

Laboratoriumtest

De Consumentenbond liet voor de volledigheid ook een laboratoriumtest uitvoeren om per merk thuistest na te gaan hoe exact dat meet in vergelijking met de Nederlandse standaard. De 20 onderzochte thuistests blijken niet heel precies te meten, ook al zullen ze geen cholesterol van 10 aangeven als het 5 is. De ene keer werd bijvoorbeeld met hetzelfde bloedmonster in een thuistest een cholesterolgehalte van 4,8 gemeten en de andere keer 6,2. Dit terwijl de laboratoriumtest respectievelijk 5,2 en 5,3 aangeeft. Een bloedtest via de huisarts heeft echt de voorkeur. Het scheelt een hoop gedoe en geklieder en je hoeft zelf niet te interpreteren of je nu gevaar loopt of niet. Deze mening wordt gedeeld door de deelnemers van het gebruikerspanel. En in de bijsluiters van de thuistests staat ook niet voor niets dat het advies bij een verhoogd totaal cholesterol is: u doet er verstandig aan uw huisarts te bezoeken. Waarom dan kliederen met een thuistest?

Echinacea-supplementen
Gezondgids december 2012

Wetenschappers verschillen al jaren van mening over de vraag of mensen zich kunnen beschermen tegen verkoudheid en griep als ze supplementen met het plantje echinacea slikken. Uit het ene onderzoek komt zus, uit het andere zo.

In september 2012 publiceerden Britse wetenschappers verbonden aan Cardiff University de tot dusver grootste studie naar de werking van echinacea. De onderzoekers concludeerden dat proefpersonen die vier maanden echinacea gebruikten hun kans op een verkoudheid met 20% verlaagden. Dat effect is niet groot, maar wel statistisch significant.

In 2010 boekten Amerikaanse onderzoekers van de University of Wisconsin minder positieve resultaten met een studie van bijna dezelfde grootte als die van het Britse onderzoek. In het Amerikaanse onderzoek kregen honderden mensen die verkouden werden een placebo of een supplement met echinacea. Het echinacea-supplement verkortte de ziekteduur met nog geen dag, en de onderzoekers concludeerden dan ook dat echinacea niet werkt.

Echinacea

	Merk en type	Richtprijs	Inhoud (stuks)	Prijs per tablet/capsule	Prijs per 1 mg echinaceafenolen	Min. dosering per dag (stuks)	Max. dosering per dag (stuks)
1	**Now** Echinacea Purpurea Root	€13,30	100	€0,13	€0,02	1	3
2	**Albert Heijn** Echinacea	€2,90	90	€0,03	€0,02	1	1
3	**Etos** Echinacea	€3,60	90	€0,04	€0,03	1	1
4	**Kruidvat** Echinacea weerstand	€5,00	220	€0,02	€0,06	4	10
5	**Arkocaps** Echinacea	€8,00	45	€0,18	€0,10	2	6
6	**Hema** Echinacea	€4,00	100	€0,04	€0,12	2	2
7	**DA** Echinacea	€6,00	150	€0,04	€0,12	2	2
8	**Idyl** Echinacea	€5,50	90	€0,06	€0,21	2	2
9	**Lamberts** high potency Echinacea	€21,90	60	€0,36	€0,26	1	2
10	**Best Choice** Echinacea	€7,00	60	€0,12	€0,30	2	2
11	**A.Vogel** Echinaforce	€15,00	200	€0,07	€0,55	2	10
12	**Bloem** Echinacea Extra Forte*	€15,00	60	€0,25	€1,84*	1	3
13	**Bonusan** Echinacea Complex (fytopreparaat)**	€9,50	135	€0,07	€1,94**	6	16

* Bloems Echinacea Extra Forte is een combinatiepreparaat. Het bevat volgens de informatie van de verkoper behalve extracten van Echinacea purpurea extracten van vlierbes, duivelsklauw en weegbree, vitamine C en zink. De berekening van de prijs van 1 mg echinacea-fenolen is dus niet helemaal eerlijk, want die andere bestanddelen zijn bij de prijs inbegrepen.

** Echinacea Complex van Bonusan is een combinatiepreparaat. Het bevat behalve extracten van Echinacea purpurea extracten van arnicawortels, westerse levensboom en de gele jasmijn. De berekening van de prijs van 1 mg echinacea-fenolen is dus niet helemaal eerlijk, want die andere bestanddelen zijn bij de prijs inbegrepen.

TE KOOP BIJ
- Bloem: DA, De Tuinen
- Idyl: Dio- en zelfstandige drogist Lamberts, Best Choice, Bonusan, Now
- Arkocaps: internet
- De overige supplementen zijn verkrijgbaar bij de gelijknamige winkels

Actieve stoffen

Volgens de wetenschappers die in echinacea geloven, is er een reden waarom wetenschappelijk onderzoek de onduidelijkheid over echinacea niet uit de weg kan ruimen. Elk echinacea-supplement is namelijk anders, zeggen ze. Zo gaven de Britten hun proefpersonen druppeltjes met een extract van de plant Echinacea purpurea (de rode zonnehoed), terwijl de Amerikanen pillen gebruikten met een mengsel van deze plant en de daaraan verwante Echinacea angustifolia. Verder kwam het extract van de Britten vooral uit de bladeren van de planten en het extract van de Amerikanen uit de wortels. Daarbij komt nog dat, volgens in het buitenland verrichte onderzoeken, niet alle makers van echinacea-producten eerlijk te werk gaan. Vaak stoppen ze minder actieve stoffen in hun supplementen dan ze op het etiket vertellen. Zo bleek uit Amerikaans onderzoek door het onafhankelijke bedrijf Consumerlab, dat in 10% van de Amerikaanse echinacea-producten geen flintertje echinacea aanwezig is. Die situatie was voor de Consumentenbond aanleiding om een aantal veelgebruikte Nederlandse echinacea-supplementen te laten analyseren door een laboratorium. De uitkomsten van dat onderzoek zeggen natuurlijk niets over de werking van die supplementen. Die vraag moeten wetenschappers beantwoorden. Maar het laboratorium heeft wel kunnen achterhalen of de echinacea-supplementen op de Nederlandse markt echt echinacea-extract bevatten, en zo ja: hoeveel.

Bijwerkingen

Het credo 'baat het niet, dan schaadt het niet' gaat niet op voor kruidenextracten, en ook niet voor echinacea. Ondanks zijn onschuldige imago kan echinacea wel degelijk bijwerkingen hebben. Medische vakbladen hebben om te beginnen meer dan eens bericht over gebruikers die allergisch reageren op echinacea. Meestal gaat het dan om huiduitslag, maar soms ook om astma-aanvallen die binnen enkele minuten na inname optreden. Waarschijnlijk zijn zulke reacties zeldzaam. In studies naar de werkzaamheid van echinacea, waarin onderzoekers proefpersonen nauwgezet screenen op bijwerkingen, komen ze praktisch niet voor. Toch staat daar tegenover dat de allergische bijwerkingen van echinacea zo ernstig kunnen zijn dat opname in een ziekenhuis noodzakelijk is. Supplementenmakers moeten verder op het etiket vermelden dat zwangere vrouwen beter geen echinacea kunnen gebruiken. Want hoewel in kleine studies geen overtuigende schadelijke effecten van echinacea op baby's zijn gevonden, kunnen die er wel zijn. Uit proefdieronderzoek blijkt dat drachtige ratten of muizen die forse doses echinacea krijgen toegediend, minder jongen op de wereld zetten.

Immuunsysteem

Voordat we vertellen wat uit deze analyse van de Consumentenbond is gebleken, moeten we eerst uitleggen dat er grofweg drie groepen stoffen in echinacea aanwezig zijn die in theorie het immuunsysteem kunnen beïnvloeden. Dat zijn in de eerste plaats onverteerbare ketens van suikers of polysachariden, die lijken op de suikerketens waaraan ons immuunsysteem ziektekiemen herkent. Krijgen proefdieren deze suikerketens binnen via hun voer, dan zijn ze minder vatbaar voor besmetting met virussen. De polysachariden schudden hun immuunsysteem bij wijze van spreken wakker. De tweede groep stoffen is die van de alkamides. Echinacea-alkamides lijken op vetachtige stoffen die in het lichaam vrijkomen als immuuncellen indringers opruimen. Het zijn waarschijnlijk boodschapperstoffen, waarmee immuuncellen met elkaar communiceren. In reageerbuizen activeren echinacea-alkamides andere immuuncellen. Ten slotte bevat echinacea fenolen, waarvan cichoreizuur waarschijnlijk de belangrijkste is. In reageerbuizen belemmert cichoreizuur de vermenigvuldiging van virussen. Voor de volledigheid herhalen we dat het niet duidelijk is of die effecten ook optreden in mensen die echinacea-supplementen gebruiken.

Goedkoop geen duurkoop

De Consumentenbond heeft in het laboratoriumonderzoek alleen gekeken naar een vijftal fenolen (bioactieve stoffen) dat in echinacea voorkomt, en typerend is voor die plant. Aan de hand van deze vijf fenolen kan het laboratorium dus met grote zekerheid zeggen of er ook delen van echinacea in de supplementen zitten (zie tabel), en zo ja: hoeveel. Hoe meer van die fenolen in een tablet of capsule aanwezig zijn, des te meer andere actieve stoffen waarschijnlijk in dat product zitten.

Uit ons onderzoek blijkt dat 'duurder' niet automatisch 'krachtiger' betekent. De beste prijs-kwaliteitverhouding bieden Albert Heijn (€2,90) en supplementenmaker Now (€13,30). Omgerekend naar de hoeveelheid fenolen kost een milligram echinacea-fenolen bij hen €0,02. Wie high potency Echinacea van Lamberts (€21,90) koopt, is minder voordelig uit: elke milligram fenolen kost dan €0,26. Nog onvoordeliger zijn Best Choice (€7) en A. Vogel (€15). Deze producenten brengen per milligram fenolen respectievelijk €0,30 en €0,55 in rekening.

Dat betekent dat A. Vogel per milligram echinacea-fenolen bijna 30 keer zoveel rekent als Albert Heijn. Dit prijsverschil is bijzonder groot. Zeker als we bedenken dat het extract dat A. Vogel in zijn pillen stopt, voor zover dat uit ons onderzoek is af te leiden, hetzelfde is als dat van Albert Heijn. De verhouding tussen de fenolen *caftaric acid* en cichoreizuur in beide supplementen is grofweg gelijk aan elkaar.

Niet gebruiken bij

Artsen die kruiden voorschrijven en gebruiken, waarschuwen in hun handleidingen, die op hun praktijkervaringen zijn gebaseerd, tegen het gebruik van echinacea bij mensen met hiv, tbc en MS. Bij deze groepen werkt echinacea averechts, zo is hun ervaring. Hetzelfde geldt voor mensen die na een orgaantransplantatie medicijnen moeten gebruiken die afstoting van het nieuwe orgaan voorkomen of om een andere reden immuunremmende medicijnen gebruiken. Echinacea kan de werking van die medicijnen tenietdoen.

Ten slotte kunnen ook kankerpatiënten beter geen echinacea gebruiken. In reageerbuizen verminderen de fenolen in echinacea de werking van doxorubicin, een bestanddeel van chemokuren, op borstkankercellen. Bovendien groeien tumoren in proefdieren sneller na toediening van echinacea-extract.

Afwijkende samenstelling

Voor zover is af te leiden uit de analyseresultaten zit in bijna alle geteste supplementen ongeveer hetzelfde type extract. Alleen de concentratie ervan verschilt. Dat is merkwaardig. Een fabrikant als Now zegt nadrukkelijk dat zijn extracten uit de wortel van echinacea komen, terwijl A. Vogel juist zegt dat zijn extracten vooral uit de bladeren van de echinacea komen. Als de beweringen van Now en A. Vogel kloppen, dan zou je verwachten dat de samenstelling van de supplementen meer van elkaar verschilde. Het laboratorium dat het onderzoek voor de Consumentenbond deed, ontdekte in één product een extract met een afwijkende samenstelling. Dat was het echinacea-supplement van Arkocaps (€8). Voor zover de onderzoekers konden zien, zit er echinacea in Arkocaps, want ze vonden alle fenolen die in echinacea horen te zitten. Alleen de verhouding tussen die fenolen was afwijkend van de andere producten. Misschien gebruikt Arkocaps een andere variant van echinacea of een extract dat is gehaald uit een ander deel van de plant.

Ongeloofwaardig

Veel makers van echinacea-preparaten hebben kennelijk geen idee hoeveel extract mensen precies nodig hebben. Of ze hebben allemaal een ander idee, dat kan natuurlijk ook. Wie het echinacea-product van

Now koopt, en de minimale door de fabrikant geadviseerde dosering gebruikt, krijgt 23 keer meer actieve stoffen binnen dan wie de minimale dosering van de supplementen van A. Vogel koopt en gebruikt. Wie het supplement van de Hema (€4) koopt en daarvan de maximale dosering neemt, krijgt bijna 30 keer minder actieve stoffen binnen dan wie van het product van Now de maximale dosering gebruikt.

Sterker nog: wie van het zwaar gedoseerde preparaat van Now de maximaal aanbevolen hoeveelheid gebruikt, krijgt bijna 70 keer meer fenolen binnen dan wie van het licht gedoseerde preparaat van A. Vogel de minimaal aanbevolen hoeveelheid gebruikt. Zulke verschillen zijn ongeloofwaardig. De fabrikanten hebben blijkbaar verschillende ideeën over de hoeveelheid die werkt, of doen ze maar wat? De wetenschap is er ook nog niet uit.

Zie voor meer informatie www.consumentenbond.nl/supplementen.

Medicijnadvies drogisterijen
Consumentengids september 2013

De term 'zelfzorgmiddelen' wordt door apotheek en drogist wel erg letterlijk genomen. De klant moet zelf maar zorgen dat hij aan de juiste informatie komt om het middel veilig te gebruiken. Dat bleek al in 2012, toen we ibuprofen kochten voor ons neefje dat daar veel te jong voor was. De pillen werden in de meeste gevallen zonder vragen meegegeven. Waar de 'kassacheck' wel werd gedaan, leidde dat vooral bij de drogist zelden tot doorvragen en het juiste advies.

Omdat de meeste zelfzorgmiddelen bij de drogisterij worden verkocht, stuurden we opnieuw mysteryshoppers op pad, van onderzoeksbureau Store Support. Tussen april en juli 2013 bezochten zij 200 winkels van de 5 grootste drogisterijketens van Nederland (DA, Dio, Etos, Kruidvat en Trekpleister). De klanten zijn tussen de 55 en 74 jaar en hebben last van acute lagerugpijn. Ze vragen een ontstekingsremmende pijnstiller met diclofenac (een bekend merk is Voltaren).

Wat de klanten er niet bij vertellen, is dat ze ook een bloedverdunner gebruiken. Deze combinatie is volgens de diclofenac-bijsluiter af te raden, omdat het maagproblemen kan veroorzaken en het effect van de bloedverdunners kan verhevigen. Een advies van de huisarts of trombosedienst is noodzakelijk.

Als verkopers de juiste vragen stellen, geven onze klanten naar waarheid antwoord en ze staan open voor informatie.

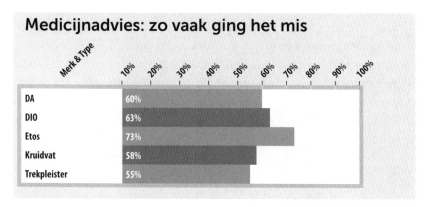

Medicijnadvies: zo vaak ging het mis

Merk & Type	Percentage
DA	60%
DIO	63%
Etos	73%
Kruidvat	58%
Trekpleister	55%

Verplichte vragen

Maar de drogisten stellen zelden de juiste vragen. Bij de kassa wordt dikwijls aan de klant gevraagd of hij nog informatie wil over de medicijnen. Bij Kruidvat gebeurt dat veel vaker (70%) dan bij DA (40%). Slechts 39% vraagt vervolgens voor wie het medicijn is bedoeld en hooguit eenderde van de verkopers wil weten of er ook andere medicijnen worden gebruikt. Trekpleister scoort hier iets beter dan de concurrentie.

Als de medewerker de goede vragen stelt, kan er maar één conclusie zijn: diclofenac is niet het aangewezen medicijn. Een bezoek aan de huisarts of eventueel een alternatief middel als paracetamol zijn correcte adviezen. Driekwart van de Etos-medewerkers geeft het middel echter zonder commentaar mee. Bij Trekpleister gebeurt dat in 'slechts' 55% van de gevallen. Hier wordt ook het vaakst (30%) aangestuurd op een alternatief. Bij Etos denkt slechts een op de tien medewerkers mee.

Onvoldoende uitleg

Drogisten móeten vragen stellen. De branchevereniging heeft dan ook een vragenlijst opgesteld die in kaart moet brengen voor wie het medicijn is bedoeld, wat de aard van de klacht is, hoelang de klacht bestaat en of er al iets aan gedaan is.

De vraag of de klant meer informatie wenst, is veelal een protocollair dingetje. Als de klant bevestigend antwoordt, wordt dikwijls verwezen naar de bijsluiter. Niet zo vreemd als je bedenkt dat de kans dat je de drogist of zijn assistent tegen het lijf loopt vrij klein is. Bij Trekpleister is die nog het grootst, 41% tegen 16% bij Dio. Bij DA weten onze klanten in 70% van de gevallen niet door wie ze zijn geholpen.

Onverantwoorde zorg

De Geneesmiddelenwet bepaalt dat alleen de (assistent)drogist voorlichting mag geven over zelfzorgmiddelen. Uit ons onderzoek blijkt dat die bepaling wel enig nut heeft. Zodra de klant wordt geholpen door de (assistent)drogist, stelt die meer en betere vragen en krijgt de klant in meer dan de helft van de gevallen geen diclofenac mee naar huis.

Het is des te zorgwekkender dat 33% van de door de klant herkende (assistent)drogisten het middel verkoopt zonder de juiste vragen te stellen of voldoende uitleg te geven. Dat is weliswaar beter dan bij de niet-opgeleide medewerkers (72%), maar het blijft onverantwoorde zorg. Zeer opmerkelijk is dat bij de gecertificeerde drogisterij vaker een verkeerd advies werd gegeven dan bij de niet-gecertificeerde bedrijven.

Met bijna 1,5 miljoen gebruikers is diclofenac het populairste receptmedicijn in Nederland. De totale uitgaven hiervoor bedragen €27,7 miljoen (2012, bron: CVZ).

Risico's

Bij de drogist is ibuprofen – waarover we vorig jaar berichtten – de meest verkochte ontstekingsremmende pijnstiller (NSAID). Diclofenac zit in dezelfde groep wat betreft de werkzame stof. Het is eveneens zonder recept verkrijgbaar; bekende merken zijn Cataflam en Voltaren. Het wordt vaak gebruikt bij spier- en lagerugpijn en bij ontsteking van spieren en gewrichten (artrose, jicht, reuma).

Bij langdurig gebruik en hoge doses is diclofenac erg belastend voor de maag en is een combinatie met een maagbeschermer noodzakelijk. Daarnaast kunnen nare wisselwerkingen ontstaan als iemand plasmiddelen, bepaalde antidepressiva, bètablokkers (bij hoge bloeddruk) of bloedverdunners gebruikt.

Uit een recente grote Amerikaanse studie blijkt dat zeker bij langdurig gebruik van hoge doses de kans op hartaandoeningen sterk toeneemt.

Daarom zullen in de loop van het jaar de bijsluiters van diclofenac worden aangepast, met vermelding van deze risico's.

Patiënten met ernstige hart- en vaatproblemen, zoals hartfalen, angina (pijn op de borst), problemen met de doorbloeding of een eerder door-gemaakt hartinfarct of beroerte, wordt geadviseerd diclofenac niet meer te gebruiken.

Middeltjes bij winterkwalen
Gezondgids februari 2013

De Consumentenbond selecteerde 15 zelfzorgmiddelen bij griep en ver-koudheid uit het aanbod van drogisten en apothekers. We vroegen twee experts (Marjolijn Roper-Venema, apotheker en docent bij het departe-ment farmaceutische wetenschappen van de universiteit Utrecht, en Mark Friebel, keel-, neus- en oorarts (kno-arts) in het Albert Schweitzer ziekenhuis in Dordrecht) naar hun oordeel over de werkzaamheid ervan. De genoemde prijzen betaalden we in de winkel.

KEELPIJN

Strepfen (€6,49)
Citroen en Honing 8,75 mg zuigtabletten, bij keelpijn, 24 zuigtabletten, Reckitt Benckiser.

Wat zit erin: Het werkzame bestanddeel is flurbiprofen (8,75 mg).

Wat zeggen de experts: Marjolijn Roper-Venema: 'Flurbiprofen is ver-gelijkbaar met ibuprofen, een pijnstiller met een ontstekingsremmende werking. Maar zowel voor pijnstilling als ontstekingsremming is de do-sering te laag. Bovendien heeft 1 op de 10 gebruikers last van irritatie van de mond. Op een tablet zuigen is zinvol omdat het de keel verzacht en de doorbloeding stimuleert. Maar een snoepje of dropje is net zo effectief. Neem als pijnstiller liever paracetamol; dat geeft minder bijwerkingen als maag- en darmklachten.'

Oordeel: Niet aan te raden

Trachitol (€4,20)

Bij beginnende keelpijn, 20 zuigtabletten. De bijsluiter zegt aanvullend: de zuigtabletten bevatten lidocaïnehydrochloride, een plaatselijk pijnstillende stof, Kernpharm.

Wat zit erin: Een zuigtablet bevat 1 mg lidocaïnehydrochloride en 1,8 mg propyl-4-hydroxy benzaat (een bacteriegroeiremmende stof, red.).

Wat zeggen de experts: Marjolijn Roper-Venema: 'Omdat er lidocaïne in de zuigtabletten zit, verdooft het niet alleen de keel, maar de hele mond. Die bacteriegroeiremmende stof is zinloos; de oorzaak van keelpijn is meestal een virus.'

Mark Friebel: 'Ik gebruik ze zelf, maar eigenlijk is het een luxesnoepje. Dat lichtverdovende gevoel vind ik wel prettig.'

Oordeel: Niet aan te raden

GRIEP & VERKOUDHEID

Hot Coldrex (€6,15)

Bij koorts en pijn bij griep en verkoudheid, GlaxoSmithKline.

Wat zit erin: Paracetamol 500 mg en vitamine C 30 mg.

Wat zeggen de experts: Marjolijn Roper-Venema: 'Omdat je deze pillen oplost in warm water zullen ze iets sneller werken dan gewone paracetamoltabletten. Zo'n dampende warme drank kan wat extra lucht geven. Maar die extra vitamine C doet niets.'

Oordeel: Bewezen effectief (niet beter dan paracetamol)

Kaloba (€11,95)

Pelargoniumsidoides, extract EPs 7630, bij verkoudheid, 20 tabletten, VSM.

Wat zit erin: Een Kalobatablet bevat 20 mg gedroogde Pelargonium sidoides wortelextract (extract uit de wortel van de Zuid-Afrikaanse geranium, red.).

Wat zeggen de experts: Mark Friebel: 'Uit de zogeheten Cochrane Reviews, waarin wetenschappelijke studies naar een middel vergeleken worden, blijkt dat de wortel van de Zuid-Afrikaanse geranium de symptomen van bronchitis en bijholteontsteking vermindert. Het effect is echter pas merkbaar na 10 dagen. Heeft dus geen zin bij verkoudheid en griep.'

Oordeel: Niet aan te raden

Oscillococcinum (€9,50)

Homeopathisch geneesmiddel bij griep, 6 buisjes met globuli (korreltjes, red.), Laboratoires Boiron.

Wat zit erin: Een buisje met 1 gram korreltjes bevat 0,01 ml van een extreem sterke verdunning van een extract uit lever en hart van de muskuseend. Hulpstoffen: sucrose en lactose.

Wat zeggen de experts: Marjolijn Roper-Venema: 'Oscillococcinum is een sterke verdunning van hart en lever van eenden waar het (vogel) griepvirus in zou zitten. De kans dat daar in die korreltjes nog één molecuul van te vinden is, is nihil. En als dat zo was, dan doet die nog niets.' Mark Friebel: 'Volledige onzin! Vooral van zangers hoor ik dat ze het gebruiken. Maar in die korreltjes zit voornamelijk suiker.'

Oordeel: Niet aan te raden

A. Vogel Echinaforce (€7,95)

Homeopathisch geneesmiddel bij onvoldoende weerstand, bij griep en verkoudheid, 50 ml druppels, Biohorma.

Wat zit erin: De actieve bestanddelen zijn Echinacea purpurea herba Ø 95% en Echinacea purpurea radix Ø 5%. Alcoholgehalte is circa 65% v/v (% v/v staat hier voor het extract in alcohol van bloemen, bladeren en wortel van de rode zonnehoed, red.).

Wat zeggen de experts: Marjolijn Roper-Venema: 'In tegenstelling tot de gebruikelijke werkwijze bij homeopathie zijn de bestanddelen in deze druppels onverdund; dat zie je aan het Ø-symbool. Uit onderzoek naar de werkzaamheid van rode zonnehoed komen tegenstrijdige resultaten.' Mark Friebel: 'Van de 16 wetenschappelijke studies die vergeleken zijn in de Cochrane Reviews, laten 9 een positief resultaat zien bij volwassenen. Meer onderzoek is nodig.'

Oordeel: Niet-bewezen effectief

Antigrippine (€3,35)

Bij koorts en pijn, 20 tabletten, GlaxoSmithKline.

Wat zit erin: Tabletten met paracetamol, coffeïne (beter bekend als cafeïne, red.) en vitamine C.

Wat zeggen de experts: Marjolijn Roper-Venema: 'Paracetamol is pijnstillend en verlaagt de koorts, zodat je je minder ziek voelt. Coffeïne kan de werking van paracetamol versterken, maar ook als effect hebben dat je minder goed slaapt. De toegevoegde vitamine C is zinloos; extra vitamine C zorgt niet voor een snellere genezing. Bovendien is Antigrippine duurder dan gewone paracetamol.'

Oordeel: Bewezen effectief (niet beter dan paracetamol)

Bijsluiter belangrijk

Omdat alle besproken middelen bij griep en verkoudheid gewoon bij de drogist te koop zijn, zou het kunnen lijken dat ze ongevaarlijk zijn. Dat is niet het geval. Behalve de genoemde mogelijke bijwerkingen van Otrivin Duo en Vicks Sinex (en andere sprays die het neusslijmvlies laten slinken) kunnen ook andere middelen bijwerkingen hebben. Zeker in combinatie met diverse medicijnen. Lees daarom altijd eerst zorgvuldig de bijsluiter.

VERSTOPTE NEUS

Vicks Sinex (€4,79)

Met doseerpomp, 0,5 mg/ml oplossing oxymetazolinehydrochloride, bij neusverkoudheid, Procter & Gamble. Oxymetazolinehydrochloride laat het neusslijmvlies slinken door de bloedvaten in het neusslijmvlies te vernauwen, zo is te lezen in de bijsluiter.

Wat zit erin: Werkzaam bestanddeel is 0,5 mg oxymetazolinehydrochloride per ml neusspray.

Wat zeggen de experts: Mark Friebel: 'Ik geef de voorkeur aan een simpele neusspray met xylometazoline (vergelijkbaar met oxymetazolinehydrochloride maar iets minder krachtig, red.), dat hetzelfde effect heeft als de werkzame stof in Vicks Sinex. De toegevoegde menthol en eucalyptusolie geven alleen de illusie dat je vrijer kunt ademen. Mocht je het toch gebruiken, doe dit dan nooit langer dan een week. Het slijmvlies wordt daarna juist dikker, waardoor je opnieuw neusspray moet gebruiken.'

Oordeel: Bewezen effectief

Etos Zeezout Neusspray (€2,45)

Om vrijer te ademen door de neus. Geschikt voor alle leeftijden, Healthy-pharm. Het verdunt ingedikt neusslijm en vergemakkelijkt het verwijderen van slijm en korstjes uit de neus, waardoor de neus gemakkelijker schoongemaakt kan worden, zo is te lezen in de bijsluiter.

Wat zit erin: 1 ml neutrale oplossing bevat 10 mg dexpanthenol (een d-pantotheenzuur, vitamine B-derivaat: zou het helingsproces van huid en slijmvliezen bevorderen, red.) en 250 mg zeewater.

Wat zeggen de experts: Mark Friebel: 'Een zoutoplossing werkt inderdaad prima, maar spoelen met zout water werkt veel beter. Net zo effectief, en veel goedkoper: los 9 gram zout op in 1 liter lauw water en snuif het per neusgat op uit je handpalm. Minder nauwkeurig: los een afgestreken theelepel zout op in een glas lauw water.'

Oordeel: Bewezen effectief (net als een gewone zoutoplossing)

A. Vogel Cinuforce neusspray (€5,95)

Homeopathisch geneesmiddel, 20 ml neusspray, A. Vogel.

Wat zit erin: In sterk verdunde vorm: kwikzilversulfide (mineraal), Canadese geelwortel, chroomzuur (chemische verbinding van chroom), klein kroos (waterplant), sponskomkommer (subtropische plant).

Wat zeggen de experts: Marjolijn Roper-Venema: 'Deze neusspray is samengesteld volgens de uitgangspunten van de homeopathie; de gebruikte stoffen geven onverdund klachten die horen bij griep en verkoudheid. Verdun je die stoffen, dan zouden ze de kwaal juist genezen. Ik vind homeopathie onzin. Als deze neusspray werkt, dan is dat alleen dankzij het hulpmiddel zout, opgelost in water.'

Oordeel: Niet aan te raden

Otrivin Duo (€5,99)

Xylometazoline HCI, ipratropium Br Volwassenen. Neusspray, oplossing, bij neusverkoudheid, bij verstopte neus en loopneus, Novartis. De bijsluiter voegt nog toe dat het een combinatiemiddel is dat uit twee bestanddelen bestaat: het ene vermindert de waterige afscheiding uit de neus, het andere gaat zwelling tegen.

Wat zit erin: Eén verstuiving bevat 70 microgram xylometazolinehydrochloride en 84 microgram ipratropiumbromide (ipratropium is een luchtwegverwijder, red.).

Wat zeggen de experts: Marjolijn Roper-Venema: 'Behalve xylometazoline dat het neusslijmvlies laat slinken, zit hier ook ipratropium in. Dat moet ervoor zorgen dat er minder vocht uit de neus komt. Xylometazoline veroorzaakt vaatvernauwing en beide stoffen kunnen ervoor zorgen dat het hart sneller gaat kloppen.'

Mark Friebel: 'Voor een gewone verkoudheid zie ik de toegevoegde waarde van ipratropium niet. Xylometazoline alleen is voldoende, maar dan wel korter dan één week gebruiken, anders werkt het averechts!'
Oordeel: Niet aan te raden

HOESTEN

Roter Noscpect (€4,45)
Omhulde tabletten 15 mg, noscapinehydrochloride, bij prikkelhoest of droge hoest, 20 omhulde tabletten, Roter. De bijsluiter vult aan: noscapinehydrochloride onderdrukt de hoestprikkel. Noscapine is niet geschikt bij hoest waarbij slijm wordt opgehoest.
Wat zit erin: Per tablet 15 mg noscapinehydrochloride.
Wat zeggen de experts: Marjolijn Roper-Venema: 'Het kan nuttig zijn de hoestprikkel te onderdrukken wanneer hoesten niet zinvol is. Je blijft dan hoesten door de prikkeling van de hoest en niet omdat je slijm ophoest. Omdat de werking niet bewezen effectief is, schrijft de huisarts het niet meer voor.'
Apothekers adviseren het nog wel, volgens apothekersorganisatie KNMP: 'Omdat dit van de hoestprikkeldempende middelen de minste bijwerkingen heeft.'
Oordeel: Niet-bewezen effectief

Bisolvon Drank (€7,19)
Broomhexinehydrochloride 8 mg/5 ml, bij vastzittende hoest door taai slijm, 125 ml drank, Boehringer Ingelheim.
Wat zit erin: 8 mg broomhexinehydrochloride per 5 ml (dessertlepel).
Wat zeggen de experts: Mark Friebel: 'Het is nooit aangetoond dat Bisolvon het slijm verdunt. Bij een verkoudheid is slijm helemaal niet taai en dik, maar juist dun en waterig. Je hoest omdat het slijmvlies geprikkeld is, niet omdat er dik slijm zit.'
Oordeel: Niet aan te raden

Natterman Bronchicum stroop (€5,45)
Ter verlichting van hoestklachten, 100 ml, Novum Pharma.
Wat zit erin: Per dosering van 5 ml stroop: suiker 3,7-4 gram. Verder bevat het product een extract opgelost in alcohol (tinctuur) uit onder meer:

tijmkruid, primulawortel (sleutelbloem), anijsolie, eucalyptusolie, menthol en saponine (plantaardige schuimende stof met reinigende werking).
Wat zeggen de experts: Marjolijn Roper-Venema: 'Het belangrijkste ingrediënt is tijm: dat geeft een verzachtend effect op de keel. De toegevoegde eucalyptus en menthol kunnen gevaarlijk zijn voor kleine kinderen, daarom pas te gebruiken vanaf 12 jaar.'
Oordeel: Bewezen effectief (net als gewone tijmsiroop)

Fluimucil 600 (€6,95)
Bruis, bij vastzittende hoest door taai slijm, 6 bruistabletten, Zambon.
Wat zit erin: 600 mg acetylcysteïne (slijmoplossend middel, red.) per bruistablet.
Wat zeggen de experts: Marjolijn Roper-Venema: 'Het slijmoplossend effect van Fluimucil is niet wetenschappelijk aangetoond. Maar al zou dat effect er zijn, hoest wordt meestal niet veroorzaakt door vastzittend slijm, maar door slijm dat vanuit de neus in de keel komt.'
Oordeel: Niet aan te raden

Online een bril kopen
Consumentengids februari 2013

'Als u niet akkoord gaat met deze algemene voorwaarden, dient u onmiddellijk deze website te verlaten', vermeldt de online brillenwinkel SmartBuyGlasses.nl. De kleine lettertjes 'zullen overeenkomstig de wetten van Hongkong worden uitgevoerd'. De Consumentenbond laat zich niet afschrikken en bestelt een bril op sterkte, net als bij HansAnders.nl, Brillen24.nl en Lensway.nl. Een bril online bestellen, heeft wat haken en ogen. Zo is het niet zeker of de bril past. En wiens fout is het als je er niet goed door kunt zien? Ligt dat aan de meting, het invullen van de sterkte of aan de fabricage? Het kan in ieder geval gemakkelijk ontaarden in 'kastje-muur'. Er zijn zeker ook voordelen: je kunt goedkoper slagen dan in de winkelstraat en je hoeft voor dat ene geliefde merk of model niet de optiekzaken af te struinen.

Online een bril kopen

Webwinkel	Prijs montuur	Enkelvoudige glazen per paar	Toeslag dunnere glazen	Kraswerend en ontspiegeld	Multifocale glazen per paar	Brillenkoker meegeleverd	Verzendkosten
HansAnders.nl	vanaf €35	€30	max. €100	€84			€2,95 onder €50
SmartBuyGlasses.nl	vanaf €23,95	€30	max. €140	€0	vanaf €150	√	
Brillen24.nl	€39	€0	€0	€0	€110	√	€5
Lensway.nl	vanaf €22	€33	€0	€0	€99	√	

Digitale paskamer

De proefklant van de Consumentenbond kan dan ook direct aan de slag: eerst op zoek naar een geschikt montuur. Behalve bij SmartBuyGlasses lukt het een portretfoto te uploaden naar de webwinkels. Zo kun je in de digitale paskamer zien hoe de bril staat. De webwinkels laten bij ieder montuur een aantal maten zien, zoals voor de neusbrug. Onduidelijk is echter hoe je dit zelf moet meten.

Wie geen recent brilrecept heeft, moet eerst langs een opticien. Zonder aanschaf van een bril kun je hier en daar laten meten, blijkt wanneer we lukraak 12 winkels van 4 grote opticienketens bellen. De prijs van het meten ligt tussen €15 (Specsavers) en €39,95 (Eyewish). Maar je kunt niet in alle filialen terecht. 'Dat past niet in de formule van Hans Anders', krijgen we te horen en bij Specsavers: 'als u ermee naar een webshop gaat en er is iets mis, dan zijn wij verantwoordelijk'.

Ontbreekt de pupilafstand op het brilrecept, dan kun je die zelf meten. De informatie hierover is echter zowel bij SmartBuyGlasses als Brillen24 belabberd. Voor goede aanwijzingen kun je beter bij Lensway terecht. Brillen24 biedt gelukkig nog wel een andere mogelijkheid: een foto sturen waarop je een bankpas boven de ogen houdt. De webwinkel bepaalt hiermee de pupilafstand. Voor de hoogte van de centrale punten in de glazen houden de webwinkels blijkbaar een standaardmaat aan. Dat maakt deze winkels minder geschikt voor het bestellen van glazen met een groot sterkteverschil tussen links en rechts, en multifocale glazen. Hans Anders levert de laatstgenoemde categorie overigens niet online. Wel kun je bij deze webwinkel – net als bij SmartBuyGlasses – kiezen voor dunnere glazen. Bij Brillen24 valt er niet te kiezen, want daar beslist een medewerker over de glasdikte. De klant moet erop vertrouwen dat dit goed gebeurt: 'maakt u zich geen zorgen, onze opticiens waken erover dat u de dunst mogelijke glazen heeft in combinatie met uw karakteristieken'. Ook bij Lensway hoef je niet bang te zijn voor jampotglazen: 'geloof ons, we kiezen de glazen die het beste zijn voor uw specifieke recept'. Beide winkels rekenen geen toeslag voor dunnere glazen, en dat is vooral bij een grotere sterkte zeer gunstig. Voor een kraswerende laag en ontspiegeling vraagt alleen Hans Anders meer.

Tips

- Hoe sterker de glazen, hoe meer u bij onlinewinkels kunt profiteren van lage prijzen voor dunne glazen.
- Past het oude montuur goed, zoek dan in de 'pootjes' naar de maten van de bril. De kleinste waarde staat voor de breedte van de neusbrug.
- Zorg voor een goed brilrecept, met pupilafstand.
- Bestel alleen online als het verschil in sterkte tussen beide ogen niet groter is dan 2 dioptrie.
- Koop een multifocale bril liever niet bij een webwinkel.

Service niet overbodig

Liggen de prijzen online lager dan in de winkels van grote opticienketens? Wij vonden één keten die goedkoper is dan de goedkoopste webwinkel. Wie er niet om maalt dat er in de laagste prijsklasse niet veel keus is, kan voor €29 in de winkel van Specsavers terecht. Maar dan zijn de glazen van standaarddikte, niet krasvast of ontspiegeld. Voor dat geld krijg je een meting, advies bij de montuurkeuze en service. En die service is niet overbodig. Want als we na 10 dagen alle brillen van de onlinewinkels ontvangen, blijken de sterkte van de glazen en de pupilafstand dan wel overeen te komen met het brilrecept, maar past geen van de brillen echt goed: ze zakken af of knellen. De bril van Hans Anders online kun je laten afstellen in een Hans Anders-winkel in de buurt. Hoe moet het bij de andere webwinkels? 'Het blijft een internetbusiness,' aldus een medewerker van Lensway, 'en daarom leveren we er een schroevendraaiertje bij.' En die hebben we nodig, denken we, als de bril van Lensway al na een dag een neuspadje mist. Maar het loopt anders: 'We hebben geen losse onderdelen,' meldt de klantenservice, 'daarom sturen we een nieuwe bril.' Over service gesproken.

Ontruiming kamer verpleeghuis
Gezondgids augustus 2013

De moeder van Ingrid van Lemmeren overleed vorig jaar in het Amsterdamse verpleeghuis De Raak. 'We hadden afgesproken dat we vijf dagen na haar overlijden de spullen zouden komen ophalen. Toen wij arriveerden bleek de kamer al te zijn leeggehaald. Kleding was in vuilniszakken gestopt en stond in de berging. De meubeltjes stonden her en der in het huis verspreid en moesten we maar bij elkaar zoeken.'
Ook Tjeu Klaassen moest haast maken toen zijn schoonmoeder overleed op de verpleegafdeling van Elvira in Amstenrade. Hij kreeg drie dagen om de kamer te ontruimen. 'Ze was nog niet eens gecremeerd. Ik ben huisarts en hoor zulke berichten regelmatig van mijn patiënten. Dat wekt de indruk dat dit de normale gang van zaken is', laat hij de Consumentenbond weten. Maar zo'n vaart maken hoeft helemaal niet volgens de regels die sinds 2011 voor deze branche gelden. Nabestaanden hebben namelijk recht op zeven dagen om de spullen van de overledene mee te nemen, zo is te lezen in de Algemene Voorwaarden die de brancheorganisatie van verzorgings- en verpleeghuizen zelf opstelde. Toch komt een situatie als die van Klaassen en Van Lemmeren vaker voor, omdat zo'n 40% van de verpleeg- en verzorgingshuizen over die termijn onjuiste of zelfs helemaal geen informatie geeft, terwijl ze dat wel verplicht zijn. En ook al doen ze het wel, dan houden ze zich er niet altijd aan.
Niet alleen op dat punt schort de voorlichting. Of een partner in het appartement mag blijven wonen, is ook vaak onduidelijk. En over terugkeer naar de eigen kamer na een ziekenhuisopname wordt zelden informatie gegeven. Zo kan het gebeuren dat iemand na een kort verblijf in het ziekenhuis opnieuw op de wachtlijst belandt. Dit alles blijkt uit onderzoek van de Consumentenbond onder 152 verpleeg- en verzorgingshuizen (zie kader Wat & hoe).

Wat & hoe

Ruim 600 telefoontjes pleegde de Consumentenbond in een mystery-onderzoek onder 152 verpleeg- en verzorgingshuizen. Als mogelijk toekomstig bewoner vroegen we naar brochures, huisregels en bewonersovereenkomsten om te achterhalen of en welke informatie ze geven over het ontruimen van een kamer bij ziekenhuisopname en overlijden van de bewoner. Sommige huizen moesten we wel tien keer bellen voordat ze een compleet informatiepakket toestuurden. Waar verwezen werd naar de website namen we die onder de loep. Alle informatie legden we naast de Algemene Voorwaarden voor zorg met verblijf die sinds 2011 gelden.

Kamer kwijt

Verpleeghuizen konden – in tegenstelling tot verzorgingshuizen – vóór 2012 niets declareren zodra een cliënt in het ziekenhuis werd opgenomen. Maar omdat het eigenlijk onmenselijk is dat cliënten na een ziekenhuisopname niet meer kunnen terugkeren naar hun vertrouwde kamer of appartement is dat veranderd. Nu loopt de vergoeding zowel bij verzorgings- als verpleeghuizen gewoon door als terugkeer van de cliënt te verwachten valt. Er is geen maximum aan het aantal dagen dat gedeclareerd mag worden door een instelling. Daarmee is er dus geen financiële reden meer om een bewoner op stel en sprong uit te schrijven en zijn spullen op te laten halen.

Slechts 10% van de huizen laat aan toekomstige bewoners weten wat er gebeurt met de kamer of het appartement bij opname in een ziekenhuis. En dat is jammer, want de gevolgen kunnen ingrijpend zijn, zo blijkt uit ons onderzoek. Want wie bijvoorbeeld woont in verpleeghuis Lauwershof in Oudorp, wordt volgens de toegestuurde brochure bij opname in het ziekenhuis gewoon uitgeschreven: 'Als u terug mag komen in het verpleeghuis, komt u bovenaan de wachtlijst te staan en krijgt u het eerste plekje dat vrijkomt.' In verpleeg- en verzorgingshuis De Open Waard in Oud-Beijerland blijft het appartement maximaal een jaar beschikbaar voor de bewoner.

Zeven dagen

Als een bewoner overlijdt is er zeven dagen de tijd om de kamer leeg te maken. Bijna eenderde van de verpleeg- en verzorgingshuizen in ons onderzoek laat na om toekomstige bewoners of hun vertegenwoordigers hierover te informeren, hoewel ze dat verplicht zijn. Van de huizen die zich wel aan de informatieplicht houden, zegt het merendeel zich aan de regels van de brancheorganisaties te houden. De andere bepalen zelf hoe snel de nabestaanden de kamer moeten leegmaken, zoals Elvira in Amstenrade, waar de schoonmoeder van Tjeu Klaassen woonde. Het huis maakt in de zorgleveringsovereenkomst onderscheid tussen het verzorgingshuisdeel en de verpleegafdeling. Voor het ontruimen van een appartement in het verzorgingshuis staan maximaal tien dagen. Heel coulant. Maar als de bewoner op de verpleegafdeling verblijft, zoals de schoonmoeder van Klaassen, krijgen nabestaanden maar 72 uur.

In ons onderzoek komen we meer van dergelijke praktijken tegen. De verpleegafdeling van woonzorgcentrum De Dilgt in Haren gunt nabestaanden ook slechts 72 uur. In Leiden hanteert Topaz Zuydtwijck een termijn van 48 uur met de verontschuldiging: 'Wij zijn ons ervan bewust dat dit een erg korte termijn is, maar worden ertoe gedwongen door de financiering van de gezondheidszorg.' Dat is dus onzin (zie kader Financiering). En A.G. Wildervanck in Veendam maakt het op de verpleegafdeling helemaal bont. 'In principe zal de kamer binnen één dag na het vertrek of overlijden van de patiënt ontruimd moeten worden. Bij uitzondering, en uitsluitend in onderling overleg, kan van deze periode worden afgeweken', vermeldt de zorgleveringsovereenkomst.

Financiering

Een verpleeg- of verzorgingshuis krijgt na het overlijden van een bewoner maximaal 13 dagen een leegstandvergoeding vanuit de Algemene wet bijzondere ziektekosten (AWBZ): 7 dagen voor de nabestaanden om te ontruimen en 6 dagen voor het huis om de kamer op te knappen. De huizen leveren dan geen zorg en kunnen die ook niet declareren. De personeelskosten lopen echter gewoon door, dus er is een financiële prikkel om de kamers zo snel mogelijk te laten ontruimen.

Tijdens een ziekenhuisopname van een bewoner mogen huizen wél de zorgkosten blijven declareren. Dit is niet aan een bepaalde termijn gebonden. Ze kunnen dus best wachten tot duidelijk is of terugkeer naar de eigen kamer te verwachten is.

Opgelucht

Toch zit er ook een andere kant aan het verhaal, vertelt Reinie Bos: 'Mijn schoonmoeder woonde in het verpleeghuis De Twaalf Hoven in Winsum. Eind april is zij overleden. Samen met een van de verzorgsters heb ik haar voor de laatste keer verzorgd. Terwijl ik bezig was, heeft de rest van de familie de kamer leeggehaald. Snel ja, maar eerder waren wij blij toen er eindelijk plek voor moeder in het verpleeghuis was. Geen zorgen meer of ze het gas had laten branden met een lege ketel erop; geen zorgen meer dat ze om negen uur 's avonds met de voordeur open zat te wachten op iemand die niet kwam en geen zorgen meer of ze wel eten of drinken kreeg.' Het staat natuurlijk iedereen vrij om de kamer direct leeg te ruimen, maar wie meer tijd nodig heeft moet zich niet laten opjagen.

En dat doet 't Slot in Gameren zeker niet. Mochten nabestaanden meer dan zeven dagen nodig hebben, dan zal het huis daar niet moeilijk over doen. 'Wij vinden dat familie voldoende tijd moet hebben om met het rouwproces om te gaan.' Huizen die een langere termijn mogelijk maken, rekenen daarvoor soms wel kosten. Hoe hoog die zijn, laten slechts 3 van de 152 huizen in ons onderzoek weten. Zo rekent De Ebbingepoort in Groningen per extra dag €65. In Oud-Beijerland vraagt De Open Waard €80 en De Bloemschevaert in Roosendaal brengt €120 per extra dag in rekening. 'Dat mag', laat de Nederlandse Zorgautoriteit ons desgevraagd weten, 'als de huizen maar vooraf informeren over de hoogte van de bedragen, en niet tegelijkertijd de leegstand via de AWBZ declareren.' Alleen vermelden dat er kosten aan verbonden zijn, is dus onvoldoende.

Als nabestaanden na zeven dagen de spullen niet hebben opgehaald, mogen de huizen de kamer leegmaken en de eigendommen van de overledene opslaan, al dan niet tegen betaling. Maar dus niet eerder, zoals Willy de Ruiter-Van der Welle overkwam. Haar vader overleed vorig jaar in verpleeghuis De Samaritaan (tegenwoordig 'Nieuw Rijsenburgh') in Sommelsdijk. 'Wetende dat er een wachtlijst was voor het verpleeghuis besloten we om de dag na het overlijden van mijn vader zijn spullen al op te halen. In De Samaritaan bleek dat men alles in vuilniszakken had geprop; kleding, schoenen en pantoffels, drink- en etenswaren, gehoorapparaten en toiletspullen. Alles door elkaar gegooid. Lekker fris.'

Samenwonen

Veel huizen beschikken over tweepersoonsappartementen voor samenwonende cliënten. Het ligt voor de hand dat na vertrek of overlijden van een van hen, de achterblijvende partner naar een eenpersoonsappartement verhuist. Maar nog niet de helft van de verpleeg- en verzorgingshuizen in ons onderzoek geeft hier vooraf informatie over. Dat zouden ze wel moeten doen. Huizen waar samenwonen niet mogelijk is, hebben we niet meegeteld. De meest genoemde termijn voor de verhuizing is binnen één maand na het beschikbaar komen van een passende woonruimte. WZH Het Anker in Voorburg geeft twee maanden de tijd, maar bij Akkerleven in Schipluiden moet de partner dan binnen zeven dagen zijn boeltje pakken.

Meld het de cliëntenraad

Elk verpleeg- en verzorgingshuis beschikt over een cliëntenraad die opkomt voor de belangen van de bewoners. De cliëntenraad heeft wettelijke adviesrechten en kan met de directie het gesprek aangaan als die zich bijvoorbeeld niet aan de Algemene Voorwaarden houdt.

U kunt zich natuurlijk ook rechtstreeks tot het management richten. Verandert er niets? Dan kunt u een klacht indienen bij de klachtencommissie van het huis of bij De Geschillencommissie, www.degeschillencommissie.nl.

Kosten verhuizing

Over de kosten die zo'n verhuizing met zich meebrengt, is maar een enkel huis duidelijk. Bij de verzorgingshuizen Dongeraheem in Dokkum en Vaartland in Vlaardingen zijn de kosten van de verplichte verhuizing voor de achterblijvende partner. In Goirle verzorgt woonzorgcentrum Guldenakker zelf de verhuizing, neemt de opleveringskosten voor eigen rekening en vergoedt tot een bepaald maximum de aanschaf van nieuwe gordijnen en vloerbedekking als die nodig zijn. Ebbe en Vloed in Oude-Tonge laat zelfs in de brochure weten: 'De kosten die deze noodgedwongen verhuizing met zich meebrengt zijn voor ons.' En zo hoort het!

Openbare toiletten

Gezondgids juli 2013

Wie tijdens het winkelen of flaneren in de stad naar de wc moet, heeft een probleem. Openbare toiletten zijn in de Nederlandse steden bepaald niet op elke straathoek te vinden. Bovendien is zo'n toiletbezoek meestal geen pretje: remsporen in de pot, ontlasting op de wc-borstel of zelfs op de muur, urine op de vloer en het ontbreken van toiletpapier en handdoekjes.

App zoekt toilet

Openbare toiletten zijn zo dun gezaaid dat er inmiddels apps zijn die de weg wijzen, zoals de gratis apps HogeNood (Android), ToiletFinder (iPhone, Android) en Public Toilets (iPhone). Helaas blinken ze (nog) niet uit in gebruiksgemak en precisie. Zo zegt Public Toilets dat het dichtstbijzijnde toilet in Oegstgeest in Leiden is (op 3,4 km) in plaats van in Oegstgeest.

Bacteriën

Hoe vies zijn openbare wc's werkelijk? En hoeveel bacteriën krijgen de kans om te overleven op de toiletbril? Wij stuurden onze onderzoekers naar 30 openbare toiletten van de Hema, Bijenkorf, McDonald's, Ikea en V&D en naar vestigingen van de keten 2TheLoo, een 'toiletwinkel'. We gingen naar 11 winkelsteden verspreid over Nederland, waaronder Amsterdam, Arnhem, Eindhoven, Groningen, Maastricht, Rotterdam en Utrecht. Daar werd onderzocht hoeveel bacteriën er zaten op de toiletbril, wc-pot, toiletpapierhouder, deurkruk, spoelknop en handdoekautomaat of handendroger.

We bepaalden de totale hoeveelheid bacteriën en de aanwezigheid van zogeheten enterobacteriën. Beide duiden in bepaalde concentraties op een gebrekkige hygiëne. Ook is gekeken hoe schoon alles oogde.

Van de 30 bezochte wc's hadden er 23 te veel bacteriën. McDonald's in Almere heeft het – op het oog – smerigste toilet. De vloer plakt, er ligt water op de grond en in het bakje voor de wc-borstel drijft een gelige substantie. Op de muur zitten spetters en urinesporen. Het ruikt er evenmin fris. 'Ik zou hier niet naar de wc gaan', noteert onze onderzoeker. Op de spoelknop zitten veel bacteriën.

Een toilet dat er vies uitziet, heeft meestal ook een fors aantal bacteriën, zo blijkt. De dames-wc's van de Bijenkorf in Rotterdam stinken, al spuit de toiletmijnheer driftig met luchtverfrisser. Op de toiletpot en -borstel zit ontlasting, en er ligt veel stof achter de pot. Het totale aantal bacteriën is het hoogste van alle bekeken wc's.

'Onacceptabel resultaat'

McDonald's baalt dat het smerigste toilet uit onze test dat in zijn filiaal in Almere is. De fastfoodketen is voornemens om 'nog intensiever te reinigen tijdens piekmomenten'. Ook de Bijenkorf vindt de uitkomst van de hygiënetest van de toiletten in filiaal Rotterdam 'onacceptabel'. 'Er zijn maatregelen genomen.'

V&D reageert: 'Dit is niet onze standaard en we hebben direct maatregelen genomen.' Ikea is evenmin gelukkig met de slechte toilethygiëne in het Utrechtse filiaal. In de nieuwbouw, belooft de keten, komen niet alleen meer, maar ook schonere toiletten. Hema wijst erop dat zijn toiletten niet onder eigen beheer vallen. 'We zullen de verantwoordelijken op de hoogte brengen van uw bevindingen.'

Vieze spetters

Minder bacteriën vinden we in de wc van Ikea in Utrecht, al oogt deze viezer. Volgens een lijst op de deur is er een klein halfuurtje voor ons bezoek schoongemaakt. Toch is het bakje van de borstel smerig. Op de muren zitten spetters en op de verschoontafel voor baby's ligt een dikke laag stof.

Er zijn ook toiletten die er schoon uitzien, maar waar het niet hygiënisch schoon is. Zoals de vestiging van 2TheLoo in Rotterdam. Het oogt er fris, maar er zitten te veel bacteriën op de bril. Op de toiletbril van de Hema aan het Zuidplein Hoog in Rotterdam was het aantal enterobacteriën niet meer te tellen. De wc's van V&D in Rotterdam zijn van alle bekeken toiletten van deze winkelketen visueel het smerigst. Er ligt veel stof en de muur is vies. Het aantal bacteriën op de handdoekautomaat en wc-pot bewijst dat de hygiëne hier niet in orde is.

Het kan gelukkig ook anders. Mannen kunnen in Leidschendam een prima pitstop maken bij de Hema. Hier maakt de toiletjuffrouw na elke bezoeker de toiletbril schoon. En de vestiging van 2TheLoo in Den Haag heeft niet alleen brandschone wc's, maar ook een prettig muziekje en foto's aan de muur.

Niet ziekmakend

Openbare toiletten zouden idealiter minstens elke twee uur schoongemaakt moeten worden, vindt microbioloog Rijkelt Beumer, verbonden aan de Wageningen Universiteit. Volgens Beumer hoeft niemand bang te zijn dat je ziek wordt van een bezoekje aan een erg vies toilet. 'Je zit met je achterste op de bril. Mocht daar een ziekteverwekker op zitten, dan gaat die echt niet door de huid.'

Wel raadt hij aan om na elk toiletbezoek goed de handen te wassen. 'Liefst met een kraan die automatisch aanspringt. Als het toilet er erg vies uitziet, kun je niet alleen de handen inzepen, maar ook de kraan, en beide afspoelen. Gebruik geen stoffen handdoek; een textielrol is beter en een papieren doekje is het beste. Neem anders liever een schone zakdoek.'

En doe het wc-deksel omlaag voor het doortrekken, adviseert de microbioloog. 'Ziekmakers krijgen dan niet de kans om buiten het toilet te komen.'

Zorginkoop

Gezondgids december 2012

Met zijn allen besteden we in Nederland per jaar ruim 90 miljard aan zorg en welzijn; meer dan €5600 per persoon. En dat bedrag stijgt elk jaar, zodat kostenbeheersing in de zorg steeds belangrijker wordt. Efficiënter werken, minder verspillen, premie verhogen en patiënten meer zelf laten betalen, zijn enkele mogelijkheden om de kosten op te blijven brengen. De overheid, zorgverzekeraars en ziekenhuizen hebben nog een andere oplossing gekozen om de stijging van ziekenhuiskosten een halt toe te roepen: specialisatie van zorg. In de praktijk betekent dit dat niet elk ziekenhuis meer elke operatie uitvoert. Dure apparatuur hoeft dan bijvoorbeeld maar in een aantal ziekenhuizen te staan. Patiënten kunnen door deze maatregel voor een operatie bijvoorbeeld niet altijd meer naar het dichtstbijzijnde ziekenhuis en moeten soms verder reizen. Dit kan lastig zijn, maar zo krijgen ze wel betere zorg. Want hoe vaker een ziekenhuis een bepaalde ingreep uitvoert, des te groter de kans dat die ook slaagt. Chirurgen hebben begin 2011 in hun beroepsvereniging afgesproken hoe vaak een ziekenhuis een bepaal-de operatie moet doen om die te mogen blijven uitvoeren. Als gevolg daarvan zijn ziekenhuizen zich sindsdien gaan specialiseren en doet niet elk ziekenhuis nog elke operatie. Deze specialisatie betekent dat vooral kleine ziekenhuizen zijn gestopt of gaan stoppen met moeilijke ingrepen die ze niet vaak doen.

Om inzichtelijk te maken welk ziekenhuis welke operatie nog doet, heeft de vertegenwoordiger van alle zorgverzekeraars, Zorgverzekeraars Ne-derland, onderzocht welk ziekenhuis aan welke eisen (waaronder de volumenormen) voldoet. Het resultaat van deze inventarisatie is te vinden op www.minimumkwaliteitsnormen.nl.

Gangmakers

Omdat zorgverzekeraars feitelijk de gangmakers zijn van de herinrichting van de zorg en de belangen van hun verzekerden moeten vertegenwoordigen, mag je ook verwachten dat zij je naar de beste zorg leiden. De Consumentenbond zocht uit welke informatie de verzekeraars daarvoor op hun website bieden. We gingen op zoek naar de beste zorgaanbieder voor een borstkankeroperatie, waarvoor de minimale norm 50 operaties per jaar is. Tegelijkertijd keken we welke zorgverzekeraar met welk ziekenhuis een contract heeft afgesloten. In het overzicht is terug te vinden wie hier op dit moment het duidelijkst over zijn. Bij het naspeuren van alle websites blijkt in de eerste plaats dat zorgverzekeraars nauwelijks iets uitleggen over de herindeling van de ziekenhuiszorg. Alleen Menzis, Achmea en CZ leggen goed uit waarom het stoppen met bepaalde operaties in kleine ziekenhuizen in ons voordeel is.

Zorgzoeker

De informatie over waar nu de beste zorg is te vinden, wisselt sterk op de diverse websites. Hoewel niet altijd eenvoudig te vinden, hebben bijna alle verzekeraars een 'zorgzoeker' (soms ook zorgvinder, zorggids of zorgvergelijker genoemd) waarmee zorgaanbieders in de buurt te vinden zijn. Je zou verwachten dat je met de zorgzoeker ook informatie krijgt over de kwaliteit van de zorgaanbieders in de buurt en over hoe vaak een bepaalde behandeling wordt gedaan. Maar dat is helaas meestal niet het geval.

ONVZ, Salland en Zorg en Zekerheid maken gebruik van dezelfde zorgzoeker. Hierin geven ze wel wat informatie over de kwaliteit van ziekenhuizen, maar die blijft moeilijk op waarde te schatten omdat die in medisch jargon is opgesteld. Ook ontbreekt op deze websites informatie over de behandelervaring van de zorgaanbieders.

Bij IZA, IZZ en Univé wordt in de zorgzoeker wel de kwaliteit weergegeven. Dit doen ze in blokjes; hoe meer blokjes, des te beter de kwaliteit. Maar waarom precies het ene ziekenhuis vier blokjes krijgt en een ander maar één, blijft onduidelijk. Op de websites van de achterblijvers is niet of nauwelijks informatie te vinden over de kwaliteit van ziekenhuizen. Opvallend is hier De Friesland, omdat die zegt veel plannen te hebben, maar daar nauwelijks informatie over geeft. Op andere gebieden geeft De Friesland voldoende informatie om in de middenmoot te blijven.

Een positieve uitzondering is CZ. In zijn zorgvergelijker is goed te vinden hoeveel behandelingen een ziekenhuis doet en of het hiermee aan de norm voldoet. Wel is het vreemd dat deze informatie nog niet is terug te vinden bij Ohra en CZdirect, die bij CZ horen, en dat niet alle aandoeningen aan bod komen. Het is voor consumenten belangrijk te weten wie welke zorg biedt en hoe goed die zorg is, maar ook met welke zorgaanbieders de verzekeraar een contract heeft afgesloten. Over het algemeen is dit goed te vinden in de zorgzoekers. Toch blijft het bij sommige zorgverzekeraars een gepuzzel. Bijvoorbeeld bij VGZ en Salland, die maar liefst twee zorgzoekers hebben. Een die kwaliteitsinformatie moet geven en een ander waarin staat met welke zorgverlener een contract is afgesloten. Je moet dus eerst zoeken naar de zorgaanbieder waar je behandeld wilt worden om vervolgens ergens anders op de site te zoeken of deze wel een contract heeft. Niet erg handig.

Gelukkig werken alle verzekeraars mee aan de ontwikkeling dat ziekenhuizen zich meer specialiseren. Enkele gaan zelfs nog een stapje verder en stellen aanvullende eisen. Zo geeft Menzis ziekenhuizen waar de orthopeden minder dan 50 heupvervangingen per jaar doen niet altijd een contract. Jammer is dat Menzis in zijn zorgzoeker niet duidelijk is over de kwaliteit. Nu staat er alleen dat Menzis aanbieders streng selecteert, maar inzicht in de behandelervaring per ziekenhuis wordt niet gegeven. Het zijn overigens niet alleen ziekenhuizen, maar ook bijvoorbeeld fysiotherapeuten, privéklinieken en psychologen waar de zorgverzekeraars contracten mee afsluiten. Deze afspraken gaan naast kwaliteit vooral over de hoeveelheid zorg die een zorgaanbieder mag leveren en over de prijs van de behandelingen.

Wat merkt u ervan?

Niet alle verzekerden merken iets van de contracten die zorgverzekeraars met zorgaanbieders afsluiten. Wie een restitutiepolis heeft, heeft keuzevrijheid. Niettemin blijft het verstandig vooraf te checken wat uw verzekeraar vergoedt. Iemand met een naturapolis, die vaak wel iets goedkoper is dan de restitutievariant, moet beter opletten. Zomaar naar een ziekenhuis, diëtist of psycholoog stappen kan vervelende financiële consequenties hebben. Want wie naar een zorgaanbieder gaat waarmee de verzekeraar geen contract heeft, moet bijbetalen. Hoeveel dat is, staat vaak verstopt op de website of is in kleine letters in de polisvoorwaarden meegenomen. Agis is een positieve uitzondering hierop: op zijn website staat dat het duidelijkst uitgelegd.

Zorgverzekeraars zijn nu nog verplicht een deel van de rekening te betalen als een verzekerde met een naturapolis naar een niet-gecontracteerde zorgaanbieder gaat. Vaak komt dit neer op 60 tot 80% van het gangbare tarief voor die behandeling. In Den Haag ligt nu het plan om deze regel af te schaffen. Als dit gebeurt, hoeft bij een naturapolis de zorg niet langer vergoed te worden en komt alles voor rekening van de patiënt. Wie een naturapolis heeft, doet er dus verstandig aan bij het kiezen van een (nieuwe) zorgaanbieder eerst te controleren of die wel een contract heeft met de zorgverzekeraar. Aan het einde van elk kalenderjaar of bij het wisselen van verzekeraar is het sowieso belangrijk te checken of de vertrouwde zorgverleners (nog) wel gecontracteerd zijn. In de Zorgvergelijker van de Consumentenbond kan iedereen eenvoudig de zorgverzekering aanvragen die het best bij hem past.

Zie voor meer informatie www.consumentenbond.nl/zorgvergelijker.

Zout in voeding
Consumentengids september 2013

'De hoeveelheid zout is schokkend', concludeerde de Consumentenbond al in 2007 bij een onderzoek naar zout in 150 levensmiddelen. We riepen fabrikanten op te minderen en vroegen de overheid dit te stimuleren. De afgelopen jaren onderzochten we elke 2 jaar of de hoeveelheid zout in die 150 producten al was verminderd. Het gaat om alledaagse voedingsmiddelen, zoals brood, kaas en tomatensoep. In vergelijking met 2011 en 2009 zien we in 2013 een voorzichtige daling van het zoutgehalte. Dat lijkt goed nieuws, maar het komt vooral doordat de geteste producten in 2009 en 2011 zelfs zouter waren dan bij ons eerste onderzoek in 2007. Een deel van de producten is minder zout geworden, maar we hebben ook producten ontdekt die juist zouter zijn dan voorheen.
Per saldo is ons eten dus nog net zo zout als in 2007 en zijn we geen stap verder. Een bedroevende conclusie.

Goedkoop ingrediënt
Hoe kan het dat veel bewerkte levensmiddelen nog steeds zo zout zijn? De verklaring is simpel: zout is de haarlemmerolie voor de levensmiddelen-

industrie. Het is een goedkoop ingrediënt en een smaakmaker die conserverend werkt. Zout zorgt bovendien in bijvoorbeeld brood voor een goede structuur. Geen wonder dat veel fabrikanten er scheutig mee strooien. Dat is jammer, want zout doet onze gezondheid geen goed. Iedere dag overlijden zeven Nederlanders aan hart- en vaatziekten doordat ze te veel zout binnenkregen. Het natrium in zout (natriumchloride) verhoogt de bloeddruk. Ook kan te veel zout leiden tot nierziekten, maagkanker en botontkalking.

Gemiddeld eten we 9 gram zout per dag; flink meer dan de veilige bovengrens van 6 gram. En omdat zo'n 80% van het zout dat we binnenkrijgen in bewerkte levensmiddelen zit, kun je als individuele consument maar moeilijk minderen, tenzij je deze producten uit je menu schrapt. Lastig, want om nou zelf kaas te maken? We zijn dus voor een groot deel afhankelijk van de fabrikanten.

Zoute hap

Zo snel zit je met een gemiddeld dagmenu over de zoutlimiet met de zoutste producten uit onze test:

Ontbijt
2 boterhammen met kaas: 1,6 gram
Lunch
1 bord tomatensoep, 2 boterhammen met schouderham, 1 boterham met sandwichspread: 4,7 gram
Diner
rijst met kip in zoetzure roerbaksaus en een portie doperwten: 2,3 gram
Tussendoor
handje borrelnootjes en 2 speculaasjes: 1,1 gram
Totaal: 9,7 gram zout

Nog zouter

Het is daarom teleurstellend dat we bij bepaalde producten juist méér zout constateerden. Zo is de sandwichspread van Heinz sinds 2007 maar liefst eenderde zouter geworden. En niet alleen Heinz schoot uit met het zoutvaatje: ook de andere merken sandwichspread zijn zouter geworden. Toch zegt Heinz zijn best te doen: 'Het zoutgehalte van de producten heeft voortdurend onze aandacht.' Als we opheldering vragen over de zoutere spread, probeert Heinz eerst de aandacht af te leiden door te wijzen op het lage gehalte aan verzadigd vet in de sandwichspread in vergelijking met kaas en vleeswaren.

Het blijft een raadsel hoe het zoutgehalte heeft kunnen stijgen, want Heinz beweert bij hoog en laag dat de receptuur al jaren ongewijzigd is. In elk geval is dit broodbeleg al jaren zouter dan de andere merken.

Bord tomatensoep	*Roerbaksaus zoetzuur (portie)*
Meeste zout: Aldi Calida (2,3 g)	Meeste zout: Lidl Vitasia (1,4 g)
Minste zout: Plus (1,7 g)	Minste zout: Uncle Ben's (0,5 g)
Salamipizza	*1 plak schouderham*
Meeste zout: Plus (5,2 g)	Meeste zout: Albert Heijn (0,4 g)
Minste zout: Aldi (3,7 g)	Minste zout: C1000 (0,2 g)
Plak kaas	*Handje borrelnootjes*
Meeste zout: Aldi Molenland (0,8 g)	Meeste zout: Perfekt (0,9 g)
Minste zout: Leerdammer (0,3 g)	Minste zout: Hema (0,5 g)

Kleine pluim

Wel goed bezig zijn de fabrikanten van groenteconserven. Een portie doperwten bevat nu eenvijfde minder zout dan zes jaar geleden. Bij Bonduelle zien we dat het zoutgehalte zelfs is gehalveerd. Dat verdient een pluimpje. Geen grote, want de doperwten van Bonduelle waren in 2007 veel zouter dan die van concurrent Hak. Logisch dat de fabrikant er nu flink wat minder zout in stopt.

Hak ging al in 2007 veel zuiniger met het zoutvaatje om en kan nu 'maar' een verbetering van 10% noteren.

Het is niet toevallig dat we bij de doperwten een spectaculaire daling zien. Dat de fabrikanten van groenteconserven serieus werk maken van zoutreductie, blijkt ook uit andere onderzoeken.

Weegschaal fout afgesteld

Ook brood is minder zout geworden. Dat is prettig, want brood draagt voor een kwart bij aan onze zoutinname. Net als bij de groenteconserven hebben de afspraken tussen fabrikanten effect. Op initiatief van de bakkers is er een wettelijk maximum vastgelegd en is het zoutgehalte in brood stapsgewijs verlaagd.

Dat is terug te zien in deze test: brood is gemiddeld bijna eenvijfde minder zout.

Helaas houdt niet iedereen zich aan de afspraken: 5 van de 30 door ons onderzochte broden zijn zouter dan toegestaan. Het gaat onder andere om twee broden van 't Stoepje. En dat terwijl het bakkersbedrijf ons vol trots meldde dat het zoutverlaging hoog in het vaandel heeft staan. 'We schrikken hier enorm van, we gaan direct uitzoeken wat er aan de hand is.' Ook twee broden van Jumbo en een van C1000 zijn te zout. Deze broden kwamen volgens beide supermarkten uit dezelfde bakkerij. 'Uit onderzoek in de bakkerij is gebleken dat er een fout in het weegsysteem zat. Dit is onmiddellijk hersteld', aldus Jumbo en C1000.

Onduidelijk etiket

Het is niet makkelijk de hoeveelheid zout van het etiket af te lezen. Op sommige verpakkingen staat niets, op andere 'zout' en soms ook 'natrium' (een onderdeel van keukenzout, ook wel natriumchloride genoemd).

Staat er natrium, dan moet u die hoeveelheid met 2,5 vermenigvuldigen om de hoeveelheid zout te berekenen.

Albert Heijn maakt het op sommige verpakkingen extra ingewikkeld door zowel 'natrium' als 'toegevoegd zout' te vermelden. Het toegevoegd zout is wat er tijdens de productie met het zoutvaatje overheen is gestrooid: 0,74 gram. Het natriumgehalte is de optelsom van het natrium uit het zoutvaatje plus het natrium dat van nature in sommige ingrediënten zit: 0,33 gram. Hierdoor lijkt het of er minder zout in de soep zit, want reken je de natrium om naar zout, dan kom je op 0,83 gram zout in plaats van 0,74 gram. Gelukkig zijn bedrijven vanaf december 2014 verplicht alleen 'zout' te vermelden.

Gebakken lucht

Dat brancheafspraken niet zaligmakend zijn, blijkt bij de kroketten. Daar meten we een stijging in het zoutgehalte. Toch is er volgens de fabrikanten niets mis. 'Onze kroketten voldoen aan de norm', aldus Mora. 'We houden ons aan de brancherichtlijn voor zoutreductie', zegt ook concurrent Beckers.

Vreemd, want de kroketten van zowel Mora als Beckers zijn met bijna een gram per kroket nog even zout als in 2007. Nog bonter maken Van

Dobben en C1000 het. Hun kroketten zijn zelfs zouter geworden. Van Dobben wil daarop niet reageren. En C1000 draait eromheen: 'Helaas kunnen we in ons specificatiesysteem niet terugkijken tot 2007.'

Hoe zit het dan met die brancheafspraken voor zoutreductie? Hoewel zouter geworden, voldoen de kroketten nu precies aan de norm die de krokettenmakers zich ten doel hadden gesteld. In 2007 waren ze dus al minder zout dan die norm. Een hoop gebakken lucht dus.

Hoe zout na 6 jaar?

Grootste stijgers
1. Sandwichspreads +27%
2. Kroketten +19%
3. Kaas +12%

Grootste dalers
1. Doperwten -21%
2. Witbrood -19%
3. Bruinbrood -17%

Veel verschil

Van al het zout dat we binnenkrijgen, komt 10% uit kaas. Minder zout in kaas is daarom erg wenselijk. Maar helaas: de geteste harde kazen zijn in 2013 gemiddeld zouter dan in 2007, al zijn er grote verschillen per merk en soort. Relatief weinig zout zit er in Leerdammer, Wapenaer (Jumbo) en Maaslander. Een echt zoutbommetje is de Molenland belegen kaas van Aldi. 'Dan hebben jullie waarschijnlijk plakken dicht bij de korst gemeten', reageert Aldi. Ook in 2011 was Molenland de zoutste kaas. Zouden we toen toevallig ook plakken dicht bij de korst hebben gemeten of is deze kaas gewoon hartstikke zout?

Wat zoutgehalte per portie betreft, zijn de pizza's koploper. De zoutste is de salamipizza van Plus, met 5,2 gram. De 'minst zoute' pizza – die van Aldi – is met 3,7 gram nog steeds erg zout.

Goede voornemens

Dat er flink ruimte is om de hoeveelheid zout in levensmiddelen te verminderen, blijkt wel uit ons onderzoek. Het minst zoute product in een categorie is gemiddeld bijna eenderde minder zout dan het zoutste. Aldi heeft alvast beloofd in ieder geval z'n borrelnoten aan te pakken. 'Uiterlijk eind dit jaar wordt omgeschakeld naar een receptuur met minder zout.' Maar veel fabrikanten lijken de noodzaak niet zo te zien, alle mooie beloftes ten spijt. Onder druk blijkt ineens wél van alles mogelijk. Vorig jaar kreeg Continental Bakeries, maker van speculaas en andere bakkerijproducten, een waarschuwing van het ministerie van Volksgezondheid, Welzijn en Sport.

Uit tests bleek dat Continentals' producten zouter zijn dan die van concurrenten. Voor het bedrijf aanleiding om proeven te doen met speculaas. Nu blijkt dat de fabrikant toekan met de helft minder keukenzout, zonder dat je het proeft. Ook de voedselveiligheid is niet in het geding. 'Mooi dat die waarschuwing gewerkt heeft, maar wij vinden dat de overheid verder kan gaan door wettelijke maatregelen', aldus Henry Uitslag, die namens de Consumentenbond al jaren strijdt voor minder zout in ons eten. 'Met uitzondering van de broodsector doet het bedrijfsleven er alles aan om wetgeving te voorkomen. Telkens als er gesproken wordt over wetgeving komen ze met een mooi plan op de proppen.'

Ook in mei was het raak. De Tweede Kamer discussieerde over mogelijke zoutnormen voor alle levensmiddelen. Precies dat moment koos de vleessector om zijn plannen voor zoutreductie in vleeswaren te presenteren. 'In 2009 kwam die sector ook met een actieplan. Daar is niets van terechtgekomen. Natuurlijk zijn we blij als fabrikanten beloven hun producten minder zout te maken, maar het resultaat is te mager. Als het wettelijk geregeld wordt, kan de consument er echt van op aan dat er geen onnodig zout in zit. De broodsector heeft bewezen dat het kan.'

HUIS & TUIN

Combiketels (HR)

Consumentengids november 2012

Het combineren van verwarming en warmwaterproductie in één toestel is praktisch en energiezuinig. Een goede combiketel verwarmt efficiënt het huis, en levert – eveneens efficiënt – snel en constant warm water. Vrijwel alle nieuwe ketels hebben een hoog rendement (hr). Ze halen extra energie uit aardgas door waterdamp uit de verbrandingsgassen te laten condenseren. De verschillen in verwarmingsrendement tussen de geteste hr-ketels zijn relatief klein, maar de AWB en Viessmann blijven iets achter.

Groter zijn de verschillen bij de warmwaterproductie. Daarbij is niet alleen het energiegebruik, maar ook het comfort belangrijk. Het gaat hier om de constantheid van de watertemperatuur, hoeveel warm water de ketel kan leveren en natuurlijk hoelang het duurt voor er warm water uit de kraan komt.

Binnen 10 seconden

In het recente verleden zorgde een grotere energiezuinigheid voor een langere wachttijd aan de warme kraan. Anno 2012 is daarvan niets meer te merken. Maar liefst negen nieuwe modellen haalde het laboratorium door de mangel; op één na leveren ze binnen 10 seconden warm water (direct onder het toestel). De uitzondering is de Atag E325EC, die ruim een halve minuut de tijd neemt – het enige nadeel van dit toestel.

In het verleden hadden combiketels vaak een voorraadvat om snel warm water te kunnen leveren. Het warmhouden van het water daarin kost nogal wat energie, en blijkt niet meer nodig om snel en veel warm water te geven. Van de nieuwgeteste ketels heeft alleen de Nefit TopLine AquaPower nog een voorraadvat.

Een cv-ketel kost uiteindelijk aan energie en onderhoud meer dan de aanschafprijs. Alleen daarop letten is dus niet verstandig, al valt er zeker te shoppen.

HR-combiketels

#	Merk & Type	Adviesprijs	Testoordeel	Energiezuinigheid verwarming	Comfort verwarming	Energiezuinigheid warm water	Comfort warm water	Gemak bediening en onderhoud	Handleiding	Uitstoot schadelijke gassen	Afmetingen (hxbxd, cm)	Warmwaterklasse	Getest in
Weging voor Testoordeel (%)		32,5	10	17,5	25	8	5	2					
■ 1.	Vaillant ecoTEC plus VHR NL 25-30/5-5	€1725	8,1	+	++	+	+	++	++	+	72x44x33	CW4	2012
■ 2.	Intergas Kombi Kompakt HReco 36	€1775	8,1	+	+	+	++	++	++	+	71x45x24	CW5	2012
■ 3.	Atag E325EC	€2300	8,1	++	++	++	+	++	++	++	65x50x40	CW5	2012
5.	Atag A244EC	€1850	7,9	++	+	++	□	+	++	++	65x50x40	CW4	2009
4.	Remeha Tzerra M 28c	€1375	7,8	+	++	+	+	++	++	++	55x37x27	CW4	2012
6.	Itho Daalderop Base Cube 24/35 (16L)	€1750	7,8	+	+	+	+	++	++	++	92x40x37	CW5	2012
7.	Remeha Calenta 28c	€1700	7,7	+	+	+	+	++	++	+	69x45x40	CW4	2009
8.	Bosch Compact 4	€1725	7,6	+	+	++	□	++	++	+	58x35x28	CW4	2009
9.	Nefit ProLine HRC 24	€1725	7,6	+	+	++	□	++	++	+	58x35x28	CW4	2009
10.	Nefit TopLine AquaPower HRC 25	€2525	7,5	+	+	□	+	+	++	++	70x78x47	CW5	2012
11.	Ferroli BlueSense 4 12	€850	7,4	+	+	+	+	++	++	+	60x40x32	CW4	2012
12.	AWB ThermoElegance 4 - A/1	€1275	7,4	+	+	+	+	++	++	++	74x42x34	CW4	2011
13.	Remeha Avanta 28c	€1650	7,4	+	++	+	+	+	++	+	60x40x29	CW4	2006
14.	Bosch 30 HRC	€1825	7,4	+	+	□	+	+	++	+	85x44x36	CW4	2012
15.	Atag Q25 C	€2250	7,2	+	+	□	+	++	+	++	68x84x39	CW4	2006
16.	Itho Daalderop Aqua-Max HR 24	€1525	7,1	+	++	□	+	+	+	□	70x48x41	CW4	2011
17.	Intergas Kombi Kompakt HR 28	€1375	6,9	+	+	+	□	+	++	+	81x45x27	CW4	2006
18.	Intergas Kombi Kompakt HRE 28/24	€1350	6,8	+	+	+	□	++	++	+	65x45x24	CW4	2009
19.	Viessmann Vitodens 100-W, 26 kW	€1375	6,6	+	+	+	□	+	+	+	70x40x35	CW4	2012

■ Beste uit de test   ++ Zeer goed + Goed □ Redelijk – Matig –– Slecht

- Omdat het niet goed mogelijk is consumentenprijzen te bepalen voor ketels inclusief installatie is er geen Beste koop.
- De genoemde adviesprijzen gaan nog uit van 19% btw.
- Veel merken hebben ook ketels met andere warmwaterklassen.
- Sommige eerder geteste ketels kunnen inmiddels iets zijn aangepast.

Besparen

In de tabel staan de adviesprijzen van de fabrikant. In de praktijk kost een ketel bij een installateur, inclusief installatie, vaak (veel) minder dan de adviesprijs. Bij de ene installateur zal ketelmerk A voordeliger zijn, bij de andere merk B. Daarnaast zijn er (web)winkels die cv-ketels 'los' verkopen. De prijs is dan vaak honderden euro's lager dan de adviesprijs, maar de ketel moet nog wel geïnstalleerd worden.

Installateurs bieden meestal een beperkte keus en spreken vaak een voorkeur uit voor een bepaald merk. Die hoeft niet altijd te maken te hebben met de kwaliteit van de ketel. Een andere ketel kiezen dan die de installateur aanraadt, kan flink in de stookkosten schelen. Een gemiddeld huishouden verbruikt met de onzuinigste ketel uit onze test, de Atag Q25C, voor ruim €100 per jaar meer aan energie dan met de zuinigste geteste ketel, de Atag A244EC. Een cv-ketel gaat meestal zo'n 15 jaar mee, dus bij de huidige energieprijzen scheelt het tussen die twee, over de levensduur, wel €1500. Bij stijgende energieprijzen en bij een hoger dan gemiddeld verbruik (het gemiddeld gasverbruik per huishouden per jaar is 1600 m3) is dit verschil groter. Wie nog een verbeterd-rendementketel (vr) of zelfs conventionele cv-ketel heeft, kan veel meer besparen: overstappen op een hr-ketel scheelt zomaar €400 per jaar.

Kopen of huren?

In 2011 onderzocht de Consumentenbond de voor- en nadelen van kopen en huren van een cv-ketel. Over de levensduur van de ketel gerekend blijkt kopen veel voordeliger dan huren. Bij huren kan het gebeuren dat je bij verhuizing een afkoopsom moet betalen. Meer hierover op consumentenbond.nl/cv-ketel-kopen-of-huren.

Probleemonderdeel

Als het over problemen met combiketels gaat, komt één specifiek onderdeel vaak ter sprake: de driewegklep. Uit onderzoek van de Consumentenbond in 2009 bleek dat van alle ketelonderdelen de driewegklep (zie verderop) het vaakst voor storing zorgt. Meerdere fabrikanten adverteren de laatste jaren met ketels waaruit 'onnodige onderdelen' zijn weggelaten, wat de ketels betrouwbaarder zou maken. Zo hebben enkele merken ook combiketels zonder driewegklep. In de tabel gaat het om de typen van Ferroli, Intergas en de Itho Daalderop Base Cube. De driewegklep bepaalt of het water dat in de warmtewisselaar van de ketel verhit is naar de radiatoren gaat of naar een tweede warmtewisselaar, waar de tapwaterleiding doorheen loopt.

Onverwacht heet

Bij toestellen zonder driewegklep gaat de tapwaterleiding direct door de warmtewisselaar bij de brander. Bij onze laatste test hebben we daarom extra gelet op de hoogste watertemperaturen die tijdens de simulatie van een standaard gebruikspatroon van een gezin voorkwamen. Zonder driewegklep lijkt de kans groter dat er in bepaalde gevallen, als gevolg van de flink opgewarmde warmtewisselaar, gedurende enkele seconden zeer heet water uit de kraan komt. Het gaat dan vooral om situaties als het aanzetten van een badkamer- of keukenkraan net nadat er een bad gevuld of een douche genomen is. Van de in 2012 geteste ketels kan er bij de driewegkleploze Ferroli, Intergas HReco en Itho Daalderop Base Cube ook na 5 meter waterleiding kortstondig water van meer dan 80 °C uit de kraan komen. Alle combiketels zijn standaard ingesteld op water van 60 °C, dus zulk heet water kan een vervelende verrassing zijn. Intergas liet weten dat dit niet tot klachten leidt, omdat de beschreven situatie niet vaak zou voorkomen en veel mensen tegenwoordig thermostatische mengkranen hebben. Op plaatsen waar je die niet hebt, is het verstandig om, zeker bij deze ketels, direct koud water bij te mengen.

Warmwaterklassen

Het Gaskeur CW-label van een combiketel geeft aan hoeveel warm water de ketel tegelijk kan leveren. Een hoger getal staat voor meer en sneller warm water. Zo moet een CW4-ketel een bad van 120 liter binnen 11 minuten met water van 40 graden kunnen vullen. Bij een CW5-ketel is dat 150 liter in 10 minuten. Dat we van een bepaald merk de CW4-ketel hebben getest wil niet zeggen dat dit merk geen CW5-ketel in het assortiment heeft.

In het keukenkastje

Het kan slim zijn een compacte cv-ketel te kiezen, die dicht bij de keukenkraan of in de badkamer geplaatst kan worden. Dit geeft sneller warm water en minder energieverlies in de leidingen dan een toestel dat op zolder hangt. De kleinste ketels uit onze test (Remeha Tzerra, Nefit ProLine en Bosch Compact 4) passen bijna vijfmaal in de grootste, de Nefit TopLine. Van de 19 geteste ketels passen er 15 in een standaard keukenkastje. Dat wil niet zeggen dat deze ketels altijd in de keuken aangesloten kunnen worden; de installateur zal de situatie ter plaatse moeten beoordelen.

Een bijzondere vermelding waard is ten slotte dat de Itho Daalderop Base Cube geschikt is om twee cv-zones apart te verwarmen. Erg handig voor wie bijvoorbeeld overdag alleen een werkkamer wil verwarmen en niet de rest van het huis.

Atag E325EC (Beste uit de test)

Adviesprijs: €2300

Testoordeel: 8,1

Deze uitblinker in energiezuinigheid levert niet zo snel warm water. Maar eenmaal op stoom vult hij een bad in een toptijd.

Intergas Kombi Kompakt hreco 36 (Beste uit de test)

Adviesprijs €1775

Testoordeel: 8,1

Hij heeft een hoog verwarmingsrendement en op warmwatercomfort scoort hij het best: hij is snel en de temperatuur is stabiel.

Vaillant ecoTEC plus Vhr NL 25-30/5-5 (Beste uit de test)

Adviesprijs: €1725

Testoordeel: 8,1

Hij haalt de maximale score voor gebruiksgemak en toegankelijkheid voor onderhoud. Verder is hij een uitstekende allrounder.

Zie voor meer informatie en twee video's www.consumentenbond.nl/cv-ketels.

Energiezuinige lampen
Consumentengids maart 2013

Het kost spaarlampen tientallen seconden om op te warmen en maximaal licht te geven. Ledlampen hebben dit probleem niet: ze geven binnen een seconde maximaal licht.

Maar wat waren ze duur. In februari 2011 bespraken we de eerste ledlamp die genoeg licht geeft om een 60 watt gloeilamp te vervangen. Deze Philips MyAmbiance 12W kostte bij introductie maar liefst €50. We verwachtten dat de prijs snel zou gaan zakken. Later dat jaar beloonden we de lamp met het hoogste Testoordeel ooit, maar de prijs was inmiddels zelfs €60. De eveneens goed scorende 12 W-ledlamp van Osram kostte toen €40. Begin vorig jaar hing aan deze lampen nog steeds een prijskaartje van €60 en €44. Het schoot dus bepaald niet op met die prijzen. Natuurlijk maakten Philips en Osram ontwikkelingskosten voor deze eerste 'volwassen' ledlampen, maar wij denken dat de hoge prijzen ook te wijten waren aan een gebrek aan serieuze concurrentie. Het goede nieuws: inmiddels is er concurrentie. In onze tabel staan nu zes merken met goedscorende ledlampen. We kunnen niet in de toekomst kijken, maar duidelijk is dat de prijzen echt dalen. Het Amerikaanse ministerie van Energie heeft onlangs becijferd dat de prijs van ledlampen tot 2015 daalt van zo'n €50 tot €10 per kilolumen. Eén kilolumen is ruim de hoeveelheid licht van een 60 watt gloeilamp. Volgens deze studie daalt de prijs in de jaren daarna verder, tot ledlampen in aanschafprijs vergelijkbaar zijn met halogeenlampen. In gebruik zijn ze – ook nu al – veel zuiniger. En de Philips MyAmbiance 12W? Die kost momenteel €40.

Hoe zit dat met 'max 25 watt'?

Op een lampenarmatuur staat meestal een maximumvermogen aangegeven. De reden is brandgevaar: een lamp met een te hoog vermogen kan het armatuur oververhitten. Bij spaar- en ledlampen is een wattage vermeld van de gloeilamp waarmee ze qua lichtopbrengst overeenkomen. Bij de Philips MyAmbiance 12W ledlamp is dat 60 watt. Maar dat zegt niets over de warmte die vrijkomt. Voor de brandveiligheid telt alleen het werkelijke vermogen van de lamp, namelijk 12 watt. Deze lamp kan dus probleemloos gebruikt worden in een armatuur voor 'max. 25 watt'.

Huismerken

Op de lampen van Ikea na staan er geen huismerk-ledlampen in de tabel. We testten ook ledlampen van Kruidvat en Aldi, maar deze zijn alweer uit het assortiment gehaald. Soms duiken de lampen op actie- of opruimbasis nog wel in winkels op. De testresultaten van deze lampen tonen de sterk wisselende kwaliteit van goedkopere ledlampen aan. De

Zuinige lampen

	Merk & Type	Soort lamp	Richtprijs	Testoordeel	Levensduur en schakelbestendigheid	Rendement en lichtopbrengst	Opwarmsnelheid	Werking bij koude	Kleurweergave	Lichtopbrengst volgens verpakking (lumen)	Gemeten lichtopbrengst (lumen)	Rendement (lm/W)	Overeenk. gloeilampvermogen (watt)	Dimbaar	Lampvorm
Weging voor Testoordeel (%)					32,5	27,5	25	5	5						
Meer dan 500 lumen lichtopbrengst															
■	1. GP Lighting A60 10W	led	€50,00	9,2	++	++	++	++	+	810	765	85	58		peer
■	2. Megaman MM03162 LED CLASSIC 11W	led	€40,00	8,9	++	++	++	++	□	810	791	70	59	√	peer
■	3. Philips MyAmbiance 12-60W ww	led	€40,00	8,8	++	++	++	++	□	806	802	65	60	√	peer
■	4. Megaman MM03259 LED Classic 11W	led	€30,00	8,6	++	+	++	++	□	620	674	64	52	√	peer
▶	5. Albert Heijn Spaarlamp ministick 3U 10W	cfl	€4,00	7,8	++	+	+	+	□	535	551	60	48		staafjes
	6. Osram Dulux Superstar 22W	cfl	€10,00	7,6	+	++	+	+	□	1440	1487	67	105		staafjes
	7. Osram Dulux Intelligent Dim Globe 15W	cfl	€34,00	7,6	++	+	+	+	–	840	812	54	65	√	bol
	8. Philips Tornado spiral 12W ww	cfl	€7,30	7,4	□	++	++	+	□	745	787	69	63		spiraal
	9. Philips Tornado Spiral 23W ww	cfl	€7,00	7,3	+	++	+	+	□	1550	1515	71	107		spiraal
	10. Go Green spaarlamp dimbaar 6-20W	cfl	€14,00	7,0	+	+	+	++	□	1150	1358	67	98	√	spiraal
	11. Megaman MM00156 23W	cfl	€10,00	6,2	+	+	–	+	□	1371	1287	55	94		bol
	12. Ikea Sparsam 5W dimbare spiraal 15W	cfl	€7,00	4,8	––	+	□	+	□	820	956	66	74	√	spiraal
	13. GP Lighting Energy Saver 11 W	cfl	€7,00	4,2	––	+	–	+	□	540	561	52	48		peer
Minder dan 500 lumen lichtopbrengst															
■	1. Osram LED STAR Classic A40 8W	led	€17,00	8,4	++	+	++	++	–	470	445	60	39		peer
■▶	2. Ikea LEDARE bulb E27 8.1W mat	led	€10,00	8,3	++	+	++	++	++	400	399	53	35		peer
■	3. Philips MyVision 5-25W ww	led	€15,95	8,2	++	□	++	+	+	250	238	49	24		peer
■	4. Philips MyVision 9-40W ww	led	€23,00	8,2	++	□	++	+	++	470	443	50	38		peer
■	5. GP Lighting A60 7W dimmable	led	€35,95	8,1	++	□	++	++	□	470	423	59	37	√	peer
■	6. Philips MyAmbiance 9-40W ww	led	€30,00	8,0	++	+	++	+	+	470	474	50	40	√	peer
	7. Lemnis Lighting Pharox 300 6W	led	€18,00	7,9	++	+	++	++	□	300	331	59	31	√	peer
	8. Ikea LEDARE bulb E27 8.1W helder	led	€10,00	7,7	++	□	++	++	++	400	368	48	33		peer
	9. Megaman MM30812 Liliput 8W	cfl	€5,50	6,8	++	□	□	+	–	400	382	51	36		staafjes
	10. Megaman MM02631i Goldline 5W	cfl	€10,00	5,8	+	–	□	□	□	176	206	40	23		kaars
	11. Philips Genie ES 8W ww	cfl	€6,50	5,6	––	+	+	+	□	435	448	56	41		staafjes
	12. Ikea Sparsam 7W Bulb, ES7G0607	cfl	€2,00	5,3	+	–	––	+	□	290	327	42	32		peer
	13. Philips Softone Candle 5W ww E14	cfl	€8,30	3,8	––	□	□	□	□	229	217	44	24		kaars

■ Beste uit de test   ▶ Beste koop

++ Zeer goed   + Goed   □ Redelijk   – Matig   –– Slecht

- De prijzen zijn van eind januari 2013.
- led = ledlamp, cfl = spaarlamp.
- Alle lampen hebben een E27-fitting (grote schroefdraad), behalve de Philips Softone Candle en de Megaman MM02631i Goldline.
- Ledlampen van Lemnis Lighting zijn onder andere verkrijgbaar bij Albert Heijn.

- Ook halogeenlampen staan op www.consumentenbond.nl.
- De informatie op de verpakking telt voor 5% mee in het Testoordeel, maar is niet opgenomen in de tabel. Dit deeloordeel is op onze website te vinden. De beoordeling is gebaseerd op de verpakking van de door ons gekochte lampen. Sommige hebben inmiddels een nieuwe verpakking.

lamp van Kruidvat scoort nog redelijk, hoewel hij beduidend minder licht geeft dan geclaimd en twee van de vijf exemplaren het voortijdig begaven. De ledlamp van Aldi krijgt een onvoldoende omdat geen enkel exemplaar de duurtest overleefde.

Warme kleur

Bij lampen geeft de zogeheten kleurtemperatuur aan hoe warm het licht overkomt. De meeste spaar- en ledlampen hebben een kleurtemperatuur van 2700 K, zoals een felle gloeilamp. Veel spaarlampen van Osram geven iets warmer licht, met 2500 K. Speciale sfeerlampen met zeer warm licht van 2200 K, vergelijkbaar met de 'kleur' van een sterk gedimde gloeilamp, zijn er zowel als led- en spaarlamp. Deze worden met 'flame' aangeduid. Warm licht is een kwestie van smaak. Het is daarentegen een kwaliteitskwestie of het licht van een lamp alle kleuren ook natuurgetrouw weergeeft. We hebben dit beoordeeld onder het kopje 'kleurweergave'. De kleurweergave van gloei- en halogeenlampen is per definitie perfect, en steeds meer ledlampen komen daarbij in de buurt.

Voor wie graag varieert met de lichtsterkte: controleer voor aankoop of een lamp geschikt is voor gebruik met een dimmer. De meeste spaarlampen zijn dat niet (zie de tabel). Van de ledlampen is ongeveer de helft dimbaar. Is een lamp niet dimbaar, dan staat op de verpakking een doorgehaald symbool van een dimmer. Wie een niet-dimbare lamp toch op een dimmer aansluit, riskeert een kapotte lamp. En dan is ruilen niet altijd mogelijk, want winkeliers en fabrikanten vragen soms naar het gebruik en kunnen een verkeerd gebruikte kapotte lamp weigeren voor inruil.

Uit consumentenervaringen met het ruilen van kapotte lampen blijkt dat het loont om met een spaar- of ledlamp die voortijdig het loodje legt terug te gaan: in 85% van de gevallen kreeg de melder een nieuwe lamp. Meestal lukte dat door met bon en lamp terug te gaan naar de winkel. Wie daar niet geholpen werd, bleek vaak alsnog succesvol bij de klantenservice van het lampenmerk. Raadzaam is wel om zowel de bon als de verpakking te bewaren.

GP Lighting Classic A60 10W (Beste uit de test)

Prijs: €50

Testoordeel: 9,2

De efficiëntste lamp die we ooit getest hebben, scoort ook op alle andere punten goed. De eerste 9 op ons lampenrapport laat zien waarom led de toekomst heeft. Dimbaar is hij overigens niet.

Albert Heijn Spaarlamp Ministick 10W (Beste koop)

Adviesprijs: €4

Testoordeel: 7,8

Over de hele linie een prima lamp, die vooral geschikt is als je voor weinig geld een flink aantal 40W gloeilampen ineens wilt vervangen. Gaat wel een paar jaar mee.

Ikea Ledare mat 8.1W (Beste uit de test en Beste koop)

Adviesprijs: €10

Testoordeel: 8,3

€10 voor een goede ledlamp, dat zagen we nog niet eerder. Hij kwam foutloos door de levensduurtest en zelfs de kleurweergave is erg goed.

Osram LED STAR Classic A40 8W (Beste uit de test)

Adviesprijs: €17

Testoordeel: 8,4

Minder goede kleurweergave dan de Ikea Ledare mat, maar hij geeft met minder stroom meer licht. In tegenstelling tot de spaarlampen van Osram geeft deze ledlamp met 3000 K wat minder warm licht.

Goedkoper

Sommige wat specialere lampen zijn in Nederland moeilijk te krijgen. Dan loont een zoektocht op internet bij buitenlandse bedrijven, waar de lampen vaak goedkoper zijn. Zo kost de Osram Dulux Intelligent dimbare lamp in globevorm bij Amazon.de nog geen €27. Bij een bestelling boven de €20 betaal je geen verzendkosten. De vorm, een grote bol, maakt een armatuur overbodig en deze lamp daarmee efficiënter. Een armatuur absorbeert immers een deel van het licht.

Ledlampen maakten in enkele jaren een ware transformatie door: van onooglijke knutselwerkjes die weinig licht of lelijk fel licht gaven, tot volwassen lampen voor steeds meer toepassingen. Deze ontwikkeling hangt samen met de Europese wetgeving die sinds 2009 steeds strengere eisen stelt aan lampen voor energiezuinigheid, kwaliteit en levensduur. Inmiddels zijn vrijwel alle gewone gloeilampen uit de schappen, omdat ze niet aan de strengere Europese eisen van energiezuinigheid voldeden. Gloeilampen zetten namelijk meer dan 90% van de opgenomen stroom direct om in warmte in plaats van licht. Ook halogeenlampen (een verbeterd soort gloeilampen) zijn bepaald niet zuinig, maar met energielabel C mogen fabrikanten ze nog tot september 2016 leveren.

Omdat er nauwelijks nog nieuwe modellen halogeenlampen met schroeffitting verschijnen, testen we ze niet meer en staan ze dus ook niet in de tabel.

Lampen waarvoor nog geen goed, zuinig alternatief bestaat, blijven ook na 2016 verkrijgbaar. Voor reflector- en spotlampen, van oudsher meestal halogeenlampen, vormt led ook een steeds beter alternatief. Spaarlampen zijn hiervoor niet geschikt, omdat ze hun licht vrij diffuus uitstralen. Problematisch bij spots en reflectorlampen is wel dat pas vanaf september 2013 zuinigheids- en kwaliteitsvoorschriften gelden; tussen de goede zitten daardoor nu nog heel wat slechte ledspots. De Consumentenbond gaat zo snel mogelijk ook dit soort lampen testen.

Zie ook het dossier *Spaarlampen* op www.consumentenbond.nl/spaarlampen.

Espressoapparaten
Consumentengids juli 2013

Veruit de meeste bezitters van een espressomachine zijn met het apparaat in hun sas, zo blijkt uit een enquête onder 1250 Consumentenbondleden. Voor eenderde van de ondervraagden heeft traditionele filterkoffie zelfs helemaal afgedaan: zij drinken liefst alleen nog koffie uit hun espressoapparaat. Wie zo nu en dan een kopje espresso zet, van gemak houdt, snel wil kunnen wisselen tussen smaken en een compacte, niet zo dure machine zoekt, kiest voor een model met capsules (cupsysteem), zoals

Nespresso en Dolce Gusto. Uit onze enquête blijkt dat degenen met een cupsysteem zo'n 16 kopjes per week zetten.

Wie meer koffie drinkt, is met een cupsysteem duurder uit dan met een zogenoemde volautomaat. Cupjes kosten namelijk veel meer dan de bonen die je in een volautomaat gebruikt.

De ondervraagden met zo'n volautomaat drinken gemiddeld veel meer koffie; ze zetten wel 30 kopjes per week. Ander voordeel: de meeste volautomaten zetten – met één druk op de knop – diverse soorten koffie, waaronder varianten met melk.

Wie voor espresso zetten de tijd neemt en vaak een andere koffiesoort wil proberen, kan een halfautomaat met handmatige bediening kiezen.

Volautomaten

Wie een volautomaat wil, kan kiezen uit modellen met en zonder functie om melk op te schuimen. Het gaat dan om een stoompijpje, een melkreservoir dat je aan de machine koppelt of een slangetje dat melk opzuigt uit een pak of beker. Stoompijpjes en slangetjes raken snel verstopt. Daarom moet je ze goed voor- en nastomen en na gebruik direct afnemen met een vochtige doek. Alleen de Krups 9000 heeft een geïntegreerd stoompijpje dat na elk gebruik automatisch gereinigd wordt. Meer informatie over deze en andere espressoapparaten staat op www.consumentenbond.nl/espresso.

Onderhoud

Veel mensen denken dat een espressomachine lastig te onderhouden is. In onze test beoordelen we daarom ook altijd de ontkalkings- en schoonmaakprogramma's. Die zijn doorgaans niet moeilijk. We vroegen in de enquête ook naar de ervaringen met onderhoud. Het gros van de geënquêteerden vindt het dagelijks onderhoud niet lastig. Het gaat dan om reinigen van de lekbak, legen van het koffiedikreservoir en verversen van het water. Veel machines spoelen bovendien automatisch het systeem even door voor elk nieuw kopje koffie of na het inschakelen.

Ook het grotere onderhoud, zoals ontkalken en reinigen van het binnenwerk, vindt ruim 75% geen probleem. 'Je gooit er een paar pillen in en de rest gaat automatisch', reageert een lid. Volautomaten geven zelf aan wanneer ze ontkalkt moeten worden.

Espressoapparaten

Merk & Type	Richtprijs	Testoordeel	Gebruiksgemak	Cijfer espressokwaliteit	Energiegebruik	Temperatuur	Opwarm- en bereidingstijd	Melk opschuimen	Gebruiksaanwijzing	Cupsysteem
Weging voor Testoordeel (%)		30	20	15	15	5	5	5		
Cupapparaten										
1. **Magimix** M400 Gran Maestria	€450	8,4	++	6,4	++	++	++	++	+	n
2. **Krups** XN 8105 Gran Maestria	€460	8,4	++	6,4	++	++	++	++	+	n
3. **Krups** XN 730T Citiz & Milk	€200	8,3	++	6,9	++	++	++	++	++	n
4. **De'Longhi** EN 520 R Lattissima +	€220	8,2	++	6,9	+	++	+	+	++	n
5. **Krups** XN 2140 Earth	€80	8,1	++	6,1	++	++	++	nvt	++	n
6. **Krups** XN 2120 Essenza (zwart)	€120	8,1	++	6,7	++	++	+	nvt	□	n
7. **Krups** XN 3005 Pixie	€110	8,0	++	7,0	++	++	+	nvt	+	n
8. **Magimix** M110 Pixie (rood)	€110	8,0	++	7,0	++	++	+	nvt	+	n
9. **Krups** XN 7205 Citiz (rood)	€140	8,0	+	6,9	++	++	++	nvt	++	n
10. **Krups** KP 5105 Circolo Flow Stop (rood)	€150	7,9	++	6,1	++	++	+	nvt	++	dg
11. **Krups** XN 8006 Maestria	€320	7,9	++	6,4	++	++	+	−	+	n
12. **Magimix** M400 Maestria	€350	7,9	++	6,4	++	++	+	−	+	n
▶ 13. **Krups** KP 1000 Piccolo (zwart)	€70	7,8	++	6,0	+	++	+	nvt	□	dg
14. **Krups** KP 1509 Genio (titanium)	€110	7,8	++	5,7	+	++	+	nvt	+	dg
15. **De'Longhi** EN 720 M Lattissima	€400	7,8	++	7,0	+	++	+	+	+	n
16. **Krups** KP 5000 FD Circolo (grijs)	€110	7,7	++	6,1	+	++	+	nvt	+	dg
17. **Krups** XN 250A (grijs)	€100	7,6	+	6,9	++	+	+	nvt	□	n
18. **Magimix** M130 U (zwart)	€120	7,6	+	6,9	++	+	+	nvt	□	n
Volautomaten										
1. **De'Longhi** ECAM Magnifica 22.110.SB	€370	7,8	++	6,0	+	++	□	+	++	
2. **De'Longhi** ECAM 21.117.SB	€500	7,8	++	6,0	+	++	□	+	++	
3. **Jura** Impressa F7 Piano	€1100	7,7	++	5,7	++	++	+	+	++	
4. **De'Longhi** ECAM 23.210.B	€450	7,6	++	6,2	+	++	□	+	++	
5. **Siemens** TE 503201 RW EQ5	€480	7,6	++	5,9	++	++	□	□	++	
6. **De'Longhi** ECAM 23.420.SB	€520	7,5	+	5,2	+	++	□	+	++	
▶ 7. **Philips** Saeco Intelia EVO Focus HD 8751/11	€325	7,4	+	6,4	+	+	□	□	++	
8. **Philips** Saeco Intelia Latte+ HD 8754/11	€780	7,4	+	5,9	+	+	□	+	++	
9. **Miele** 5200 SW (zwart)	€1200	7,4	+	6,3	+	++	□	+	++	
10. **Krups** EA 9000	€1300	7,3	+	6,6	+	++	−	+	++	
11. **Krups** EA 8000	€300	7,2	++	4,6	+	+	□	+	++	
12. **Krups** EA 8422	€700	7,1	+	5,6	+	+	−	□	++	

■ Beste uit de test ▶ Beste koop
- De prijzen zijn van april 2013.
- Afkortingen: n = Nespresso; dg = Dolce Gusto; nvt = niet van toepassing
- De tabel bevat een selectie van goed verkrijgbare cupsystemen en volautomaten. Veel modellen zijn in meerdere kleuren ver-

++ Zeer goed + Goed □ Redelijk – Matig –– Slecht
krijgbaar; de typenummers en prijzen kunnen dan iets verschillen met die in de tabel.
- Het Testoordeel voor twee kopjes tegelijk zetten (5%) staat niet in de tabel. Het is alleen van toepassing op volautomaten. Ze scoren alle goed of zeer goed.

Cupsystemen

Cupjes zijn er voor diverse systemen. Het populairst en best verkrijgbaar zijn Nespresso (16 smaken, vanaf €0,35) en Dolce Gusto (22 smaken, vanaf €0,31, ook thee, cappuccino en chocolademelk). Andere opties zijn Iperespresso van Illy (7 smaken, vanaf €0,45) en Lavazza O Modo Mio (9 smaken, vanaf €0,35).

Apparaten met cups van Lavazza O Modo Mio zijn er met een stoompijpje of automatische melkopschuimer. Nespressodrinkers die een melkop-schuimsysteem willen, kunnen kiezen uit enkele machines van De'Longhi. Bij de Nespressomodellen van Krups en Magimix kan een losse elektrische melkopschuimer, de Aerocinno, worden meegeleverd.

Bij cupsystemen moet dat doorgaans na een aantal zetbeurten. Is het kraanwater zacht (weinig kalk) of zit er een waterfilter in de machine, dan hoeft het minder vaak. Bij cupsystemen duurt een ontkalkingspro-gramma doorgaans 15 à 20 minuten, bij volautomaten wat langer; een half uur tot een uur. Doe het ontkalken wel met regelmaat; als je te lang wacht, kunnen er grotere stukken kalk loskomen die verstopping kun-nen veroorzaken.

Je hebt voor het ontkalken altijd een middel nodig dat kalk afbreekt. Fabrikanten leveren eigen onderhoudsmiddelen, maar in eenderde van de huishoudens wordt schoonmaakazijn of een ander middel gebruikt. Een ander merk gebruiken is meestal toegestaan zonder verlies van de garantie. Enkele fabrikanten waarschuwen wel expliciet voor het gebruik van schoonmaakazijn (te agressief) en adviseren een middel op basis van citroenzuur. Andere zijn daar minder duidelijk over.

Alle fabrikanten waarschuwen dat bij gebruik van een verkeerd middel of bij achterstallig onderhoud, de garantie vervalt. Ze beoordelen dat aan de hand van de staat van de machine. Het is als consument lastig een discussie daarover te winnen. Dat is wellicht de reden waarom bezitters van dure volautomaten vaker de veilige weg kiezen en het onderhouds-middel van de fabrikant gebruiken.

Ontkalken

Ontkalken is meestal een kwestie van het programma selecteren en een ontkalkingsmiddel toevoegen. Zorg wel voor een – met vers water –

gevuld waterreservoir en een lege restwaterbak. Soms is het nodig de restwaterbak tijdens het ontkalken te legen en water bij te vullen. Verder gaat het meestal vanzelf. Bij de koop van een machine worden er onderhoudsmiddelen bijgeleverd. Zijn die op, dan moet je ze bijkopen. Dat kost zo'n €1 tot €2,50 per schoonmaakbeurt. Er zijn aparte middelen voor reinigen en ontkalken. Dat kunnen tabletten, poeders en vloeistoffen zijn. Sommige moeten worden opgelost in of verdund met water. Er zijn ook middelen van andere merken te koop, onder andere bij de drogist. Die zijn soms iets goedkoper, maar let wel op dat ze geschikt zijn voor espressoapparaten. Bij problemen moeten de apparaten voor een grote onderhoudsbeurt terug naar de winkel of fabrikant.

Van de geënquêteerden met een volautomaat is 10% jaarlijks meer dan €50 aan onderhoud kwijt, en iets meer dan 40% maximaal €25. Bezitters van een cupsysteem of halfautomaat besteden aan onderhoud vaak niet meer dan €5 per jaar.

Te koud

Een veelgehoorde klacht is dat de espresso uit de machine te koud is. Volgens kenners hoort de temperatuur in het kopje direct na het zetten 67 °C te zijn (mag 3 graden meer of minder zijn). Wij meten en beoordelen de temperatuur tijdens onze test in een onverwarmd porseleinen kopje. Meestal voldoet de temperatuur aan de eis (zie de tabel). Vindt u de koffie te koud, dan kunt u de temperatuur bij de meeste volautomatische machines aanpassen. Kan dat niet, verwarm dan de kopjes even voor met het stoompijpje of heet water uit de kraan. Sommige machines hebben een speciale kopjeshouder die de kopjes verwarmt.

IN DETAIL

Krups XN 730T Citiz & milk (Beste uit de test)
Prijs: €200
Testoordeel: 8,3
De beste prijs-kwaliteitverhouding voor een cupsysteem met melkopschuimer. Hij is uitgevoerd met de Aerocino van Nespresso. De XN 7305 is de rode uitvoering.

Krups KP 1000 (Beste koop)

Prijs: €70
Testoordeel: 7,8
Uit de Dolce Gusto-familie. Hij is smal en de kopjeshouder is in hoogte verstelbaar. Hij heeft geen automatische waterstop. Schuimt melk niet zelf op; voor cappuccino zijn er speciale cups.

De'Longhi Magnifica ECAM 22.110 (Beste uit de test)

Prijs: €370
Testoordeel: 7,8
Dit is een eenvoudige volautomaat. Hij heeft een energiezuinige stand, maar je kunt geen koffie naar eigen smaak programmeren.

Philips Saeco Intelia Evo HD 8751/11 (Beste koop)

Prijs: €325
Testoordeel: 7,4
Schakelt na 1 uur automatisch uit. Ook verkrijgbaar is de HD 8751/95 die een rvs stoompijpje heeft in plaats van een kunststof stoompijpje, wel €10 duurder.

Een overzicht van alle geteste espressoapparaten staat op www.consumentenbond.nl/espresso.

Friteuses

Consumentengids december 2012

Friet is heerlijk, maar wie de calorieën van een maaltje gefrituurde friet wil 'verbranden', is wel een tijdje bezig. Een aantal friteusefabrikanten bedacht daar wat op: een apparaat dat frietjes en andere etenswaren met hete lucht bakt in plaats van in frituurvet. Daarom nu een vergelijking tussen de drie heteluchtapparaten die te koop zijn en gewone friteuses met olie. In de test ook een elektrische oven.

Het principe van de drie olieloze apparaten Tefal Actifry, Philips Airfryer en Princess Fat Free Fryer is gelijk: ze bakken friet en andere etenswa-

Friteuses

Merk & Type	Richtprijs	Testoordeel	Frituren	Tegengaan verbrande restjes	Energiegebruik	Schoonmaken	Overig gebruiksgemak	Oppervlaktetemperaturen
Weging voor Testoordeel (%)			40	15	10	7,5	22,5	5
■ 1. **Tefal** FR4048 Filtra Pro Inox & Design 4L	€70	6,7	+	++	+	--	□	+
■ 2. **Tefal** FR7013 Pro Fry Oléoclean Inox & Design	€90	6,7	+	+	+	□	□	+
3. **De'Longhi** F34512CZ	€90	6,6	+	++	+	--	□	+
4. **Inventum** GF555	€50	6,5	+	++	□	--	□	□
5. **Tefal** FR1015 EasyPro	€50	6,5	□	++	++	--	□	+
6. **Princess** Classic double castel 182123	€70	6,5	+	++	+	--	□	□
7. **Inventum** GF535	€40	6,4	+	+	+	--	□	+
▶ 8. **Bestron** AF350	€25	6,3	□	++	□	--	□	□
9. **Princess** Family Castel 182626	€30	6,3	+	++	+	--	□	□
10. **Fritel** Turbo SF4371	€70	6,3	+	+	+	--	□	+

■ Beste uit de test   ▶ Beste koop   ++ Zeer goed   + Goed   □ Redelijk   – Matig   -- Slecht

· De prijzen zijn van september 2012.

ren met hete lucht in plaats van met vet (zie het kader 'Hoe vetvrij is vetvrij?'). Maar de apparaten werken verschillend: de Actifry schept het eten tijdens de bereiding om in een grote, ronde bak, de Airfryer doet met zijn vierkante metalen mandje denken aan een klassieke friteuse en in de Fat Free Fryer draait een ronde korf langzaam langs een hitte-element.

De vergelijkende test brengt nog meer verschillen aan het licht, zoals de bereidingstijd. De friteuse moet eerst opwarmen voor de eerste portie kan worden gebakken. Bij de overige apparaten hoeft dat niet.

De Philips Airfryer is het snelst: daarmee heb je de eerste portie friet in nog geen 16 minuten op tafel. Ook voor meer dan één portie is deze friteuse het snelst.

Uit de oven

Wie wel vetarme friet wil, maar er geen nieuw apparaat voor wil aanschaffen, zou friet uit de oven kunnen proberen. Het nadeel is dat een elektrische oven relatief veel energie gebruikt.

Fritessystemen

Systeem	Bereidingstijd	Energiegebruik	Geuruitstoot	Gebruiksgemak	Schoonmaken	Veelzijdigheid	Uiterlijk	Geur	Smaak	Totaaloordeel
							Rapportcijfers smaakpanel			
Philips Airfryer	+	+	+	□	+	+	6,4	6,8	6,3	**6,4**
Friteuse	+	+	□	□	--	□	7,1	6,9	6,2	**6,1**
Elektrische heteluchtoven	□	–	+	+	+	++	6,1	6,5	6,2	**6,1**
Tefal Actifry	–	□	+	+	+	+	5,6	6,3	6,2	**6,0**
Princess Fat Free Fryer	□	–	+	□	+	□	5,6	6,2	5,8	**5,7**

++ Zeer goed   + Goed   □ Redelijk   – Matig   -- Slecht

De bereidingstijd van de Tefal Actifry is met 30 minuten het langst, maar dan heb je wel 750 gram friet. Voor die hoeveelheid is de Princess Fat Free Fryer meer dan twee keer zo veel tijd kwijt.

De Princess verbruikt ook verreweg de meeste stroom van de drie vetvrije apparaten. De friteuse is het energiezuinigst, op de voet gevolgd door de Airfryer.

De vetvrije apparaten en de oven zijn zonder meer de winnaars qua geuruitstoot en schoonmaakgemak. Vergeleken met de friteuse, zelfs al heeft die een geurfilter in het deksel, ruik je nauwelijks iets. En ook schoonmaken is veel makkelijker.

Uiteindelijk komt de Philips Airfryer als beste uit de technische vergelijking van de vijf systemen.

Hoe vetvrij is vetvrij?

De friet uit de Airfryer, Actifry en Fat Free Fryer zou je eigenlijk vetarm moeten noemen in plaats van vetvrij. Bij voorgebakken of voorbewerkte friet is vaak vet gebruikt. Op de verpakking van voorbehandelde friet staat hoeveel vet erin zit. Bij zelfgesneden friet in de Airfryer en Actifry moet bij de bereiding een beetje olie toegevoegd worden, terwijl in de Fat Free Fryer geen verse friet klaargemaakt mag worden.

In de friet uit de friteusetest van 2011 zat 10 tot 13% vet. Volgens officiële gezondheidsrichtlijnen nemen frietjes meer vet op als ze (ver) onder de 160 °C zijn gebakken. Maar de friteusetest van 2011 toonde geen verband tussen de olietemperatuur en het vetpercentage van de friet.

Rommelig

Misschien wel belangrijker dan de techniek is hoe de friet gewaardeerd wordt. Daarom schakelden we een 43-koppig consumentenpanel in dat de friet uit elk van de systemen beoordeelde op smaak, uiterlijk en knapperigheid. We gebruikten voor elk systeem de friet waarvan de fabrikant het beste resultaat opgeeft. Voor de vier vetvrije systemen is dat ovenfriet, en voor de friteuse diepvriesfriet.

Het bekende 'vet is lekker' bleek niet bij deze smaaktest, want niet de patat uit de friteuse, maar die uit de Philips Air-fryer werd het hoogst gewaardeerd. Die kreeg van het smaakpanel gemiddeld het rapportcijfer 6,4. Maar de friet van de friteuse ziet er beter uit; zie de tabel voor de oordelen. Het panel waardeerde niet álle vetvrije friet. Met de ovenfriet valt het nog mee: die kreeg voor alle aspecten het rapportcijfer 6 of hoger. Het uiterlijk van de friet uit de Tefal viel tegen: 'veel kleine stukjes' en 'rommelig'.

Veruit de minste waardering was er voor de friet uit de Princess Fat Free Fryer: op alle onderdelen kreeg die de laagste oordelen. Vooral de donkere puntjes op de frietjes bevielen het panel niet.

Gezond frituren

Acrylamide is een stof die ontstaat bij het bruin worden – door bakken – van zetmeelrijke producten, zoals aardappelen en brood. Acrylamide wordt in verband gebracht met het ontstaan van kanker. Bij gebakken en gefrituurde aardappelproducten kan relatief veel acrylamide ontstaan. De laatste jaren hebben internationale gezondheidsorganisaties en de voedingsmiddelenindustrie zich uitgebreid beziggehouden met het acrylamidevraagstuk. Hoewel er nog geen antwoord is op alle vragen, is wel duidelijk dat je zelf het acrylamidegehalte kunt beïnvloeden. Zo blijken de baktemperatuur en -tijd van grote invloed. Het officiële gezondheidsadvies is daarom frituurvet niet heter te laten worden dan 175 °C, en aardappelproducten niet langer te frituren dan tot ze goudgeel zijn. Een aantal friteusefabrikanten, maar niet allemaal, heeft deze adviezen overgenomen in de productinformatie en instructies.

De Consumentenbond adviseert om ook de friteuses waarbij de fabrikant aanbeveelt om patat op 180 °C of 190 °C te frituren, op 170 °C in te stellen. Dat is mogelijk bij alle geteste friteuses.

Er zijn andere factoren die een rol kunnen spelen. Tiny van Boekel, voedingsmiddelenhoogleraar aan de Universiteit Wageningen legt uit: 'De gehalten aan suikers en aminozuren van de aardappel zijn ook van invloed op het ontstaan van acrylamide. En die variëren naar gelang het aardappelras en de manier waarop de aardappel is bewaard.'

We hebben daarom besloten om het acrylamidegehalte van de friet uit de geteste friteuses niet te meten. Het zet meer zoden aan de dijk om op 170 °C te frituren en de frietjes uit het vet te halen zodra ze goudgeel zijn. Kijk voor meer adviezen over gezond frituren op www.goodfries.eu.

IN DETAIL

Philips HD9220 Viva Airfryer

Prijs: €140

Rapportcijfer smaakpanel: 6,4

Maakt 700 gram friet in 15 minuten en 40 seconden klaar en verbruikt per 100 gram friet 54 Wh – ongeveer net zo veel als een friteuse. Zwaar apparaat.

De friet is 'lekker knapperig en niet vet' volgens het smaakpanel.

Friteuse

Rapportcijfer smaakpanel: 6,1

Moet als enige systeem ruim 9 minuten opwarmen voor de friet erin mag. Het bakken van friet duurt maar 8 minuten. Verbruikt 49 Wh per 100 gram friet.

Het smaakpanel vindt de frietjes 'mooi goudgeel en met een lekkere geur'.

Elektrische heteluchtoven

Rapportcijfer smaakpanel: 6,1

Doet 24 minuten over 500 gram friet. Is de grootste stroomvreter van alle systemen: 111 Wh per 100 gram friet. Dit is het enige grote nadeel.

Het smaakpanel is verdeeld over het uiterlijk van de frietjes.

Tefal Actifry FZ 7000

Prijs: €150

Rapportcijfer smaakpanel: 6,0

Bakt 750 gram friet in 30 minuten en verbruikt 68 Wh per 100 gram friet. Profileert zich als 'Multicooker' in plaats van friteuse-alternatief. Is erg veelzijdig. Het smaakpanel vindt de friet 'van binnen melig'.

180

Op www.consumentenbond.nl/friteuses staan nog meer geteste typen en een filmpje.

Keukenmachines en foodprocessors
Consumentengids december 2012

Keukenmachines en foodprocessors zijn dankzij de hulpstukken geschikt voor allerlei klussen. In de praktijk worden de begrippen 'keukenmachine' en 'foodprocessor' door elkaar gebruikt. Er zit dan ook overlap in de soorten werk die ze kunnen doen. Het grootste verschil tussen de machines zit in de aandrijving. Keukenmachines worden van bovenaf aangedreven, meestal via meerdere punten waarop bijvoorbeeld deeghaken en gardes aan te sluiten zijn. Foodprocessors worden van onderaf aangedreven, waarbij bijvoorbeeld messen en raspen op de as worden aangesloten.

Veel varianten
Keukenmachines zijn vooral sterk in zware klussen als mixen, kloppen en kneden. Foodprocessors zijn geschikt voor snij-, hak-, schaaf-, en raspwerk, en kunnen ook mixen, kloppen en kneden. Vanwege de kleinere kom kun je met een foodprocessor minder beslag, deeg en slagroom maken. Kijk daarom of de grootte van de kom aansluit op uw gebruikswensen.

De prijzen van foodprocessors en keukenmachines lopen erg uiteen en houden geen verband met het aantal functies of de prestaties. Het is dus goed mogelijk dat een goedkoper apparaat ook aan alle wensen voldoet. Door hulpstukken aan te sluiten kunnen sommige keukenmachines wor-

Keukenmachines en foodprocessors

Merk & Type	Richtprijs	Testoordeel	Keukenmachine (k) of foodprocessor (f)	Gebruiksgemak	Werking totaal	Slagroom kloppen	Cakemix mengen	Brooddeeg kneden	Noten hakken	Fijne kruiden hakken	Uien hakken	Kaas raspen	Wortelen raspen	Wortelen snijden	Overige mogelijkheden	Inh. kom (l)
Weging voor Testoordeel (%)				40	50											
1. Bosch MUM54230	€260	**7,8**	k	+	++	++	+	++	+			+	+	+	embsokp	3,9
2. Bosch MUM52110	€200	**7,7**	k	+	++	++	+	++				+	+	+	ek	3,9
3. Kenwood kMix KMX51	€320	**7,7**	k	+	++	++	+	++							e	5,0
4. KitchenAid Artisan 5KSM150PSE	€550	**7,6**	k	□	++	++	+	++							em	4,6
5. Philips HR7762	€90	**7,5**	f	+	+	+	++		–	++	+	+	+	□	embsok	2,1
6. Cuisinart FP14DCE	€380	**7,5**	f	+	+	++	+	++	+	+	++	□	□	+	esk	2,0
7. Clatronic KM 3323	€130	**7,4**	k	□	++	++	+	++							e	5,5
8. Magimix Compact 3200XL	€300	**7,4**	f	+	+	+	++	□	++	+	+	□	□	+	embsok	1,0
9. Philips HR7775	€160	**7,3**	f	□	+	+	++	□	++	+	+	+	□	+	embsokp	3,4
10. Kenwood KM285	€300	**7,1**	k	□	+	++	++	++	+	□	+	□	□	+	embsokp	4,4
11. Kenwood FP270	€150	**6,9**	f	□	+	□	++	++	□	+	+	□	+	+	embsokp	1,4
12. Moulinex FP657	€130	**6,8**	f	□	+	+	+	□	+	+	++	+	–	+	embsokp	2,0
13. Kenwood FP925	€160	**6,8**	f	□	+	+	+	+	□	□	□	+	□	+	embsokp	1,4
14. Moulinex QA404	€190	**6,5**	k	□	+	++	+	+				□	–	□	embsok	4,0

++ Zeer goed + Goed □ Redelijk – Matig – – Slecht

- De prijzen zijn van september 2012.
- De constructie weegt voor 10% mee in het Testoordeel en is voor alle modellen (zeer) goed.
- Predicaten Beste koop en Beste uit de test zijn er niet omdat de apparaten te veel verschillen.
- De modellen zijn getest op hun standaard meegeleverde accessoires. Indien er geen oordeel in de tabel staat, is het model hier niet op getest.
- Bij Overige mogelijkheden staan de klussen die de apparaten verder nog kunnen uitvoeren; deze zijn met (zeer) goed beoordeeld. Alleen de Moulinex QA404 scoort matig op komkommer snijden en de Philips HR7762 redelijk op eieren kloppen.

- Verklaring van de afkortingen: e = eieren kloppen; m = mayonaise maken; b = babyvoeding pureren; s = soep blenden; = smoothie maken; k = komkommer snijden; p = sinaasappelen persen
- Cuisinart FP14DCE, Clatronic KM 3323 en Magimix 3200XL zijn beperkt verkrijgbaar. Enkele webwinkels verkopen ze.
- KitchenAid 5KSM150PSE is verkrijgbaar in speciaalzaken.
- Kenwood FP270 en Philips HR7775 worden niet meer geproduceerd, en zijn nog beperkt verkrijgbaar. Kenwood FPM270 en Philips HR7776/HR7778 zijn de opvolgers (niet getest).
- De meeste modellen zijn verkrijgbaar in verschillende kleuren en met meer of minder bijgeleverde accessoires. Check daarom modellen uit dezelfde serie.

den omgebouwd tot foodprocessors; die noemen we hier tussenvormen. Zo zijn er keukenmachines waarop je een bak of kan kunt bevestigen. Het apparaat heeft dan een kom met aandrijving van bovenaf en een bak of kan met aandrijving van onderaf. Tot deze tussenvormen behoren de Bosch MUM54230 en de Kenwood KM285. Op de twee keukenmachines van Bosch past een hulpstuk waarmee ze kunnen raspen en snijden; het bewerkte voedsel belandt dan in de kom eronder. Voor op de keukenmachine Moulinex QA404 is een hulpstuk te plaatsen waarmee hij kan raspen en snijden. Blenden en pureren kan hij ook door bovenop een kan aan te brengen.

Ook voor hand- en staafmixers zijn er steeds meer hulpstukken, waardoor ze veranderen in een soort kleine foodprocessors.

Verschillende klusjes

Door verschillende accessoires aan te sluiten, wordt ook een keukenmachine meer allround. We hebben de foodprocessors en keukenmachines aan dezelfde test onderworpen om te vergelijken welke apparaten goed zijn in de verschillende werkzaamheden.

Zowel foodprocessors als keukenmachines kunnen kloppen, mixen en kneden. De basiskeukenmachines laten het daarbij. Foodprocessors kunnen daarnaast pureren, hakken, blenden, raspen, snijden en versnipperen. Alle keukenmachines en foodprocessors zijn goed in het kloppen van eieren (alleen de Philips HR7762 scoort redelijk op dit aspect) en het maken van cakebeslag. Ook het kloppen van slagroom doen ze moeiteloos, behalve bij de Kenwood FP270.

Bij het zware kneedwerk krijgt een aantal foodprocessors het zwaar, maar die van Cuisinart en Kenwood doen nog steeds goed mee met de keukenmachines.

Gewone keukenmachines zijn niet geschikt voor bijvoorbeeld mayonaise maken, babyvoeding pureren, soep blenden en smoothies maken. De geteste foodprocessors hebben hier geen enkel probleem mee. De genoemde tussenvormen klaren deze klussen ook uitstekend, even goed als de foodprocessors. De meeste van de geteste apparaten raspen kaas iets beter dan worteltjes, omdat kaas zachter is. Allemaal snijden ze moeiteloos mooie plakjes komkommer. Alleen bij de Moulinex QA404 was de schil van de komkommer meer gescheurd dan netjes gesneden. De tussenvormen variëren erg in hoe goed ze kunnen raspen en snijden. Foodprocessors kunnen allemaal hakken, in tegenstelling tot de keukenmachines, maar de kwaliteit van het hakwerk verschilt nogal.

Om vooraf in te schatten hoe goed een bepaald klusje geklaard zal worden, is het raadzaam om te kijken hoeveel ruimte er is tussen het mes of de rasp en de wand van de kom of kan. Bij een grote afstand is de kans groot dat niet al het voedsel goed meegenomen wordt.

Philips HR7762

Een goede allrounder

Prijs: €90

Testoordeel: 7,5

Deze foodprocessor is erg veelzijdig en de goedkoopste in deze test. Zowel cakemix mengen als fijne kruiden hakken gaat zeer goed. Bij het hakken van noten blijven de nootjes wat plakken in de bak.

Bosch MUM52110

Goed voor het zware werk

Prijs: €200

Testoordeel: 7,7

Vooral de keukenmachines doen het goed bij het zware werk: kloppen, mixen en vooral kneden. Deze Bosch heeft opgeteld het hoogste oordeel voor al deze zware klussen.

Moulinex FP657

Prima voor hakken, snijden en raspen

Prijs: €130

Testoordeel: 6,8

Deze foodprocessor hakt noten, kruiden en uien moeiteloos. Ook maakt hij van wortelen en komkommers nette plakjes. Het raspen van kaas gaat probleemloos, maar hij raspt wortelen tot ongelijkmatige stukjes.

Accessoires

De accessoires maken het mogelijk om de verschillende werkzaamheden uit te voeren. Bedenk voor de aanschaf wat je met het apparaat wilt doen en stem daar het soort apparaat en de accessoires op af. In onze test hebben we foodprocessors en keukenmachines aan het werk gezet met de standaard bijgeleverde accessoires. Voor de meeste modellen zijn los extra accessoires verkrijgbaar.

Op de roterende assen van foodprocessors en keukenmachines zijn de losse onderdelen te bevestigen. Denk hierbij aan deeghaken om te kneden, gardes om te mixen en te kloppen, soorten messen om te hakken en roterende schijven om te versnipperen, schaven of raspen. Bij een foodprocessor kun je ook kiezen tussen een bak en een kan, zoals van een blender.

Sommige accessoires nemen nogal wat ruimte in. Enkele apparaten hebben een speciaal opbergsysteem voor de accessoires. Aan de andere kant kun je ook ruimte besparen met de juiste accessoires als een ander apparaat dan de deur uit kan, zoals de blender en de citruspers. De keukenapparaten die een citruspers meeleveren, persen prima en met een blenderaccessoire maak je gemakkelijk soep en een smoothie.

Afwassen en veiligheid

Niet alle onderdelen van een keukenmachine of foodprocessor zijn vaatwasserbestendig. Check voor aanschaf welke onderdelen in de vaatwasser kunnen; dit verschilt namelijk per apparaat. Daarbij komt dat de onderdelen veel ruimte innemen in de vaatwasser. Bij enkele kannen is het mogelijk om het onderste gedeelte te verwijderen, zodat het geheel minder hoog is. Het schoonmaakgemak valt in de tabel onder het oordeel voor gebruiksgemak.

Tijdens het draaien kun je een foodprocessor via een opening bovenin (bij)vullen. Het is denkbaar dat kleine handen via de vulopening de draaiende messen kunnen aanraken. Voor de veiligheid van foodprocessors zijn normen opgesteld. De geteste producten voldoen allemaal aan deze normen. Schakel voor de zekerheid altijd het apparaat uit als de draaiende messen door bijvoorbeeld een hard stuk wortel zijn geblokkeerd. En pas natuurlijk op met (nieuwsgierige) kinderen bij het aanrecht.

Koelvrieskasten
Consumentengids juli 2013

Koelvrieskasten zien er op het eerste gezicht hetzelfde uit, maar de Consumentenbondtest brengt aardig wat verborgen verschillen aan het licht. Tien koelvrieskasten in de vergelijker op www.consumentenbond.nl/

Koelvrieskasten

	Merk & Type	Richtprijs	Testoordeel	Koelvermogen	Invriescapaciteit	Energiegebruik	Aanbevolen temperatuurstand	Gebruiksgemak	Bewaartijd bij storing	Gemak ontdooien	Geluid
Weging voor Testoordeel (%)				20	18,5	17,5	15	10	5	5	5
Vrijstaand											
■	**1. Siemens** KG36NAW32	€850	**8,7**	9,4	10	+	++	+	□	++	+
	2. Liebherr CP 3413	€800	**8,2**	8,2	8,3	++	++	+	+	--	+
▶	**3. Bosch** KGE39AI40	€680	**8,1**	5,9	9,4	++	++	+	+	□	+
	4. Bosch KGE49AW40	€800	**8,4**	7,8	8,8	++	++	+	+	□	++
	5. Liebherr CUN 3533	€700	**7,9**	7,1	9,9	+	+	+	+	+	++
	6. Indesit BIAA 33 F X H D	€485	**7,7**	8,0	8,4	□	++	+	□	+	+
	7. Ikea Kyld 226/97 NF 202.218.02	€500	**7,2**	7,7	5,8	+	++	□	□	+	+
	8. Ikea Kylig CFS 190SS 902.218.65	€600	**7,1**	6,6	6,8	+	++	□	+	+	+
	9. AEG S 53600 CSW0	€500	**6,8**	6,6	3,1	+	++	□	++	□	+
	10. Whirlpool WBE 33772 NFC TS	€640	**6,8**	6,7	3,1	+	++	+	□	+	++
	11. AEG S 32900 CSW0	€380	**6,7**	7,1	4,3	+	++	□	+	-	+
	12. Whirlpool WBE 3377 NFCW	€550	**6,7**	7,3	4,6	□	++	+	□	--	+
	13. Bosch KGV33VW30	€400	**6,5**	6,3	2,8	+	++	□	++	□	++
	14. Whirlpool WSF 5574 A+ NX	€1275	**6,0**	1,1	7,7	+	++	+	-	+	+
	15. Liebherr CUP 2901	€500	**5,5**	7,2	2,6	++	--	□	+	--	++
	16. Etna EKV1801WIT/E02	€320	**4,6**	7,7	2,7	+	--	□	+	-	+
	17. Indesit BIAAA 13	€360	**3,2**	7,9	3,1	++	+	□	+	--	+
▼	**18. Indesit** CAA 55	€300	**2,9**	6,2	1,3	+	--	□	□	□	++
▼	**19. Beko** CS 234020	€270	**2,8**	4,5	2,7	+	++	□	++	--	++
▼	**20. Whirlpool** WBE 3414 W	€400	**2,4**	6,3	1,4	□	--	□	+	-	+
▼	**21. Whirlpool** WBE 3111 A+ W	€350	**2,3**	5,2	1,2	□	--	□	+	-	+
▼	**22. Smeg** FAB30R7	€1075	**2,3**	4,4	2,0	+	--	□	+	--	+
Inbouw											
■	**1. Bauknecht** KGIF3182/A	€950	**6,9**	7,5	9,0	□	□	+	+	-	++
■▶	**2. Siemens** KI34VA50	€630	**6,7**	8,2	4,8	□	++	□	+	--	+
■	**3. Whirlpool** ART 463/A++	€870	**6.6**	6,5	5,0	□	++	+	+	-	++
■	**4. Pelgrim** PKS5178F/P01	€1025	**6,6**	8,4	4,9	+	++	□	□	--	+

■ Beste uit de test ▶ Beste koop ▼ Afrader   ++ Zeer goed + Goed □ Redelijk – Matig -- Slecht

Temperatuurstabiliteit koeldeel	Temperatuurstabiliteit vriesdeel	Opgegeven inhoud koeldeel (liter)	Bruikbare inhoud koeldeel (liter)	Verschil tussen opgegeven en bruikbare inhoud koeldeel	Opgegeven inhoud ****-vriesdeel (liter)	Bruikbare inhoud ****-vriesdeel (liter)	Verschil tussen opgegeven en bruikbare inhoud ****-vriesdeel
2	2						
++	++	186	145	22%[2]	66	53	20%[3]
++	++	191	155	19%[3]	n.o.	72	
++	++	247	196	21%[2]	89	67	25%[2]
++	++	296	240	19%[3]	112	85	24%[2]
++	++	232	195	15%[3]	89	72	19%[3]
++	++	300	178	41%[1]	n.o.	77	
++	++	226	191	16%[3]	97	74	24%[2]
++	++	225	191	15%[3]	97	77	21%[2]
++	++	245	194	21%[2]	92	75	18%[3]
++	++	223	180	19%[3]	97	75	23%[2]
++	+	208	165	21%[2]	61	54	11%[4]
++	++	223	178	20%[2]	97	75	23%[2]
++	++	194	158	19%[3]	94	71	24%[2]
+	++	335	231	31%[1]	160	126	21%[2]
++	++	199	166	17%[3]	54	42	22%[2]
□	□	196	165	16%[3]	n.o.	53	
++	--	334	180	46%[1]	116	83	28%[1]
-	++	n.o.	126		84	72	14%[4]
+	--	205	173	16%[3]	87	76	13%[4]
++	--	225	156	31%[1]	103	89	14%[4]
++	--	194	158	19%[3]	113	93	18%[3]
++	--	242	215	11%[4]	68	64	6%[5]
++	++	193	144	25%[1]	72	56	22%[5]
++	++	204	161	21%[2]	70	59	16%[2]
++	++	199	155	22%[2]	72	56	22%[3]
+	++	204	161	21%[2]	70	51	27%[2]

- De prijzen zijn van mei 2013.
- Het oordeel voor koelvermogen en invriescapaciteit is weergegeven in rapportcijfers.
- De Smeg wordt niet meer gemaakt en is opgevolgd door de FAB30RR1.
- De Whirlpool WSF 5574 A+ NX is een Amerikaans model: het vriesdeel zit naast het koeldeel in plaats van eronder of erboven.
- De Bosch KGE39AW40 is technisch gelijk aan de KGE39AI40.
- Bij het oordeel voor energiegebruik wordt rekening gehouden met de totale inhoud.
- Een oordeel matig (-) of lager voor temperatuurstabiliteit slaat door in het Testoordeel.
- n.o. betekent niet opgegeven.
- De inhoud van het koeldeel van de Siemens KG-36NAW32 is exclusief een apart instelbare 0 °C-zone van 19,5 liter (opgegeven: 33 liter). De inhoud van het vriesdeel van de Whirlpool WSF 5574 is exclusief een tweesterrenvriesdeel van 21 liter (opgegeven 20 liter).
- De noten in de laatste kolommen geeft aan hoeveel de opgegeven inhoud afwijkt van de bruikbare (in deze tabel staan geen modellen met meer gemeten dan opgegeven inhoud).

1) meer dan 25%
2) 20 tot 25%
3) 15 tot 20%
4) 10 tot 15%
5) verwaarloosbaar

koelkasten krijgen een Testoordeel van (dik) boven de 8, terwijl maar liefst zeven apparaten nog niet eens een 3 scoren.

Dat verschil komt onder andere naar voren in de capaciteitstest. Om het koelvermogen van de apparaten te bepalen, leggen de onderzoekers een 'testlading' in het koeldeel en meten hoelang het duurt tot de volledige lading van kamertemperatuur tot 7 °C is gekoeld. De beste koelvrieskasten klaren deze klus in zo'n zes uur, terwijl de laagst scorende er drie keer zo lang over doen – sommige zelfs meer dan 24 uur.

Waar het misgaat

Bij alle zeven Afraders in de vergelijker op www.consumentenbond.nl/koelkasten is de vriezer de grote boosdoener. Ze scoren slecht voor invriescapaciteit, omdat ze maar maximaal 3 kg voedsel ingevroren krijgen in 24 uur, sommige zelfs maar 0,5 kg. Bij de temperatuurstabiliteit gaat het mis doordat het vriesdeel te warm wordt als de koelvriezer in een koude omgeving staat. Ontdooien is een probleem omdat een afvoer voor het dooiwater vaak ontbreekt. De bewaartijd bij storing is wel in orde.

Vriezen

De invriescapaciteit wordt bepaald door te meten hoeveel kilogram 'testlading' de viersterrenvriezer (****) in 24 uur van kamertemperatuur op -18 °C kan krijgen. De verschillen lopen uiteen van nog geen kilo tot meer dan 20 kg.

Bij de temperatuurstabiliteitstest meten de onderzoekers in hoeverre de temperatuur in het koel- en vriesdeel op peil blijft bij verschillende omgevingstemperaturen. Vooral als de koelvrieskast in een ruimte komt te staan waar het behoorlijk koud (ruim onder de 15 °C) of heel warm (boven de 32 °C) kan worden, is het belangrijk om te kiezen voor een apparaat dat goed scoort op temperatuurstabiliteit. Voor een aantal apparaten is het vooral lastig om in het vriesdeel de temperatuur stabiel te houden.

Bewaartijd

Grote verschillen zijn er ook als het gaat om de bewaartijd bij een storing. Daarbij wordt gemeten hoelang de inhoud van de vriezer op -18 °C blijft als de stroom uitvalt. De apparaten die hiervoor in de tabel een + (goed) of hoger krijgen, houden dat meer dan 24 uur vol – de beste zelfs meer

188

dan 35 uur. Maar er zitten ook modellen bij die al na minder dan 9 uur het bijltje er bij neergooien.

De Gezondheidsraad adviseert de temperatuur in een koelkast op 3 °C in te stellen. De vriezer bewaart ingevroren voedsel het best op ten hoogste -18 °C. Uit de test blijkt dat de thermostaatstand die in de handleiding wordt aanbevolen, niet altijd tot deze temperaturen leidt. Hoe hoger het oordeel voor Aanbevolen thermostaatstand in de tabel, des te nauwkeuriger de gewenste temperaturen gehaald worden als de thermostaat volgens de handleiding wordt ingesteld.

We krijgen regelmatig opmerkingen, meestal van fabrikanten, dat de inhoud in de testtabel niet klopt. Deze wijkt inderdaad vaak af van wat vermeld wordt in de productinformatie. Dat komt doordat de fabrikant bij zijn opgave ook de ruimte meerekent waar de consument niets aan heeft, zoals die rond de laden, de plaatsen in de deur waar geen rekjes of bakjes zitten, enzovoort. In onze test berekenen we de daadwerkelijk bruikbare ruimte, dus de inhoud van de laden en de ruimte die de plateaus, rekken en vakjes bieden.

Restruimte

De verschillen tussen de opgegeven en bruikbare ruimte zijn soms enorm, zo bleek toen we de meetgegevens bestudeerden van meer dan 300 koelvrieskasten die de Consumentenbond en zijn buitenlandse partners de afgelopen jaren testten. Vooral in het koeldeel zijn behoorlijk wat opgegeven liters in de praktijk niet te gebruiken. Bij meer dan driekwart van de onderzochte koelvrieskasten is het verschil tussen de opgegeven en bruikbare koelinhoud meer dan 15%, en bij een op de tien koelkasten zelfs meer dan 25%. Enkele voorbeelden: volgens Whirlpool is de koelruimte van de WBE 3414 W 225 liter, terwijl wij slechts 156 liter bruikbare ruimte meten. Dat scheelt meer dan 30%. De Indesit BIAAA 13 rekent zich het ruimst: de productinformatie geeft 334 liter ruimte aan, terwijl wij maar 180 bruikbare meten – bijna de helft minder!

Bij de vriezerruimte is het grotendeels van hetzelfde laken een pak: bij bijna eenderde van de modellen is het opgegeven vriezervolume voor meer dan 20% niet te benutten. Opmerkelijk is dat bij zo'n 5% van de koelvriezers de bruikbare ruimte juist wordt onderschat. Bij 5 van alle 320 geteste modellen meten we zelfs ruim 20% méér vriesruimte dan de fabrikant opgeeft.

Bosch KGE39AI40 (Beste koop)

Prijs: €680

Testoordeel: 8,1

Vrijstaand model

De bruikbare koelruimte behoort tot de grootste uit de test en ook de vriezer is ruim. Hij gebruikt voor €35 per jaar aan stroom en dat is gezien de ruimte erg weinig. Hij kan 14,5 kg voedsel in 24 uur invriezen en bij een storing houdt hij de vriezerinhoud bijna 30 uur diepgevroren.

Siemens KI34VA50 (Beste uit de test en Beste koop)

Prijs: €630

Testoordeel: 6,7

Inbouwmodel

Lekker ruim voor een inbouwkoelvriezer, vooral het koeldeel. Het koeldeel doet er maar een dikke 8 uur over om de testlading tot 7 °C te krijgen, en is daarmee een van de snelste koelers uit de test. Helaas kan hij in 24 uur maar 5 kg invriezen.

Smeg FAB30R7 (Afrader)

Prijs: €1075

Testoordeel: 2,3

Vrijstaand model

Prachtig retromodel, maar voor dat uiterlijk betaal je veel. De vriezer krijgt in 24 uur net 1,5 kg ingevroren, en de koelruimte doet er ruim 17,5 uur over om de testlading tot 7 °C te koelen. Ook presteert de vriezer onder-maats bij temperatuurstabiliteit en ontdooien.

Grootste overdrijver

De ene fabrikant slaat de plank verder mis dan de andere. De grootste overdrijver is AEG-Electrolux, die bij 8 van zijn 31 geteste modellen ruim 25% méér koelinhoud opgeeft dan bruikbaar is. Gevolgd door Bosch-Siemens, waarbij bij de helft van de 36 onderzochte modellen de bruik-bare koelruimte (ruim) 20% kleiner is dan opgegeven. Ook Whirlpool en Beko geven fors meer ruimte op dan bruikbaar is, net als Liebherr met 15 tot 20% meer opgegeven koelkastinhoud.

Bij de vriesinhoud gaat het om dezelfde veelplegers, aangevuld met

Zanussi. Hotpoint-Indesit geeft bij eenderde van zijn 32 onderzochte koelvriezers juist een te lage vriezerinhoud op, zelfs tot meer dan 20% te weinig.

Overigens is voor de berekening van het energielabel de totale inhoud wel belangrijk, dus ook de niet-bruikbare liters. Maar het is wel onhandig als je bij het kiezen van een nieuwe koelkast niet weet hoeveel bergruimte hij daadwerkelijk biedt. Voor consumenten zou het nuttig zijn als fabrikanten zowel de 'technische' als de bruikbare inhoud vermelden in de productinformatie.

Bekijk de testresultaten van meer dan 100 geteste koelvrieskasten op www.consumentenbond.nl/koelkasten.

Matrassen

Consumentengids november 2012

Hard, zacht of medium? Rugslaper of zijslaper? Koudschuim, polyether, latex of pocketvering? Keus te over als het gaat om matrassen. Door het enorme aanbod, de vele materialen en grote prijsverschillen zijn de bomen maar moeilijk door het bos te zien.

Wegwijs

Op internet staan diverse merk- en niet-merkgebonden matraswijzers, die je aan de hand van vragen wegwijs zeggen te maken. Maar word je er echt wijzer van? Eén expert en vier internetgebruikers namen tien van deze online-matrassenwijzers onder de loep. De expert inventariseerde of de juiste vragen worden gesteld en de gebruikers beoordeelden of het invullen eenvoudig gaat.

Een goede matraswijzer stelt vragen over de persoon die op de matras gaat slapen, zoals lengte, gewicht, postuur, favoriete slaaphouding, allergieën, fysieke klachten en of hij of zij het vaak warm of koud heeft.

De matrasmerken Auping, Beter Bed, Ikea en M-line hebben hun eigen wijzer. Zij stellen de juiste vragen, maar geven alleen advies voor hun eigen producten. Onze vier gebruikers vonden deze wijzers een goede hulp bij hun keuze. Hoe anders is dat bij de niet-merkgebonden matraswijzers

Matrassen

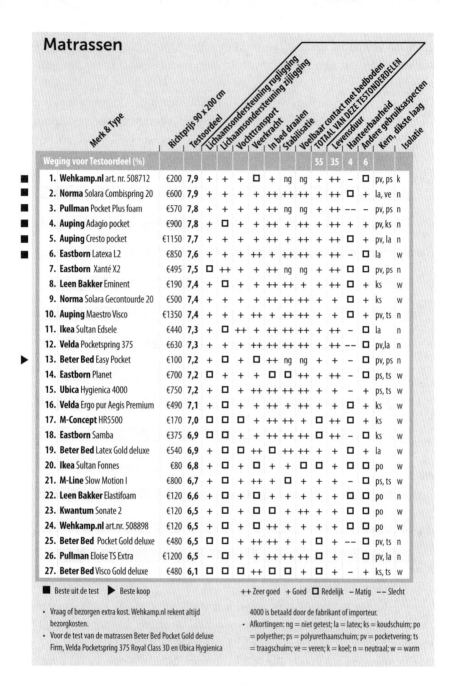

Merk & Type	Richtprijs 90 x 200 cm	Testoordeel	Lichaamsondersteuning rugligging	Lichaamsondersteuning zijligging	Vochttransport	Veerkracht	In bed draaien	Stabilisatie	Voelbaar contact met bedbodem	TOTAAL VAN DEZE TESTONDERDELEN	Levensduur	Hanteerbaarheid	Andere gebruiksaspecten	Kern, dikste laag	Isolatie
Weging voor Testoordeel (%)										55	35	4	6		
■ 1. **Wehkamp.nl** art. nr. 508712	€200	7,9	+	+	+	□	+	ng	ng	+	++	−	□	pv, ps	k
■ 2. **Norma** Solara Combispring 20	€600	7,9	+	+	+	+	++	++	++	+	++	□	+	la, ve	n
■ 3. **Pullman** Pocket Plus foam	€570	7,8	+	+	+	+	++	ng	ng	+	++	−−	−	pv, ps	n
■ 4. **Auping** Adagio pocket	€900	7,8	+	□	+	+	+	+	+	++	+	++	+	pv, ks	n
■ 5. **Auping** Cresto pocket	€1150	7,7	+	+	+	+	++	+	++	+	++	□	+	pv, la	n
■ 6. **Eastborn** Latexa L2	€850	7,6	+	+	+	++	+	++	++	+	++	−	□	la	w
7. **Eastborn** Xanté X2	€495	7,5	□	++	+	+	+	ng	ng	+	++	□	□	pv, ps	n
8. **Leen Bakker** Eminent	€190	7,4	+	□	+	+	++	++	+	+	++	□	+	ks	w
9. **Norma** Solara Gecontourde 20	€500	7,4	+	+	+	+	++	++	++	+	+	□	+	ks	w
10. **Auping** Maestro Visco	€1350	7,4	+	+	+	++	+	++	++	+	+	□	+	pv, ts	n
11. **Ikea** Sultan Edsele	€440	7,3	+	□	++	+	++	++	++	+	++	−	□	la	n
12. **Velda** Pocketspring 375	€630	7,3	+	+	+	++	++	++	++	+	++	−−	□	pv, la	n
▶ 13. **Beter Bed** Easy Pocket	€100	7,2	+	□	+	□	++	ng	ng	+	+	−	□	pv, ps	n
14. **Eastborn** Planet	€700	7,2	□	+	+	+	□	□	++	+	++	−	□	ps, ts	w
15. **Ubica** Hygienica 4000	€750	7,2	+	□	+	++	++	++	++	+	+	−	+	ps, ts	w
16. **Velda** Ergo pur Aegis Premium	€490	7,1	+	□	+	+	++	+	++	+	+	□	+	ks	w
17. **M-Concept** HR5500	€170	7,0	□	□	□	+	++	++	++	□	++	□	+	ks	w
18. **Eastborn** Samba	€375	6,9	□	□	+	+	++	++	++	□	++	−	□	ks	w
19. **Beter Bed** Latex Gold deluxe	€540	6,9	+	□	□	++	□	++	++	+	+	□		la	w
20. **Ikea** Sultan Fonnes	€80	6,8	+	□	+	□	+	+	□	□	+	□	□	po	
21. **M-Line** Slow Motion I	€800	6,7	+	□	+	++	+	□	+	+	+	□	□	ps, ts	w
22. **Leen Bakker** Elastifoam	€120	6,6	+	□	+	□	+	+	+	+	+	□	□	po	
23. **Kwantum** Sonate 2	€120	6,5	+	□	+	□	□	+	++	+	+	□	□	po	
24. **Wehkamp.nl** art.nr. 508898	€120	6,5	+	□	+	□	++	+	+	+	+	□	□	po	
25. **Beter Bed** Pocket Gold deluxe	€480	6,5	□	□	+	++	++	+	+	□	+	−−	□	pv, ts	n
26. **Pullman** Eloise TS Extra	€1200	6,5	−	□	+	+	++	++	++	□	+	−	□	pv, la	n
27. **Beter Bed** Visco Gold deluxe	€480	6,1	□	□	□	++	□	□	+	□	+	−	+	ks, ts	w

■ Beste uit de test   ▶ Beste koop   ++ Zeer goed   + Goed   □ Redelijk   − Matig   −− Slecht

- Vraag of bezorgen extra kost. Wehkamp.nl rekent altijd bezorgkosten.
- Voor de test van de matrassen Beter Bed Pocket Gold deluxe Firm, Velda Pocketspring 375 Royal Class 3D en Ubica Hygienica 4000 is betaald door de fabrikant of importeur.
- Afkortingen: ng = niet getest; la = latex; ks = koudschuim; po = polyether; ps = polyurethaanschuim; pv = pocketvering; ts = traagschuim; ve = veren; k = koel; n = neutraal; w = warm

van wakkermanslapen.nl, welkematras.nl, matras-matras.nl, matrassen.nl, joopkussensloop.nl en partnerslaapsystemen.nl. Het viertal is er niet over te spreken: 'Wat ik ook invulde, er kwamen maar twee adviezen uit. Bij veel transpiratie kreeg ik domweg geen advies en bij alle andere varianten werd steeds dezelfde matras geadviseerd', meldt een gebruiker over joopkussensloop.nl. Een ander kreeg 'absoluut geen duidelijk advies' en weer een ander zei over matras-matras.nl: 'Ik weet niet of de resultaten kloppen, ik vind de vragen daarvoor niet compleet genoeg.'

Matrassoorten

In winkels vind je matrassen van de volgende materialen:

- Pocketvering: goede vochtdoorlatendheid, redelijke isolatie, lange levensduur, goede veerkracht en stabilisatie, en zeer goed comfort.
- Bonellvering: zeer goede vochtdoorlatendheid, matige isolatie, lange levensduur, matige veerkracht, zeer goede stabilisatie en redelijk comfort.
- Latex: matige vochtdoorlatendheid, goede isolatie, lange levensduur, zeer goede veerkracht, redelijke stabilisatie en zeer goed comfort.
- Polyurethaanschuim (koudschuim, high resilience-schuim): redelijke vochtdoorlatendheid, goede isolatie, goede levensduur, zeer goede veerkracht, goede stabilisatie en zeer goed comfort.
- Polyether (een soort polyurethaan): goedkoopste soort, redelijke vochtdoorlatendheid, goede isolatie, goede levensduur, goede veerkracht, matige stabilisatie en redelijk comfort.
- Traagschuim: matige vochtdoorlatendheid, zeer goede isolatie, goede levensduur, zeer goede veerkracht, matige stabilisatie en zeer goed comfort.

Proefliggen

Voordat je een beddenwinkel binnenstapt, is het verstandig om al een aantal zaken op een rij te zetten. Belangrijk zijn lichaamslengte, gewicht, postuur, favoriete slaaphouding, allergieën, fysieke klachten, of je het vaak warm of koud hebt, of de matras op een verstelbaar bed komt en of je gemakkelijk in en uit bed moet kunnen stappen. Lengte en gewicht zijn van belang voor het formaat en hardheid van de matras.

Lekker liggen is natuurlijk het allerbelangrijkst. Niet vreemd dus dat veel van de ruim 2600 geënquêteerden uiteindelijk de matras kochten die in de winkel het lekkerst lag. Neem dan ook de tijd om in de winkel in uw favoriete slaaphouding te gaan proefliggen op verschillende matrassen en onderzoek of draaien prettig voelt. Daarnaast spelen bij de koop de soort matras, levensduur, stevigheid en prijs een rol bij de geënquêteerden. Van hen betaalde 45% tussen de €300 en €700, ongeveer een op de vijf gaf tussen de €700 en €1000 óf minder dan €300 uit aan een nieuwe matras. Van welk merk de matras is, is volgens hen niet van belang, behalve bij Auping.

Bijna de helft van de invullers van onze vragenlijst heeft een pocketveringmatras. Slechts 12% koos een matras met een traagschuimlaag en 12% nam een latexmatras. Veel ondervraagden blijken niet te weten op welk soort matras ze slapen. Opvallend, want 40% vindt dit belangrijk en wil graag meer informatie over matrassoorten (zie het kader op de vorige pagina).

Onderhoudstips

- Lees de bijgevoegde onderhoudsinstructies van de matras.
- Maak na het slapen het bed niet op, maar sla het open, zodat de matras kan luchten.
- Draai en/of keer de matras regelmatig. Maar let op: bij sommige matrassen mag dat niet.
- Stofzuig de matras regelmatig vanwege stof en huidcellen.
- Reinig de tijk als dat mogelijk is volgens het waslabel.
- Na ruim tien jaar is het tijd om de matras te vervangen; een bedbodem gaat langer mee.

Wegzakkende heup

In de test doen de goedkopere matrassen voor wat betreft ondersteuning van het lichaam niet onder voor de duurdere. Maar bij lekker liggen hoort ook dat een matras niet te hard of zacht is, transpiratievocht goed afvoert en niet te warm of koud aanvoelt. Over deze aspecten blijken slapers op een polyethermatras minder vaak tevreden dan degenen die op een andere matras slapen.

In de tabel staan 10 matrassen met een kern van pocketveren en 17 matrassen met een kern van schuim. Opvallend is dat de Eastborn Latexa L2 na verloop van tijd het lichaam steeds beter gaat ondersteunen. Als de matras net nieuw is, zakt de schouder er te ver in weg in vergelijking met de heup. Maar uit onze test blijkt dat bij te trekken.

Maar de Eastborn Samba verslechtert aanmerkelijk na de duurproef met een grote wals van 140 kilo die 30.000 keer heen en weer gaat. Na deze proef zakt de heup 14 mm verder in de matras dan ervoor.

De Beter Bed Visco Gold deluxe is voor grote en zware personen minder geschikt. Na de walstest zakt de heup bijna 140 mm weg.

De Leen Bakker Elastifoam ondersteunt de onderrug het slechtst.

Van de 27 geteste matrassen vertonen de zakjes rond de veren van de Auping Maestro Visco en Pullman Eloise op den duur scheurtjes, maar dat merk je niet in de lichaamsondersteuning.

De levensduur van een matras is te verlengen door hem goed te onderhouden (zie kader 'Onderhoudtips'). Bij sommige matrassen gaat dat niet makkelijk, omdat ze lastig vast te houden zijn (zie de kolom 'hanteerbaarheid' in de tabel).

IN DETAIL

Wehkamp.nl luxe comfort (Beste uit de test) art.nr 508712

Prijs: €200 exclusief €30 verzendkosten

Testoordeel: 7,9

Deze pocketveringmatras van bijna 18 kg biedt goede ondersteuning voor rug- en zijslapers. Het is een 'koele' matras. Hij is niet opvallend hard of zacht en geschikt voor iedereen tot 120 kg.

Norma Solara Combispring 20 latex (Beste uit de test)

Prijs: €600

Testoordeel: 7,9

Deze matras van veren verpakt in een latexlaag is geschikt voor personen vanaf 80 kg. De matras is 20 cm hoog en weegt ruim 22 kg. Hij ondersteunt rug- en zijslapers goed, voert transpiratievocht goed af en gaat lang mee.

Beter Bed Easy Pocket (Beste koop)

Prijs: €100

Testoordeel: 7,2

De goedkoopste pocketveringmatras, alleen in de maat 90x200 cm, weegt ruim 14 kg en is geschikt voor wie minder dan 100 kg weegt en graag op de rug slaapt. Hij is minder geschikt voor een verstelbare bodem.

Bedbodem belangrijk

Bij het kiezen van een matras is het ook van belang dat hij goed past op de bedbodem die je hebt.

De geteste matrassen combineren volgens de fabrikanten bijna allemaal prima met een lattenbodem, spiraalbodem, boxspring en schotelbodem. Het merk bedbodem maakt niet uit, behalve bij Auping en M-Line. Hun matrassen combineren het best met een bodem van het eigen merk.

Zie ook het dossier over *Matrassen* op www.consumentenbond.nl.

Melkopschuimers
Consumentengids september 2013

Er zijn veel melkopschuimers te koop, met flinke prijsverschillen. De bekendste is de Aeroccino van Nespresso à €70, maar voor een schappelijker prijs zijn er goede alternatieven.

Wij testten 11 elektrische modellen en 3 voor handaandrijving. Nadeel van de handmatige apparaten is dat je er algauw zo'n 5 minuten zoet mee bent, terwijl je een elektrisch apparaat aanzet en z'n werk laat doen. Een kopje espresso zetten gaat meestal iets sneller dan melk verwarmen en opschuimen. Zet dus eerst de melkschuimer aan en maak dan de espresso voor de cappuccino. Wie liever café latte drinkt, kan de melk ook alleen verwarmen.

Koud melkschuim maken gaat niet bij die van Krups en Hema: pech voor de liefhebber van ijskoffie.

Trillen

Opschuimers brengen de melk in beweging met een trillend spiraaltje of gegolfd schijfje. Dat zit soms onder in de kan, maar hangt meestal aan een staafje aan het deksel, waardoor je de kan handiger kunt schoonmaken. Maar let op, als de aandrijving in het deksel zit, mag je deze niet ondersteboven leggen omdat de melk in het deksel kan lopen. Alleen het apparaat van Blokker heeft een deksel dat je mag omkeren. De melkkan plaats je op een voet. Bij alle apparaten maakt het niet uit hoe je hem erop zet, het past altijd.

Melitta cremio

Prijs: €58

Dit model ligt lekker in de hand en schenkt goed uit. Maakt prima melk-schuim. Het volume verdubbelt bij minimale en maximale hoeveelheid. Aandrijving in het deksel, daardoor makkelijk schoon te maken. Onge-schikt voor één kopje.

Philips Saeco HD7019/10

Prijs: €80

Voor wie graag in schuim hapt: deze maakt het stevigste schuim van al-lemaal. Het volume verdubbelt ruim. De kan is wel wat zwaar. Schakel je hem uit, dan verbruikt hij geen stroom. De aandrijfspiraal hangt aan het deksel.

Philips CA6500 Twister

Prijs: €69

Deze opschuimer maakt schuim van een goede kwaliteit, ook voor één kopje. Hij kent geen sluipverbruik. Door de aandrijving van bovenaf mak-kelijk schoon te maken. Handig: deksel, spiraal en houder kunnen in de vaatwasser.

Nespresso Aeroccino 3

Prijs: €70

Het bekendste en stilste apparaat voor een mooie melksnor. Je maakt er goed schuim mee en het volume verdubbelt bijna. Hij doet het wel iets beter als je minder melk gebruikt. Schoonmaken is wat lastiger door de aandrijfas onder in de kan.

Hema

Prijs: €36

Dit is de goedkoopste elektrische opschuimer. De schuimkwaliteit is goed en hij werkt ook prima. Het volume van de melk verdubbelt en je kunt het apparaat makkelijk schoonmaken. De kan schenkt wel iets lastiger uit en dat geeft geknoei.

Bodum Chambord

Prijs: €30

Deze handmelkopschuimer is de beste voor wie het zonder stroom wil doen. Het volume verdubbelt ruim, hij maakt fijn, romig schuim met hier en daar een verdwaalde luchtbel. Dankzij de isolatielaag wordt het deksel tijdens het kloppen niet warm.

Illy 4895

Prijs: €80

Maakt goed schuim. Bij een kleine hoeveelheid melk verdubbelt het volume, bij grotere hoeveelheden is dat minder. De bovenkant van de kan is smal en heeft een scherpe rand, waardoor je er moeilijk met je hand in kunt om hem schoon te maken.

Krups XL 2000

Prijs: €80

Het volume neemt redelijk toe en de schuimkwaliteit is goed. In het deksel zit een gaatje dat onaangename geurtjes voorkomt als je hem even niet gebruikt. Het deksel gaat er moeilijk af. De kan is zwaar en de rand wordt heet. De aandrijving zit onderin.

Hema

Prijs: €17,50

In deze handopschuimer gebruik je melk die je eerst zelf opwarmt. Gevaar voor aanbranden ligt dan op de loer. Bij het opschuimen wordt het deksel heet en is de kans groot dat de melk overloopt. Het volume verdubbelt bijna. Mooi schuim; soms wat grote bellen.

Severin SM9684

Prijs: €69

De melkkan is licht en mag in de vaatwasser. De Severin heeft motorkoeling, maar maakt daardoor herrie. Hij heeft een hoog sluipverbruik door een knipperend lampje. Het apparaat produceert niet genoeg schuim, dat bovendien niet stevig is.

Blokker BM4250

Prijs: €60

Maakt niet zulk stevig schuim. De temperatuur wisselt, en dat kan de kwaliteit van het schuim beïnvloeden. Je maakt er warme melk in voor twee kleine mokken. Het enige deksel met aandrijving dat je op zijn kop mag neerleggen.

Bestron DF280

Prijs: €46

Dit is een herrieschopper. Bij de minimumhoeveelheid melk verdubbelt het volume, maar bij een grote hoeveelheid neemt het nauwelijks toe. De temperatuur van de melk is te laag, maar de zool en voetplaat worden juist erg heet; oppassen dus.

Blokker/Bueno

Prijs: €11,50

Deze goedkoopste handopschuimer in de test is het kleinst en slechtst scorend. Het schuim is waterig, heeft grote bellen en de melk neemt nauwelijks in volume toe. Het deksel moet eraf voor het uitschenken en dat levert een knoeiboel op.

Lattemento LM300

Prijs: €68

Snel apparaat, maar de kan is zwaar en het schuim is niet zo stevig. Het volume neemt slechts met een kwart toe. Hij kan 500 ml melk verwarmen, maar maakt daarbij een storend geluid. Positief is dat aandrijving in het deksel zit.

Voor twee personen

Je moet meestal minimaal 100 ml melk in de kan doen en dat geeft genoeg schuim voor twee cappuccino's. De Krups is wat kleiner en kan ook 50 ml aan, genoeg voor één kopje. Philips Saeco en Nespresso geven geen informatie over de minimale hoeveelheid. Zorg er in ieder geval voor dat de melk het spiraaltje bedekt.

De Lattemento is voor grootverbruikers: die kan 300 ml ineens opschuimen. Hoeft de melk alleen warm gemaakt te worden, dan kunnen de meeste machines een dubbele hoeveelheid aan. Logisch, want als de melk wordt opgeschuimd, dijt hij uit.

Er zijn wel grote verschillen. Bij Lattemento neemt het volume maar een beetje toe, terwijl het bij Melitta en Philips Saeco ruim verdubbelt. Goed schuim blijft overeind als je het even laat staan, maar bij de snelle Lattemento zakt het algauw weer in.

Het lekkerste schuim

Welke melk kun je het best gebruiken? De een adviseert magere melk, de ander halfvolle, volle, verse of juist houdbare melk. Volle (houdbare) melk wordt over het algemeen het lekkerst gevonden en geeft het mooiste re-sultaat. Ook latte art (figuurtjes in cappuccino) lukt het best met volle melk. Overigens hoeft het geen koemelk te zijn; sojamelk kan ook.
Belangrijk is vooral de temperatuur. Die mag niet boven de 75 °C uitko-men, anders smaakt de melk niet meer.

Hapschuim

Bij het overbrengen van de melk in een kopje verliest het schuim altijd wat van zijn volume. Vaak is dat niet erg, want het is meestal zo stevig dat je er een hap van kunt nemen. Heb je het schuim in je kopje ge-schonken en geschept, haal dan de stekker uit het stopcontact en maak de kan schoon met een zachte, natte doek. Doe dit voordat de melk vastkoekt. Wacht niet te lang, want sommige opschuimers warmen na gebruik nog door.

Bij de Blokker en de Severin mag de kan in de vaatwasser; van de Philips Twister mogen deksel, spiraal en houder in de machine.

Vrijwel alle apparaten verbruiken nog wat stroom als ze zijn uitgescha-keld. Bij de Severin tot 1,5 W, bij de andere 0,3 tot 0,5 W. Alleen de Blok-ker, Philips Twister en Philips Saeco verbruiken eenmaal uitgeschakeld niets meer.

Met de hand

Handmatig opschuimen kan ook, maar dat raden we niet aan. Bij het model van Bodum verwarm je de melk in de magnetron en klop je hem daarna op door een zeef op en neer te halen; lastig om de juiste tempe-ratuur te bepalen.

Bij het Blokker-model klop je de melk eerst en zet je de kan daarna in de magnetron. Dat luistert nauw, want de kans op oververhitting of overlopen is erg groot. Het melkkannetje van de Hema moet op het gasfornuis en wordt erg heet en is dus niet gebruiksvriendelijk.

Oplaadbare en wegwerpbatterijen
Consumentengids mei 2013

Oplaadbare LSD-batterijen zijn al een paar jaar op de markt, maar ze zijn niet zo populair. Ten onrechte, want voor veel toepassingen zijn ze de beste keus. De relatief hoge aanschafkosten schrikken misschien af, maar op termijn verdienen ze zich altijd terug.

LSD staat voor *Low Self Discharge*, langzame zelfontlading. Dat is meteen het grootste voordeel van dit type oplaadbare batterijen. Waar conventionele oplaadbare batterijen ongebruikt na een paar maanden leeg zijn, verliezen LSD-batterijen maar 10 tot 20% lading per jaar, zoals bleek uit onze eerdere tests. Dat maakt ze heel geschikt voor apparaten met weinig tot gemiddeld stroomgebruik (zoals een draadloze muis en een toetsenbord) en voor apparaten die je maar weinig gebruikt (bijvoorbeeld een zaklamp).

Voor apparaten die écht weinig stroom gebruiken, bijvoorbeeld een wandklok en een afstandsbediening, kan een wegwerpbatterij handiger en goedkoper zijn. Die gaat immers vele jaren mee, terwijl je een LSD-batterij tussendoor moet opladen.

'Ready-to-use', 'pre-charged en 'always ready'
Wie in de winkel op zoek gaat naar een LSD-batterij, zal die naam niet altijd tegenkomen. De term 'Low Self Discharge' staat zelden op de verpakking of batterij. In plaats daarvan staat er 'ready-to-use', 'always ready' of 'pre-charged' (zie ook de tabel). LSD-batterijen zijn zowel in AA- als in AAA-variant verkrijgbaar, oftewel penlights respectievelijk minipenlights.

Beter dan wegwerp
Voor apparaten die vrij veel stroom gebruiken, zoals een digitale camera of flitser, zijn LSD-batterijen ook heel geschikt. Ze halen soms tot wel twee keer meer foto's en flitsen uit een lading dan wegwerpbatterijen.

AA-batterijen

Merk & Type	Richtprijs per 4	Testoordeel	Capaciteit bij licht en normaal gebruik	Capaciteit bij zwaar, pulserend gebruik	Capaciteit bij zwaar, continu gebruik
Weging voor Testoordeel			33,3%	33,3%	33,3%
Wegwerpbatterijen					
1. **Aerocell** Alkaline LR6 (Lidl)	*€0,95	7,2	++	□	+
2. **Varta** Max Tech Alkaline LR6	€5,50	7,2	++	+	□
3. **Duracell** Ultra power LR6	€7,30	6,9	++	□	+
4. **Hema** Alkaline extra power LR6	€3,50	6,7	+	□	□
5. **Ikea** Alkalisk LR6	*€0,80	6,7	+	□	□
6. **Duracell** Plus power AA	€6,20	6,6	++	□	□
7. **Varta** High Energy Alkaline LR6	€5,00	6,6	+	□	□
8. **Sencys** Super alkaline LR6 (Praxis)	€5,95	6,3	+	□	□
9. **Kruidvat** Alkaline Ultra Batterijen LR6	€4,10	6,0	+	□	□
10. **Kruidvat** Alkaline Batterijen LR6	€3,00	6,0	+	□	□
11. **Topcraft** Ultra alkaline LR6 (Aldi)	*€0,95	5,6	□	□	□
12. **Panasonic** Alkaline Pro Power LR6	€5,50	5,3	□	□	□
13. **Gamma** Alkaline LR6	€3,00	5,2	+	–	□
14. **Philips** Powerlife LR6	€4,50	5,1	□	–	□
15. **Panasonic** Alkaline Power LR6	€4,45	4,6	–	□	–
16. **AH** Alkaline LR6	€3,05	4,5	□	–	□
Oplaadbare LSD-batterijen					
1. **Sanyo** Eneloop XX Pre-Charged (2400 mAh)	€20,00	9,1	++	++	++
2. **Ikea** Ladda Ready-to-use (2000 mAh)	€4,00	8,3	++	++	+
3. **GP** Recyko+ Always Ready (2000 mAh)	€17,00	7,7	+	+	+
4. **Varta** Longlife accu 56706 ready 2 use (2100 mAh)	€17,00	7,4	+	+	+
5. **Hema** Rechargeable Ni-MH Always Ready (2000 mAh)	€9,95	7,3	+	+	+
6. **Duracell** Rechargeable Pre-Charged (1950 mAh)	€19,50	7,2	+	+	+
7. **Sanyo** Eneloop Ready to use (1900 mAh)	€14,00	6,8	+	+	+

■ Beste uit de test ▶ Beste koop   ++ Zeer goed + Goed □ Redelijk – Matig –– Slecht

- De prijzen zijn van maart 2013.
- 'Capaciteit bij zwaar, pulserend gebruik' geldt voor bijvoorbeeld een flitser; 'zwaar, continu gebruik' voor een digitale camera.

* Aerocell (Lidl) en Topcraft (Aldi) worden alleen per 8 stuks verkocht. Ikea Alkalisk alleen per 10 stuks. De richtprijs is omgerekend naar 4 batterijen.

Wie de langste gebruiksduur wil en de volledige capaciteit van een batterij in een paar dagen na opladen gebruikt, haalt het meest uit gewone oplaadbare batterijen. Deze zijn verkrijgbaar met een capaciteit tot 2900 mAh (milli-ampère-uur), terwijl LSD-batterijen in de winkel momenteel tot 2400 mAh gaan.

Bij frequent gebruik over een langere periode zijn LSD-batterijen beter. Die bleven in eerdere tests namelijk zelfs na honderden keren gebruiken nog bijna op hetzelfde prestatieniveau. Gewone oplaadbare batterijen leverden na zeer vaak opladen nog maar een klein deel van de oorspronkelijke capaciteit.

LSD-batterijen kun je na aanschaf – in tegenstelling tot normale oplaadbare batterijen – direct gebruiken zonder ze eerst te hoeven opladen. Door de geringe zelfontlading blijven ze namelijk vol.

Houd er wel rekening mee dat door de periode die verstrijkt tussen productie en verkoop de capaciteit van nieuwe LSD-batterijen bij het eerste gebruik lager is dan na opladen.

Prijzen vergelijken loont

De prijzen van batterijen verschillen enorm. Niet alleen tussen merken, maar ook tussen winkels. Duracell Ultra kost bijvoorbeeld bij de goedkoopste winkel €5 en bij de duurste €10. De prijs die u betaalt kunt u dus flink drukken door te vergelijken en door aanbiedingsverpakkingen te kopen. Maar koop niet te veel wegwerpbatterijen tegelijk: de houdbaarheid van deze batterijen is beperkt. Voor LSD-batterijen is online vergelijken aan te raden. Zelfs inclusief verzendkosten zijn ze soms goedkoper dan in de winkel.

LSD

Wie wegwerpbatterijen gebruikt waar ze het meest geschikt voor zijn, dus in kleinverbruikers, zoals een klok en een rookmelder, merkt weinig verschil tussen de merken en typen. Maar bij bijvoorbeeld een digitale camera zijn de verschillen tussen wegwerpbatterijen groter. De duurdere typen van Duracell en Varta doen het dan relatief goed. Je kunt je echter afvragen of het prijsverschil met de goedkopere typen van dezelfde merken opweegt tegen de capaciteitswinst. Het prijsverschil met de Aerocell-batterijen (van Lidl), die eveneens als Beste uit de test komen, is zelfs nog groter. Met een Lidl in de buurt lijkt de keus dus snel gemaakt.

Aerocell Alkaline (Beste uit de test en Beste koop)

Prijs: €0,95 (per 4)

Testoordeel: 7,2

De wegwerpbatterij van Lidl doet het even goed als de beste exemplaren van batterijspecialisten. Omdat de prijs per batterij veel lager is, verdient de Aerocell ook het predicaat Beste koop.

Sanyo Eneloop XX Pre-charged (Beste uit de test)

Prijs: €20

Testoordeel: 9,1

De Eneloop XX is de LSD-batterij met de hoogst verkrijgbare capaciteit: 2400 mAh. De 10 tot 20% extra capaciteit die hij biedt ten opzichte van andere merken, heeft wel een prijs.

Ikea Ladda Ready-to-use (Beste koop)

Prijs: €4

Testoordeel: 8,3

Deze LSD-batterij van Ikea heeft iets meer capaciteit dan op de verpakking staat en doet het zeer goed. Let op de term 'ready-to-use' op het pakje, want Ikea's conventionele oplaadbare batterijen heten ook Ladda.

Toch kun je in de meeste gevallen het best kiezen voor een LSD-batterij. Ze doen het in onze capaciteitstesten stuk voor stuk minimaal goed. De Ikea-batterijen doen het nog net iets beter.

De meeste gebruiksminuten leverde de Eneloop XX, het duurste type van Sanyo. De capaciteit op de verpakking is de hoogste van alle andere batterijen, dus daarmee komt Sanyo z'n reclame na. Kijken we naar de prestaties van de batterijen in relatie tot de prijs, dan is Ikea duidelijk de aantrekkelijkste optie.

Wie geen Ikea in de buurt heeft, doet er goed aan de prijzen te verge- lijken van andere batterijen in verschillende winkels en op internet. De prijzen kunnen namelijk flink uiteenlopen, zie ook het kader 'Prijzen vergelijken loont'.

Voor het opladen van LSD-batterijen is geen speciale lader nodig. Elke lader voor conventionele oplaadbare (NiMh) batterijen, ook een snellader, kan ermee overweg. Laad verschillende typen batterijen, en batterijen met een uiteenlopende ontlading, niet tegelijk op. Tenzij met een type batterijoplader dat elke batterij individueel controleert en oplaadt.

Nog niet leeg

Soms zit er nog leven in een ogenschijnlijk lege wegwerpbatterij. Vooral als de batterij gebruikt is in een apparaat met een relatief hoge ontlaadstroom, zoals een digitale camera. Zulke wegwerpbatterijen zijn soms nog een tijdje te gebruiken in een afstandsbediening of een klok. LSD-batterijen lijken het eeuwige leven te hebben. Om die onbruikbaar te krijgen, moet je flink je best doen. Moeten ze toch de deur uit, lever ze dan – net als alle andere lege batterijen – in bij een winkelier die batterijen verkoopt, zoals de bouw- en supermarkt.

Personenweegschalen
Gezondgids februari 2013

We kochten 11 weegschalen met vetmeetfunctie en keken op de Hogeschool van Amsterdam hoe goed ze wegen en vet meten. De weegschalen werden getest met vijf mannen en vijf vrouwen verschillend in leeftijd en gewicht. Elke proefpersoon deed minimaal drie metingen per weegschaal. Het gebruiksgemak en de handleiding zijn ook beoordeeld. Wie wil weten wat zijn vetpercentage is, wordt van de meeste weegschalen niet veel wijzer. De beste vetmeter, de Inventum (PW720BG) wijkt gemiddeld slechts 2,4% af vergeleken met de professionele meting met de Bodpod, maar de rest doet het slechter. De gemiddelde afwijking van de weegschalen in vergelijking met het professionele apparaat is 6,5%. De slechtste vetmeting komt van de Hema-weegschaal; die heeft een bijna twee keer zo grote afwijking. Iemand met een vetpercentage van 30% bestaat volgens de weegschaal van de Hema voor slechts 18% uit vet.

De vetpercentages die de geteste weegschalen geven, worden bepaald met behulp van een kleine elektrische stroom. Dit stroompje gaat door het lichaam, van de ene naar de andere voet. Peter Weijs, lector gewichtsmanagement aan de Hogeschool van Amsterdam, legt uit: 'Het stroompje wordt geleid door water en niet door vet, bot of lucht. Hoe

Weegschalen

Merk en type	Richtprijs	Testoordeel	Vetmeting	Gewichtsmeting	Gebruiksgemak
■ **Inventum** PW720BG	€40	6,8	❑	++	+
■ **Tefal** WZ7000	€50	6,6	❑	++	+
Soehnle Body control Signal F3	€40	6,2	❑	++	❑
▶ **Tristar** WG2422	€25	6,1	–	++	+
Beurer BG40 BFI	€50	6,1	–	++	++
Inventum PW730BG	€50	6,0	–	++	++
Medisana PSM	€45	5,6	–	+	+
Hema XR-701	€26	5,2	–	+	+
Beurer BG64 BFI	€70	5,0	–	❑	++
Beurer BF100 Body Complete	€140	4,9	–	+	+
Medisana Targetscale	€140	4,7	–	❑	+

■ Beste uit de test ▶ Beste koop   ++ Zeer goed + Goed ❑ Redelijk – Matig –– Slecht

- De prijzen zijn van november 2012.
- Het Testoordeel is opgebouwd uit drie elementen:
- **Vetmeting** (60%) Het onderdeel vet meten bestaat uit de nauwkeurigheid van de meting ten opzichte van het professionele Bodpodapparaat en het resultaat bij herhaalde metingen.
- **Gewichtsmeting** (35%) Gewicht meten bestaat uit het onderdeel nauwkeurigheid van de meting ten opzichte van geijkte gewichten/Bodpod en het resultaat bij herhaalde metingen.
- **Gebruiksgemak** (5%) Bestaat uit de onderdelen: gemak van invoeren van persoonsgegevens, leesbaarheid van het display, gemak van vervangen batterijen, gebruiksaanwijzing, schoonmaakgemak, comfort en constructie van de weegschaal.

lager de weerstand, hoe meer water en hoe minder vet een lichaam heeft. Het stroompje meet bij de meeste weegschalen de weerstand in de benen en niet in het bovenlichaam, waar vaak het meeste vet zit. De uitkomst zegt dus alleen iets over het vetgehalte van het onderlichaam. De weegschalen berekenen het vetpercentage uit de gemeten weerstand en ingevoerde gegevens als lengte, geslacht en leeftijd.'

Wat een gezond vetpercentage is, hangt af van je leeftijd en geslacht. Op internet en in de handleidingen van de weegschalen staan adviestabellen, al lopen de waarden per leeftijdscategorie wat uiteen. Grof gezegd is een vetpercentage van 25-32 voor vrouwen normaal. Bij mannen ligt dit op 15-22. De marge heeft ook met de leeftijd te maken. Hoe ouder, hoe hoger het vetpercentage mag zijn. Weijs: 'Er zijn niet echt eenduidige normen voor wat een goed vetpercentage is.' Tabellen zoals die op internet kunnen qua advieswaarden per geslacht en leeftijdsgroep een paar procent verschillen.

Voor de gek

Al houden alle weegschalen je een beetje (of heel erg) voor de gek, ze doen het wel consequent. Dit blijkt uit het feit dat een weegschaal bij verschillende mensen steeds dezelfde afwijking vertoont. Voor wie exact wil weten hoeveel vet hij heeft, zijn de geteste weegschalen onbruikbaar. Maar wie het toe- of afnemen van zijn vetpercentage ermee wil volgen, kan ze gebruiken. Weijs: 'Het maakt in cijfers zichtbaar hoe je leefstijl is geweest tussen twee meetmomenten in. Daarbij is het wel belangrijk altijd onder dezelfde omstandigheden te meten, bijvoorbeeld met een nuchtere maag, met een lege blaas en op hetzelfde tijdstip van de dag.'

Handleiding

Voor het meten van het vetpercentage moet bij de weegschalen eerst een aantal gegevens ingevoerd worden. De Tristar is gemakkelijk te gebruiken zonder handleiding, de overige apparaten vereisen wat meer uitleg. Voor de mate van lichamelijke activiteit – een van de in te voeren gegevens – staan verschillende aanbevelingen in de handleidingen. De toelichting van Medisana biedt weinig houvast met de mogelijkheden 'atletisch' en 'niet-atletisch'. Hetzelfde geldt voor de handleidingen van de Inventum-weegschalen. De meeste handleidingen bevatten richtlijntabellen met leeftijd, geslacht en normen voor vet-, spier-, bot- en vochtgehalten, alleen is het niet duidelijk waarop die zijn gebaseerd. Een internationale norm is er alleen voor overgewicht (BMI, zie 'Te dik of niet?').
De Tefal en Beurer BF100 Body Complete zijn niet erg gebruiksvriendelijk: het invoeren van gegevens zonder handleiding is niet te doen. Alle weegschalen kunnen overigens gegevens van meerdere gebruikers (4 tot 12) opslaan. Ook wegen zonder vetmeting is mogelijk bij alle weegschalen, maar dan kun je net zo goed een andere (lees: goedkopere) weegschaal kopen.

Consequent

De weegschalen waren allemaal erg consequent in hun afwijking van het vetpercentage. De weegschaal van Soehnle het meest: die vertoonde tussen verschillende vetmetingen bij één persoon een afwijking van slechts 0,01%. De Inventum PW720BG had de grootste afwijking van 0,5%. Dat betekent dat hij bijvoorbeeld de ene keer een vetpercentage aangeeft van 28,2 en de volgende keer 28,7 kan aangeven.

Te dik of niet?

Een overdaad aan vetopslag op de buik geeft meer risico's op chronische aandoeningen dan vet op de heupen en billen. Bij vrouwen is een buikomtrek vanaf 80 cm risicovol, bij mannen een omtrek van meer dan 94 cm. Echt gevaarlijk wordt het vanaf 102 cm voor mannen en vanaf 88 cm voor vrouwen. Voor Aziatische vrouwen gelden andere waarden in verband met andere lichaamsverhoudingen.

Om te kijken of iemand een gezond gewicht heeft, wordt vaak de Body Mass Index (BMI) gebruikt. Die is gemakkelijk te berekenen door het gewicht te delen door de lengte in het kwadraat. De BMI is niet bruikbaar voor kinderen, 70-plussers, Aziaten en bodybuilders, doordat zij andere lichaamsverhoudingen hebben.

BMI
Voorbeeld: een Nederlandse vrouw van 64 kg en 1,68 m lengte, heeft een BMI van 64/(1,68 x 1,68) = 22,7

BMI	Gewicht
< 18,5	Ondergewicht
18,5 - 25	Normaal gewicht
25 - 30	Overgewicht
30 - 40	Ernstig overgewicht (obesitas)
> 40	Morbide obesitas

Vetpercentage
Welk vetpercentage is gezond? De Vereniging voor Sportgeneeskunde hanteert onderstaande streefwaarden.

Leeftijd in jaren	Mannen (in %)	Vrouwen (in %)
17 - 29	15	25
30 - 39	17	27
40 - 49	20	30
50-plus	22	32

Was op de kwaliteit van de vetmeting nog het een en ander af te dingen, de gewichtsmetingen waren wel bij alle weegschalen nauwkeurig. Het nauwkeurigst waren de Tefal en de Inventum PW730BG, met een gemiddelde afwijking van respectievelijk 20 en 40 gram. De Medisana Targetscale was met een gemiddelde afwijking van 500 gram het minst nauwkeurig.

De meeste weegschalen kunnen ook de spiermassa en het vochtgehalte in percentages weergeven en botmassa in kilo's. Weijs licht toe: 'Al deze cijfers zijn gebaseerd op formules die geprogrammeerd zijn in de weegschalen. Die worden gecombineerd met gemeten gewicht en weerstand.

Alleen voor het berekenen van de botmassa hoeft die weerstand niet te worden gemeten. Dat gebeurt puur op de meting van het gewicht en de ingevoerde leeftijd, geslacht en lengte.'

De Tefal geeft de hoeveelheid lichaamsvet alleen in kilogrammen prijs, en niet in een percentage zoals de rest. Wel wordt op het weegplateau via een oplichtende meetlat weergegeven of de vetmassa laag, gemiddeld of hoog is en geeft een BMI-meter aan of je in de veilige of gevarenzone zit.

Dure extra's

De ronde ufo-achtige Targetscale van Medisana kan de resultaten via bluetooth verzenden naar een iPod touch, iPad of iPhone. De bijbehorende app fungeert als een meetdagboek. De Beurer BF100 Body Complete is de enige die ook een vetbepaling op het bovenlichaam kan uitvoeren. Er zit een los display bij dat je vasthoudt terwijl je op de weegschaal staat. Via de duimen wordt een elektrisch stroompje door de armen gestuurd. Het weegplateau zorgt voor een stroompje via de voeten. Na enkele seconden verschijnt het eindresultaat. De weegschaal haalt automatisch 300 gram van het gewicht af voor de display. Dure extra's bij deze weegschalen van Medisana en Beurer die als slechtste uit de test komen. Ook lopen de prijzen bij beide behoorlijk uiteen. Ze zijn te koop van €115 tot €170.

Conclusie

De 11 testexemplaren wegen allemaal vrij nauwkeurig, maar het vetpercentage stellen ze te zonnig voor. Ze kunnen een prima koop zijn als het u te doen is om het signaleren van verschillen in lichaamssamenstelling in de loop van de tijd. Daarmee zijn ze niet geheel nutteloos, want ze geven veranderingen in vetpercentage wel aan. De suggestie van een tot op de procent nauwkeurige vetmeting maken ze alleen geen van alle waar.

Pot- en flesopeners
Consumentengids juli 2013

De dames van ons testpanel kijken hun ogen uit naar de openers die voor hen op tafel liggen. Ze zien er inderdaad heel verschillend uit, maar werken globaal volgens slechts twee systemen.

Het panel – een groep 70-plussers en een groep in leeftijd variërend van 25 tot 60 jaar – bestaat uit zowel rechts- als linkshandigen. De potopeners met een hefboomsysteem bevallen de panelleden over het algemeen het best. Het gemak van de 'wippertjes' wordt beaamd: iedereen opent een pot met het grootste gemak zodra het vacuüm is verbroken.

De draaisystemen bevallen minder goed. Bij een aantal heb je toch nog behoorlijk wat kracht en in elk geval een goede grip nodig om de pot of fles open te krijgen. Vooral de Leifheit schiet danig tekort, zeker bij de oudere gebruikers. Over de openers met een opgestoken duim is het panel het meest tevreden. Over de middengroep zijn de meningen verdeeld, en over de duim-omlaagopeners is niemand echt tevreden.

Brix Jarkey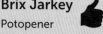
Potopener

Prijs: €4 (Blokker)

Hefboomsysteem. Eenvoudig model, vanzelfsprekend gebruik. Doet het minder goed bij deksels met een brede (hoge) rand, maar prima bij deksels met een smalle (lage) rand. Ook bij Albert Heijn te koop.

Westmark
Potopener

Prijs: €4,95 (V&D)

Hefboomsysteem. Eenvoudig ontwerp dat erg makkelijk is in het gebruik en lekker in de hand ligt. De enige handleiding is de foto op het kaartje, maar dat is voldoende. Er zit ook een kroonkurkopener op.

Zyliss 5-voudige
Pot- en flesopener

Prijs: €11 (kookwinkel)

Hefboomsysteem. Ook geschikt voor (drank)blikjes met treklipjes en kroonkurken. Doet het prima bij alle deksels en doppen, al blijven flesdoppen vaak in de opener vastzitten.

WMF
Potopener

Prijs: €40 (kookwinkel)

Combineert het hefboom- en draaisysteem. Je moet het even doorheb-
ben, maar hij werkt goed. Een ouder panellid waardeert hem iets lager. Bij
kleine potjes raakt de deksel nogal gedeukt. Hij is flink aan de prijs.

Handy 4 in 1 Vitality
Potopener
Prijs: €3,40 (Blokker)
Draaisysteem voor potdeksels en flesdoppen. Werkt bij grote deksels be-
ter dan bij kleine. Niet denderend voor flesdoppen. Het gebruik is vanzelf-
sprekend. Wel een groot ding.

Brix Multigrip
Flesopener
Prijs: €4,50 (Blokker)
Draaisysteem. Alleen geschikt voor plastic (fles)doppen, dus beperkt toe-
pasbaar. Het openen gaat maar iets makkelijker met dan zonder opener.
Een van de oudere panelleden waardeert hem wat lager.

Vitility
Potopener
Prijs: €6 (Hema)
Draaisysteem voor potdeksels. De Vitility maakt de grip veel beter, maar je
hebt evengoed nog veel kracht nodig voor het openen. Er zijn ook speci-
ale siliconendoekjes te koop, die op dezelfde manier werken.

Vacuvin Jar opener
Potopener
Prijs: €10 (kookwinkel)
Hefboomsysteem. Minder vanzelfsprekend en handig in het gebruik dan
de hefboomopeners van Brix, Westmark en Zyliss. Vooral bij kleine deksels
is hij wat lastig te plaatsen. Verder doet hij het wel aardig.

Zyliss Strongboy
Pot- en flesopener
Prijs: €16 (kookwinkel)
Omslachtig draaisysteem, waarbij je de lus om de deksel of dop legt en

aantrekt door het handvat te draaien. Wat gedoe, maar het werkt prima bij potdeksels. Minder geschikt voor drankflesdoppen.

OXO Goodgrips 👎

Potopener

Prijs: €9,50 (V&D)

Draaisysteem. Een Nederlandse handleiding ontbreekt, maar die heb je de eerste keer wel nodig. Aan de onderkant zit een 'gevaarlijk scherpe rand'. Potten openen gaat er niet echt makkelijker mee.

Leifheit Allesopener 👎

Pot- en flesopener

Prijs: €10 (Blokker)

Draaisysteem. 'Lastig te plaatsen' en 'glipt snel weg', klagen panelleden. Ze krijgen sommige doppen en deksels niet los. 'Maakt het openen er niet makkelijker op.' En de deksels raken nogal beschadigd.

Beste openers

Voor potdeksels

- Brix Jarkey
- Westmark

Voor flesdoppen

- Zyliss 5-voudige opener
- Brix Multigrip

Stofzuigers

Consumentengids juni 2013

Voor koopjesjagers

Philips FC 8130/01 Parquet Care

Prijs: €75

Testoordeel: 6,7

Stofzuigen: het is niet uw hobby en mag niet veel kosten. Gelukkig hoeft een goede stofzuiger niet veel te kosten; de Beste koop kost €90: de AEG AJM 6820 Jet Maxx. En er zijn meer goede modellen onder de €100. Alleen beneden de €50 komt u bedrogen uit. Deze 'koopjes' scoren het slechtst in de test; ze zuigen niet goed en blazen relatief veel stof de lucht in. De gemiddelde prijs van de geteste sledestofzuigers is €180. Bestron zit daar met gemiddeld €50 flink onder, Dyson met €375 een stuk boven. De zakloze exemplaren zijn gemiddeld duurder dan die met zak. De dure zakloze stofzuigers van Dyson, met het duurste apparaat uit onze test (de DC 37 Allergy Musclehead Parquet van €480), schroeven het gemiddelde flink op. Ter vergelijking: de zakloze Samsung SC 4580 heeft hetzelfde Testoordeel, maar kost €80.

Voor dierenvrienden

Miele S 6290 Silence
Prijs: €250
Testoordeel: 7,7
Ons land telt zo'n 1,5 miljoen honden en 3 miljoen katten. En die laten veel haren achter op meubelen en tapijten. Daarom hebben we ook getest of de stofzuigers huisdierenhaar goed verwijderen. De meeste gaat dit prima af; ze scoren 'zeer goed'. Maar sommige, zoals drie modellen van Rowenta, krijgen een dikke onvoldoende voor het opzuigen van huisdierenhaar. Een apparaat dat slecht huisdierenhaar verwijdert, hoeft nog niet slecht te zijn. Zo werken de drie Rowenta's over het algemeen redelijk tot goed. Exemplaren met een zak zuigen doorgaans iets gemakkelijker huisdierenhaar op dan de zakloze. Een aantal apparaten is specifiek bedoeld voor het opzuigen van huisdierenhaar, zoals de Cat&Dogserie van Miele. Deze stofzuigers doen dat in de test inderdaad zeer goed. Net als alle geteste Mielestofzuigers overigens. Blijven er steeds haren achter? Check dan de pluizenverzamelaar onder het mondstuk, vaak van rood velours. Deze houdt samen met de borstels van het mondstuk veel stof en haren tegen. Reinigen gaat makkelijk door het mondstuk los te halen en de opgehoopte haren en pluizen uit de borstels te zuigen.

Voor stofgevoeligen

AEG AJM 6840 Jet Maxx
Prijs: €140
Testoordeel: 7,3
Sommige apparaten blazen het stof tijdens het zuigen via de motor deels weer de lucht in. Wie gevoelig is voor stof, kan het best een stofzuiger met

zak nemen die hoog scoort op stofuitstoot. Bij ruim een kwart van alle geteste apparaten is de score voor stofuitstoot zeer goed. Opvallend is dat de speciale 'Allergy'-lijn van Dyson het wel goed doet op stofuitstoot, maar lang niet het best.

De meeste hebben een motorfilter én een uitblaasfilter. Een Hepa-filter (high efficiency particulate air) houdt meer stofdeeltjes tegen dan een normaal filter. Bijna tweederde van de geteste apparaten heeft zo'n Hepa-filter. Soms 'lekt' het filter echter en ontsnapt er toch lucht met stofdeeltjes. Er zijn ook enkele stofzuigers met een normaal filter die goed scoren op stofuitstoot. Goed om te weten want Hepa-filters zijn vaak duurder dan gewone. Als de stofgevoelige ook de stofzuiger moet legen, is een zakloos apparaat niet aan te raden. Bij het leegschudden van de bak kom je namelijk onherroepelijk in contact met het stof. Een oplossing is om een plastic zak om de bak te binden voordat je het stof eruit klopt.

Voor zakmijders

AEG ASC 6935 Super Cyclone
Prijs: €140
Testoordeel: 7,3

Van alle in 2012 gekochte stofzuigers had ongeveer eenderde geen stofzak. De opgezogen lucht centrifugeert in een bak, waardoor stofdeeltjes naar buiten worden gedrukt en op de bodem vallen. Het grootste voordeel is dat je geen stofzuigerzakken hoeft te kopen. Handig, want het is niet altijd makkelijk de juiste te vinden. Bovendien kunnen de kosten aardig oplopen.

In onze testen worden stofzuigers ook beoordeeld op het onderhoudsgemak. Denk aan het vervangen, legen en schoonmaken van bak, zak of filters. Bij zakloze stofzuigers gaat dit minder makkelijk dan bij apparaten met zak. Het legen van een stofbak is minder hygiënisch dan het vervangen van een afgesloten stofzak. Ook is het schoonmaken van de motorfilter vaak een vies klusje, omdat deze in de stofbak zit. Zakloze apparaten zuigen gemiddeld iets minder goed, maar er zijn ook zakloze stofzuigers van diverse merken die dat uitstekend doen.

Voor wie een hekel aan herrie heeft: zakloze stofzuigers zijn niet de stilste. Alleen de Rowenta RO8221 Silence scoort goed op geluid.

Voor wie niet zwaar wil tillen

Dyson DC 26 City Allergy

Prijs: €280

Testoordeel: 6,3

Voor wie wat kracht tekortkomt of bijvoorbeeld vaak de trap op en neer moet, kan een stofzuiger erg zwaar zijn. Er zijn apparaten van minder dan 4 kg tot meer dan 10 kg. Dit is inclusief de meegeleverde accessoires, als die worden opgeborgen in de slede.

Bij het zuigen van trappen, het nemen van drempels of het verplaatsen op tapijt doet niet alleen het gewicht ertoe. De Dyson City scoort in de test als enige goed op het zuigen van trappen. Hij is licht én compact en past daardoor gemakkelijk op een traptree. Veel stofzuigers komen maar moeilijk over drempels. Slechts eenderde van de geteste modellen scoort hier goed op, zowel zwaardere als lichtere. De wielen spelen dan namelijk een belangrijke rol. Dat geldt ook bij het verplaatsen op tapijt. De meeste stofzuigers hebben daar moeite mee. Hoewel de allerzwaarste modellen niet erg wendbaar zijn op tapijt, scoren verscheidene modellen boven de 7,5 kg goed.

Voor energiebespaarders

Numatic Henry HVR200A

Prijs: €180

Testoordeel: 6,3

Een energiezuinige stofzuiger hoeft niet veel te kosten. Je hebt al een goede voor minder dan €200. Energie besparen? Let dan op het vermogen en hoe goed hij zuigt. Een hoger vermogen betekent niet altijd meer zuigkracht. En grote zuigkracht zorgt niet automatisch voor goede zuigprestaties. Ook de slang en vooral het mondstuk zijn van belang.

Een aantal merken heeft 'groene' stofzuigers met een maximaal vermogen van 1300 W die goed werken.

In onze test wordt het energiegebruik gemeten door de stofzuiger op maximaal vermogen vijf keer over een tapijt heen en weer te laten glijden. Hoe minder energie dit kost, des te beter de score. We kijken dan niet of al het vuil ook verdwijnt. Met een slechte stofzuiger moet je daarvoor langer zuigen. Dan gebruik je meer stroom en ben je alsnog duurder uit. Echt energie besparen doe je met een apparaat dat goed zuigt met een zo laag mogelijk vermogen. De top-3 in de tabel scoort goed op zuigprestaties én energiegebruik. Er wordt nu gewerkt aan een Europees energielabel.

Stofzuigers

Merk & Type	Richtprijs	Testoordeel	Tapijt zuigen	Harde vloeren zuigen	Kieren zuigen	Huisdierenharen opzuigen	Zuigen naarmate bak/zak voller is	Zuigen langs plinten	Zuigprestatie TOTAAL	Stofuitstoot	Geluid	Energiegebruik	Gebruiksgemak	Bak of zak	Werkbereik (m)	Gewicht (kg)
WEGING VOOR TESTOORDEEL (%)									50	10	6	4	25			
VOOR PREDICAATKOPERS																
■ **Electrolux** UltraOne Z8820	€250	**8,0**	+	++	++	++	++	++	++	++	+	–	□	Zak	10,1	8,8
▶ **AEG** AJM 6820 Jet Maxx	€90	**7,6**	+	++	++	++	++	+	++	++	–	–	□	Zak	8,9	6,8
VOOR KOOPJESJAGERS																
Philips FC 8130/01 Parq. Care	€75	**6,7**	□	++	–	++	++	+	+	++	□	–	□	Zak	9,9	7,4
Samsung SC 4580	€80	**6,6**	□	++	□	++	+	++	+	–	–	–	□	Bak	8,5	5,6
Philips FC 8144/01	€80	**6,3**	□	++	–	++	––	+	□	+	–	□	+	Bak	9,8	7,8
VOOR DIERENVRIENDEN																
Miele S 6290 Silence	€250	**7,7**	+	++	□	10	++	+	++	+	+		□	Zak	9,8	6,7
Miele S 381	€170	**7,4**	+	++	+	10	++	+	++	□	□	–	+	Zak	8,8	7,4
Nilfisk Power Eco	€180	**7,4**	□	++	□	10	++	++	+	+	□	+	□	Zak	11,3	8,5
VOOR STOFGEVOELIGEN																
AEG AJM 6840 Jet Maxx	€140	**7,3**	□	++	+	++	++	++	9,9	–	–		□	Zak	10,9	6,9
Philips FC 9192	€190	**7,2**	+	++	+	+	+	+	9,9	–	–		□	Zak	11,2	7,0
AEG AJM 6820 Jet Maxx	€90	**7,6**	+	++	++	++	++	+	9,8	++	–	–	□	Zak	8,9	6,8
VOOR ZAKMIJDERS																
AEG ASC 6935 Super Cyclone	€140	**7,3**	□	++	□	++	++	+	+	++	–	–	□	Bak	10,9	7,4
Bosch BGS 62232 Roxx'x	€240	**7,3**	+	++	□	++	++	+	+	++	□	–	□	Bak	10,5	10,3
Dyson DC 37 Animal turbine	€400	**7,2**	+	+	++	++	++	+	++	+	–	□	□	Bak	9,7	7,7
VOOR WIE NIET ZWAAR WIL TILLEN																
Dyson DC 26 City Allergy	€280	**6,3**	□	+	–	□	+	□	□	+	□	+	+	Bak	7,8	5,2
Samsung SC 4580	€80	**6,6**	□	++	□	++	+	++	+	–	–	–	□	Bak	8,5	5,6
Siemens VSZ41466	€145	**7,5**	□	++	–	++	++	+	+	+	+	+	+	Zak	10	6,3
VOOR ENERGIEBESPAARDERS																
Numatic Henry HVR200A	€180	**6,3**	□	++	–	++	++	□	+	□	□	9,1	□	Zak	13,1	8,5
Miele S8 Ecoline	€230	**7,5**	+	++	+	++	+	+	+	□	+	7,4	+	Zak	10,8	7,2
Siemens VS06GP1267 GP Ed.	€130	**7,2**	+	++	–	++	++	+	+	+	□	7,4	+	Zak	10,2	6,3

■ Beste uit de test   ▶ Beste koop   ++ Zeer goed   + Goed   □ Redelijk   – Matig   –– Slecht

- Prijzen zijn van april 2013.
- Siemens VS06GP1267, Miele S6290, Nilfisk Power Eco en Philips FC9192 zijn minder goed verkrijgbaar.
- De levensduur staat niet in de tabel maar weegt voor 5% mee.
- De effectieve breedte van het mondstuk weegt ook mee voor de score in de kolom 'zuigprestatie totaal'.
- In de tabel staan alleen modellen met een Testoordeel boven de 6,0.
- Bij een gelijk oordeel op het betreffende aspect is gekeken naar het Testoordeel en vervolgens naar de prijs, behalve bij het aspect energie, waar eerst naar de goede zuigprestatie totaal is gekeken.
- Bij 'Voor stofgevoeligen' is alleen geselecteerd op stofzuigers met zak.

Kijk voor alle testresultaten en een video op www.consumentenbond. nl/stofzuigers.

Stofzuigerzakken
Consumentengids september 2013

Als de stofzuigerzakken op zijn, kunt u natuurlijk een nieuwe doos merkzakken kopen. Maar misschien is een alternatief merk net zo goed? En goedkoper? Wij wilden dat weleens weten en namen veelverkochte stofzuigers van Miele en Philips en testten daarin de originele zakken én de best verkrijgbare alternatieven. Er blijken prima 'klonen' te zijn van vergelijkbare kwaliteit, maar sommige vallen vies tegen. Originele zakken kosten overigens niet altijd meer. Zo is de S-bag van Philips niet veel duurder dan de alternatieven. Voor Miele-zakken betaal je wel de hoofdprijs, terwijl die van Handy en Variant voor minder dan de helft van het geld een iets hoger Testoordeel krijgen.

Alert op lekken
Een goede stofzuiger blaast zo min mogelijk stof weer de kamer in. Filters zijn daarbij onmisbaar. Ruim tweederde van de huidige stofzuigers vangt het meeste vuil op in het eerste filter: de stofzak. Dan blaast de lucht door het motorfilter en het uitblaasfilter weer naar buiten. Hoeveel stof er wordt uitgeblazen, ligt aan de kwaliteit van alle filters samen. Als een filter slecht aansluit, kan er stof ontsnappen. En dat kan je de stofzuiger kosten. Daarom onderzochten we hoe goed de zakopening de uitgang van de stofzuigerslang omsluit en hoeveel speling de zak in de houder heeft.

De tabel laat zien dat de geteste zakken qua stofuitstoot weinig voor elkaar onderdoen. Ook voor het zuigresultaat maakt het weinig verschil, al zuigt de Philips een tikkie beter met de originele zak.

Van andere stofzuigers dan deze Miele en Philips is niet bekend hoe goed de alternatieve zakken in de houders passen. Er is dus kans op lekkage. Houd de binnenruimte van de stofzuiger daarom goed in de gaten. Is deze heel stoffig? Dan blaast er stof langs de zak. De zak is vol als de motor een hoog geluid begint te maken en de zuigkracht achteruitholt. Op sommige stofzuigers wordt het aangegeven met een indicator. Maar als het seintje komt, kan het ook zijn dat een van de filters verstopt is – even checken dus.

Vies klusje

De zakken verschillen wél behoorlijk in gebruiksgemak, zoals het afsluiten van de zak bij verwisselen. De duurdere originele zak van Miele heeft een geavanceerd sluitsysteem; de opening gaat automatisch dicht wanneer je hem uit de stofzuiger haalt. De goedkope zak van Action kan niet dicht. Dat maakt het verwijderen van een volle zak een stoffiger klusje.

Dunne zak

De geteste zakken zijn bijna allemaal gemaakt van een soort fleece. Dit scheurt minder snel dan papier. Hoe dikker het materiaal, hoe kleiner de kans op scheuren. Maar een dunne zak vouwt beter uit in de stofzuiger als hij voller raakt. De capaciteit van de zak wordt dan optimaal benut. De universele zak van Wenko kan worden hergebruikt. Je plakt het inzetstuk van de originele stofzuigerzak erop en klaar. Helaas past hij niet goed in de Philipsstofzuiger en presteert hij ondermaats in de Miele. Ook laat het textiel van de zak aanzienlijk meer stofdeeltjes door. Je leegt de Wenko door de ritssluiting onderin te openen, met stofwolken tot gevolg. Vies.

Past altijd

Een universele zak past in alle stofzuigers, omdat je het inzetstuk van de originele zak gebruikt. Je plakt dit dan (soms met tussenstuk) op de universele zak. Maar werkt het ook? Onze Belgische collega's namen de proef op de som en vonden de universele zakken niet handig. Het originele inzetstuk is niet gemaakt om opnieuw te gebruiken. Het is de vraag hoelang dit meegaat en originele zakken blijven dus nodig. Er is een grotere kans op lekken, bijvoorbeeld als je niet goed plakt of de lijm loslaat. Bovendien is het verwisselen een stoffig klusje.

Wirwar in de winkel

Omdat er zoveel stofzuigerzakken zijn, valt het niet mee de passende te vinden. In de winkel stuit je op een wirwar van soorten, merken en type-

Stofzuigerzakken

Merk & Type	Testoordeel	Richtprijs	Aantal zakken per verpakking	Prijs per zak	Stofuitstoot	Plaatsen en verwijderen	Afsluiting bij verwisselen	Materiaal	Zuigprestatie	Algehele indruk	Aantal bijgeleverde filters	Type sluiting [1]	Inhoud (l)
Weging voor Testoordeel (%)					20	17,5	25	10	10	17,5			
Voor de Philips FC8133/01 Easylife													
1. **Handy** PH 99	6,8	€6,00	4	€1,50	+	+	+	+	□	□	0	ks	2,5
2. **Philips** s-bag FC8021/03	6,8	€8,00	4	€2,00	+	+	+	+	+	□	0	ks	2,8
3. **Temium** EL117S	6,7	€10,50	6	€1,75	+	□	+	+	□	□	0	ks	2,6
4. **Albert Heijn** Type Philips/Electrolux/AEG	6,3	€5,00	4	€1,25	+	–	+	+	□	□	0	kd	2,6
5. **Variant** PH03	6,0	€6,00	5	€1,20	+	––	+	+	□	–	2	kd	2,7
6. **Kleenair** Philips/Electrolux/AEG Standardbag	5,9	€6,00	4	€1,50	+	––	+	+	□	–	0	kd	2,6
7. **Easyfiks** S-Bag	5,8	€9,00	5	€1,80	+	––	+	+	□	–	1	kd	2,5
8. **merkloos** (van Action) Philips, Electrolux, AEG / Tornado	4,6	€1,70	5	€0,34	+	–	––	+	□	–	1	g	2,5
9. **Wenko** duurzame stofzuigerzak	3,6	€13,00	1	€13,00	□	–	––	–	□	–	0	o	3,0
Voor de Miele BlackPearl 5000-2													
1. **Handy** MI40	7,9	€6,00	4	€1,50	+	++	+	+	+	+	2	kd	3,5
2. **Variant** MI01/05	7,8	€6,00	5	€1,20	+	++	+	+	+	+	2	kd	3,3
3. **Miele** G/N HyClean	7,7	€13,00	4	€3,25	+	–	++	++	+	+	2	a	2,8
4. **Albert Heijn** Type Miele G/N	7,3	€5,00	4	€1,25	+	++	□	+	+	+	1	kd	3,3
5. **Easyfiks** Model F, H, J en M	7,3	€9,00	5	€1,80	+	++	□	+	+	+	1	kd	2,9
6. **Easyfiks** Model G en N	7,3	€9,00	5	€1,80	+	++	□	+	+	+	1	kd	3,6
7. **Kleenair** Miele G/N	7,2	€6,00	4	€1,50	+	++	□	+	+	+	1	kd	3,4
8. **Temium** MI103S	7,0	€10,50	6	€1,75	+	++	□	□	+	□	0	kd	3,6
9. **Wenko** duurzame stofzuigerzak	5,5	€13,00	1	€13,00	□	––	++	–	+	–	0	o	3,5
10. **merkloos** (van Action) Miele Serie F, J, M, N, H, G	4,8	€1,70	5	€0,34	+	□	––	□	+	–	1	g	2,8

■ Beste uit de test   ▶ Beste koop   ++ Zeer goed + Goed □ Redelijk – Matig –– Slecht

- De prijzen zijn van juni 2013.
- Temium EL117S en MI103S zijn ook verkrijgbaar in verpakkingen met 12 stuks voor €19.
- De zakken zijn getest met originele filters.

- Bij algehele indruk zijn pasvorm van zak en inzetstuk, aansluiting, gebruiksgemak en materiaal beoordeeld.
1) a = sluit automatisch; g = geen sluiting; kd = klepje dichtdrukken; ks = klepje schuiven; o = afhankelijk van sluiting originele zak

nummers. Zelfs met het typenummer in de hand kan het nog fout gaan. Bijvoorbeeld bij de zakken van Easyfiks voor de Miele-stofzuiger. Miele maakt onderscheid tussen zakken met verschillende inhoud; G/N (groot) en F/J/M (klein). Wij hebben de grote zak nodig, maar Easyfiks maakt op z'n verpakking een fout: het typenummer van onze stofzuiger staat juist op de zakken met het kleinere formaat. Action (merkloos) en Variant maken geen onderscheid in de zakken voor de Miele-stofzuiger. In alle drie de gevallen niet wenselijk, want 'een zak moet goed passen in de binnenruimte van de stofzuiger om optimaal te presteren', zo legt Miele uit. 'Een te kleine zak kan gaan flapperen, waardoor er kans is dat het stof erlangs blaast. Een te grote zak verdeelt het stof minder goed en zuigt niet helemaal vol.'

Ook de afbeeldingen op de verpakking bieden niet altijd soelaas. Zo is de foto op de verpakking met Philips-zakken van Albert Heijn echt anders dan de zak die erin zit.

En de garantie dan?

Wanneer u niet de originele zakken gebruikt, kan de fabrieksgarantie op de stofzuiger komen te vervallen. De verkoper is voor de wettelijke garantie het aanspreekpunt en moet een kapotte stofzuiger (laten) repareren of vervangen gedurende de periode dat u redelijkerwijs mag verwachten dat het apparaat meegaat. De verkoper mag reparatie niet bij voorbaat weigeren omdat u alternatieve zakken gebruikt.

Dat mag alleen als hij kan aantonen dat zo'n zak de oorzaak van het defect is. Houd de binnenkant van de stofzuiger dus goed in de gaten als u alternatieve zakken gebruikt.

Zakkenplan

Gedoe blijft het, maar hier wat tips om de wirwar enigszins te ontrafelen.

1. Schrijf het typenummer over van het typeplaatje op de stofzuiger of maak er een foto van met uw mobieltje. Dit nummer staat meestal op de buik van de stofzuiger.
2. Sommige verpakkingen van stofzuigerzakken hebben een scheurstrookje met de code van de zak.
3. Ontbreekt zo'n strookje, bewaar dan de verpakking of knip de relevante informatie eruit.
4. Koop een paar pakken tegelijk als u eenmaal de juiste zak heeft gevonden. Dan blijft de wirwar u de komende jaren bespaard. De zakken worden meestal per vier of vijf stuks verkocht. Ongeveer de helft van

de consumenten vervangt minstens vijf keer per jaar de zak, zo bleek vorig jaar uit onze enquête onder ruim 2600 consumenten. Een pak per jaar dus.

5. Wilt u helemaal geen gedoe met typenummers, dan kunt u een universele zak proberen.
6. En als u het legen van een bak geen probleem vindt, is een zakloze stofzuiger een optie. Er zijn al goede te vinden voor zo'n €100.

Stoomstrijkijzers en stoomgeneratoren
Consumentengids april 2013

Een goed strijkijzer strijkt glad, is gemakkelijk te gebruiken, stoomt krachtig, heeft een krasbestendige zool en gaat lang mee. Weinig apparaten kwamen in 2010 door de levensduurtest. En hoewel niet exact op dezelfde manier getest, deze keer doorstaan vrijwel alle door ons geteste apparaten die test glansrijk. Levensduur is momenteel dan ook een punt van aandacht voor fabrikanten.

Liefst stoom
Wasgoed is gemakkelijker kreukvrij te krijgen als het iets vochtig is. Dus kiest bijna iedereen voor strijken met stoom. Zo'n tweederde koopt tegenwoordig een stoomstrijkijzer, de rest een stoomgenerator waarbij de stoom uit een los reservoir komt. Strijkijzers zonder stoomfunctie worden amper meer verkocht. Toch kom je ook daarmee een heel eind als je er een plantenspuit bij gebruikt.

Voor wie vaak of veel strijkt, is een stoomgenerator een goede optie. Het waterreservoir is gemiddeld vier keer zo groot als dat van stoomstrijkijzers, waardoor je minder vaak hoeft bij te vullen. Ook geven ze meer stoom en daardoor strijken ze een tikje beter dan stoomstrijkijzers. Een nadeel van stoomgeneratoren is dat ze meer ruimte innemen en ook iets meer tijd nodig hebben voordat ze 'op stoom' zijn. In onze test duurt het tussen de 1,5 en ruim 6,5 minuut voor ze gebruiksklaar zijn, terwijl je met de meeste stoomstrijkijzers binnen een minuut aan de slag kunt. Stoomgeneratoren verbruiken tijdens het opwarmen ook iets meer stroom. In de meeste specificaties staat in hoeveel tijd het apparaat gebruiksklaar is. Meestal komt dit goed overeen met onze testresultaten, behalve bij de stoomgenerator van De'Longhi. Die heeft een wachttijd van ruim 6 minuten in plaats van de opgegeven 2.

Stoomstrijkijzers en stoomgeneratoren

Merk & Type	Richtprijs	Testoordeel	Strijkresultaat	Op stand **	Op stand ***	Op stand max.	Levensduur	Gebruiksgemak	Stoomproductie	Krabbestendig- heid zool
Weging voor Testoordeel (%)			20				40	30	5	5
Stoomstrijkijzers										
■ 1. **Philips** GC4850/02 Azur	€60	8,3	+	+	+	+	++	+	++	++
▶ 2. **Philips** GC2910/02 PowerLife	€30	7,8	□	+	□	□	++	+	□	++
3. **Tefal** FV3840C0 Supergliss 3840	€40	7,8	□	+	□	−	++	+	□	++
4. **Tefal** FV9910 Freemove	€80	7,7	□	□	□	−	++	+	+	++
5. **Philips** GC5050/02 Perf.Care Xpress	€90	7,1	□	□	−	−	++	+	−−	++
6. **Tefal** FV1215E0	€25	6,8	□	+	□	−	++	□	−	□
7. **Siemens** TB76 EXTREM	€75	4,6	□	−	□	□	−−	+	+	++
8. **Tristar** ST8227	€18	4,4	□	+	−	□	−−	□	□	++
Stoomgeneratoren										
■▶ 1. **Tefal** GV7091	€160	8,1	□	+	□	□	++	+	++	++
▶ 2. **Philips** GC8340/02 SteamGlide	€160	7,8	□	+	□	□	++	□	++	+
3. **Siemens** TS22 EXTREM/XTRM	€190	7,7	□	+	□	□	++	□	++	++
4. **Philips** GC8620/02 Perf.Care Aqua	€160	7,2	□	+	□	□	++	+	□	−−
5. **Tefal** GV5225 Easy Pressing	€100	7,1	+	+	+	□	++	□	+	++
6. **De'Longhi** VVX1640	€120	6,7	□	□	□	□	++	□	+	−
7. **Tristar** ST-8910	€70	4,5	□	+	−	□	−	□	−	−−

■ Beste uit de test ▶ Beste koop   ++ Zeer goed + Goed □ Redelijk − Matig −− Slecht

- De prijzen zijn van februari 2013.
- De Philips GC2910/02 wordt opgevolgd door de GC2910/20 (niet getest).
- De Siemens TS22 is de verbeterde variant en de Siemens TB76

is de niet-aangepaste variant (zie het kader op pagina 24).
- Het strijkresultaat is getest met polyester-katoen (••), katoen (•••) en spijkerstof (stand max.).

Steeds warmer

Even wachten totdat de strijkbout gebruiksklaar is, hoeft overigens niet erg te zijn. Het geeft de gelegenheid om het wasgoed te sorteren. Het is handig om te beginnen met de kledingstukken die op lage temperatuur worden gestreken. Zo kun je de temperatuur steeds iets hoger zetten zonder risico op te heet strijken.

Gebruiksgemak stoomstrijkijzers en stoomgeneratoren

Merk & Type	Rapportcijfer gebruiksgemak	Stoomproductie(tijd)	Snoer(en)	Bediening	Zichtbaarheid waterniveau	Vullen en legen	Hanteerbaarheid	Schoonmaken	Handleiding	Glijden	Opbergen	Afkoelingstijd	Vorm van de zool	Overig
Weging voor Testoordeel (%)		15	9	9	8	8	7	7	6	6	6	5	4	10
Stoomstrijkijzers														
1. **Philips** GC2910/02 PowerLife	7,8	++	+	□	++	++	++	+	+	++	++	+	++	+
2. **Philips** GC4850/02 Azur	7,6	++	++	+	+	+	++	−	+	++	++	□	++	+
3. **Philips** GC5050/02 Perf.Care Xpress	7,1	++	++	++	+	+	−−	□	++	++	□	++	++	++
4. **Tefal** FV3840C0 Supergliss 3840	6,9	++	++	□	−	++	+	−	□	++	++	+	□	+
5. **Siemens** TB76 EXTREM	6,9	++	++	□	+	+	□	+	−	++	++	+	+	+
6. **Tefal** FV9910 Freemove	6,8	++	++	+	□	+	++	−	□	++	−−	□	++	+
7. **Tristar** ST8227	5,6	++	+	−	−	−−	□	+	−	+	□	++	+	□
8. **Tefal** FV1215E0	5,1	++	++	−	□	−	−	−−	−	+	−−	+	□	□
Stoomgeneratoren														
1. **Philips** GC8620/02 Perf.Care Aqua	7,3	++	+	++	++	−	++	++	+	++	□	+	++	□
2. **Tefal** GV7091	7,1	+	+	++	+	+	+	□	□	++	++	+	+	+
3. **Philips** GC8340/02 SteamGlide	6,3	+	+	+	+	+	□	−	□	++	+	□	++	□
4. **Tristar** ST-8910	5,8	++	+	+	−	−	+	+	−	++	−−	+	+	□
5. **Siemens** TS22 EXTREM/XTRM	5,7	+	□	++	□	□	−	−	−	++	□	+	+	□
6. **Tefal** GV5225 Easy Pressing	5,0	−	□	++	−−	−	□	−	□	++	+	+	+	−
7. **De'Longhi** VVX1640	4,7	−	−	−	+	−	+	−	□	+	+	−	□	−

- Lege cel = niet getest, vanwege ontbrekende informatie in de handleiding.
- Onder Overig vallen het gebruiksgemak van het opwarmen (2%), het lampje (2%), het veilig vervoeren (3%) en de thermostaat verstellen (3%).

Stoomgeneratoren zijn aanzienlijk duurder dan stoomstrijkijzers. Voor wie geen bergen strijkgoed heeft, voldoet een stoomstrijkijzer prima: dat werkt vrijwel even goed. Ook binnen de twee systemen zijn er prijsverschillen. De duurdere stoomgeneratoren en stoomstrijkijzers produceren meer stoom dan de goedkopere. Alleen de Philips PerfectCare Aqua blijft hierin wat achter en bij de Philips PerfectCare Xpress werkte de automatische stoomsensor niet in onze test.

Gladgestreken?

Om het strijkresultaat te beoordelen zijn de apparaten aan het werk gezet op gelijksoortige kreukels in drie stoffen. Een automatische arm strijkt met het apparaat een klein minuutje vol stomend en met de passende temperatuur over de stoffen. Vervolgens beoordelen experts na een uurtje het resultaat. De lichte stof blijkt redelijk tot goed gestreken, maar het resultaat is minder bij de zwaardere stoffen. De apparaten uit de PerfectCare-lijn van Philips hebben geen temperatuurinstelling. Philips noemt dit OptimalTemp, waarbij gezocht is naar de beste instelling van temperatuur en stoom voor alle stoffen. Helaas werkt dit niet optimaal; de stoffen waarvoor een hogere temperatuur nodig is, zijn matig tot redelijk gestreken.

Ook de hoeveelheid stoom is gemeten. De meeste fabrikanten claimen een hogere stoomproductie dan in ons lab geconstateerd is. De Philips PerfectCare Xpress heeft een stoomsensor die automatisch zou moeten gaan stomen bij strijkbewegingen. Op zich een interessante ontwikkeling, maar de sensor blijkt niet altijd te werken. Tijdens de test was er geen stoom te zien en hij scoort hierop dus slecht, hoewel hij wel stoomde tijdens de duurtest. Blijkbaar zetten niet alle strijkbewegingen aan tot automatisch stomen, zo geeft ook Philips aan op zijn website. Dan biedt de stoomhendel uitkomst.

Een aantal apparaten heeft een speciale druppelstop om natte plekken op het strijkgoed te voorkomen, maar ook zonder deze functie lekken de apparaten niet; alleen de Tristar ST8227 en de Philips SteamGlide een paar druppeltjes.

IN DETAIL

Philips GC2910/02 PowerLife (Beste koop)
Prijs: €30
Testoordeel: 7,8
De degelijke PowerLife is heel gemakkelijk in het gebruik, binnen 50 seconden gebruiksklaar en hij werkt vrijwel even goed als de Philips Azur, die het dubbele kost.

Tefal GV7091 (Beste uit de test en Beste koop)
Prijs: €160
Testoordeel: 8,1
Deze gebruiksvriendelijke stoomgenerator is gemakkelijk op te bergen en glijdt soepel en flink stomend over de stof met de zeer krasbestendige zool.

Was- en strijktips tegen kreukels

- Stop niet te veel wasgoed tegelijk in de machine.
- Voeg zo weinig mogelijk wasmiddel toe.
- Centrifugeer niet op de hoogste stand.
- Haal het wasgoed direct uit de machine zodra die klaar is.
- Sla het wasgoed goed uit en trek het recht.
- Hang het wasgoed vochtig en zonder plooien op.
- Hang overhemden op een kleerhanger.
- Hang droge, gekreukte kleding op in een iets vochtige badkamer.
- Hang broeken ondersteboven; het gewicht trekt de kreukels eruit.
- Strijk eerst met en vervolgens zonder stoom, tot het strijkgoed helemaal droog is.
- Druk niet te hard tijdens het strijken, want dan gaat het strijkgoed glanzen.
- Strijk kleding met print of pailletten binnenstebuiten.
- Zet plooien in bijvoorbeeld een rok of broek vast met een paperclip.
- Strijk een zweetvlek niet; dit fixeert de vlek.

Ruzie met het snoer

Het doel is een mooi gestreken overhemd, maar hoe je dat bereikt is ook van belang. Het snoer is vaak een bron van ergernis. Een praktisch snoer is lang, flexibel en zit tijdens het strijken niet in de weg. Dit geldt zowel voor het snoer dat het stopcontact in gaat, als voor de stoomslang die bij generatoren vanaf de basis naar het strijkijzer loopt. Alle stoomgeneratoren, behalve de Tristar, hebben een opbergruimte voor snoeren. Toch ruzie met het snoer? Denk dan eens aan de snoerloze Tefal Freemove. Je laadt hem op door het ijzer om de 25 seconden gedurende 4 seconden op de basis te plaatsen, die je op de strijkplank bevestigt.

In het gebruik is de zool van het strijkijzer een van de belangrijkste aspecten. Een goede zool is breed zodat je een flink oppervlak kunt 'bestrijken', maar heeft een smalle en platte punt om in hoekjes en onder knoopjes te kunnen komen. Het glijgemak hangt niet alleen af van het materiaal – soms is het geclaimde materiaal slechts een dunne coating – maar bijvoorbeeld ook van het stomen. Opmerkelijk is dat Philips de zool van de PerfectCare Aqua bijzonder krasbestendig noemt, terwijl hij er in onze krastest, waarbij verschillende materialen over de zool zijn gewreven, slecht uit komt.

Aangepaste modellen

Vanwege tegenvallende (internationale) testresultaten heeft Siemens zijn stoomgenerator en stoomstrijkijzer aangepast. Een goede zaak, maar ook verwarrend, want zowel de aangepaste als de 'oude' modellen zijn nog verkrijgbaar en lastig van elkaar te onderscheiden. De stoomgenerator TS22 EXTREM doorstond de levensduurtest niet, omdat de boiler niet meer goed opwarmde. Het verbeterde model is door ons getest (zie de tabel) en is te herkennen aan de fabricagecode FD9204 en hoger, op de verpakking. Let hierbij niet op de toevoeging EXTREM of XTRM. Heeft u een stoomgenerator aangeschaft met de code FD9203 of lager, dan kunt u die via Siemens omruilen. Ook het stoomstrijkijzer TB76 EXTREM (zie de tabel) scoort slecht in de levensduurtest: hij stopt niet meer met stomen. Siemens is ook daarvoor met een aangepast model gekomen, te herkennen aan de code TB76 XTRM. Deze is niet door ons getest. Heeft uw TB76 nog EXTREM als toevoeging, dan kunt u deze ruilen voor de XTRM. Siemens is bereikbaar via (088) 424 40 20 of www.siemens-home.nl.

Bijvullen – meestal kan dit met gewoon kraanwater – en legen van de apparaten gaat gemakkelijk via een grote vulopening met een eenvoudig te openen en sluiten klepje. Hoewel Blokker de Tefal FV1215 aanprijst met 'eenvoudig te vullen dankzij de grote vulopening', heeft hij veruit de kleinste opening van alle geteste modellen. Een stoomgenerator is gemakkelijk te vullen als het waterreservoir losgehaald kan worden. Helaas hebben lang niet alle apparaten deze mogelijkheid.

Door het gebruik ontstaat kalkafzetting in het apparaat en gaat stomen minder goed. Spoel daarom de watertank na ongeveer tien strijkbeurten om en ontkalk regelmatig volgens de handleiding van de fabrikant.

Zie voor meer informatie het dossier op www.consumentenbond.nl/stoomstrijkijzers.

Tosti- en grillapparaten
Consumentengids februari 2013

Met een klassiek tosti-apparaat kun je alleen tosti's maken. Op een grill kun je ook panini's (langwerpige broodjes), groenten en vlees klaarmaken. Doordat op een grill geen vet of olie nodig is, scheelt dit calorieën. De grills zijn getest met hamburgers en worstjes, maar er kan ook vis, kip en ander vlees op.

Paar minuten wachten

Goede tosti- en grillapparaten maken in korte tijd gelijkmatig bruine tosti's en andere gerechten zonder ze te verbranden. Dit lukt niet alle apparaten. We hebben 16 tosti- en grillapparaten getest. De tosti's werden 'klaar' bevonden als de kaas gesmolten was. Sommige tosti's waren dan nog wel bleek, wat zorgt voor een lager oordeel. We hebben ook gemeten hoe heet de apparaten werden en hoelang ze erover deden om op te warmen en het product klaar te maken.

Verder hebben we het gebruiksgemak beoordeeld, wat er wel en niet op kan, of ze makkelijk schoon te maken zijn en hoe de anti-aanbaklaag zich houdt.

Dat een goed apparaat absoluut niet veel hoeft te kosten, blijkt uit deze test. De Beste koop is niet alleen de snelste en gebruiksvriendelijkste tostimaker, maar ook de goedkoopste. De Beste uit de test Krups FDK442 maakt goede tosti's zonder al te veel energie te gebruiken, maar doet er vrij lang over. Helaas kan geen enkel apparaat aangeven wanneer de tosti klaar is, maar wel geven ze door middel van een lampje allemaal aan wanneer ze warm genoeg zijn om de tosti erin te doen. De opwarmtijd van de geteste modellen loopt uiteen van bijna 2 tot ruim 7 minuten. Ook het maken van de tosti kan wel 8 minuten duren. Hierbij gebruiken sommige apparaten geen stroom, omdat de platen genoeg warmte verzameld hebben.

Heet

De platen mogen bij het opwarmen niet té heet worden. Op een te hete grill kan de tosti verbranden, wat ongezond is. De platen van de Tefal SW3751 werden heter dan 260 graden en dat is niet goed.

Door de hitte is het mogelijk dat ook de buitenkant van het apparaat heet wordt. We hebben van diverse onderdelen van de apparaten de

Tosti- en grillapparaten

	Merk & Type	Richtprijs	Testoordeel	Benodigde tijd	Energiegebruik	Tosti bereiden	Hamburger bereiden	Worstjes bereiden	Totaal bereiding	Gebruiksgemak en handleiding	Thermische veiligheid	Constructie	Soort	Formaat platen (cm)
Weging voor Testoordeel (%)									60	25	10	5		
■	1. **Krups** FDK442	€30	6,9	–	+	+			□	+	++	+	tosti	12x12
■▶	2. **Bestron** ASW390	€13	6,8	+	++	□			+	+	+	□	tosti	10x12
	3. **Tristar** SA-2129	€17	6,5	+	++	□			□	+	□	+	tosti	21x12
	4. **Tefal** SM1502	€25	6,5	□	+	□			□	+	+	+	grill	20x12
	5. **Princess** 112401	€30	6,4	□	–	□	+	+	□	+	+	++	grill	29x22
	6. **Princess** 122000	€50	6,2	–	□	+	+	+	□	+	□	+	combi	21x12
	7. **Inventum** PG-421	€27	6,1	–	+	□			□	+	+	+	grill	21x11
	8. **Tomado** TM-1358	€35	6,0	□	□	–	++	+	□	+	+	++	grill	30x23
	9. **Princess** 112336	€60	6,0	□	+	□	+	+	□	+	□	+	combi	13x17
	10. **Tefal** SW3751	€70	5,9	–	□	□	□	□	□	+	□	+	combi	21x13
	11. **Tomado** TM-1946	€15	5,5	+	++	□			+	+	–	□	tosti	22x13
	12. **Tristar** GR-2841	€25	5,5	□	+	+	□	+	+	+	--	□	grill	27x17
	13. **Bestron** AT021	€45	5,5	+	□	+	□	+	+	+	□	–	grill	31x21
	14. **Tefal** GC2050	€50	5,5	–	–	+	□	+	□	+	--	+	grill	29x18
	15. **Tefal** GC2058	€60	5,5	–	–	+	□	+	□	+	--	+	grill	29x18
	16. **Philips** HD4467	€75	5,5	–	–	□	+	+	□	++	–	+	grill	28x19

■ Beste uit de test ▶ Beste koop   ++ Zeer goed + Goed □ Redelijk – Matig -- Slecht

- De prijzen zijn van november 2012.
- De Krups FDK442 en Tefal SW3751 worden opgevolgd door de Krups FDK452 en Tefal SW3791 (niet getest) met een aan-uitknop. De Bestron ASW390 wordt opgevolgd door de AFS8009 (alleen ander uiterlijk).
- Grill nr. 4 (Tefal) en 7 (Inventum) worden niet aanbevolen voor vlees.

temperatuur gemeten. Gelukkig blijft de temperatuur van de knoppen en het handvat overal binnen de perken. Maar de bovenkant van de Tefal GC2058 en GC2050 en de Tristar GR-2841 worden heter dan 80 °C, wat voor brandwonden kan zorgen, zelfs bij zeer kort aanraken. Het Testoordeel van deze apparaten kan daardoor maximaal 5,5 worden. Wie niet weet of een apparaat aan staat, loopt een groter risico op verbranding. De Princess 122000 is het enige apparaat met een aan-uitknop. De andere moeten aan- en uitgezet worden door de stekker in het stopcontact te steken en eruit te trekken. De meeste apparaten hebben een lampje dat brandt wanneer het apparaat aan staat. De Bestrons ASW390 en AT021, de Philips HD4467 en Princess 112336 hebben dit niet, waardoor je niet wordt gewaarschuwd dat het apparaat heet kan zijn. Gelukkig hebben ze, op de Tefal GC 2050 en GC2058 na, wel allemaal een lampje dat aangaat als het voorverwarmen klaar is en de platen dus op hun heetst zijn.

Bestron ASW390 (Beste uit de test en Beste koop)

Prijs: €13

Testoordeel: 6,8

Compact tosti-apparaat dat door de vorm vooral geschikt is voor casino-brood. Het is een simpel en erg gebruiksvriendelijk apparaat, dat niet te heet wordt aan de buitenkant. Kan verticaal opgeborgen worden.

Krups FDK442 (Beste uit de test)

Prijs: €30

Testoordeel: 6,9

Het is even wachten (8 minuten), maar dan heb je wel goede tosti's. Het apparaat geeft geen vervelende geur af en laat geen ingrediënten lekken. Het is een klein, gebruiksvriendelijk apparaat, dat ook handig verticaal is op te bergen.

Verstelbare platen

Van de meeste grills is de bovenplaat (al dan niet automatisch) in hoogte verstelbaar, waardoor je ook dikkere stukken goed kunt grillen. Bij de Princess 122000 en Tefal SW3751 is dit niet het geval, waardoor onze worstjes niet helemaal egaal gegrild werden.

De Bestron AT021, Philips HD4467, Princess 112336 en Tefals GC2058 en GC2050 zijn helemaal opengeklapt ook als tafelgrill te gebruiken.

De Princess 122000 wordt ook wel Jaap Multi Snack & Sandwich Maker genoemd. Hij is vernoemd naar Jaap, die hem bedacht en ontwierp. Het is een dubbel apparaat met apart bedienbare platen. Daardoor kun je bijvoorbeeld vier tosti's tegelijk maken of tosti's op de bovenste en vlees of groente op de onderste platen.

Er zijn apparaten met meerdere, verwisselbare platen of andere extra's. Zo heeft de Tefal SW3751 een poffertjesplaat en hebben de Princess 112336 en Tefal SW3751 wafelplaten waarmee je rechthoekige wafels kunt bakken. De Princess 112336 maakt goede wafels, maar doet er wel erg lang over. De Tefal SW3751 maakt minder goede wafels.

Veel apparaten geven in het begin een onprettige geur af of ruiken een beetje bij de bereiding, door vet in het eten.

Schoonmaken

Voor de schoonmaak moet het apparaat wel goed afgekoeld zijn. De platen van de tosti-apparaten kunnen niet verwijderd worden, en kunnen dus ook niet in de vaatwasser. Ook bij een groot deel van de grills kunnen de platen er niet uit. Alleen de platen van de Philips HD4467, Princess 122000, Tefals SW3751, GC2050 en GC2058 kunnen in de vaatwasser. Toch zijn alle apparaten goed schoon te maken. Het wordt pas lastig als er kaas in scharnieren en dergelijke is gelopen. Ook vet uit vlees kan lastig weg te krijgen zijn. Bij de Tomado TM-1358 is een schoonmaakborsteltje meegeleverd. De Bestron AT021, die prima tosti's maakt, heeft een grillplaat die snel kan beschadigen. Na het schoonmaken zijn de meeste apparaten handig verticaal op te bergen, wat ruimte bespaart.

Inleveren

Voor een tosti-apparaat of grill betaal je geen verwijderingsbijdrage, maar omdat het een elektrisch apparaat is, moet het als het stuk is toch worden ingeleverd voor recycling. Veel materialen uit ingezamelde apparaten worden opnieuw gebruikt. Je kunt elektrische apparaten (en energiezuinige lampen) inleveren bij de milieustraat in de gemeente, bij de winkel waar je het product kunt kopen en bij aangesloten basisscholen.

Als het apparaat nog werkt, kan het naar de kringloopwinkel. Winkels zijn verplicht een apparaat in te nemen als u een soortgelijk product koopt (oud-voor-nieuwregeling). Het inzamelpunt van de gemeente neemt het gratis in. Vaak moet u dan wel een pasje tonen. Kijk voor precieze inleverlocaties op www.wecycle.nl.

Zie www.consumentenbond.nl/tosti.

Volledig geïntegreerde vaatwassers
Consumentengids maart 2013

Wie ergernissen wil voorkomen, let bij aanschaf op een aantal praktische zaken. Bijvoorbeeld of de indeling van de machine past bij het serviesgoed dat erin moet. En of er ruimte is voor grote borden en schalen. De meeste huishoudens kiezen voor een vaatwasser waar minstens 12 couverts in passen. 60% heeft een volledig geïntegreerde vaatwasser; dat wil zeggen dat het bedieningspaneel aan de binnen- of beter bovenkant van de deur zit. Op de deur is een keukenpaneel gemonteerd zodat de vaatwasser één geheel vormt met de rest van het keukenblok. Een geïntegreerde vaatwasser met een zichtbaar bedieningspaneel is minder populair: die staat in 20% van de huishoudens. Beide soorten zijn vaak duurder dan een vrijstaande vaatwasser. Die heeft een afgewerkte deur met bedieningspaneel. Na verwijdering van het bovenblad zijn vrijstaande modellen wel onder een aanrechtblad te plaatsen. Er zijn ook speciale onderbouwmodellen te koop; die lijken op een vrijstaande vaatwasser, maar ze hebben geen bovenblad. Er is dus genoeg te kiezen.

Populaire programma's
Veel van onze 2432 geënquêteerden zijn erg blij met hun vaatwasser, zo blijkt uit de reacties: 'wat een uitvinding' en 'altijd een opgeruimd aanrecht, ik zou niet zonder kunnen'.

Bijna de helft kon zelfs geen enkel minpunt noemen. Maar soms ontbreken handige functies, zoals startuitstel. En velen vinden dat de machine te veel geluid maakt. Een bron van ergernis zijn ook rekjes die niet inklapbaar zijn en daardoor een flexibele indeling van de machine in de weg staan. Aan de andere kant is niet iedereen blij met een flexibele indeling. Zo tipt iemand: 'Neem een vaatwasser met weinig bewegende delen, zoals inklapbare rekjes, want die gaan snel stuk.'

Het meest gemelde nadeel is dat de vaatwasser geen speciale programma's heeft, zoals een kort programma. Sommige panelleden adviseren juist om een machine met zo weinig mogelijk programma's en extra functies te kopen omdat je die toch niet gebruikt. Onze enquête laat echter zien dat 65% (vrijwel) altijd een speciaal programma kiest voor vaatwastabletten. Uitgestelde start, het intensieve en het korte programma gaan zo nu en dan aan. Het populairst zijn het auto-, het dagelijks- en het ecoprogramma.

Volledig geïntegreerde vaatwassers

Merk & Type	Richtprijs	Testoordeel	Afwassen	Drogen	Programmaduur	Energiegebruik	Waterverbruik	Herrie	Gebruiksaanwijzing	Constructie	Gebruiksgemak	Aantal couverts
Weging voor Testoordeel (%)			35,5	12	2,5	12	8	10	16	2	2	
■ 1. **Bosch** SMV65U20EU	€870	7,3	□	++	–	++	+	+	++	++	++	13
■ 2. **Miele** G 5670 SC Vi	€1425	7,1	□	++	–	+	□	+	++	++	++	14
■ 3. **Bosch** SMV69M50EU	€790	7,0	□	++	–	+	+	□	++	++	++	14
4. **Siemens** SX66U094EU	€980	6,9	□	++	–	++	+	□	++	++	+	13
▶ 5. **Siemens** SN65M036EU	€520	6,7	□	++	–	+	+	□	++	++	++	13
6. **Indesit** DIFP 48	€365	6,4	□	+	–	+	□	□	++	++	+	12
7. **Ikea** Skinande	€500	6,4	□	++	–	□	□	+	+	++	+	12
8. **Atag** VA6711RT	€1150	6,3	□	+	– –	□	□	□	++	++	+	13
9. **Zanussi** ZDT13001FA	€470	6,1	□	++	–	+	–	□	+	++	+	12
10. **Pelgrim** GVW4750NY	€600	6,0	□	+	– –	+	□	□	+	++	+	12
11. **Whirlpool** ADG6240FD	€650	5,8	□	++	– –	□	+	□	+	++	+	13
12. **Bauknecht** GSXP 6140 GT A+	€850	5,7	□	++	– –	□	+	□	+	++	+	13
13. **Hotpoint–Ariston** LFTA+ 3214 HX	€375	4,4	–	+	–	+	□	□	++	++	++	14
14. **Etna** TFI8028ZT	€680	4,2	–	+	– –	+	+	+	+	++	++	14
15. **Samsung** DW–BG570B	€600	3,9	–	+	□	++	+	□	++	+	+	12

■ Beste uit de test   ▶ Beste koop   ++ Zeer goed   + Goed   □ Redelijk   – Matig   – – Slecht

De prijzen zijn van half januari 2013. Het gaat hier om een selectie van goed verkrijgbare volledig geïntegreerde apparaten.

De test

Aangekoekte aardappels, spinazie en thee werden genoemd als lastige resten in de vaatwasser. En laat dat nou precies de ingrediënten zijn die we in onze test gebruiken. Verder brengen we ook ei, gehakt, havermout, tomatensap, warme melk, boter, suiker, ketchup en koffiedrab aan op de vaat. Sommige etensresten laten we zo op het servies drogen, andere drogen we in een verwarmde oven. Getrainde labmedewerkers beoordelen of de vaat schoon en droog is geworden met het betreffende programma. Energie- en watergebruik worden gemeten, net als de geluidsproductie. En tot slot volgt een check op gebruiksgemak.

Niet goed schoonwassen blijkt voor 5% van de ondervraagden een flinke ergernis te zijn, maar ook drogen doen nogal wat machines niet goed. Kunststof droogt moeizaam doordat het snel afkoelt en het water tijdens de droogfase moeilijk verdampt. Een ander probleem zijn holtes waaruit het water niet weg kan lopen, zoals de onderkant van kopjes. Zet kopjes dus zo schuin mogelijk, zodat het water aan de zijkant weg kan. Bij gebruik van een tablet, ook een alles-in-ééntablet, helpt het toevoegen van zout en glansspoelmiddel voor een drogere vaat.

Wachten

In onze test vergeleken we het auto- en het ecoprogramma. In de automatische stand wast en droogt de vaatwasser meestal iets beter. Maar de verschillen zijn bij de ene machine groter dan bij de andere. En bij sommige modellen is juist het ecoprogramma beter. Dat is bedoeld om te besparen op water- en stroomverbruik. Gemiddeld scheelt zo'n ecoprogramma 2,7 liter in waterverbruik, maar dat kan oplopen tot 7 liter.

Opvallend is dat er ook ecoprogramma's zijn die juist iets meer water gebruiken. Het energiegebruik is bijna altijd lager, gemiddeld 0,23 kWh. Alleen de Samsung DW-BG570B verbruikt zowel meer water als meer stroom met het ecoprogramma dan met het autoprogramma.

Een wasbeurt kost gemiddeld 26 cent (gerekend met een waterprijs van 1,12 cent/m3 en een elektriciteitsprijs van 22,4 cent/kWh). Wassen met het ecoprogramma levert een gemiddelde besparing op van 5 cent per wasbeurt. Omdat de kosten per wasbeurt erg verschillen per machine, houden wij bij de bepaling van de Beste koop rekening met de gebruikskosten gedurende 8 jaar. Met een ecoprogramma kun je besparen, maar neem dan wel voor lief dat dit programma doorgaans 30 minuten langer duurt. Aangezien bijna tweederde van de ruim 2400 gebruikers de machine 's avonds of 's nachts aanzet en hem vaak de volgende ochtend pas uitruimt, zullen die 30 minuten extra niet erg zijn. Extra besparen kan door gebruik te maken van het goedkopere nachttarief; 41% van de ondervraagden let daarop bij het aanzetten van de machine. De geënquêteerden zijn dus kostenbewust, maar zijn ze ook zuinig op servies, bestek en pannen? Bij meer dan de helft gaat hout gewoon de machine in. Terwijl hout daardoor kan gaan splijten. Bestek kan bruine, roestachtige plekjes gaan vertonen.

Zo'n 20% schroomt niet om kristal en zilver in de vaatwasser te doen, maar kristal kan op den duur dof en ruw worden. Zilver kan verkleuren en dan helpt alleen poetsen.

Een enkele ondervraagde waarschuwt aluminium pannen niet in de vaatwasser te doen. Terecht, want ze kunnen dof worden en verkleuren. Dat geldt ook voor koper en tin. Bijna de helft van de panelleden stopt niet klakkeloos alle pannen in de vaatwasser. Vooral pannen met een anti-aanbaklaag worden met de hand afgewassen.

Bosch SMV65U20EU (Beste uit de test)

Prijs: €870

Testoordeel: 7,3

Deze vaatwasser heeft drie autoprogramma's van 35-40 °C, 45-65 °C en 65-75 °C. Speciale opties zijn variospeed (sneller, maar met hoger energiegebruik), extra hygiëne, intensieve zone (hogere sproeidruk en temperatuur), extra spoelen, halve belading en extra drogen. De uitgestelde start is instelbaar van 1 tot 24 uur. Er is nog een versie van te koop, de SBV65U20EU.

Siemens SN65M036EU (Beste koop)

Prijs: €520

Testoordeel: 6,7

Technisch gelijk aan deze Siemens is de Bosch SMV53M90EU. Hij is voorzien van extra programma's, zoals variospeed en een kort programma. Ook uitgestelde start is aanwezig en de optie halve belading voor als de vaatwasser niet helemaal vol is. De machine heeft de mogelijkheid de deur te vergrendelen (kinderslot).

Onderhoud

Een vaatwasser kan lang meegaan; 18% van de ondervraagden heeft zijn machine al meer dan tien jaar. En toch doen de meesten weinig aan onderhoud. Ze maken niet vaker dan maandelijks het filter en de deurrubbers schoon. Die twee zijn meestal de bron van vieze luchtjes. Slechts 1% vindt dat de vaatwasser stinkt. Een goede remedie tegen stank is volgens het panel een vaatwasverfrisser of de machine een paar keer leeg laten draaien op hoge temperatuur. Maar ook een wasbeurt met een halve citroen of wat schoonmaakazijn helpt tegen vieze geurtjes. Wie een alles-in-ééntablet gebruikt, kan overstappen naar los vaatwasmiddel, glansspoelmiddel en zout. Na enkele wasbeurten moet er dan verbetering zijn. In het ergste geval wordt de stank veroorzaakt door het terugstromen van vervuild water in de machine. Bel in dat geval een monteur.

Zie ook het dossier *Afwasmachines* op www.consumentenbond.nl/vaat-wassers.

Wasdrogers
Consumentengids april 2013

We testten zo'n 70 wasdrogers, waarvan er 33 in de tabel staan. De condensbak zit meestal naast het bedieningspaneel; staat de droger op de wasmachine, dan is het handiger als de bak onderin zit. Controleer in de winkel of de condensbak makkelijk uit de machine te halen is. Praktisch – want makkelijk te legen – is een condensbak met een groot gat, die in een hoek zit. En ook een indicator die aangeeft wanneer de bak geleegd moet worden, is erg handig. Zo voorkom je dat het apparaat halverwege de droogbeurt stopt vanwege een volle condensbak.

Aan te raden is om de droger op de waterafvoer aan te sluiten. Dat kan bij de meeste modellen. Soms wordt een slang meegeleverd of zit die al op het apparaat. Wie geen waterafvoer in de buurt heeft, kan een afvoer-droger kiezen. Die heeft geen condensbak: de damp wordt naar buiten afgevoerd via een afvoerslang door een raam of muur.

Pluizenfilter
Het zijn vervelende klussen, maar belangrijk om te doen: het schoonma-ken van het pluizenfilter, de warmtewisselaar (ook condensor genoemd) en het fijnfilter (bij warmtepompdrogers). Als de filters of warmtewisselaar verstopt raken, duurt het droogprogramma langer, gebruikt het apparaat meer energie en soms droogt de was niet goed. Al na acht droogbeur-ten zonder de fijnfilters schoon te maken, kan het extra energiegebruik oplopen tot wel de helft meer, zo blijkt uit onderzoek. In ergere gevallen

Wasdrogers

Gebruiksgemak

	Merk & Type	Richtprijs	Testoordeel	Met warmtepomp	Programmaselectie	Vullen en legen	Reinigen pluisfilter	Legen condensbak	Reinigen condensor of fijnfilter	Snelheid	Energiegebruik	Droogblijven omgeving	Gelijkmatig drogen	Kreuk	Lawaai
Weging voor Testoordeel (%)					3	4	4	4	2	22,5	22,5	15	10	5	5
CONDENSDROGERS															
■	**Miele** T7950 WP EcoC	€1300	7,3	√	+	+	++	++	+	+	+	++	□	–	□
■	**Miele** T8827 WP	€1200	7,1	√	+	+	□	++	–	+	+	++	+	–	+
	Miele T8813C Edit.111	€800	6,9		++	++	++	+	□	+	□	+	+	––	+
	Bosch WT86W561NL	€720	6,8	√	+	+	+	+	++	□	+	+	+	–	+
	Siemens WT48Y701NL	€1100	6,8	√	+	++	+	+	+	□	+	+	+	–	□
	AEG T65270AC	€460	6,7		+	+	+	+	□	+	□	++	+	–	□
▶	**Zanussi** ZTH485	€600	6,7	√	+	+	++	++	□	□	+	+	++	–	–
▶	**Bosch** WTW84360NL	€640	6,7	√	+	+	+	+	□	□	+	+	++	–	–
	Siemens WT44W361NL	€700	6,7	√	+	+	+	+	□	□	+	+	++	–	–
	Whirlpool AWZ7777	€400	6,6		□	+	+	+	+	+	□	+	++	–	––
	Bauknecht TRKD 370	€420	6,6		□	+	+	+	+	+	□	+	++	□	––
	Bosch WTE84103NL	€430	6,6		+	+	+	+	□	+	□	+	+	––	□
	Siemens WT44E176NL	€450	6,6		+	+	+	+	□	+	□	+	+	––	□
	AEG T59850	€680	6,6	√	+	+	+	+	□	□	+	+	+	□	–
	Miele T8803 C	€900	6,6		+	+	++	+	–	+	□	++	+	––	+
	Miele T8823 C	€980	6,6		++	+	++	++	–	+	□	++	+	––	+
	Zanussi ZTE273	€360	6,5		+	□	+	++	□	+	□	++	+	–	+
▶	**Whirlpool** Green 50	€600	6,5	√	+	+	+	+	□	□	+	+	+	–	––
	Beko DCU 7230 (X) *	€330	6,4		□	+	+	+	□	+	□	+	+	–	□
	Bosch WTC84101NL	€420	6,4		+	+	+	–	□	+	□	+	+	□	–
	Whirlpool AWZ7556	€380	6,3		□	+	+	+	+	+	□	+	+	□	––
	Whirlpool Green 40	€600	6,3	√	+	+	+	+	□	□	+	+	+	––	––
	Beko DPU 7360 X	€500	6,2	√	□	+	+	+	□	□	+	+	+	–	––
	Zanussi ZTE275	€310	6,0		+	+	+	+	□	+	–	+	+	––	––
	Samsung SDC35701	€400	6,0		++	□	+	+	+	+	–	□	++	–	□
	Samsung SDC14719	€400	6,0		+	□	+	+	□	+	□	□	+	––	□
	Indesit IDCA735(EU)	€310	5,3		□	+	++	+	□	□	–	□	++	–	––
	Indesit IDC73(EU)	€300	4,9		□	++	+	+	+	□	–	–	+	–	––
AFVOERDROGERS															
■	**Miele** T8703	€700	6,9		+	++	++	nvt	nvt	++	□	nvt	+	–	+
■	**AEG** T65170AV	€350	6,5		++	□	++	nvt	nvt	+	□	nvt	□	–	□
▶	**Indesit** IDV75	€200	6,2		□	□	+	nvt	nvt	+	□	nvt	+	□	–
	Whirlpool Atlanta A	€280	6,1		□	+	+	nvt	nvt	+	□	nvt	+	□	––
	Zanussi ZTB261	€250	6,0		□	+	+	nvt	nvt	+	□	nvt	+	+	––

■ Beste uit de test   ▶ Beste koop

++ Zeer goed   + Goed   □ Redelijk   – Matig   –– Slecht

kunnen verstoppingen defecten en zelfs brand veroorzaken. Raadpleeg daarom de schoonmaakinstructies (die verschillen per model) in de gebruiksaanwijzing.

Het pluizenfilter moet na elke droogbeurt worden schoongemaakt. Met de hand, of bij veel vuil met water. Elke droger heeft zo'n filter om pluisjes en haren uit de was op te vangen. Het zit in de deur of onderaan bij de deuropening. Sommige drogers hebben er zelfs meerdere, zoals die van Miele. Voorkom ergernis door in de winkel te testen of het filter makkelijk te openen is. Schoonmaken is minder vervelend als het filter rond is, geen lastige hoekjes heeft en niet uit verschillende delen bestaat. Ook handig: een indicator die aangeeft wanneer het filter vies is.

Niet alle pluis wordt door het pluizenfilter tegengehouden, daarom moet ook de condensor (van een condensdroger) regelmatig worden schoongemaakt. Spuit hem één tot vijf keer per jaar met een waterstraal schoon.

Handige voorzieningen

- Antikreukfase: de trommel blijft met tussenpozen draaien om kreuk te voorkomen.
- Weergave programmastatus of resterende tijd. Beide zijn handig, maar de laatste is nauwkeuriger.
- Signaal einde programma; legen condensbak; schoonmaken pluisfilter en warmtewisselaar.
- Deur met raampje: zo zie je of de was niet in een kluwen zit.
- Uitgestelde start- en eindtijd: om van nachtstroom gebruik te maken. Nadeel: nat wasgoed ligt een tijdje in de machine en de antikreukfunctie erna kost extra energie.
- Kinderbeveiliging: blokkering van de knoppen om wijziging of de start van de machine te voorkomen.

Wanneer heeft de droger aandacht nodig?

Afvoerdroger

- Na elke droogbeurt de pluizenfilter schoonmaken.
- Eens per vijf jaar de afvoerbuis op pluizen controleren.
- Af en toe de trommel of vochtsensor reinigen, luchtroosters en de ruimte waar de droger staat stofvrij maken.

Condensdroger

- Na elke droogbeurt de pluizenfilter schoonmaken en condensbak legen.
- Eén tot zes keer per halfjaar de condensor en ruimte eromheen schoonmaken.
- Af en toe de trommel of vochtsensor reinigen, luchtroosters en de ruimte waar de droger staat stofvrij maken.

Warmtepompdroger

- Na elke droogbeurt de condensbak legen en pluizenfilter schoonmaken.
- Om de vijf droogbeurten de fijnfilter en ruimte eromheen schoonmaken.
- Af en toe de trommel of vochtsensor reinigen, luchtroosters en de ruimte waar de droger staat stofvrij maken.

Zelfreinigend

Bij een warmtepompdroger houdt een filter de warmtewisselaar pluisvrij. Elke vijf droogbeurten moet dat filter worden schoongemaakt, zonodig met water als het heel vies is. Als er veel pluizen rondom of op de warmtewisselaar zitten, moeten ook die worden weggehaald.

Handig is een indicator die signaleert wanneer de condensor en het fijnfilter toe zijn aan een schoonmaakbeurt. Ook praktisch is de zelfreinigende condensor bij warmtepompdrogers van Bosch en Siemens. Deze voorkomt meer energiegebruik door pluisophoping. Wel hebben deze apparaten een extra pluizenfilter in de deuropening, dat ook schoongemaakt moet worden. En door die zelfreinigende condensor zijn de meeste warmtepompdrogers van Bosch en Siemens niet aan te sluiten op een afvoer.

Miele T7950 WP EcoC (Beste uit de test)

Prijs: €1300

Testoordeel: 7,3

Hij is snel voor een warmtepompdroger, heeft kreukbeveiliging, startuitstel en trommelverlichting. Handig is het signaal voor het legen van de condensbak en het schoonmaken van het fijnfilter. Ook wordt de resterende tijd weergegeven.

Whirlpool Green 50 (Beste koop)

Prijs: €600

Testoordeel: 6,5

Deze warmtepompdroger is langzamer dan een condens- en afvoerdroger, vooral bij een kleine was van 3 kg. Hij heeft kreukbeveiliging en startuitstel en weergave van de resterende tijd. Ook signaleert hij wanneer de condensbak vol zit en het pluizenfilter en de condensor moeten worden gereinigd. Hij heeft geen trommelverlichting.

Kijk voor meer geteste drogers en een video over het gebruiksgemak in het dossier op www.consumentenbond.nl/wasdrogers.

Wasmachines
Consumentengids mei 2013

Voor een grote wasmachine betaal je doorgaans meer dan voor een kleinere, maar een grote wast gemiddeld wel beter schoon, zo blijkt uit onze test. Ook is die per kg iets zuiniger, maar alleen met een bijna volle trommel. Wij testen de machines gevuld met 80% was, omdat uit onderzoek blijkt dat de wasmachine thuis zelden helemaal vol wordt gestopt. Sterker nog: vaak wil je niet wachten tot de wasmand helemaal vol is en draai je tussendoor een kleine was. Daarom testen we de machines ook met een wasje van 3 kg. Die test doorstaan ze niet allemaal even goed. Wasmachines kunnen het water- en energiegebruik aanpassen aan de hoeveelheid was, maar sommige machines verbruiken met 3 kg evenveel als met een volle trommel. Bosch, Miele, Samsung, Siemens en Whirlpool

Wasmachines

Merk & Type	Richtprijs	Testoordeel	Schoonwassen katoen op 40°C	Schoonwassen synthetica	Spoelen	Centrifugeren	Energiegebruik	Waterverbruik	Jaarkosten energie en water	Tijdsduur	Duur katoenprogramma op 40°C (uren:minuten)	Lawaai	Gebruiksgemak	Capaciteit (kg)	Centrifuge-toerental
Weging voor Testoordeel (%)			22	15	11	11	15	5		6		5	10		
■ Bosch WAY32540NL	€1000	7,2	++	++	□	+	□	+	€40	□	2:41	□	+	8	1600
■ Miele W5929WPS EcoC.	€1700	7,2	++	+	□	+	+	+	€34	+	2:06	+	+	7	1600
■ Miele W5821	€1150	7,1	++	+	□	+	+	++	€34	+	2:08	□	□	7	1400
Bosch WAQ28360NL	€600	6,9	++	++	□	+	□	+	€40	+	2:43	–	□	7	1400
Miele W5855	€1300	6,9	++	++	□	+	□	+	€39	□	2:26	–	□	7	1400
Bosch WAQ28461NL	€540	6,8	++	+	□	+	–	+	€44	□	2:40	□	□	7	1400
Siemens WM14S443NL	€640	6,8	+	+	□	+	□	+	€35	□	2:15	□	+	8	1400
Miele W3371 Ed. 111	€1000	6,7	++	+	□	+	–	+	€45	□	2:29	□	□	7	1400
▶ Whirlpool Nevada 1400	€430	6,6	+	+	□	□	+	+	€33	+	2:13	□	□	7	1400
Whirlpool Denver 1600	€450	6,6	+	+	□	+	+	+	€36	+	2:15	□	□	7	1600
Samsung WF700B4BKWQ	€465	6,6	++	+	□	+	□	+	€39	□	2:38	□	□	7	1400
AEG L87685FL	€900	6,6	++	+	□	+	□	+	€38	□	2:17	□	□	8	1600
Bosch WAS28840NL	€1000	6,6	+	+	□	+	□	+	€34	□	2:10	□	+	7	1400
Miele W5967WPS EcoC.	€2300	6,6	+	+	–	+	□	++	€36	□	2:35	+	□	8	1600
AEG L75475FL	€750	6,5	++	□	–	+	□	++	€35	+	2:17	□	□	7	1600
Miele W5873WPS Ed. 111	€1300	6,5	+	+	□	+	–	+	€43	□	2:29	□	□	8	1600
AEG L75675FL	€800	6,4	++	□	––	+	□	++	€36	□	2:19	□	□	7	1600
Samsung WF0704F7V	€430	6,3	□	+	□	+	+	+	€34	□	1:50	□	□	7	1400
LG F147M2D	€600	6,3	+	+	□	+	–	□	€47	□	3:14	□	□	7	1400
AEG L76475FL	€700	6,3	+	□	+	□	+	□	€37	□	2:29	□	□	7	1400
AEG L60460FL	€500	6,2	+	□	+	□	–	□	€44	□	2:30	–	□	6	1400
Whirlpool Cento 1400	€365	6,1	+	□	–	□	+	++	€28	+	2:39	–	□	6	1400
AEG L54870	€400	6,1	+	□	+	□	+	+	€39	□	2:09	□	□	6	1400
Bosch WAE28362NL	€450	6,1	++	+	□	□	□	+	€36	□	2:19	–	□	6	1400
Bauknecht WAK2770	€550	6,1	+	+	□	□	□	+	€42	+	2:00	–	–	7	1600
Whirlpool Paris 1400	€600	6,1	+	□	□	□	□	+	€39	□	2:04	–	□	8	1400
Whirlpool Hudson 1400	€430	6,0	+	+	–	+	+	++	€29	□	2:38	–	□	7	1400
Indesit IWC5145	€280	5,9	++	□	––	+	–	++	€42	□	2:07	–	□	5	1400
Ikea FWM7 Renlig	€500	5,9	+	+	–	□	+	+	€44	+	2:11	–	□	7	1600
Indesit IWE71451B ECO EU	€300	5,8	++	□	–	□	+	+	€44	□	3:08	–	–	7	1400
LG F1491QD	€400	5,8	□	+	–	□	□	+	€40	+	1:25	□	□	7	1400
Zanussi ZWG6160P	€400	5,8	+	+	□	+	□	+	€45	□	2:18	–	□	6	1400
Zanussi ZWH7140AP	€430	5,8	□	+	□	+	□	+	€34	+	1:48	–	□	6	1400
Zanussi ZWG6140P	€370	5,7	+	0	□	+	–	+	€45	□	2:19	––	□	6	1400
Zanussi ZWF5140P	€300	5,5	□	+	□	+	–	□	€46	□	1:55	□	–	5	1400
Indesit IWB6165	€320	5,3	+	□	–	□	□	++	€36	–	3:12	–	–	6	1600

passen het verbruik het best aan. De machines van Bosch, Siemens en Whirlpool smokkelen daarbij wel: de temperatuur blijft soms rond de 33 °C hangen, in plaats van de ingestelde 40 °C. Desondanks kost een kleine was 30 tot 60% meer energie en water per kg dan een volle trommel. Het zuinigst is een wasmachine die je meestal vol krijgt.

Meer kilo's, meer tijd

De capaciteit van de machines, zoals vermeld in de tabel, is gebaseerd op de hoeveelheid katoen die erin kan. Wol, synthetische en fijne was moeten voorzichtiger gewassen worden en daarom raadt de fabrikant aan de trommel dan half te vullen. Maar hoeveel is bijvoorbeeld 6 kg was? Een handigheidje: weeg uzelf eerst met de lege wasmand en ga daarna met de wasmand vol katoenen wasgoed op de weegschaal staan; het verschil is het gewicht van de was. Je moet trouwens behoorlijk prop- pen om 6 kg was in een machine met een capaciteit van 6 kg te krijgen.

Grotere trommel

'Heeft een wasmachine met meer capaciteit ook een grotere trommel?' vroeg een lid ons. De trommel is op het oog misschien niet groter, want de diameter is gelijk, maar meestal verschilt de diepte. Wasmachines met verschillende trommelgrootten zijn daarom even breed en hoog, maar de diepte varieert van gemiddeld 56 cm bij een machine voor 5 kg tot 63 cm bij een voor 8 kg.

Naast iets meer ruimte, heeft een grote machine meer tijd nodig voor het wassen van een volle trommel. Gemiddeld duurt 4 kg wassen in een machine van 5 kg een kleine 2 uur. Dat loopt bij een machine van 8 kg op tot 2,5 uur. Sommige wasmachines, ook van 6 of 7 kg, hebben ruim 3 uur nodig. Minder wassen, bijvoorbeeld 3 kg, gaat iets sneller dan een volle trommel: gemiddeld in krap 2 uur.

Drie plusjes

Er is het afgelopen jaar het één en ander veranderd aan het energielabel voor wasmachines.

De energie-efficiencyklassen lopen van D tot A+++, maar machines die sinds 2012 nieuw op de markt komen, moeten een label van minimaal A hebben. Vanaf december 2013 wordt dat zelfs minimaal A+. Fabrikanten hebben uit alle macht weten te voorkomen dat de energieklassen opschuiven (bijvoorbeeld A wordt C, A+ wordt B en A++ wordt A) en voor extra plusjes gezorgd. De machines met het laagste toegestane label, het A-label, lijken daardoor nog steeds goed.

Het label is gebaseerd op het verbruik van het katoenprogramma op 60 °C, zowel halfvol als vol, op 40 °C met een halfvolle trommel en op het standby-verbruik in de uit- en sluimerstand.

Bij wasmachines met dezelfde capaciteit bepaalt het verbruik per kg de klasse. De meeste wasmachines met een capaciteit van 8 kg zitten in klasse A+++, die van 5 kg in A+ of A++. Naast de energieklasse vermeldt het label het totale energie- en watergebruik per jaar, op basis van 220 keer wassen. Dit is bij grotere machines dus gebaseerd op meer was.

Vergeleken met een jaar of tien geleden gebruiken wasmachines minder energie en water. Dat is goed nieuws, maar het nadeel is dat het spoelresultaat hieronder te lijden heeft. Er blijven meer wasmiddelrestjes op het wasgoed achter en daar kan iemand met een gevoelige huid last van hebben. Bovendien kan achterblijvend waspoeder witte vlekken geven.

Voor wie tegen deze problemen aanloopt: gebruik niet meer wasmiddel dan aanbevolen en probeer eens een parfumvrij wasmiddel. Extra spoelen is ook een oplossing, maar kost wel ongeveer 20 liter water en 20 minuten extra tijd.

En dan moet de was nog gecentrifugeerd worden. In de tabel staan alleen machines met een centrifugetoerental van 1400 en 1600, maar eerder testten we ook machines met een toerental van 1200. Wasmachines met een hoger toerental centrifugeren de was beter droog, maar het verschil is klein en er zijn uitzonderingen. Het maximale toerental is te gebruiken bij katoen; voor fijn wasgoed is een lagere snelheid beter.

Even rekenen

Een interessante vraag die ons onlangs gesteld werd, is: 'Kunt u vergelijken wie er goedkoper uit is: iemand die om de 15 à 20 jaar een Miele koopt of iemand die elke 5 jaar een nieuwe wasmachine aanschaft voor circa €400?'

We sloegen aan het rekenen: voor zo'n €450 koop je een Whirlpool, die gemiddeld 8 jaar meegaat, zo bleek uit eerder onderzoek. Voor zo'n €1200 heb je een Miele, die het gemiddeld 15 jaar blijft doen. De jaarlijkse kosten voor energie en water, gebaseerd op vier keer wassen per week, zijn gemiddeld iets lager voor een Whirlpool. In 15 jaar koop je twee keer een Whirlpool. Door de lagere jaarlijkse kosten en het rentevoordeel zou je dan ruim €600 overhouden met de Whirlpools. Er is geen rekening gehouden met reparaties. Bovendien willen velen het gedoe rond het kopen van een nieuwe machine het liefst beperken. Voor minder dan €650 heb je al keus uit vijf machines uit de top-10 van de tabel.

Duurdere machines hebben vaak meer programmamogelijkheden. Zo hebben de duurste modellen van Miele programma's voor specifieke vlekken, jeans, sportschoenen, outdoorkleding, impregneren, knuffeldieren, hoofdkussens en vitrage.

IN DETAIL

Bosch WAY32540NL (Beste uit de test)

Prijs: €1000

Testoordeel: 7,2

De goedkoopste Beste uit de test. Deze machine voor 8 kg wasgoed heeft een grote opening van 32 cm. De display toont de resterende tijd van het programma. De eindtijd is in te stellen. De machine geeft een doseeradvies op basis van de hoeveelheid wasgoed. Er zijn bijzondere programma's als allergie+, extra snel en dons.

Whirlpool Nevada 1400 (Beste koop)

Prijs: €430

Testoordeel: 6,6

Deze Whirlpool voor 7 kg wasgoed doet het op alle aspecten redelijk of goed. De display toont de resterende tijd van een programma. Hij heeft startuitstel, maar geen geluidssignaal aan het einde van een programma. Naast de standaardprogramma's zijn er onder andere programma's voor gemengde was en lingerie.

Zie het dossier op www.consumentenbond.nl/wasmachines.

Waterkokers

Consumentengids januari 2013

Water koken in een waterkoker gaat sneller dan in een fluitketel op het gasfornuis of de kookplaat. Het is wel een extra apparaat op het aanrecht dat meestal permanent op een stopcontact is aangesloten. Waterkokers zijn er al vanaf een tientje, maar je kunt er ook zomaar €100 voor betalen. De vormgeving verschilt enorm: er zijn er met hippe kleuren en het uiterlijk van een fluitketel, zoals de Russell Hobbs Cottage en Kenwood kMix SKM031. Bij waterkokers die te koop zijn in meerdere kleuren wijkt het typenummer iets af van dat in de tabel.

Snel

We kookten verscheidene keren water, noteerden het energiegebruik, de tijd, het geluid en beoordeelden daarnaast de gebruiksvriendelijkheid en de kwaliteit van het filter dat moet voorkomen dat kalkstukjes (ketelsteen) in je kopje terechtkomen.

Snelheid en energiegebruik zijn belangrijk bij de keuze van een waterkoker. In het algemeen geldt: hoe groter het vermogen (in watt), hoe sneller het water kookt. Maar uiteindelijk gaat het erom hoeveel energie de apparaten nodig hebben om dezelfde hoeveelheid water aan de kook te brengen. Dan blijkt dat de zuinigste waterkokers niet het traagst en de snelste niet per se energieslurpers zijn. De snellere waterkokers hebben over het algemeen wel een hoger wattage, maar doordat het water eerder kookt, gebruiken ze uiteindelijk minder stroom dan de waterkokers die er met een lager wattage langer over doen. Toch is een hoog wattage geen garantie voor snel gekookt water; het verschilt per model.

De twee snelste waterkokers uit onze test doen er gemiddeld 2,5 minuut over om een liter water te koken. De traagste doet er minstens een minuut langer over. Gemiddeld twee keer per dag een liter water koken kost met de snelste per jaar zo'n €18 en met de traagste circa €21.

Minimumhoeveelheid

Een belangrijke oorzaak van energieverspilling is meer water koken dan je nodig hebt. Bij de meeste fluitketels voor op gas is niet te zien hoeveel water je erin doet, zodat je al snel te veel kookt. Veel waterkokers zijn voorzien van een peilraam met een streepjesaanduiding om de hoeveel-

Waterkokers

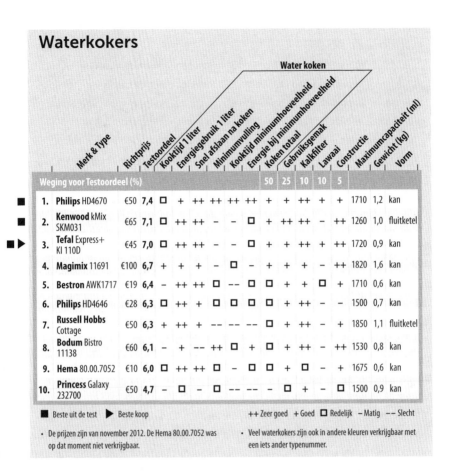

Merk & Type	Richtprijs	Testoordeel	Kooktijd 1 liter	Energiegebruik 1 liter	Snel afslaan na koken	Minimumvulling	Kooktijd minimumhoeveelheid	Energie bij minimumhoeveelheid	Koken totaal	Gebruiksgemak	Kalkfilter	Lawaai	Constructie	Maximumcapaciteit (ml)	Gewicht (kg)	Vorm
Weging voor Testoordeel (%)									50	25	10	10	5			
1. **Philips** HD4670	€50	7,4	□	+	++	++	++	++	+	+	++	+	+	1710	1,2	kan
2. **Kenwood** kMix SKM031	€65	7,1	□	++	++	–	–	□	+	++	++	–	++	1260	1,0	fluitketel
3. **Tefal** Express+ KI 110D	€45	7,0	□	++	++	–	–	□	+	+	++	+	++	1720	0,9	kan
4. **Magimix** 11691	€100	6,7	+	+	+	–	□	–	+	+	+	–	++	1820	1,6	kan
5. **Bestron** AWK1717	€19	6,4	–	++	++	□	––	□	□	+	+	□	+	1710	0,6	kan
6. **Philips** HD4646	€28	6,3	□	++	+	□	□	□	□	+	++	–	–	1500	0,7	kan
7. **Russell Hobbs** Cottage	€50	6,3	+	++	+	––	––	––	□	+	++	–	+	1850	1,1	fluitketel
8. **Bodum** Bistro 11138	€60	6,1	–	+	––	++	□	+	□	+	++	–	++	1530	0,8	kan
9. **Hema** 80.00.7052	€10	6,0	□	++	++	□	–	□	□	+	□	–	+	1675	0,6	kan
10. **Princess** Galaxy 232700	€50	4,7	–	□	–	□	––	––	–	□	+	–	□	1500	0,9	kan

■ Beste uit de test ▶ Beste koop

++ Zeer goed + Goed □ Redelijk – Matig –– Slecht

- De prijzen zijn van november 2012. De Hema 80.00.7052 was op dat moment niet verkrijgbaar.
- Veel waterkokers zijn ook in andere kleuren verkrijgbaar met een iets ander typenummer.

heid water in de gaten te houden. Een nadeel van sommige waterkokers is dat ze een nogal forse minimumhoeveelheid water nodig hebben. Met meer kans op energieverspilling. De Philips HD4670 heeft de kleinste minimumhoeveelheid: 250 ml. Waterkokers met een dompelaar (een zichtbaar spiraalvormig verwarmingselement bij de bodem) vereisen per definitie een grotere minimumhoeveelheid water.

Alle geteste waterkokers slaan automatisch af als het water kookt. Maar sommige doen dat niet direct en laten het water nog even doorkoken. Dat kan in sommige landen nuttig zijn voor het doden van bacteriën, maar in Nederland is dit niet nodig. Ook kan doorkoken het kalkgehalte verminderen, maar ook dat is in Nederland nauwelijks nuttig. Het meeste kraanwater is vrij zacht. De Bodum Bistro kookt gemiddeld zelfs nog 22 seconden door na het bereiken van het kookpunt.

Ontkalken

Een waterkoker moet af en toe ontkalkt worden, afhankelijk van het gebruik en de hardheid van het water. Dit verlengt de levensduur van het apparaat. Kalkaanslag werkt isolerend en maakt dat water minder snel kookt. Ontkalken kan door aan het water in de waterkoker (schoonmaak)azijn toe te voegen en dit een tijdje te laten weken. Daarna goed omspoelen, eventueel borstelen en een keer koken met schoon water. Dit water wel weggooien. In plaats van azijn werkt ook een reinigingstablet voor een kunstgebit prima.

Niet energiezuinig

Water koken met elektriciteit is duurder dan met gas. Dus is het zonde meer te koken dan je nodig hebt. Wie vaak maar voor een of twee koppen water nodig heeft, kan het best kiezen voor een waterkoker met een zo laag mogelijk vulminimum, zoals de Philips HD4670. Het peilglas op de waterkoker helpt bij het afmeten van de juiste hoeveelheid.

De Russell Hobbs Cottage-serie is niet handig voor kleine hoeveelheden, omdat het aangegeven vulminimum een liter is. In de gebruiksaanwijzing staat wel dat er minimaal twee koppen in moeten, maar de laagste markering op het peilglas staat bij 1 liter.

Ook regelmatig de waterkoker ontkalken zorgt voor energiebesparing. Waterkokers met een dompelaar hebben eerder last van kalkafzetting dan die met een niet zichtbaar verwarmingselement. Daardoor is er meer kans op energieverspilling, tenzij ze vaak genoeg worden ontkalkt.

De warmhoudfunctie van een waterkoker gebruiken is ook niet energiezuinig. Slimmer is het om het gekookte water in een thermoskan te bewaren.

Sommige waterkokers hebben een lampje of display dat constant blijft branden, ook al wordt het apparaat niet gebruikt. Dat verspilt per jaar zo'n 13 kWh aan stroom oftewel zo'n €2,85.

Formaat

Een waterkoker is een simpel apparaat: water erin, aanzetten, even wachten en er is gekookt water. Sommige hebben handige voorzieningen. Bijvoorbeeld een peilglas met streepjes om te zien hoeveel water er in de waterkoker zit. Maar bij een enkele is over die streepjes niet goed nagedacht. Bij de Russell Hobbs Cottage bijvoorbeeld gaat de indeling van 1 liter via zes kopjes naar ten slotte 1,8 liter. De Bodum Bistro heeft wel duidelijke markeringen op het peilglas, in koppen en in liters.

Er zijn veel meer waterkokers te koop dan wij hebben getest. Je kunt er dus een kiezen met een goed passende capaciteit. Wie meestal twee koppen water nodig heeft, kan toe met een klein model, het liefst met een laag minimumvolume. Maar ook voor wie veel heet water gebruikt, is er keus genoeg. De geteste waterkokers hebben een capaciteit van 1,2 liter of meer; zie de tabel.

Het nadeel van een grote waterkoker is dat hij ook leeg niet licht is. Daardoor gaat het optillen en uitschenken van de waterkoker minder makkelijk. De Russell Hobbs Cottage is leeg al redelijk zwaar, en daardoor is hij minder prettig in het gebruik; dit geldt ook voor de Philips HD4670. Het zwaarst is de Magimix 11691.

Een waterkoker heeft een basis waarvan de stekker naar het stopcontact gaat. Die blijft op het aanrecht staan. De ketel til je er vanaf om te vullen en te schenken. Het maakt uit op welke manier beide delen op elkaar aansluiten. Een waterkoker met een zogeheten pirouetteaansluiting is het makkelijkst in het gebruik, omdat je de koker vanuit elke hoek op de basis kunt zetten. De Bestron AWK 1717 heeft niet zo'n aansluiting.

De ketel onder de kraan vullen gaat doorgaans zowel via de tuit als het geopende deksel. Bestron, Princess, Bodum en Russell Hobbs adviseren het laatste; Tefal juist via de tuit. Bij de overige apparaten is beide mogelijk.

Kokendwaterkraan

Een kokendwaterkraan bestaat uit een reservoir in het keukenkastje onder de spoelbak en een aparte tapkraan bij de gootsteen. Een gecombineerde kraan voor koud water, warm water van de combiketel en kokend water uit het genoemde reservoir is ook mogelijk.

Het water in het reservoir op temperatuur houden kost volgens Milieu Centraal per jaar zo'n 92 tot 280 kWh (€20 tot €60). Met een kokendwaterkraan kun je energie(kosten) besparen als je regelmatig kleinere hoeveelheden kokend water nodig hebt. Zo'n kraan is erg handig, want je kunt precies zoveel tappen als je nodig hebt. Maar de aanschaf- en installatiekosten zijn hoog: vanaf circa €800.

Philips HD4670 (Beste uit de test)

Prijs: €50

Testoordeel: 7,4

Dankzij de lage minimumhoeveelheid (250 ml) bespaart hij energie als je behoefte hebt aan een kleine hoeveelheid water. De markering op het peilglas is grotendeels in koppen. Makkelijk te vullen via de tuit.

Tefal Express + KI 110D (Beste uit de test en Beste koop)

Prijs: €45

Testoordeel: 7,0

Een prettig te hanteren waterkoker, die zich comfortabel laat leegschenken. De niveaubuisjes die de vulhoeveelheid tonen, maken dat deze Tefal wat langzaam reageert bij het vullen.

Kenwood Kmix SKM031 (Beste uit de test)

Prijs: €65

Testoordeel: 7,1

Door het klassieke design met een tuit is er bij het uitschenken minder kans op morsen. Hij heeft een heel goed filter dat alle kalkstukjes tegenhoudt.

Herrie

Een niet onbelangrijk aspect is de herrie die waterkokers maken tijdens het aan de kook brengen van water. In de test is gelet op de hoeveelheid geluid en op de soort. Het is wel persoonlijk hoe het geluid ervaren wordt; in de tabel staan de gemiddelden van de metingen en de oordelen van de panelleden. De waterkoker van Magimix maakt het vervelendste geluid. Een RVS buitenkant kan er stijlvol uitzien, maar hier zijn spetters en vingers natuurlijk wel goed op te zien.

Om de binnenkant schoon te maken, moeten alle plekken makkelijk bereikbaar zijn, en zijn randen en dergelijke onhandig. Een waterkoker met een dompelaar is lastiger schoon te maken dan een met een geïntegreerd warmte-element. Nu hoeft er gelukkig niet veel te worden schoongemaakt, behalve ontkalken.

Brandgevaar

Om te voorkomen dat je je handen brandt, mag de buitenkant van de waterkoker niet te warm worden. Het handvat natuurlijk al helemaal niet, maar ook de kan vlak bij de handgreep niet. Bij alle waterkokers met een kunststof buitenkant is dat dik in orde. Modellen waarin roestvrij staal is verwerkt, hebben wel plaatsen waaraan je je kunt branden. Alleen de roestvrijstalen Magimix wordt niet zo heet aan de buitenkant, omdat die een dubbele geïsoleerde wand heeft.

Verder zijn waterkokers voorzien van een beveiliging tegen oververhitting en droogkoken. Ze schakelen zichzelf tijdig uit.

VOEDING

Acrylamide

Gezondgids april 2013

De Consumentenbond onderzocht bijna 30 soorten naturelchips en ontbijtkoek op acrylamide, een stof die mogelijk kankerverwekkend is voor mensen. Er zijn nog geen wettelijke normen voor acrylamide in voeding. Wel heeft de Europese Commissie signaalwaarden per product-groep vastgesteld; overigens niet te verwarren met veiligheidsdrempels. Als bedrijven boven deze waarde komen, krijgen ze een waarschuwing van de voedselautoriteiten en moeten ze het productieproces aanpas-sen – acrylamide ontstaat namelijk tijdens de productie. Helaas blijkt uit onze test dat niet alle chipsfabrikanten onder de signaalwaarde voor aardappelchips blijven: 1000 μg (microgram, eenduizendste van een milligram) per kg. Zo zit in de ambachtelijk ogende chips van Tra'fo, Hoeksche Chips en Kettle veel meer acrylamide; oplopend tot 1900 μg (1,9 mg) per kg. Eet je hier een hele zak van leeg, dan heb je twee tot ruim drie keer zoveel acrylamide binnen als we er gemiddeld per dag van eten. Niet te onderschatten dus. In de andere geteste merken (zie tabel) vonden we tot vijf keer minder acrylamide dan in die van Tra'fo, Hoeksche Chips en Kettle.

Terugdringen

Hoewel alle fabrikanten van de onderzochte chipsmerken zeggen actief bezig te zijn met het terugdringen van acrylamide, blijkt dat bij Tra'fo, Hoeksche Chips en Kettle totaal niet uit onze steekproef. 'Wij vinden zelf al jaren lagere gehalten', reageren ze verbaasd. 'We doen er alles aan om de hoeveelheid acrylamide laag te houden.' Toch gaat het mis. Daar kun-nen allerlei redenen voor zijn, zoals de aardappelen of het productiepro-ces. Misschien gebruiken ze aardappelen waar te veel suikers in zitten, die ontstaan door het te lang of niet goed opslaan van de aardappelen. Hoe meer suiker in de aardappelen, hoe meer acrylamide bij het frituren kan ontstaan. Overigens variëren de acrylamidegehalten in chips altijd wel wat gedurende het jaar. Ook onze meting is dus een momentopname. In chips gemaakt van nieuweoogstaardappelen zit minder acrylamide dan in chips gemaakt van opgeslagen aardappelen.

De reactie van Tra'fo doet ons vermoeden dat biologische aardappelen misschien niet zo geschikt zijn om chips van te maken. De fabrikant klaagt over minder mogelijkheden dan reguliere chipsfabrikanten: 'Omdat bioaardappelen niet gespoten worden tegen de aardappelziekte fytoftora, moeten ze eerder van het land. Dat zorgt voor meer suikervorming. Ook kunnen we bij het opslaan geen chemische bewaarmiddelen gebruiken om suikervorming tegen te gaan. Wel hebben we de baktemperatuur verlaagd en de opslagtemperatuur verhoogd. Daarnaast testen we het suikergehalte van de aardappelen voordat we ze gebruiken, maar ze kunnen alsnog in de stress schieten en extra suikers gaan maken.' Ook geven Tra'fo en Kettle aan dat 2012 een slecht aardappeljaar was en dat de aardappelen eerder van het land gehaald moesten worden en langer moesten worden opgeslagen. Dat zal allemaal wel, maar misschien moet je dan geen chips maken van deze aardappelen?

Acrylamide in chips

	Merk	Type	Prijs	Inhoud (gram)	Prijs per portie	Acrylamide
1	Pirato	Naturel	€0,79	250	€0,08	+
2	C1000	Naturel	€0,92	200	€0,12	+
3	Jumbo	Naturel	€0,92	200	€0,12	+
4	Albert Heijn	Naturel	€0,97	200	€0,12	+
5	Plus	Naturel	€0,97	200	€0,12	+
6	Croky	Naturel	€1,29	250	€0,13	+
7	Lay's	Naturel	€1,25	225	€0,14	+
8	Hatherwood	Handcooked, lightly salted crisps	€0,95	150	€0,16	+
9	Lay's	The Oven from Lay's, naturel	€1,20	150	€0,20	+
10	Tra'fo	Bio-organic handcooked chips, seasalt	€1,59	125	€0,32	−
11	Kettle	Handcooked, seasalt	€1,94	150	€0,32	−
12	Hoeksche Chips	Met zeezout	€1,99	150	€0,33	−

++ Zeer goed   + Goed   □ Redelijk   − Matig   −− Slecht   Eén portie is 25 gram.

Hatherwood is te koop bij Lidl, Pirato bij Aldi, Hoeksche Chips bij Plus en Tra'fo chips bij natuurvoedingswinkels waaronder EkoPlaza.

Tips om acrylamidevorming thuis te beperken

Er kan ook acrylamide ontstaan als je zelf friet, chips, aardappelen en koek bakt. Dat is zo veel mogelijk te voorkomen door:

- de aardappelen om friet van te maken donker en koel te bewaren, maar niet in de koelkast of kouder dan 8 °C;
- friet niet bij hogere temperaturen dan 175 °C te frituren;
- aardappelproducten goudgeel, maar niet zo bruin te bakken;
- geen ovenfriet in de friteuse te bakken;
- koekjes en brood niet zo bruin te bakken.

Zetmeelrijke producten

Overigens zit acrylamide niet alleen in chips en ontbijtkoek, maar ook in veel andere voedingsmiddelen. De stof ontstaat voornamelijk in alle zetmeelrijke producten (gemaakt van aardappelen of granen) die heter dan 120 °C worden verhit. Volgens Piet Wester, toxicoloog bij het RIVM, eten we volgens de schatting van de WHO per dag gemiddeld ongeveer 1 μg per kilogram lichaamsgewicht acrylamide: 'Een volwassen man van 75 kilogram krijgt dus ongeveer 75 μg per dag binnen. Gemiddeld komt circa de helft hiervan uit friet en chips, de rest uit ontbijtgranen, koekjes, ontbijtkoek, brood en koffie. Rokers kunnen wel twee tot vijf keer zo veel binnenkrijgen; er zit ook acrylamide in sigarettenrook.'

Dat acrylamide in voeding zit, is nog maar sinds 2002 bekend. Voor 2002 was de stof vooral bekend in de chemische industrie: zo wordt het bijvoorbeeld gebruikt bij de productie van plastic en bij rioolwaterzuivering. Blootstelling via het werk kan neurologische schade veroorzaken. Er gelden in Nederland dan ook normen voor beroepsmatige blootstelling aan acrylamide en gehalten in drinkwater. Voor acrylamide in voeding – over het algemeen gaat het dan om kleinere hoeveelheden – zijn die normen er zoals eerder gezegd nog niet. Dit komt doordat nog niet goed bekend is of acrylamide uit voeding schadelijk is voor mensen, en bij welke hoeveelheden, vertelt Wester: 'Wel staat vast dat muizen en ratten neurologische schade ontwikkelen als ze acrylamide eten. En ze ontwikkelen tumoren als ze hun hele leven lang dagelijks meer dan 1 mg acrylamide per kg lichaamsgewicht eten. Hoe dat precies bij mensen zit, moet nog blijken uit humane studies. De onderzoeken die al gedaan zijn, geven tegenstrijdige resultaten: soms wordt een iets grotere kans op kanker (in baarmoeder en eierstokken) gevonden. En in andere studies weer niet. Bovendien wordt in veel studies de acrylamide-inname geschat aan de hand van vragenlijsten, en dat geeft een onnauwkeurig beeld. Je kunt beter gebruikmaken van bepaalde stoffen in het bloed die acrylamide weergeven. Maar de resultaten van studies die daar gebruik van maken zijn er nog niet.'

Waarom wordt acrylamide niet uit ons eten gebannen, tot er meer duidelijkheid is? Wester denkt dat dit nauwelijks een optie is. 'Het zit in zoveel voedingsmiddelen en het ontstaat tijdens het productieproces. Je kunt dat proces vaak wel aanpassen zodat er minder acrylamide ontstaat, maar je kunt geen chips, koekjes en friet maken zonder dat er wat acrylamide in ontstaat. Dan zouden die producten helemaal verboden moeten worden.'

Acrylamide in ontbijtkoek gedaald

De Consumentenbond onderzocht ook 16 soorten ontbijtkoek uit de supermarkt op acrylamide: verse ontbijtkoek, volkorenontbijtkoek en ontbijtkoek met minder suiker, zowel A-merken als huismerken. Hoewel in ontbijtkoek veel acrylamide kan zitten, en de Consumentenbond dat in 2009 aantoonde, zijn de uitkomsten van onze steekproef hoopgevend. In de helft van de geteste ontbijtkoek is de hoeveelheid acrylamide zelfs te laag om te meten, bij de rest was het maximaal 160 µg/kg. Vier jaar geleden vond de Consumentenbond veel meer acrylamide in ontbijtkoek: gemiddeld ruim 300 µg/kg, en in verse ontbijtkoek zelfs 1500 µg/kg. Per plak kwam je toen eenvoudig aan de 45 µg. Nu is dat maximaal 5 µg. Tussen de verse, volkoren en ontbijtkoek zonder suiker zien we geen significante verschillen. De NVWA, die al jarenlang acrylamide in voeding volgt, en die de beschikking heeft over meer cijfers, vindt vergelijkbare waarden. Wel heeft de NVWA de indruk dat in ontbijtkoek met minder suiker iets minder acrylamide zit. Acrylamidevorming wordt namelijk versterkt door de aanwezigheid van suikers. Als reden voor de verlaging geven fabrikanten desgevraagd aan dat ze het bakproces hebben veranderd, en bijvoorbeeld aanpassingen hebben gedaan in de baktemperatuur, en dat ze andere rijsmiddelen gebruiken.

Voorzorg

Uit voorzorg kun je beter niet te veel acrylamide binnenkrijgen tot er meer duidelijk is over de risico's, vindt de Consumentenbond: wees matig met chips en friet, en zeker met de chips waar wij veel acrylamide in vonden. Met een portie chips van 25 gram van Hoeksche Chips, Tra'fo of Kettle zit je algauw aan 30 tot 50 μg acrylamide. Eet je de hele zak leeg, dan loopt het op tot ruim 200 μg, zo'n drie keer zoveel als we gemiddeld aan acrylamide binnenkrijgen. De andere geteste chipsmerken zitten tussen de 10 en 20 μg per portie.

En: als je zelf bakt, bak de koekjes, chips en friet dan niet zo bruin. Al kun je acrylamide niet zien omdat het ontstaat door lang en heet verhitten, bruin worden geeft wel een goede indicatie, vertelt Wester (zie voor meer tips het kader).

Gelukkig is er de afgelopen tien jaar het een en ander veranderd. De Consumentenbond vond nu in de meeste chipssoorten de helft minder acrylamide dan de Nederlandse Voedsel- en Warenautoriteit (NVWA) in 2002 rapporteerde. In andere producten neemt de hoeveelheid acrylamide ook af, bevestigt Hans Jeuring, inspecteur bij de NVWA: 'De NVWA onderzoekt jaarlijks zo'n 100 monsters en we zien in de meeste productgroepen een daling. Waarschijnlijk is dit het gevolg van een aanpassing in het productieproces.' Jeuring doelt hiermee op de zogenoemde toolbox, ontwikkeld door FoodDrinkEurope, het overkoepelende orgaan voor de Europese voedingsmiddelenindustrie. Hierin staan handvatten om acrylamidevorming in het productieproces zo veel mogelijk te beperken en bedrijven volgen over het algemeen deze werkwijze. Zij worden namelijk op de vingers getikt door de voedselautoriteiten als ze de signaalwaarde van de Europese Commissie overschrijden.

Uitschieters

Cijfers van de Europese voedselautoriteit EFSA bevestigen dat acrylamide in veel productgroepen afneemt, maar dat er uitschieters blijven bestaan. Blijkbaar is het wel mogelijk te produceren zonder dat er veel acrylamide ontstaat, maar nemen sommige bedrijven het niet zo nauw.

In gebrande koffie stijgt de hoeveelheid acrylamide de laatste jaren, blijkt uit cijfers van EFSA. Volgens Wester is nog niet goed bekend hoe acrylamide in koffie teruggedrongen kan worden zonder de karakteristieke smaak te verliezen. 'Het ontstaat tijdens het roosteren van de bonen en schijnt af te nemen als je langer doorroostert. Er wordt onderzoek gedaan hoe het teruggebracht kan worden.' Overigens gaat het niet om extreme hoeveelheden, tenzij je heel veel koffie drinkt: ongeveer 2 μg per kopje.

De Consumentenbond wil dat er snel duidelijkheid komt over de risico's van acrylamide in voeding. Dit jaar, ruim tien jaar na de ontdekking ervan, gaat een panel van EFSA alle beschikbare literatuur opnieuw onder de loep nemen. EFSA wil op basis van deze gegevens met een advies komen over de veiligheid van acrylamide in voeding. En wellicht worden dan ook maximaal toegestane hoeveelheden vastgesteld. Naar verwachting is het advies in 2014 gereed. Bak ze tot die tijd in elk geval niet zo bruin.

Boerenkool met worst (kant-en-klaar)
Consumentengids februari 2013

We eten niet alleen om gezond te blijven, maar ook om te genieten. De smaak van 12 stamppotten van boerenkool met worst en jus is daarom uitvoerig onderzocht. Een panel van 42 consumenten is tweemaal in de weer geweest om elk product voldoende aandacht te kunnen geven. Het eerste wat opvalt, is dat de proevers niet enthousiast waren. Het lijkt allemaal veel op elkaar. De grootste verschillen waren er nog in smeuïgheid. De ene is erg glad van structuur oftewel smeuïg, terwijl een andere veel ruller is. Maar de rapportcijfers voor de smaak ontlopen elkaar uiteindelijk weinig.

Smaak
Naast merkproducten heeft de Consumentenbond boerenkool met worst gekocht bij een willekeurig gekozen slager, groenteboer en traiteur. Die zijn een stuk duurder dan de supermarktproducten. Maar ze smaken niet beter. Sommige panelleden maken wel interessante complimenten, zoals: 'lekker kruidig' bij de stamppot van de slager, van wie bovendien de worst de meeste vleessmaak heeft. Ook de traiteur levert aardige worst, maar zijn stamppot heeft een bijsmaakje, vermoedelijk door een kruid (mint?) waar het panel niet weg van is.
De groentewinkel heeft een fraaie stamppot, maar zijn jus oogst veel kritiek. De supermarkten hebben de jus beter op smaak dan de drie winkels. Overigens levert de Hema als enige geen jus bij de stamppot.
Het volgende wat opvalt, is dat de smaak van de duurdere van de twee producten van AH het slechtst wordt gewaardeerd. Het is een wat af-

wijkend product. Je moet zelf de boerenkool door de aardappelpuree mengen. De jus zit wat verstopt en het dunne worstje doet aan knakworst denken en heeft een vettig smaakje. De stamppot is niet lekker. Het panel meldt onder meer 'klef' en 'smaakt naar kaas'.

Zout

Uiteraard hebben we ook het zoutgehalte bepaald. We eten immers meer zout dan goed voor ons is, namelijk gemiddeld 9 gram per dag. Terwijl maximaal 6 gram wordt aangeraden. Ook als je moeite doet, zul je er nauwelijks in slagen minder zout te eten, omdat fabrikanten zoveel zout toevoegen. Wie kant-en-klare stamppot boerenkool met worst eet, zal die dag de maximale 6 gram zeker overschrijden.

Kant-en-klare boerenkoolstamppot

	Merk & Type	Inhoud (= 1 portie)(gram)	Richtprijs	Testoordeel	Prijs per 100 gram	Rapportcijfer voor smaak	Zout	Ongezond vet	Etiket	Energie (kcal/portie)	Worst[1]	Smeuïgheid	Groente[2]
Weging voor Testoordeel (%)						45	25	25	5				
■ 1.	**C1000** Boerenkool stamppot	500	€3,00	**6,8**	€0,60	7,1	+	+	++	490	90	ooo	135
■ 2.	**Plus** Stamppot Boerenkool	500	€3,30	**6,7**	€0,66	7,3	+	□	++	580	85	ooo	140
■ 3.	**Hema** Boerenkool stamppot	500	€3,75	**6,7**	€0,75	7,1	□	+	++	550	85	oo	113
4.	**Jumbo** Stamppot Boerenkool	500	€3,00	**6,4**	€0,60	7,2	□	+	++	540	95	oo	120
▶ 5.	**Daily Chef** Boerenkool-stamppot	500	€2,50	**6,3**	€0,50	6,9	+	□	++	570	85	oo	140
6.	**Albert Heijn** Holl. Stamppot Boerenkool	500	€3,00	**6,0**	€0,60	7,2	□	□	+	480	110	oo	105
7.	**traiteur** Verse Stamppot Boerenkool	500	€4,40	**5,6**	€0,88	7,2	--	+	--	480	80	oo	
8.	**groenteboer** Verse Stamppot Boerenkool	500	€5,20	**5,0**	€1,04	7,3	□	-	--	670	120	oo	
9.	**Lidl** Coquette Boerenkool stamppot	500	€2,50	**4,8**	€0,50	7,2	□	-	++	640	110	ooo	120
10.	**Unox** Boerenkoolstamppot	550	€4,00	**4,8**	€0,73	7,0	□	-	++	680	100	ooo	115
11.	**Albert Heijn** Verse Stamppot Boerenkool	565	€4,30	**3,0**	€0,76	5,9	□	--	+	700	90	o	105
12.	**slager** Verse Stamppot Boerenkool	500	€6,55	**3,0**	€1,31	7,5	□	--	--	700	70	oo	

■ Beste uit de test   ▶ Beste koop   ++ Zeer goed   + Goed   □ Redelijk   – Matig   -- Slecht

- Hoe meer rondjes, des te smeuïger.
- De stamppot van de Hema heeft als enige geen jus.
- Van de producten van de traiteur, slager en groenteboer kun je een willekeurige hoeveelheid kopen.
- Daily chef is verkrijgbaar bij Dirk v.d. Broek, Digros, Hoogvliet en Coop.

NOTEN
1) Worst (gram per portie) volgens meting
2) Groente (gram per portie) volgens etiket

In dit onderzoek is het overigens geen fabrikant, maar de traiteur die het meeste zout levert: iets meer dan 6 gram per maaltijd van 500 gram. Het minst zout is de maaltijd van Plus, maar met 4,5 gram ga je die dag ook ver over de beoogde 6 gram heen. De worst, spekjes en de jus dragen relatief veel zout bij. Omdat ons smaakpanel de jus en de worst vaak te zout vindt, is hier wel ruimte voor verbetering.

IN DETAIL

C1000 Boerenkool stamppot (Beste uit de test)

Prijs: €3
Testoordeel: 6,8
Een nipte winnaar. Het panel vond de jus wat zout en de stamppot wel erg glad, maar was over de smaak positiever dan over de andere merken. Voedingskundig relatief goed.

Plus Stamppot Boerenkool (Beste uit de test)

Prijs: €3,30
Testoordeel: 6,7
Lijkt erg veel op de nipte winnaar. Met ook een wat zoute jus en met iets meer fout vet dan ons lief is. Verder weinig opvallends; wel in orde.

Fout vet

Ook de hoeveelheid en soorten vet zijn onderzocht. Vaak was relatief veel van het ongezonde verzadigde vet aanwezig. De oorzaak ligt in de worst en ook een beetje in de spekjes, die in de meeste stamppotten zitten. Zelfs de jus gaat wat dit betreft niet vrijuit.

Om een idee van de hoeveelheid te geven: het advies voor mannen is niet meer dan ongeveer 28 gram verzadigd vet per dag te eten, en voor vrouwen ongeveer 22 gram per dag. Voor de warme maaltijd betekent dat niet meer dan 16, respectievelijk 11 gram.

Per 500 gram bevatten deze maaltijden 9 gram (traiteur, compliment!) tot 22 gram (slager, foei!). Ook de minst gewaardeerde Albert Heijn-maaltijd scoort hier slecht met ruim 19 gram verzadigd vet.

De maaltijden moeten ook voldoende energie leveren. Afgezien van eventueel een toetje verwachten we 400 tot 700 kilocalorieën per maaltijd. De onderzochte producten zitten meestal wat aan de onderkant van dit bereik. Voor de meeste mensen is dit prima, maar we zijn natuurlijk niet allemaal gelijk. Iemand met weinig lichaamsbeweging zal een deel willen bewaren. Dat kan maximaal twee dagen en goed gekoeld.

Verse stamppot van AH

Albert Heijns verse stamppot is de minst gewaardeerde qua smaak. Wat zegt AH daarover? 'In uw test wordt deze stamppot (waarbij de rauwe groenten gaar worden gestoomd in de verpakking) vergeleken met voorgegaarde varianten. We vragen ons af of deze vergelijking wel helemaal juist is omdat er wat verschillen zijn in de samenstelling van onze beide soorten producten. Klanten vertellen ons dat ze deze verse stamppotvariant waarderen.'

Wat weinig groente

Het advies van de Gezondheidsraad is dagelijks minimaal 200 gram groente te eten. Met vier van de twaalf geteste kant-en-klaarmaaltijden ben je een eind in de goede richting. Als je dan wat groente bij de lunch eet, kom je wel aan die aanbevolen hoeveelheid. Maar bij kant-en-klare boerenkoolstamppotten die maar zo'n 100 gram boerenkool bevatten, ga je tekortkomen. Echt teleurstellend in dit opzicht is het product van de Hema, dat vooral gestampte aardappelen bevat.

Broodje gezond
Gezondgids augustus 2013

Broodje gezond is een verkeerde naam, concludeerde de Consumentenbond een paar jaar geleden terecht. Maar zo'n naam krijg je niet weg, hoe krom die ook is, en blijft. We maken een verse rondgang door acht stadscentra om te onderzoeken wat als broodje gezond over de toonbank gaat.

Al direct stuiten we op een kritiekpunt: de kleur van het brood. Als we om een broodje gezond vragen, komt in principe een witbroodje over de toonbank. Meestal is wel te praten over een bruin- of volkorenbroodje, maar toch biedt bijna de helft van de verkooppunten de keus voor bruin niet aan. Regelmatig wordt ergens achter in de zaak een witbolletje belegd, zonder inspraak.

Vers is het broodje wel, zeker als de medewerker ze voor je ogen afbakt. Vers belegd zijn ze ook, want dat gebeurt pas als je bestelt, een uitzondering daargelaten. Maar het beleg is, zo blijkt later in het lab, niet altijd geweldig vers. Was de slogan maar 'met vers beleg' in plaats van 'vers belegd'. Cafetaria Oostwal in Oss overdrijft de behoefte aan vers: 'Eén moment, we moeten nog even de eieren koken.' Dat grapje kost ons 20 minuten wachten. Beleggen waar je bijstaat, heeft het voordeel dat je eventueel kunt sturen. 'Wat voor broodje mag het zijn, alles erop en eraan?' aldus Bakkerij De Bie in Nijmegen. 'Doet u maar het standaardbroodje gezond', is ons vaste antwoord.

Heel mooi om het zout er in een zakje bij te krijgen, zoals gebeurt bij Verhage Fast Food in Amersfoort en bij de Foodcorner in Nieuwegein. Op die manier heb je er nog een beetje grip op. Verwacht er overigens niet te veel van, want het belegde broodje heeft altijd al meer zout dan er in een zakje zit, zo blijkt later in het lab.

In het lab zijn we benieuwd wat we geoogst hebben. De ongeschreven regel voor een broodje gezond is blijkbaar een witte pistolet, belegd met twee plakken kaas, een plak ham, een half gekookt eitje, een plukje sla en een paar plakjes tomaat en komkommer.

De broodbeleggers variëren vrijelijk op dit thema. De pistolet kan ook een zacht puntje zijn, een omvangrijke Italiaanse bol of gewoon een stuk stokbrood. Er gaat wel meer brood in die bollen en stokken om dan in een gewone boterham. Ter illustratie rekenen we de diverse gewichten aan brood om in boterhammen van 35 gram (zie de tabel). Zo wordt duidelijk dat een broodje gezond geen tussendoorsnack is, maar een echte lunch, die bestaat uit soms wel vier boterhammen.

Wat & hoe

Bij 40 broodjeszaken, bakkers, lunchrooms, cafetaria's en snackbars bestelden we een paar broodjes gezond. De 40 zijn gelijkelijk verdeeld over 8 middelgrote steden.

De gekochte broodjes schoven we direct in steriele afsluitbare zakken die we in een bak met ijs zetten en dezelfde dag afleverden in het laboratorium voor onderzoek naar samenstelling, zout en bacteriën.

Broodje gezond

Naam	Testoordeel	Prijs	Hygiëne	Zout	Groente	Keus tussen wit en bruin	Brood (uitgedrukt in boterhammen)	Kaas (plakken)	Ham (plakken)	Ei (stuks)
Amersfoort										
Igor's Take Away – De Ballenkoning	6,5	€3,00	□	□	+	+	2,5	3,0	0,0	0,3
Cafetaria HappyFood	5,7	€3,65	□	□	+	–	2,0	2,5	2,0	0,8
Cafetaria Desmond	5,2	€2,95	□	–	+	–	2,0	3,5	2,0	0,5
Déli café français	5,2	€3,25	□	□	+	+	2,0	2,5	1,0	0,8
Verhage Fast Food Vathorst	4,6	€3,00	□	□	□	–	3,0	2,0	1,0	0,5
Delft										
Snackboetiek Rico	7,8	€3,30	+	+	++	–	1,5	3,0	0,5	1,3
Bakkerij Aad de Groot	6,5	€4,15	□	– –	++	+	3,0	3,0	1,5	0,8
Jek's Snacks	6,2	€3,00	□	++	□	+	1,5	2,5	1,5	0,3
Hobma's Corner	5,7	€2,95	□	– –	+	+	3,5	4,0	2,0	1,0
Bakker Jaap	5,1	€3,35	□	+	–	+	3,0	1,5	1,5	0,0
Haarlem										
Formidabel	8,1	€4,25	□	□	++	+	4,0	3,0	2,0	1,0
In Den Gevulde Broodmand	6,5	€3,95	□	□	+	+	3,0	3,5	0,0	0,3
Freety	6,1	€2,95	+	+	□	–	1,5	4,5	0,0	0,8
Mr. Cocker	5,6	€4,55	□	□	+	+	2,5	2,5	2,0	0,0
Chef's Burger	4,3	€3,75	□	– –	+	–	3,5	3,0	2,5	0,8
Leiden										
Snackbar Stevenshof	6,4	€3,20	□	□	+	–	2,0	5,0	1,0	1,0
De Koperwiek	5,7	€2,33	□	□	+	–	2,0	2,5	1,5	0,8
Broodje met …?	5,6	€3,90	□	□	□	+	2,5	3,0	1,5	0,5
Leidsch Beleg	4,5	€3,55	□	+	–	+	2,0	3,0	1,0	0,5
Verhoog	4,0	€2,95	□	–	–	+	2,5	3,0	2,5	0,3
Nieuwegein										
Davis Fast Food	8,0	€3,25	+	□	++	–	2,0	1,5	1,5	1,0
La Fuente	4,7	€3,95	+	–	□	+	2,5	2,5	1,5	0,8
Foodcorner Jan Vendrig	4,4	€2,75	+	□	–	+	2,0	3,0	1,5	0,5
Brood Express	4,2	€3,90	– –	– –	□	+	3,5	2,5	2,0	0,3
Bakker Boonzaaijer	3,9	€2,95	□	□	– –	+	2,5	1,5	2,0	0,8

Zout

Om een idee te geven van de hoeveelheid ham en kaas rekenen we die om in plakjes van 15 gram, zoals we die voor de boterham kennen. In drie gevallen ontbreekt de ham. Dan maar wat extra kaas, lijken ze te denken, want alle drie zijn rijkelijk voorzien van kaas. De plakjes gekookt ei rekenen we om naar het gewicht van een gemiddeld ei van 50 gram. Een paar winkeliers zijn zo royaal een heel ei in het beleg te verwerken, Snackboetiek Rico in Delft doet zelfs meer dan dat, maar is weer karig met de ham.

Broodje gezond (vervolg)

Naam	Testoordeel	Prijs	Hygiëne	Zout	Groente	Keus tussen wit en bruin	Brood (uitgedrukt in boterhammen)	Kaas (plakken)	Ham (plakken)	Ei (stuks)
Nijmegen										
Bakkerij De Bie	6,0	€3,20	□	+	+	+	1,5	1,5	1,0	0,5
Cafetaria Zwanenveld	5,7	€3,15	+	+	□	–	1,5	2,5	1,5	0,8
Bäckerei Derks	5,6	€2,50	+	++	□	+	2,0	1,5	1,5	0,0
Croissanterie Le Papillon	5,5	€3,50	□	–	+	+	2,5	3,0	2,5	0,5
De Pits-Stop	4,3	€3,00	□	+	□	+	1,5	1,5	1,0	0,3
Oss										
Restaria Lucullus	6,3	€2,80	□	□	+	–	2,5	1,5	1,0	0,5
Bakker Bart	6,1	€3,00	□	++	□	+	1,5	1,5	1,0	0,5
't Krinkelhoekje	5,8	€3,95	+	–	□	+	2,5	3,0	1,0	0,8
Cafetaria Oostwal	5,6	€3,00	□	□	+	–	3,5	1,5	1,0	0,8
Bakkerij 't Oventje	5,4	€2,25	□	□	+	+	2,0	1,0	1,0	0,8
Zwolle										
Van Orsouw banketbakkerij lunchroom	7,2	€6,00	□	++	+	+	2,5	1,5	1,0	0,3
Cafetaria Eethuis Zuid	6,4	€3,75	+	□	+	–	2,0	2,5	1,0	0,8
Specialiteitenhuys Hulsebosch	4,9	€2,85	□	□	+	–	2,5	3,0	1,5	0,0
Elderkamp Brood & Banket	4,8	€3,10	□	+	□	–	1,5	2,5	1,5	0,5
Paradiso	4,3	€2,60	□	+	–	–	2,5	1,0	1,5	0,5

++ Zeer goed   + Goed   □ Redelijk   – Matig   – – Slecht

Testoordeel: hygiëne, zout en groente wegen voor 30% en de keuze tussen bruin- en witbrood voor 10%.

Grote broodjes die ook met veel ham en kaas belegd zijn, hebben nog een ongezond nadeel: zout. Van elke aankoop laten we een broodje met beleg en al doormeten op zout. Uitkomst: het varieert tussen 1,5 en bijna 5 gram. Ter vergelijking: een los zakje zout bevat 1 gram.

Het broodje van Chef's Burger in Haarlem bevat het meeste zout, maar is dan ook een flinke maaltijd met veel brood en veel beleg. 5 gram zout in je lunch is veel als je weet dat het advies luidt niet meer dan 6 gram zout per dag te eten.

Het is overigens niet de winkelier die met zoveel zout strooit, het zijn vooral de ingrediënten van het broodje dat in de fabriek al flink gezouten is. Brood bevat bijna 0,5 gram per boterham, een plak kaas eveneens 0,5 gram, en ook ham scoort in minstens dezelfde klasse. Zo wordt een fors broodje met ruim beleg algauw een zoutbommetje. Voor de onderlinge vergelijkbaarheid is de zoutwaardering in de tabel uitgedrukt per 100 gram product.

€6 voor een broodje

De prijs van de broodjes schommelt rond €3,25. Met één dure uitzondering: op de Grote Markt in Zwolle zit lunchroom Van Orsouw met een riant terras. Wie hier een broodje gezond vraagt, moet daar €6 voor neertellen. En het enige verschil met het gemiddelde broodje gezond is een extra tomaat in het beleg. Helaas hebben we geen tijd om op het terras plaats te nemen om nog enige genoegdoening voor de hoge prijs te ervaren.

Plukje alfalfa

Rauwkost biedt wat troost voor de gezondheid. Behalve de geijkte combinatie van tomaat, komkommer en sla treffen we soms iets extra's aan, zoals een plakje augurk, wat geraspte wortel, een snippertje ui, een schijfje radijs of een plukje alfalfa.

Het broodje van Formidabel in Haarlem, dat door de forse omvang al bijzonder is, valt op doordat er een stuk meloen bij zit. En het bevat een flinke schep salade van komkommer, tomaat, ui, sla, radijs en dressing: bij elkaar zo'n 150 gram groente. Menigeen komt zelden aan zoveel groente op een dag.

Ook Snackboetiek Rico in Delft is royaal met groente, relatief veel tomaat, komkommer, sla, augurk en wat geraspte peen. Bakker Boonzaaijer in Nieuwegein daarentegen heeft zo te zien ongenoegen met de groenteboer, want hij belegt met de miezerige hoeveelheid van 16 gram aan tomaat, komkommer en sla.

Ten slotte tellen we de bacteriën. Dat geeft vooral een idee van de versheid van het beleg. In verreweg de meeste gevallen tellen we flink veel bacteriën. Die zijn op drie manieren te krijgen: te lang bewaren, te warm bewaren of onhygiënisch behandelen. Dat laatste is duidelijk het geval in het broodje van Brood Express in Nieuwegein, want daar treffen we flink wat Escherichia colibacteriën (E. coli) in aan. Dat wijst op ongewassen handen na toiletbezoek. E. coli is de zogenoemde poepbacterie en die heb je liever niet in je eten, al word je er niet per se ziek van. Je vraagt je af of de zaak er ook vies uitziet, maar dat valt niet op.

Conclusie

Een broodje gezond is misschien wel een optie voor een verstandige lunch, maar let er dan wel op dat het broodje niet groter is dan u nodig heeft. Bruinbrood of beter volkoren krijg je niet automatisch, terwijl dat toch een voorwaarde is. En laat het lekker met veel groente beleggen.

Döner kebab
Consumentengids november 2012

Oké, ziek word je er niet van, althans niet als je kerngezond bent en in de bloei van je leven. Beruchte ziekmakers als salmonella en campylobacter heeft de Consumentenbond niet gevonden in de geteste döner kebab. Maar de helft van de 49 gekochte broodjes zat toch wel zodanig onder de bacteriën van allerlei aard, dat de voedselveiligheid in het geding komt voor kwetsbare groepen als senioren, zwangeren en mensen met een verminderde weerstand. Zulke aantallen bacteriën zijn een teken dat de broodjes onder onhygiënische omstandigheden bereid zijn, of dat de ingrediënten te lang of te warm bewaard zijn. Op vijf broodjes troffen we de bacterie Escherichia coli aan, een gangbare bewoner van dierlijke en menselijke darmen en daarom ook wel 'poepbacterie' geheten. Hij kan op een broodje terechtkomen doordat iemand in de productieketen na toiletbezoek zijn handen niet wast: niet direct gevaarlijk, wel onfris.

Wat is döner kebab?
Döner kebab is van oorsprong (gelaagd) gemarineerd lamsvlees, gegrild aan een rechtopstaand spit. Tegenwoordig zie je ook andere soorten vlees aangeprezen als döner kebab. Het gegrilde vlees wordt met speciale messen of een elektrisch apparaat van de vleesmassa geschaafd. Vervolgens wordt er een Turks broodje mee gevuld. Het broodje wordt geserveerd met wat gemengde sla en een saus. De klant kan meestal kiezen uit pittige rode saus en knoflooksaus.

Hygiënecode
'Matig', noemt microbioloog Rijkelt Beumer de voedselveiligheid van de door ons geteste broodjes döner kebab desgevraagd. Hij was tot 2011 verbonden aan Wageningen Universiteit en is vermaard om zijn onderzoek van consumentenproducten. Beumer weet ons te vertellen dat de

Döner kebab

Eetgelegenheid	Soort volgens verkoper	Prijs	Gewicht (g)	Vlees (g)	Kcal/portie	Zout (g per portie)	Hygiëne
AMSTERDAM							
Ak Ferah, Beukenweg	la	€3,00	289	115	680	5	–
Birtat, Bos en Lommerweg	ki	€5,00	335	109	680	4	– –
Döner City, Ceintuurbaan	ki	€2,50	270	143	520	5	– –
Döner Da Costa, Potgieterstraat	ki	€2,50	292	118	620	4	+
Döner Plaza J. v. Galen, Bestevâerstr.	ki	€2,50	188	60	380	4	–
Kebab House, Ferdinand Bolstraat	la	€3,50	412	180	980	6	–
Kebab Hut, Ferdinand Bolstraat	la	€3,00	268	119	660	5	–
Moes Shoarma, Ferdinand Bolstraat	ki	€6,00	372	245	780	9	+
Otantik, Pretoriusstraat	la	€5,00	277	97	530	3	–
Royaal Döner, Jan van Galenstraat	ki	€3,00	249	97	500	4	+
UTRECHT							
Cobur, Amsterdamsestraatweg	ki	€4,50	390	202	720	6	++
Efes Döner Kebab, adres als boven	ka	€4,00	267	157	730	5	❑
Kebab King, Rijnlaan	ka	€4,00	259	125	710	5	–
Kebabhuis Kemer, Albatrosstraat	ka	€4,00	273	145	690	5	+
Konya, Amsterdamsestraatweg	ki	€2,50	335	174	720	5	–
La Sosta, Van Starkenborghof	ka	€3,95	301	171	750	6	–
Le Mirage, Admiraal Helfrichlaan	la	€5,00	244	107	470	2	–
Nachtegaal, Nachtegaalstraat	ka	€4,50	370	205	1000	7	–
Nilay, Rubenslaan	ka	€2,95	317	148	770	6	–
GRONINGEN							
Babylon, Oude Kijk in 't Jatstraat	ki	€4,00	223	179	610	4	++
Bien Venue, Peperstraat	kk	€6,50	200	86	290	2	–
Hasret, Naberpassage	ki	€4,50	395	237	920	8	–
Hortensia, Hortensialaan	ki	€4,75	274	130	680	5	–
La Vita, Korreweg	ki	€3,50	246	122	590	4	++
Michelangelo, Bankastraat	ru	€6,00	277	141	650	3	++
Pizzeria Sanaa, Zonnelaan	ka	€6,70	388	86	830	4	+
Pizzeria Venezia Turbo, Billitonstraat	ki	€4,50	343	178	690	5	–
Quick Döner, Friesestraatweg	ki	€4,75	326	169	760	6	–
Shalom, Poelestraat	ki	€3,50	341	154	690	5	–

Döner kebab (vervolg)

Eetgelegenheid	Soort volgens verkoper	Prijs	Gewicht (g)	Vlees (g)	Kcal/portie	Zout (g per portie)	Hygiëne
BREDA							
Shato, Ginnekenweg	kk	€5,00	275	133	740	5	+
Asya, Olmstraat	ka/kk	€5,00	388	235	1010	7	--
De Smikkel grill, Planciusplein	ka	€5,50	379	240	970	7	--
Willy's Eethuis, Haven	ki	€4,50	269	146	810	5	++
Mama, Boschstraat	ka	€5,00	187	98	470	3	+
Döner Company, Stationsplein	ki	€3,70	355	145	760	6	☐
Nieuwe Bredanaar, Terheijdenseweg	ka	€3,50	248	113	600	5	−
Istanbul, Haagdijk	ki	€3,00	287	162	880	7	−
Aliano Pizza en Shoarma, Doelsteeg	ki	€4,20	275	145	790	5	−
Efsane, Haagweg	la	€5,00	265	181	490	3	++
ROTTERDAM							
Kings Grillroom, Dordtsestraatweg	va	€4,75	208	150	570	2	++
Olympia, Vierambachtsstraat	la	€3,50	272	103	620	4	++
Bel Pizza, Kleiweg	ki	€5,00	209	163	540	2	++
Istanbul, Rijstuin	ki	€3,00	302	172	650	4	−
Mr Kebab, Jonker Fransstraat	ka/kk	€3,50	189	56	420	2	--
Luxor, Dorpsweg	ru	€4,50	189	102	430	2	+
Tunay, Riederlaan	ki	€3,50	225	102	570	4	++
Sammy, Parallelstraat	ki	€6,00	322	212	660	6	++
Has Doner Kebab, Beijerlandselaan	ki/kk	€3,50	272	133	600	3	−
Mi Amore, Stokroosstraat	ki	€4,00	209	142	530	3	+

++ Zeer goed + Goed ☐ Redelijk – Matig -- Slecht

Quick Döner en Shalom in Groningen zijn inmiddels gestopt. la=lam, ki=kip, ka=kalf, kk=kalkoen, va=varken, ru=rund

Nederlandse Voedsel- en Warenautoriteit (NVWA) in 2010 de hygiëne van 40% van de snackbars, grillrooms en dergelijke 'niet in orde' bevond. En dat cijfers uit Engeland uitwijzen dat daar tussen 1992 en 2007 döner kebab ieder jaar een flink aantal voedselinfecties heeft veroorzaakt. 'Daarom', zegt Beumer, 'is het verstandig als 65-plussers, zwangeren en mensen met verminderde weerstand zich nog eens bedenken als ze voor zo'n kraampje staan.'

De hygiënecode waaraan snackbar- en grillroomuitbaters zich moeten houden, schrijft onder meer voor dat de gemarineerde vleesklomp op het spit bevroren blijft. Alleen de buitenste twee centimeter mag ontdooid zijn. Zo nodig moet een medewerker het afgeschraapte vlees nabakken in een koekenpan, zodat het zeker door en door gebakken is. Tegenwoordig wordt döner kebab van allerlei soorten vlees gemaakt – niet alleen van lam. De tabel vermeldt de soort vlees zoals aangegeven door de verkoper: lam, kalf, kip, kalkoen en zelfs varken en rund. Geen informatie waarop je kunt blindvaren, weten we uit een onderzoek van het tv-programma Keuringsdienst van Waarde. De medewerkers vroegen gericht naar lams-vlees en kregen negen van de tien keer een andere vleessoort.

De hoeveelheid vlees in de broodjes die wij kochten varieerde enorm, van 50 gram tot 250 gram. Een warme maaltijd omvat meestal rond 100 gram vlees. Een hamburger bijvoorbeeld weegt 70 gram.

Het slechtste broodje

Het broodje döner kebab van Birtat, aan de Bos en Lommerweg te Am-sterdam, geniet de twijfelachtige eer het slechtst te zijn. Het eethuisje ziet er schoon uit en het broodje oogt normaal, maar bevat nogal wat bacteriën. Naast colibacteriën troffen we Staphylococcus aureus aan, die eveneens duidt op een onhygiënische situatie.

Stevige, zoute hap

Met het vlees wordt een Turks broodje gevuld. Het broodje heeft een ronde, afgeplatte vorm en heet ook wel pitabroodje. Het is voedzaam; vergelijkbaar met twee tot drie boterhammen. Het geheel wordt afgemaakt met een pluk gemengde sla, zo'n 30 tot 60 gram, en een saus naar keuze. Alles bij elkaar maakt dat een stevige hap in calorieën, vergelijkbaar met een tot twee zak-ken frites 'zonder'. Hoe meer vlees, hoe meer calorieën. Het voedzaamste broodje döner kebab dat we voorgeschoteld kregen, bevatte exclusief de saus 1000 kilocalorieën: de helft van wat een vrouw met een 'zittend le-ven' op een dag nodig heeft. De saus doet er algauw 100 kilocalorieën bij. Ook schrikbarend: de hoeveelheid zout. Gemiddeld bevat een broodje döner kebab exclusief de saus 5 gram zout, met uitschieters tot 9 gram. Met de saus komt er een gram bij. Die 9 gram zout is de hoeveelheid die een Nederlander gemiddeld op een dag binnenkrijgt; bijna vijf theelepels. Het advies is maximaal 6 gram zout per dag. Hoe meer vlees een broodje bevat, hoe zouter: blijkbaar wordt het vlees met veel zout bereid. Ter vergelijking: een zak frites bevat minder dan 1 gram zout, een broodje kroket tussen de 1 en 2 gram.

In het lab

We hebben anoniem broodjes döner kebab gekocht in Groningen, Utrecht, Amsterdam, Rotterdam en Breda, bij tien willekeurige verkooppunten per stad, meestal een eenvoudig soort snackbar die soms grillroom heet. In totaal 49 broodjes.

De broodjes döner kebab uit Rotterdam waren schoner en minder zout dan elders en bevatten minder calorieën. In Breda kregen we gemiddeld het meeste vlees en daarmee de meeste calorieën. In Groningen waren we het duurst uit.

Meestal kosten de gul met vlees gevulde broodjes meer dan de karig gevulde. Maar er zijn uitzonderingen. Zo hadden de twee duurste broodjes minder dan 100 gram vlees. Het karigst belegde broodje kostte €3,50, terwijl we voor dezelfde prijs ook een broodje kochten met meer dan drie keer zoveel vlees.

Om in het laboratorium de döner kebab te kunnen splitsen in broodje, vlees, sla en saus hebben we de saus apart gehouden. Na aankoop gingen de broodjes direct in de koeling en nog dezelfde dag startte het onderzoek. De analisten bepaalden de hoeveelheden vlees, groente, brood, zout en calorieën en onderzochten een onaangeroerd exemplaar op bacteriën.

Vriendelijke telefoontjes

Zoals gebruikelijk hebben wij de betrokken bedrijven laten weten welke resultaten de metingen opleverden. Daarop kregen we veel vriendelijke telefoontjes van horecaondernemers die hun klanten het beste willen bieden, maar weinig weten van voedselveiligheid. Enkele ondernemers ontkenden dat zij döner kebab verkopen. Toch heeft onze klant daar duidelijk naar gevraagd en een product gekregen dat aan de gangbare omschrijving beantwoordde, zonder te horen dat het anders heette.

Deze testresultaten maken eens te meer duidelijk hoe belangrijk het is dat je als consument kunt nagaan waar je hygiënisch eten krijgt. Sinds begin 2013 worden de gegevens op de website van de NVWA (www. nvwa.nl) gepubliceerd.

Gehakt

Consumentengids maart 2013

De Consumentenbond selecteerde verschillende soorten gehakt: de meeste zijn rundergehakt of half-om-halfgehakt (een combinatie van 50% varkens- en 50% rundergehakt). Ook kozen we enkele soorten die gedeeltelijk of helemaal uit plantaardige ingrediënten bestaan.

Bij het maken van de gehaktballen gebruikten we de 'gematigd zout' gehaktkruidenmix van Verstegen. Dat was voor deze test handig, want zo zorgden we ervoor dat iedere gehaktbal op dezelfde manier werd gekruid. Bovendien waren we vooral geïnteresseerd in de verschillen tussen de gehaktsoorten. Voor thuis is zo'n kruidenmix niet direct een aanrader, want hij is relatief duur. Je betaalt maar liefst €1 voor een zakje mix met 35 gram paneermeel, 3 gram zout en 2 gram kruiden. De mix mengden we door 500 gram gehakt en een ei. Van dit mengsel maakten we zes ballen die werden gebraden in vloeibare margarine (zie voor een filmpje www.consumentenbond.nl/gehaktballentest).

Veel droger

Van oudsher wordt gezegd dat je gehaktballen het best van half-om-halfgehakt kunt maken. 'Een gehaktbal van puur rundergehakt is vaak veel droger en heeft daardoor minder smaak', zo verwoordt vleesdeskundige Paul van Trigt de mening van velen. In onze test wint de rundergehaktbal het echter op meerdere punten van de half-om-halfvariant. Zo vinden de proevers de meeste rundergehaktballen er mooier uitzien: iets donkerder gekleurd en met een wat hardere buitenkant dan de half-om-halfgehaktbal. Het wat drogere magere rundergehakt waardeert het panel meer dan de half-om-halfballen.

Dat de magere varianten beter beoordeeld worden, komt door het oordeel van de vrouwen in het smaakpanel. Vrouwelijke proevers blijken de minder vette gehaktbal meer te waarderen. Die geven ze gemiddeld een 7, terwijl de niet-magere soorten een 6 scoren. Mannelijke proevers maakt mager of wat vetter gehakt niet uit.

Geen vlees

De gehaktballen van 100% plantaardig gehakt van De Vegetarische Slager en C1000 Goodbite zijn een stuk duurder dan die van vlees, maar het

Gehakt

Merk & Type	Prijs per kg circa	Testoordeel	Smaak	Ongezond vet	Dierenwelzijn	Etiket	Rundergehakt	Mager rundergehakt	Half-om-halfgehakt	Deels plantaardig gehakt	Plantaardig gehakt
Weging voor Testoordeel (%)			55	30	10	5					
1. **C1000** Mager rundergehakt	€7,20	**8,2**	++	++	–	+		√			
2. **Plus** Roerbakgehakt	€6,00	**7,8**	+	++	□	++	√			√	
3. **Aldi** Cornfield Mager rundergehakt	€6,00	**7,6**	++	+	–	++		√			
4. **Albert Heijn** Mager rundergehakt	€8,60	**7,2**	++	□	–	++		√			
5. **Albert Heijn** HOH roerbak	€8,00	**7,1**	+	++	□	+			√	√	
6. **Aldi** Cornfield Mager gehakt half om half	€4,60	**6,9**	+	+	–	++			√		
7. **Lidl** Oldenlander Half om half gehakt mager	€4,60	**6,6**	+	□	–	++			√		
8. **Jumbo** Extra mager rundergehakt	€8,50	**6,4**	+	+	–	––		√			
9. **Bio+** Rundergehakt (biologisch)	€8,80	**6,2**	□	□	+	++	√				
10. **AH** Euro Shopper Rundergehakt	€5,80	**6,0**	++	––	–	++	√				
11. **Plus** Rundergehakt	€6,00	**5,9**	+	–	–	++	√				
12. **C1000** Goodbite Vers gehakt	€10,80	**5,8**	–	+	++	++					√
13. **C1000** Gemengd gehakt	€5,40	**5,6**	□	+	–	––			√		
14. **Albert Heijn** Gehakt half om half	€5,60	**5,6**	+	–	□	++			√		
15. **Lidl** Oldenlander Rundergehakt mager	€5,80	**5,6**	+	–	–	++		√			
16. **C1000** Rundergehakt	€6,00	**5,5**	+	□	–	––	√				
17. **De Vegetarische Slager** Rauw gehackt	€16,00	**5,0**	–	□	++	+					√
18. **Jumbo** Rundergehakt	€6,00	**4,5**	+	––	–	––	√				

■ Beste uit de test ▶ Beste koop   ++ Zeer goed + Goed □ Redelijk – Matig –– Slecht

- C1000 noemt zijn half-om-halfgehakt gemengd. Gehakt dat bestaat uit rund- en varkensvlees, in wat voor verhouding dan ook, mag gemengd heten.
- Bio+ is onder andere te koop bij Jumbo, Plus, Coop en Spar.
- Rauw gehackt is onder andere te koop bij De Vegetarische Slager, Jumbo, EkoPlaza en Coop.

panel beoordeelt ze als de minst lekkere. Beide worden ongeveer gelijk gewaardeerd. De kleur van dit tweetal is oranjeachtig en ze zien er volgens een panellid onnatuurlijk uit. Ook waren de ballen te droog. Een panellid merkt op dat de gehaktbal van 'rauw gehackt' van de Vegetarische Slager niet naar vlees smaakt. Over C1000 Goodbite zegt een van de proevers: 'Dit smaakt als iets wat totaal niets met een gehaktbal te maken heeft.' De panelleden wisten bij het proeven niet welke gehaktballen ge-maakt waren van (deels) plantaardig gehakt en verwachtten een 'gewone' gehaktbal. Als dit gehakt zou zijn geproefd als vegetarisch product, zou het wellicht op meer waardering hebben kunnen rekenen. Zo merkt een panellid op dat 'dit het best goed zou kunnen doen als vegetarische bal in combinatie met een saus'.

Gehakt dat slechts ten dele plantaardig is, valt beter in de smaak. Het roerbakgehakt van Plus scoort qua smaak in de middenmoot. Van het rundergehakt is 20% vervangen door rijst. 'Sappig en lekker' aldus een van de proevers. En volgens een ander heeft het 'een goede vleessmaak'. Ook van HOH roerbak van Albert Heijn kun je smakelijke gehaktballen maken. Het bestaat uit 70% half-om-halfgehakt en 30% plantaardige in-grediënten, zoals soja-eiwit, tarwezetmeel, rijstebloem en aardappelzet-meel. 'Hier lust ik wel meer van', zegt een panellid. Een ander waardeert de 'goede en duidelijke vleessmaak'. Overigens kun je ook zelf het gehakt 'plantaardiger' maken door het te mengen met brood.

Behalve op smaak onderzochten we het gehakt op hoeveelheid en soort vet. In gehakt mag maximaal 25% vet zitten. Die grens overschreed geen enkel merk.

Het meeste vet, zo'n 22%, bevat het rundergehakt van Jumbo. Het minst vet, met 5%, is het magere rundergehakt van C1000. Gehakt mag als 'mager' verkocht worden als het minder dan 15% vet bevat. De Waren-wet zegt niets over hoe vet 'extra mager' gehakt zou mogen zijn. Wel is vastgelegd dat de term 'extra mager' alleen op een product mag staan als het vetpercentage wordt gemeld. Jumbo doet dit niet voor zijn Extra mager rundergehakt.

Gehakt veilig eten

Let op de houdbaarheidsdatum. Na openen van de verpakking is het gehakt nog maximaal twee dagen houdbaar. Maar alleen als de houd-baarheidsdatum op de verpakking niet verstreken is en de koelkast niet warmer is dan 7 °C. Ingevroren is gehakt een paar maanden houdbaar. Verhit het goed. Gehakt kun je beter niet rauw eten. Dan bestaat de kans dat je ziekteverwekkende bacteriën en parasieten binnenkrijgt. Voorkom kruisbesmetting. Werk hygiënisch: was na het draaien van gehaktballen de handen en keukenmaterialen.

C1000 Mager rundergehakt (Beste uit de test)

Prijs per kg: €7,20

Testoordeel: 8,2

Volgens ons panel de allerlekkerste gehaktbal: 'goed van smaak' en 'eet lekker weg'. En ook nog met weinig ongezonde vetten. Het product kan per C1000-filiaal iets verschillen.

Plus Roerbakgehakt (deels plantaardig)
(Beste uit de test en Beste koop)

Prijs per kg: €6

Testoordeel: 7,8

'Lekker mager en duurzamer' volgens Plus en dat klopt. Het bevat weinig ongezond vet en heeft een lagere milieubelasting doordat er vezels gemaakt uit rijst in zitten. Scoort gemiddeld qua smaak.

Ongezond vet

Niet alle gehakt dat mager is, heeft dit ook op de verpakking staan. Zo had het rundergehakt van Bio+ ook als mager verkocht mogen worden: het bevat 13% vet. Volgens het etiket zou het gehakt zo'n 20% vet bevatten. De producent laat weten dat er op dat moment onvoldoende grondstoffen met een hoger vetgehalte voorhanden waren. Zulke verschillen komen vaker voor.

Hoewel rundergehakt wat minder vet smaakt, is het niet minder vet dan de half-om-halfvariant: gemiddeld bevatten rundergehakt en half-om-halfgehakt zo'n 15 à 16% vet.

Voor de gezondheid is het vooral belangrijk dat er weinig ongezond vet in zit. Het meeste ongezonde vet (verzadigd en transvet) bevat het rundergehakt van Jumbo en Euroshopper: bijna 11%. In mager rundergehakt van C1000, roerbakgehakt van Plus en AH HOH roerbak zit veel minder ongezond vet: ongeveer 3%. De score voor ongezond vet in de tabel is gemeten in rauw gehakt.

We onderzochten ook hoeveel vet er na het braden in een gehaktbal zit. En wat blijkt: bij de vettere soorten loopt meer vet uit de bal in de pan dan bij de magere varianten. De verschillen in vetgehalte tussen de magere en vettere varianten zijn na braden dus kleiner.

Milieubelastend

We beoordeelden ook het dierenwelzijn. Het gehakt van Bio+ krijgt, vanwege het biologische vlees, pluspunten voor dierenwelzijn. Ook het half-om-halfgehakt van Albert Heijn scoort iets beter, omdat dit gemaakt is van vlees met één ster van het Beter-Leven-Keurmerk.

Vanzelfsprekend doen de vegetarische varianten het zeer goed op dit onderdeel en ook de deels plantaardige varianten krijgen een iets hogere score.

Plantaardig gehakt scoort ook goed op milieubelasting. Dat blijkt uit berekeningen die Blonk Consultants voor de Consumentenbond maakte op basis van informatie van de producenten over de herkomst van het gehakt. C1000 en Jumbo gaven ons hierover geen informatie.

Om de milieubelasting te beoordelen, is gekeken naar het vrijkomen van broeikasgassen, het energiegebruik en het gebruik van landbouwgrond. De hoogste milieubelasting geven half-om-halfgehakt en HOH roerbak van Albert Heijn. Het rundvlees daarin is namelijk afkomstig van Ierse koeien die alleen voor het vlees en niet voor de melk worden gehouden. Wel heeft dit rundvlees vanwege de extra aandacht voor dierenwelzijn één ster van het Beter-Leven-Keurmerk.

Rundergehakt dat afkomstig is van melkkoeien heeft een lagere milieubelasting dan rundergehakt van vleeskoeien. De milieubelasting van vlees van melkkoeien wordt namelijk deels toegerekend aan de melk die deze koeien produceren. Als het vlees van melkkoeien komt, is de milieubelasting van rundergehakt en half-om-halfgehakt ongeveer gelijk.

Gehakt bestaat vaak uit restvlees, dat niet geschikt is om als stuk te verkopen. Het gaat bijvoorbeeld om de stukken die overblijven bij het snijden van biefstuk of hamlap. Ook worden stukken vlees van minder goede kwaliteit gebruikt, zoals vlees van de varkensschouder of de flanken van de koe.

Gekookte Gelderse worst
Gezondgids februari 2013

Je kunt met een gerust hart zeggen dat Nederlanders liefhebbers zijn van gekookte Gelderse worst. Per jaar happen we er met zijn allen vijf miljoen

Gekookte Gelderse worst

	Merk & Type	'vers' (v) of houdbaar (h)	Prijs per 100 g	Testoordeel	Ongezond vet	Zout	Etiket
1	**Dekamarkt** Gelderse gekookte worst	h	€0,84	4,8	–	☐	☐
2	**Albert Heijn** Gelderse gekookt	h	€0,79	4,7	☐	–	+
3	**Albert Heijn** Gelderse gekookte worst	v	€0,95	4,7	☐	–	+
4	**First Class** Gelderse gekookte worst	v	€0,95	4,7	–	☐	☐
5	**Hema** Gekookte Gelderse	v	€0,75	4,6	–	☐	+
6	**Lidl Zwagerman** Gelderse gekookte worstplakjes	h	€0,66	4,4	–	–	++
7	**Detailresult** voordeelverpakking Gelderse gekookte worst	h	€0,80	4,4	–	–	++
8	**Stamboeck** Gelderse gekookte worst	h	€0,84	4,4	–	–	++
9	**Jumbo** Gekookte Gelderse	h	€0,77	4,3	–	–	++
10	**C1000** Gekookte Gelderse	v	€0,99	4,3	☐	–	––
11	**Plus** Gekookte Gelderse	v	€0,95	4,2	–	–	–
12	**C1000 fijne vleeswaren** Gelderse worst gekookt	h	€0,79	4,1	–	☐	++
13	**Plus** Gekookte Gelderse	h	€0,86	4,0	–	–	––
14	**Coop** Gekookte Gelderse	v	€0,95	4,0	–	–	––
15	**Spar** Gekookte worst	v	€1,05	3,7	–	☐	––
16	**Jumbo** Gelderse gekookte worst	v	€0,99	3,6	–	–	––

++ Zeer goed + Goed ☐ Redelijk – Matig –– Slecht

- Het Testoordeel is opgebouwd uit de oordelen voor ongezond vet (verzadigd vet en transvet; 55%), zout (40%) en de informatie op het etiket (5%).
- Detailresult, First Class en Stamboeck zijn te koop bij Dirk van den Broek, Digros en Bas van der Heijden.

kilo van weg. Gelderse gekookte worst aan een stuk, dunne plakjes voor op brood en dikkere plakken voor bij de borrel.

De Consumentenbond onderzocht van 16 merken gekookte Gelderse worst (voorgesneden plakjes uit het schap met broodbeleg) de hoeveelheid en het soort vet, de hoeveelheid zout en de informatie op het etiket. Het lijkt alsof elke supermarkt zijn eigen variant Gelderse worst verkoopt, maar dat is niet zo. Zo zijn de voorgesneden plakjes worst van Plus identiek aan die van Stamboeck, Coop en Detailresult. Ze worden in opdracht van supermarktinkoper Superunie door dezelfde fabrikant gemaakt. Dacht u dat de worst die in het 'versschap' ligt anders is dan die uit het 'houdbaarschap'? Nee hoor, bij de meeste supermarkten is het dezelfde worst. Zo zijn de twee soorten Gelderse worst van Plus precies hetzelfde. Het enige verschil is dat ze met een andere machine zijn ingepakt en dat de hoeveelheid iets afwijkt. De ene worst ligt bij Plus in het schap met 'verse' vleeswaren, de 'delicounter' in supermarkttermen. De andere ligt een paar meter verderop tussen de 'houdbare' vleeswaren in het zogeheten zelfbedieningsschap. Maar het is een illusie te denken dat je bij de 'delicounter' een verser product koopt. De houdbaarheidstermijn is ongeveer gelijk aan die uit het 'houdbaarschap'. Die illusie kost wel wat geld: €0,09 per ons: dat is 10%. Ook Albert Heijn verkoopt twee identieke producten die anders zijn ingepakt en in prijs verschillen. Verder vermoeden we dat er nog meer dubbelgangers tussen de worsten zitten, maar dat kunnen we niet met zekerheid zeggen omdat die supermarkten en fabrikanten ons dat niet wilden vertellen.

Meer betalen

Gemiddeld kosten de plakjes gekookte Gelderse worst €0,87 per ons. Het goedkoopst ben je uit bij Lidl: €0,66 per 100 gram. Bij Albert Heijn betaal je voor de 'houdbare' worst relatief een stuk meer als je een kleinere verpakking koopt. Een verpakking van 85 gram kost €1,30 per ons. Dezelfde worst in een verpakking van 150 gram kost €0,50 per ons minder.

Snijd je de plakjes zelf van een stuk Gelderse kookworst dan betaal je het minst: meestal zo'n €0,50 per 100 gram. Nadeel daarvan is dat je algauw dikkere plakken snijdt.

In deze test onderzochten we de hoeveelheid vet en zout om erachter te komen hoe (on)gezond Gelderse worst eigenlijk is als broodbeleg. Dat houdt niet over. Eerste minpunt is het verzadigde vet. Daarvan zit er nogal wat in de worstplakjes. Eén portie (15 gram) voor een boterham bevat 4 gram vet, waarvan 1,5 gram verzadigd vet. Schouderham en kipfilet zijn een stuk minder vet (zie tabel 'Vergelijking vleeswaren'). Wie Gelderse worst wil met zo min mogelijk vet, doet er goed aan die van Albert Heijn of C1000 ('vers') te kopen. Per ons bevat die ongeveer 20% minder vet dan de worst van de andere fabrikanten. Deze scoort daarom 'redelijk' op dit aspect (zie tabel). Behalve vet krijg je met Gelderse worst nogal wat zout binnen. Gemiddeld bevat een portie worst 0,35 gram zout. Eet je twee boterhammen met Gelderse worst, dan krijg je – inclusief het zout in het brood – algauw 1,5 gram zout binnen. Behoorlijk wat als je bedenkt dat we dagelijks niet meer dan 6 gram zouden moeten binnenkrijgen. Wat zout betreft, scoort Gelderse gekookte worst ongeveer hetzelfde als veel andere vleeswaren. Er zit ook weinig verschil tussen de diverse merken die wij hebben getest.

Fouten op het etiket

Omdat de worsten in samenstelling erg op elkaar lijken, komt het verschil in de testoordelen voor een belangrijk deel door de informatie op het etiket. De worsten met fouten op het etiket krijgen minpunten. Ook het ontbreken van (een deel van) de informatie over de voedingswaarde zorgt voor aftrek. Jammer dat de supermarkten pas goed naar de etiketten gaan kijken als de Consumentenbond vragen stelt. Zo laat Lidl weten het etiket te gaan aanpassen als wij vragen stellen: het was 'vergeten' te melden dat er rookaroma en nitriet in de worst zit. Ook de etikettenmaker van Albert Heijn kan weer aan de slag. Beide AH-producten zijn identiek, maar het etiket is dat niet. Op het etiket van de 'houdbare' variant staan twee fouten in de ingrediëntenlijst en ook het zoutgehalte klopt niet. Hema maakt het nog bonter. Volgens het etiket bestaat zijn worst voor 90% uit vlees. Maar zoveel vlees krijg je niet. Uit onze metingen blijkt dat er maar zo'n 75% vlees in zit. Na wat aandringen biecht Hema op dat het vermelde vleespercentage inderdaad te hoog is. Nog een misser van Hema: volgens het etiket zit er 4% kip in zijn Gelderse worst. Maar als wij hier vragen over stellen, blijkt de kip afwezig. Hema belooft beterschap en zegt het etiket of de worst aan te passen.

De worsten uit de test bevatten gemiddeld 15 ingrediënten. Vlees is het hoofdbestanddeel; gemiddeld 75%. Meestal bestaat de worst vooral uit varkensvlees. Veelgebruikte delen zijn schoudervlees, wangen en zwoerd. Daarnaast staan varkensvet en collageen (bindweefsel) vaak apart bij de

Vergelijking vleeswaren (per 100 g)

	Energie (kcal)	Vet (g)	Waarvan verzadigd vet (g)	Zout (g)	Vergelijkbare vleeswaren
Schouderham	130	4	1	2,7	Achterham
Kipfilet	130	5	2	2,2	
Runderrookvlees	150	7	2	4,5	
Rauwe ham	190	9	4	4,9	
Leverworst	290	25	9	1,9	
Ontbijtspek	290	25	9	2,9	
Gekookte Gelderse worst	360	28	10	2,3	Boterhamworst, grillworst, palingworst
Cervelaatworst	370	33	13	3,6	Salami

ingrediënten genoemd als de gehalten daarvan hoger zijn dan gewoon vlees kan bevatten.

Veelgebruikte smaakmakers in worst zijn peper, foelie, nootmuskaat, gember en kardemom. De meeste worsten bevatten daarnaast aroma's en rookaroma's. In bijna alle worsten zit de smaakversterker mononatrium-glutamaat (E621, ve-tsin). De worsten van Spar en C1000 bevatten in plaats daarvan gistextract. Dat is een truc die we vaker zien: fabrikanten spelen zo in op de vraag naar minder E-nummers in het eten. Veel verschil is er niet: het gistextract bevat ook veel glutamaat.

De meeste andere ingrediënten hebben een technische functie. Emulgatoren zorgen dat vet en water met elkaar mengen. Antioxidanten en stabilisatoren zorgen voor een langer houdbaar product.

Alle worsten bevatten nitriet (E250). Het voorkomt de groei van Clostridium botulinum, een bacterie die een zeer ernstige voedselvergiftiging kan veroorzaken. Bijkomend effect van nitriet is dat het vlees een roze kleur geeft. Nitriet is niet geheel onschuldig: in het lichaam kan het worden omgezet in schadelijke nitrosaminen. In vleeswaren zit maar weinig nitriet, waardoor de schadelijke effecten verwaarloosbaar zijn.

Verder bevatten sommige worsten ingrediënten die zorgen voor een rozerode kleur. De worst van Albert Heijn bevat kleurende plantenextracten uit cranberry, bosbes en rode biet. Ook komt in enkele soorten gefermenteerd rijstextract voor. 'Dat zorgt voor een roodpaarse kleur', weet vleeswarenexpert Paul van Trigt. Het wordt gemaakt door defermentatie (gisting) van rijst met een schimmel en heeft net als de plantenextracten geen E-nummer.

Worstdeeg

Het zijn maar een paar fabrikanten die alle supermarkten in Nederland voorzien van Gelderse worst. We benaderden hen met de vraag of we mochten komen kijken hoe Gelderse worst gemaakt wordt. Bij Zwanenberg bleef de deur gesloten, maar dat bedrijf beantwoordde wel onze vragen over het productieproces. Bij Zandvliet, Stegeman en Menken waren we wel welkom. Wij bezochten de fabriek van Zandvliet en zagen daar hoe Gelderse worst wordt gemaakt.

Als eerste wordt een 'worstdeeg' gemaakt van fijne stukjes mager varkensvlees en grover gemalen varkensvlees en spek. Het vlees wordt gemengd met de andere ingrediënten. Dit mengsel wordt in een darm gedaan. Van oorsprong was dat een echte darm, tegenwoordig is dat vaker een stuk kunstdarm van collageen of cellulose. Voor de worst die gesneden verkocht gaat worden, maakt de fabrikant worsten van bijna een meter lang. Die worden een paar uur gegaard en gerookt in gaarkasten. De naam gekookte worst klopt dus eigenlijk niet; de worst wordt niet gekookt, maar bij een lagere temperatuur verhit. Na het garen controleren de medewerkers of de kern van de worst minimaal 72 graden is geworden. Dan wordt de worst gekoeld. De worsten worden vervolgens gesneden en verpakt in een verpakking met verpakkingsgas. Dat bestaat uit stikstof en kooldioxide. Doordat er zo nauwelijks zuurstof bij de worst komt, kun je hem een paar weken bewaren. De worst die in de supermarkt zelf wordt gesneden en ingepakt, is maar een paar dagen houdbaar. In deze test onderzocht de Consumentenbond ook de hoeveelheid bacteriën op de worst op de dag van aankoop. En die is bij alle worsten ruim onder de norm.

Weinig verschil

En hoe smaakt het? 'De Gelderse worst uit de supermarkt is best lekker, maar vrij vlak van smaak, en er is weinig verschil tussen de worsten', vertelt Paul van Trigt die een aantal van de door ons geteste worsten heeft geproefd. Volgens Van Trigt zijn de smaakverschillen tussen Gelderse worst van ambachtelijke slagers veel groter: 'Die worsten hebben vaak meer karakter en die vind ik daarom smaakvoller.'

In de supermarkt zijn verder allerlei soorten gekookte worst te koop die wel wat weg hebben van Gelderse worst. Zo lijkt boterhamworst in smaak op Gelderse worst, maar is die vaak fijner van structuur en de plakjes ervan zijn over het algemeen wat groter. Ardenner boterhamworst kenmerkt zich door een sterkere rooksmaak. Als boterhamworst in blik is verhit, heet hij blikboterhamworst. Die worst heeft door die speciale bereidingswijze een karakteristieke smaak. Palingworst heeft een grovere structuur en dankt zijn naam aan de smaak die wel wat lijkt op gerookte paling. 'Dat komt doordat gerookte paling en palingworst allebei smaken naar gerookt vet', aldus Van Trigt. Tegenwoordig is ook de grillworst populair. Die wordt gegrild en is wat sterker gekruid.

Gerookte zalmfilet

Gezondgids december 2012

Een van de geruchtmakendste voedselaffaires speelde eind 2012 rond met salmonella besmette gerookte zalm van het bedrijf Foppen. Uiteindelijk kostte de affaire vier mensen het leven voordat de storm in de media weer ging liggen.

Veel minder aandacht is er voor listeria, een bacterie die ook op gerookte zalm leeft en die jaar na jaar dodelijke slachtoffers maakt. Zo heeft listeria monocytogenes, zoals de bacterie voluit heet, alleen al in 2011 aan vier volwassenen en één kind het leven gekost. In 2010 overleden zelfs 14 mensen door listeria, zo blijkt uit onderzoek van het Rijksinstituut voor Volksgezondheid en Milieu (RIVM). Listeria is gevaarlijk voor zwangeren, pasgeboren kinderen en verder voor iedereen met een verzwakt afweersysteem, zoals ouderen, diabetespatiënten en gebruikers van maagzuurremmers of medicijnen die de weerstand beïnvloeden (corticosteroïden). De kans om ziek te worden van listeria is niet zo heel groot, jaarlijks worden er 70 tot 90 mensen ziek van. Maar de gevolgen kunnen dus ernstig zijn.

De Consumentenbond onderzocht 3 monsters van 20 merken gerookte zalm (zie tabel) op de aanwezigheid van de listeriabacterie. Maar liefst 15% was besmet met listeria (9 van de 60 monsters).

Listeria is een harde jongen. De bacterie kan in tegenstelling tot andere bacteriën in de koelkast prima overleven en zelfs nog groeien. Dit kan tot problemen leiden als de zalm tot het einde van de houdbaarheidstermijn wordt bewaard. Vooral als de koelkast niet koud genoeg is. Het is daarom aan te raden de gerookte zalm op de koudste plek in de koelkast (onderin, boven de groentela) en niet te lang te bewaren, liever niet tot de uiterste houdbaarheidsdatum. En wie tot een van de risicogroepen behoort, laat gerookte zalm beter staan of verhit de zalm.

Jammer

Overigens is gerookte zalm niet het enige 'risicoproduct' waarop vaak listeria voorkomt. Ook andere voorverpakte gerookte vissen als paling en makreel en rauwmelkse zachte kazen vormen een risico.

Jammer dat gerookte zalm zo vaak besmet is met listeria, want in principe heeft het gezonde eigenschappen. Zalm en andere vette vissen

Gerookte zalmfilet

	Merk	Type	Inhoud verpakking (g)	Prijs per verpakking	Prijs per 100 g	Testoordeel	Vet	Zout	Listeria	Duurzaamheid	Etiket
1	C1000 Basis	Gerookte zalm (Noors)	200	€3,00	€1,50	6,8	+	□	+	□	++
2	C1000	Gerookte Noorse zalm	100	€3,20	€3,20	6,8	+	+	+	□	++
3	Plus	Gerookte Sockeye zalm (wild)	125	€4,80	€3,85	6,7	□	+	–	++	++
4	Jumbo	Hout gerookte Noorse zalm	100	€3,20	€3,20	6,6	□	+	+	□	++
5	C1000	Gerookte wilde Sockeye zalm	100	€4,50	€4,50	6,6	□	□	+	++	++
6	Jumbo	Hout gerookte Schotse zalm	100	€3,70	€3,70	6,3	□	□	+	□	++
7	C1000	Gerookte Schotse zalm	100	€4,00	€4,00	6,3	+	□	+	□	++
8	Aldi Golden Seafood	Gerookte Noorse zalm	200	€3,00	€1,50	6,2	+	□	+	□	+
9	AH Euro Shopper	Smoked salmonfillet (Noors)	200	€3,30	€1,65	6,1	+	□	+	□	–
10	AH Excellent	Zalmfilet houtgerookt (Schots)	100	€4,00	€4,00	6,1	□	□	+	□	□
11	Jumbo merkloos	Gerookte zalm (Noors)	200	€3,00	€1,50	6,0	+	□	–	□	+
12	Hema	Gerookte Noorse zalmfilet	100	€3,00	€3,00	6,0	□	□	+	□	□
13	Plus	Gerookte Schotse zalm	125	€4,10	€3,25	6,0	+	□	–	□	++
14	Albert Heijn	Zalmfilet gerookt (Noors)	100	€3,30	€3,30	6,0	□	□	+	□	□
15	AH puur&eerlijk	Biologische gerookte zalm	100	€5,00	€5,00	5,9	□	–	+	++	□
16	Vismarine	Gerookte Noorse zalmfilet	100	€2,50	€2,50	5,8	+	□	–	□	++
17	Vismarine	Gerookte Schotse zalmfilet	100	€3,20	€3,20	5,8	□	□	+	□	++
18	Lidl Norfisk Delicatessen	Smoked Norwegian Salmon	200	€3,00	€1,50	5,7	+	+	–	□	––
19	Plus	Noorse gerookte zalm	100	€3,30	€3,30	5,7	□	□	–	□	++
20	Proef	Gerookte bio zalm (Noors)	100	€5,75	€5,75	5,7	+	–	+	++	––

++ Zeer goed   + Goed   □ Redelijk   – Matig   –– Slecht

- Het Testoordeel is opgebouwd uit de oordelen voor vet (45%), zout (30%), listeria (10%), duurzaamheid en dierenwelzijn (10%) en de informatie op het etiket (5%). Het oordeel voor vet omvat verzadigd vet (40%), enkelvoudig (25%) en meervoudig onverzadigd vet (15%) en visvetzuren (20%).

- Vismarine is onder meer te koop bij Coop, Hoogvliet, Dirk van den Broek, Bas van der Heijden, Digros en Deen. Proef is te koop bij EkoPlaza.

bevatten gezonde omega-3-visvetzuren die beschermen tegen hart- en vaatziekten. De belangrijkste zijn eicosapentaeenzuur (EPA) en docosahexaeenzuur (DHA). Deze meervoudig onverzadigde vetzuren kan het lichaam bijna niet zelf maken; het is dus goed ze via vis binnen te krijgen. Het Voedingscentrum adviseert per dag bijna een halve gram van deze visvetzuren in te nemen.

De laatste tijd duiken in de media verhalen op dat visvetzuren niet zouden beschermen tegen hart- en vaatziekten, maar dat klopt niet, zegt Daan

Kromhout, hoogleraar volksgezondheidsonderzoek aan de Wageningen UR: 'Dat vis hart- en vaatziekten kan voorkomen, staat nog steeds overeind. Verder zijn visvetzuren belangrijk voor de ontwikkeling van de hersenen.'

In de gerookte zalm uit onze test zit gemiddeld zo'n 0,7 gram visvetzuren per 100 gram. Dat is minder dan vroeger. 'Dat komt doordat zalm tegenwoordig gekweekt wordt en steeds meer plantaardig voedsel krijgt in plaats van visolie en vismeel', verklaart Bente Ruyter, onderzoeker bij het Noorse onderzoeksinstituut Nofima. Het kan er volgens Ruyter ook aan liggen dat de door ons geteste zalm niet zo vet was: dat kan voorkomen als onze plakken toevallig afkomstig waren van kleine vissen en van het gedeelte dicht bij de staart. Die stukken zijn over het algemeen namelijk minder vet.

Gerookte zalm bevat (inclusief de visvetzuren) zo'n 9 gram vet per 100 gram. Het grootste deel is – net als de visvetzuren – onverzadigd en heeft daarom een positief effect op het cholesterolgehalte van het bloed. Daarnaast bevat zalm net als alle vis en vlees ook wat verzadigd vet, ongeveer 1,5 gram per 100 gram. Gelukkig hoeven we ons daarover geen zorgen te maken, zegt Daan Kromhout: 'Dat is niet veel in vergelijking met wat we dagelijks binnenkrijgen. Bovendien, het effect op het cholesterolgehalte van zo'n beetje verzadigd vet is miniem.' Behalve visvetzuren levert gerookte zalm ook nog andere gezonde stoffen, zoals vitamine D en jodium.

Zout

Wie vanwege de positieve effecten van het vet gerookte zalm eet, is vaak minder gezond bezig dan op het eerste gezicht lijkt. Gerookte zalm is namelijk nogal zout. Gemiddeld zit er meer dan 2,5 gram zout in een plak van 100 gram. En te veel zout kan leiden tot een verhoogde bloeddruk, waardoor de positieve effecten van het vet verbleken. Opvallend is dat de twee biologische merken, Proef en AH puur&eerlijk, het zoutst zijn. De zalm van Proef – de duurste in de test – spant de kroon: 4,4 gram per 100 gram. Dit terwijl we per dag niet meer dan 6 gram zout zouden moeten binnenkrijgen. Dat het ook met wat minder zout kan, laat de Sockeyezalm van Plus zien: 100 gram van die wilde zalm bevat 1,4 gram zout. Ook de gerookte Noorse zalm die bij C1000 en Jumbo in porties van 100 gram te koop is, is een goede keus voor wie het niet te zout wil eten, respectievelijk 1,8 en 2 gram per 100 gram.

Wilde en gekweekte gerookte zalm

Bijna alle gerookte zalm die nu te koop is, komt van gekweekte zalm. Wilde gerookte zalm wordt niet veel verkocht. Alleen de grotere filialen van Plus en C1000 verkopen de door ons geteste wilde variant. Bij visspeciaalzaken en natuurvoedingswinkels is het vaker te koop. De belangrijkste verschillen tussen wilde en gekweekte zalm op een rij.

Wilde zalm is van de soort Sockeyezalm (Oncorhynchus nerka). Hij leeft in het wild in de Stille Oceaan en wordt bij Alaska gevangen. De kleur is fel rozerood door de garnalen die ze eten. De structuur van wilde zalm is stevig. Het vetgehalte van wilde zalm hangt onder meer af van wanneer de zalm gevangen is. De wilde zalm die wij testten, was minder vet dan de kweekzalm. De wilde zalm bevat wel evenveel van de gezonde visvetzuren. *Kweekzalm* die hier te koop is, is de Atlantische zalm (Salmo salar). Hij wordt gekweekt in Noorwegen en Schotland. De kleur is bleek oranjeroze door kleurstoffen in het voer. Doordat kweekzalm vetter is dan wilde zalm, is de structuur ervan iets zachter.

Alle zalm uit onze test is gerookt. Vroeger werd zalm gezouten en gerookt om het langer te kunnen bewaren. Tegenwoordig gaat het vooral om de smaak. Bij het roken van de zalm worden ook ongezonde verbrandingsstoffen gevormd; polycyclische aromatische koolwaterstoffen oftewel pak's. In grote hoeveelheden kunnen deze stoffen kanker veroorzaken. Pak's ontstaan in schadelijke hoeveelheden als het eten aanbrandt. In vergelijking daarmee bevat gerookte zalmfilet veel minder van deze stoffen en er is weinig reden tot zorg voor wie af en toe gerookte vis en vlees eet. Acht jaar geleden trof de Consumentenbond bij een onderzoek naar gerookte zalm in de helft van de monsters nitriet aan. Dat is kwalijk, want nitriet mag niet aan zalm worden toegevoegd. Deze keer vonden we alleen nitriet in de gerookte zalm van Proef. De leverancier zegt desgevraagd geen idee te hebben waar dat vandaan komt.

In onze test hebben we verder de duurzaamheid beoordeeld. We volgden hierbij het oordeel van de VISwijzer van stichting De Noordzee en het Wereld Natuur Fonds. We deelden pluspunten uit aan biologische, gekweekte zalm en aan de wilde zalm die het MSC-keurmerk heeft. Dit keurmerk geeft aan dat bij de vangst rekening is gehouden met visstanden en milieu.

Etiketten

Alle gerookte zalm bestaat uit zalm, zout en rook. In de helft van de onderzochte zalm zit daarnaast een klein beetje suiker. En in de goedkoopste
zalm van Jumbo en C1000 Basis zit het conserveermiddel E325 (natrium-
lactaat). Gevraagd naar het waarom laten Jumbo en C1000 weten dat
deze zalm in tegenstelling tot hun andere varianten nat gepekeld wordt.
Ook al is de ingrediëntenlijst niet ingewikkeld, Albert Heijn krijgt het toch
voor elkaar om het fout te doen. Op het etiket van drie varianten die te
koop zijn bij Albert Heijn staat 'natuurlijk rookaroma' of 'aroma' vermeld.
Dat suggereert dat deze zalm niet gerookt zou zijn. Als de Consumentenbond hier vragen over stelt, blijkt dat de zalm wel gerookt wordt en
er rook op het etiket had moeten staan. Ook Proef heeft moeite met het
correct etiketteren. Op de gerookte zalm staat dat hij uit Schotland komt,
maar op vragen van de Consumentenbond moet de leverancier van
EkoPlaza melden dat het product uit Noorwegen komt. Proef belooft het
etiket aan te passen.

De uitbraak van salmonella mag dan zijn bezworen, gerookte zalm is
nog steeds geen ideale bron van gezonde visvetzuren vanwege de hoeveelheid zout, de aanwezigheid van listeria en de verbrandingsstoffen.

Salmonella

Eind september 2012 bleek dat een deel van de gerookte zalm uit de Nederlandse supermarkt besmet was met de Salmonella thompson-bacterie.
Vier mensen overleden en meer dan 1100 mensen werden ziek nadat ze
deze zalm hadden gegeten. De besmetting ontstond in de Griekse vestiging van zalmproducent Foppen. Die produceert een groot deel van alle
gerookte zalm die in Nederland te koop is; de helft van de gerookte zalm
uit onze test is geproduceerd door dit bedrijf. Het gaat om de gerookte
zalm van Albert Heijn (met uitzondering van de biologische zalm), Plus,
Vismarine, Hema en Aldi. AH Euro Shopper en Aldi verkopen inmiddels
geen Foppen-zalm meer.

De Consumentenbond heeft bij de Nederlandse overheid aangedron-
gen op een evaluatie van deze affaire om te kijken of er fouten zijn
gemaakt door bedrijven of de overheid en om ervan te leren voor de
toekomst. Henry Uitslag, campagneleider voeding: 'We zijn daarom blij
dat de Onderzoeksraad voor Veiligheid een onafhankelijk onderzoek
is begonnen.'

Gevulde speculaas

Consumentengids december 2012

Goede gevulde speculaas is vers, smaakt kruidig, heeft smeuïge spijs en de juiste verhouding tussen koek en spijs. We lieten in opdracht van de goede Sint 12 merken gevulde speculaas analyseren in het laboratorium en proeven door 40 consumenten. De producten zijn gekocht bij de grote supermarkten, 't Stoepje (op de markt), V&D en de Hema. C1000 en Lidl verkochten op het moment van de inkoop nog geen gevulde speculaas.

Energiebom

In een stukje van 40 gram – ter grootte van een luciferdoosje – zit zo'n 6 gram vet (ongeveer evenveel als in een grote hand chips) en tegen de 16 gram suiker (± een glaasje frisdrank). Samen zijn die goed voor zo'n 160 kilocalorieën. Maar niet alle merken zijn over één kam te scheren: speculaas met amandelspijs is zo'n 60% vetter dan die met andere spijs (van peulvruchten, zie verderop). Wel is dat voor het grootste deel gezond onverzadigd vet, afkomstig van de amandelen. Gemiddeld is bijna 40% van het vet in gevulde speculaas verzadigd. Van dit type vet kun je dagelijks beter niet meer dan 22 (vrouwen) of 28 (mannen) gram binnenkrijgen; het verhoogt het cholesterol in het bloed en kan de kans op hart- en vaatziekten vergroten. De kleinste hoeveelheid verzadigd vet zat in de speculaas van de Hema en Bakkers Weelde. Voor de hoeveelheid suiker kwamen de twee soorten gevulde speculaas van Albert Heijn als beste uit de bus.

Kruimelig

De ene gevulde speculaas is de andere niet, dat werd al snel duidelijk. De versheid, smaak en stevigheid varieerden nogal. Twee merken steken met kop en schouders boven de rest uit: de gevulde speculaas van Aldi en Albert Heijn (niet voorgesneden) bleken het lekkerst. Aldi scoorde op vrijwel alle punten het best, al mag hij wat steviger. De proevers waren vooral vol lof over de kruidigheid: 'ruikt heerlijk', 'echt kruidig' en 'echte speculaassmaak'. De gevulde speculaas van Albert Heijn scoorde ook goed: hij is steviger, maar iets minder geurig dan die van Aldi en wat aan de zoete kant. Al met al toch 'een ware traktatie' aldus een van de proevers en 'een mooie, heerlijke speculaas'. De voorgesneden reepjes van Albert Heijn scoorden minder goed dan de niet-voorgesneden, maar waren ook erg lekker. De andere

Gevulde speculaas

Merk & Type	Inhoud (gram)	Richtprijs	Prijs per portie	Testoordeel	Gezondheid	Smaak	Etiket	Vet (gram per portie)	Energie (kcal/portie)	Verse smaak	Kruidige smaak	Roomboter	Amandelspijs
Weging voor Testoordeel (%)				35	60	5							
1. **Aldi** Gevuld speculaas	250	€1,10	€0,17	7,4	☐	++	++	8	178	●●●	●●●	√	√
2. **AH** 2x gevulde speculaas	500	€3,00	€0,24	7,0	–	++	++	7	163	●●●	●●	√	√
3. **AH** Gevulde speculaasreepjes	360	€3,00	€0,48	6,6	☐	+	++	7	163	●●	●●	√	√
4. **Plus** Roomboter speculaas	250	€1,50	€0,24	6,4	–	+	++	8	176	●●●	●●	√	√
5. **Hema** Gevuld speculaas	275	€0,75	€0,11	5,9	+	☐	++	4	138	●	●●		
6. **'t Stoepje** Gevuld speculaas	270	€1,50	€0,22	5,8	☐	+	– –	5	155	●●	●●	√	
7. **Bakkers Weelde** Gevuld speculaas	275	€0,99	€0,14	5,6	☐	☐	++	4	150	●	●●	√	
8. **Euroshopper** Gevuld speculaas	240	€0,65	€0,11	5,5	–	☐	++	5	155	●●	●●		
9. **La Place** Gevulde amandelspeculaas	250	€3,95	€0,63	5,5	☐	☐	– –	8	175	●	●●	√	√
10. **Gulden Krakeling** Roomboter speculaas	400	€2,30	€0,37	4,9	–	☐	++	6	154	●	●	√	
11. **Jumbo** Roomboter gevulde speculaas	275	€0,99	€0,14	4,8	☐	☐	–	5	153	●	●	√	
12. **Aviateur** Gevulde speculaas	240	€0,59	€0,10	4,7	–	–	++	6	157	●	●		

■ Beste uit de test ▶ Beste koop

++ Zeer goed + Goed ☐ Redelijk – Matig – – Slecht

- Een portie is 40 gram.
- Het oordeel voor 'gezondheid' omvat suiker (30%) en verzadigd vet (70%).
- Hoe meer bolletjes des te verser, respectievelijk kruidiger.

- Aviateur is te koop bij Jumbo en Coop, Bakkers Weelde is eveneens te koop bij Coop, Euroshopper is verkrijgbaar bij Albert Heijn, Gulden Krakeling bij Plus en La Place bij V&D.

merken kregen minder punten; vooral de versheid liet te wensen over, en ook was de koek niet altijd even kruidig en de spijs wat droog. Van die minder goed scorende soorten zagen de meeste er ook niet heel spannend uit: een rechthoekig stuk met amandelschaafsel erop. Een uitzondering was die van La Place: een lust voor het oog, maar niet voor de mond. Droge koek met weinig geur en smaak; de smaak ging meer richting gevulde koek, aldus een proever. Het minst favoriet was de speculaas van Aviateur, te koop bij Jumbo en Coop: kruimelige koek en een muffige smaak.

Namaak

Amandelspijs wordt gemaakt van amandelen en suiker, in gelijke verhoudingen. Maar amandelen zijn duur, daarom werd er na de Tweede Wereldoorlog gezocht naar een goedkoper alternatief: peulvruchten.

Daarmee wordt 'banket(bakkers)spijs' gemaakt, met onder andere suiker, zetmeel, olie en aroma's om de amandelsmaak na te bootsen. Gemalen abrikozenpitten worden soms toegevoegd voor de knapperigheid. Maar de lekkerste soorten gevulde speculaas uit de test zijn met amandelspijs en roomboter gemaakt. Al was het niet voor iedereen makkelijk om amandelspijs van banketbakkersspijs te onderscheiden.

De leden van het smaakpanel zaten er nog weleens naast voor wat betreft de soort spijs. Bij de winnaars Aldi en AH vond men het duidelijk amandelspijs, en bij Aviateur, de laagst scorende, was het dat duidelijk niet. Bij de speculaas van V&D dachten veel proevers dat het om peulvruchten ging, terwijl het amandelspijs was. Een proever merkte op 'mooi nagemaakt'. Bij 't Stoepje gebeurde het omgekeerde: er zat banketbakkersspijs in, maar proevers dachten dat het amandelspijs was.

In het laboratorium is onderzocht of 'met amandelspijs' inderdaad uitsluitend amandelspijs is. Er bleek niet te zijn gesjoemeld. In de winkel kun je amandelspijs herkennen aan de hand van de ingrediëntenlijst: staan daarin peulvruchten (sojabonen) en/of abrikozenpitten genoemd, dan gaat het niet om (100%) amandelspijs. Vaak is banketbakkersspijs ook wat plakkeriger. Omdat 't Stoepje zijn waren niet etiketteert, moet je vertrouwen op de informatie op de borden van de verkoper of op zijn mondelinge verklaring. 't Stoepje verkoopt twee soorten gevulde speculaas: een met amandelspijs en een met banketbakkersspijs. In onze test zit alleen de soort met banketbakkersspijs. Het smaakpanel vond bij 't Stoepje dat er te veel spijs in zat.

Wat erin zit

In de koek van gevulde speculaas zit boter of margarine. Boter bestaat voor 80 à 90% uit melkvet, dat veel (ongezond) verzadigd vet bevat. Margarine wordt gemaakt van plantaardige oliën. Het bevat zo'n 80% vet, dat grotendeels (gezond) onverzadigd is.

Speculaaskruiden zijn een mengsel van specerijen, zoals kaneel, koriander, nootmuskaat, kruidnagel, foelie, gemberpoeder, kardemom en witte peper. Amandelspijs bestaat uit gemalen amandelen, suiker, ei en citroen. Banket(bakkers)spijs is spijs gemaakt van peulvruchten en/of abrikozenpitten, suiker, olie en zetmeel. Olie wordt vaak toegevoegd om de spijs smeuïg te maken. Tarwebloem is tarwemeel waaruit de zemelen en kiemen verwijderd zijn.

Droge spijs

De kwaliteit van gevulde speculaas neemt bij bewaren af: de spijs kan uitdrogen en door de roomboter in de koek gaat de smaak achteruit. Het smaakpanel proefde de producten op de dag van aankoop en merkte inderdaad vaak op dat de spijs al droog was. Bij Plus, Aldi, Euroshopper en Aviateur is de spijs helemaal omsloten door de koek, waardoor hij niet verdroogt. Wel kan de koek kruimelen als hij ouder wordt.

Een van de producten van Gulden Krakeling begon in de ongeopende verpakking een beetje te schimmelen, al was hij nog twee weken houdbaar. Gevulde speculaas blijft langer vers als hij koel wordt bewaard.

Merkloos (Aldi) Gevuld speculaas met amandelspijs
(Beste uit de test en Beste koop)
Testoordeel: 7,4
Smaak: vers; lekkere, kruidige koek en smeuïge spijs.

AH 2x Gevulde speculaas (Beste uit de test)
Testoordeel: 7,0
Smaak: vers; lekkere koek, met smeuïge, natuurlijke spijs.

AH Gevulde speculaasreepjes
Testoordeel: 6,6
Smaak: vers en smaakvol. Verder geen bijzondere opmerkingen.

Plus Roomboterspeculaas met amandelspijs
Testoordeel: 6,4
Smaak: vers; lekkere, maar niet heel stevige koek.

Hema Gevuld speculaas
Testoordeel: 5,9
Smaak: niet erg vers; weinig spijs, smaakt een beetje kunstmatig.

't Stoepje Gevuld speculaas met banketspijs
Testoordeel: 5,8
Smaak: stevig; te veel spijs en weinig koek.

Bakkers Weelde Gevuld speculaas met roomboter

Testoordeel: 5,6

Smaak: stevig, niet erg vers; weinig spijs.

Euroshopper Gevuld speculaas

Testoordeel: 5,5

Smaak: niet vers, heeft weinig spijs en de koek is kruimelig.

La Place Gevulde amandel speculaas

Testoordeel: 5,5

Smaak: niet vers, mooi stevig; de spijs is niet zo smeuïg.

Gulden Krakeling Roomboter gevuld speculaas

Testoordeel: 4,9

Smaak: niet vers; wat aangebrand.

Jumbo Roomboter gevulde speculaas

Testoordeel: 4,8

Smaak: niet vers; muf, matige geur en weinig kruidig.

Aviateur Gevulde speculaas

Testoordeel: 4,7

Smaak: muf en kruimelig; heeft de minst lekkere koek en spijs.

Maaltijdvervangende shakes
Consumentengids januari 2013

Stel, u wilt afvallen, is een 'maaltijdvervanger' van de drogist dan een goede en verantwoorde hulp? Hoe snel je afvalt, verschilt per merk. Er kan bijna 150 kilocalorieën verschil zijn tussen maaltijdvervangers. Dit lijkt misschien weinig, maar vervang je drie maaltijden op een dag, dan is dat verschil al snel 450 kilocalorieën (kcal), ongeveer de hoeveelheid die je dagelijks minder moet eten om een halve kilo per week af te vallen. Hoeveel energie de onderzochte maaltijdvervangers bevatten, staat in de tabel.

Maaltijdvervangende shakes

Merk & Type	Prijs per dag	Kcal per dag	Vitaminen en mineralen	Vitaminesupplement nodig
Atkins Advantage	€5,60	950	--	√
Herbalife Formula 1	€5,20	1260	++	
Hippro	€6,20	800	--	√
Kruidvat	€3,40	1200	++	
Medislank	€5,30	800	--	√
Modifast intensive	€5,90	930	++	
Modifast Protiplus	€5,00	820	+	
Weightcare	€4,20	1170	++	

- De prijs is berekend aan de hand van twee maaltijdvervangers. Een normaal dagmenu kost gemiddeld €3,90.
- De calorieën zijn berekend aan de hand van twee maaltijdvervangers, een avondmaaltijd en twee stuks fruit.
- Hippro is alleen verkrijgbaar via internet en diëtisten.
- Medislank is alleen verkrijgbaar via diëtisten.

++ Zeer goed + Goed ☐ Redelijk – Matig –– Slecht

Geen trek

Fabrikanten gebruiken trucs om te zorgen dat je met weinig calorieën toch een vol gevoel krijgt. De meesten stoppen daarom veel eiwitten en weinig koolhydraten in de maaltijdvervangers. Koolhydraten zijn bijvoorbeeld aanwezig in granen en vruchten, en eiwitten in vlees, ei en melk. Eiwitten geven langer een vol gevoel, waardoor je minder snel geneigd bent tussendoor te snoepen.

Maar de fabrikanten verschillen van mening over hoeveel eiwitten je nodig hebt voor het beoogde doel. De lunchreep melkchocolade van Modifast heeft 15,5 gram eiwit, en bijvoorbeeld de Medislank-reep 'muesli rode vruchten' bevat 9,1 gram eiwit. Opvallend, want Medislank geeft juist aan dat zijn product eiwitrijk is. Ook op de shakes van Kruidvat staat dat ze eiwitrijk zijn, maar gemiddeld bevatten ze het minste eiwit.

Atkins heeft een andere visie: naast veel eiwitten en weinig koolhydraten moet de voeding vetten bevatten. Hierdoor zou het lichaam meer vetten gaan verbranden en het afvallen sneller gaan. Dit is niet wetenschappelijk bewezen.

Voor een complete maaltijd zijn ook vitaminen en mineralen belangrijk. Bij een gezond en gevarieerd voedingspatroon krijgen we daarvan voldoende binnen. Maaltijdvervangers zouden daar dus ook in moeten voorzien. Maar sommige doen de slankelijner tekort. Hippro, Atkins en Medislank bevatten te weinig vitaminen en mineralen. 'Jammer', vindt

Sara van Grootel, diëtist bij VIE in Den Haag. 'De producten zouden meer vitaminen en mineralen moeten hebben om de gewone voeding volwaardig te kunnen vervangen. Natuurlijk is het ook afhankelijk van wat iemand verder gebruikt, bijvoorbeeld aan groenten en vlees(vervanger).' Om toch voldoende vitaminen en mineralen binnen te krijgen, adviseren Hippro en Medislank multivitaminen te gebruiken. Medislank adviseert zelfs om drie verschillende supplementen te slikken.

Tussendoortje?

Op de verpakking van de repen en shakes van Atkins staat niet duidelijk of ze bedoeld zijn om een maaltijd te vervangen. Wel vermeldt de website van Atkins over de Advantage shake: 'Geen zin in een zwaar ontbijt, dan maak je toch een sterke start.' Ook de Day Break-repen van Atkins zien eruit als maaltijdvervangers. Voor een tussendoortje bevatten ze behoorlijk veel energie – ongeveer 160 kcal – tegenover ongeveer 100 kcal voor een mueslireep of een pakje fruitbiscuits.

Op maaltijdvervangers staat bijvoorbeeld 1 reep = 1 maaltijd. Staat er niets op, dan gaat het vaak om een tussendoortje. Het verschil tussen de Modifast snackreep en lunchreep is het aantal vitaminen dat is toegevoegd. Voor een lunch wordt wel geadviseerd twee lunchrepen te gebruiken.

Wat zit er in de repen?

Er zijn voor wat betreft ingrediënten weinig overeenkomsten te vinden tussen de maaltijdvervangende repen. Wat wel in alle repen zit: soja, melk, tarwe en gluten. Dat zijn stoffen waar mensen met een voedselallergie vaak op reageren. De eiwitten komen van de melk en sojabonen. Die staan meestal als eerste op het etiket genoemd, om aan te geven dat ze de belangrijkste ingrediënten vormen. Tarwe en gluten worden gebruikt om een mueslireep knapperig te maken. Ook wordt vaak het zoetmiddel sorbitol toegevoegd.

Onder begeleiding

Een maaltijdvervanger kan helpen bij het afvallen, maar sommige producenten bieden als extra hulp 'programma's' aan. Daarmee is het makkelijker om een ritme aan te brengen in het vervangen van maaltijden. Weightcare en Modifast hebben bijvoorbeeld een programma waarin de maaltijdvervangers na een tijd overgaan in een normaal eetpatroon. Maar Modifast heeft ook een programma van 500 kcal per dag. Dit is 1500 kcal minder dan een volwassen vrouw nodig heeft. In Europa gaan stemmen op om deze programma's te verbieden, tenzij onder professionele begeleiding uitgevoerd. De programma's van onder andere Hippro en Medislank kunnen al begeleid worden door een diëtist.

En dan slank blijven

Snel afvallen via een programma met heel weinig calorieën is niet aan te raden. Dit is ongezond en de verloren kilo's komen er snel weer bij. Ook voor het gebruik op lange termijn zijn maaltijdvervangers minder geschikt. Voeding bestaat namelijk uit meer dan alleen wat eiwitten en vitaminen. Om niets tekort te komen is het belangrijk om gevarieerd te eten. Fabrikanten van maaltijdvervangers adviseren het nieuwe gewicht te behouden door zo nu en dan een dag hun producten te gebruiken. Veel verstandiger is het echter om de eigen voedingsgewoonte aan te passen, zodat ook zonder maaltijdvervangers het gewicht stabiel blijft. Kleine aanpassingen die dicht bij je eigen gewoonten staan, zijn het langst vol te houden. Een diëtist kan hier goed bij helpen.

Muesli
Consumentengids februari 2013

Muesli bestaat al ruim een eeuw en komt oorspronkelijk uit Zwitserland. De Zwitserse arts en voedingskundige Maximilian Bircher-Benner vond dat er meer fruit, groenten en noten gegeten moesten worden en gaf zijn patiënten in het sanatorium gedroogd fruit en noten. De oorspronkelijke muesli bevatte dus geen granen.

15 merken

De Consumentenbond nam 7 merken muesli met noten en vruchten en 8 merken krokante muesli met noten onder de loep. Een selectie, want het totale assortiment telt minstens 200 varianten. De pretmuesli's met bijvoorbeeld chocola laten we dan nog buiten beschouwing.
In het laboratorium is de voedingswaarde van de producten gemeten en

Muesli

Merk & Type	Inhoud (gram)	Richtprijs	Prijs per 100 gram	Testoordeel	Vezels	Suikers	Vet	Kilocalorieën (per 40 g)	Noten (g/40 g)	Vruchten (g/40 g)	Etiket
Weging voor Testoordeel (%)					30	25	40				5
■▶ **Van Zoelen** muesli met vruchten en noten ■	1000	€1,10	€0,11	**7,9**	++	+	+	140	0,5	4	□
Hema biologische muesli fruit & noot	500	€2,00	€0,40	**7,7**	++	□	+	140	3	8	++
Zonnatura muesli noten & zaden	375	€2,40	€0,64	**6,9**	++	+	□	160	3	6	++
Bio+ muesli met noten en vruchten	500	€2,20	€0,44	**6,7**	++	–	+	150	1	15	++
EkoPlaza noten-vruchten muesli	750	€3,50	€0,47	**6,1**	+	□	□	160	4	8	□
AH puur & eerlijk biol. muesli vruchten en noot	500	€2,10	€0,42	**5,8**	++	–	□	140	1	11	+
Dorset Cereals fruit nuts & seeds muesli	325	€2,40	€0,74	**5,3**	□	–	□	160	1	13	++
Krokante muesli											
AH krokante muesli noten	900	€2,55	€0,29	**5,7**	–	–	+	180	4		+
Quaker cruesli 4 noten	500	€2,35	€0,47	**5,6**	–	–	+	190	5		++
Whole earth Amaranth crunchy	400	€3,10	€0,77	**5,2**	–	□	□	180	5		+
1 De Beste krokante muesli vier noten	500	€2,00	€0,40	**5,1**	□	□	□	190	5		++
C1000 krokante muesli 4 noten	500	€2,15	€0,43	**5,0**	–	□	□	190	5		++
Jumbo krokante muesli 4 noten	500	€2,00	€0,40	**4,9**	–	□	□	190	5		++
Aldi Golden Bridge krokante muesli 4 noten	900	€2,50	€0,28	**4,8**	–	–	□	180	5		++
Jordans country crisp crunchy muesli totally nuts	500	€3,00	€0,60	**4,3**	–	–	□	200	6		++

■ Beste uit de test ▶ Beste koop   ++ Zeer goed   + Goed   □ Redelijk   – Matig   – – Slecht

- Een portie is 40 gram.
- Het gehalte aan noten is niet altijd exact te bepalen door de versnippering, vooral bij de krokante muesli van Albert Heijn en C1000.

VERKRIJGBAARHEID
- Van Zoelen is verkrijgbaar bij Plus en Coop.

- Bio+ is verkrijgbaar bij Jumbo en Plus.
- Zonnatura en Quaker zijn algemeen verkrijgbaar.
- Dorset cereals is verkrijgbaar bij Albert Heijn, Plus en Jumbo.
- Whole Earth is verkrijgbaar bij Plus.
- 1 De Beste is verkrijgbaar bij Dirk v.d. Broek, Bas v.d. Heijden en Digros.
- Jordans is verkrijgbaar bij Albert Heijn, Jumbo en C1000.

zijn de hoeveelheden noten, vruchten en granen gewogen. Daarbij blijkt de samenstelling heel anders dan van de oorspronkelijke muesli. Die van tegenwoordig bestaat voor het grootste deel uit vlokken: graankorrels die na behandeling met vocht en warmte zijn platgedrukt. Vooral haver, tarwe en gerst worden hiervoor gebruikt. Soms worden de vlokken nog geroosterd. Hoewel de etiketten royaal gewag maken van noten, zijn die maar mondjesmaat aanwezig. Doordat de amandelen in plakjes gesneden zijn, lijkt het nog wat. Wie weet dat een hazelnoot of amandel nauwelijks meer weegt dan een gram ziet hoe karig noten zijn toegevoegd; soms kan er niet meer dan een nootje per portie af. We hebben de volgende soorten gevonden: amandel, hazelnoot, walnoot en cashew. Soms waren ze onherkenbaar door versnippering.

Wat vruchten betreft troffen we vooral rozijnen en krenten aan; dat is alle fruit in muesli's van de Hema en Van Zoelen. In andere merken zien we meer soorten: banaan, abrikoos en appel. De abrikozen en appels zijn gedroogd; druiven ook en ze heten dan krent of rozijn. De bananen zijn verwerkt tot chips met behulp van rietsuiker, honing en kokosolie. Bij de gewone muesli's bevat EkoPlaza de meeste noten en is Bio Plus het fruitigst. Bijzonder karig gevuld is de muesli met vruchten en noten van Van Zoelen; daarover verderop meer.

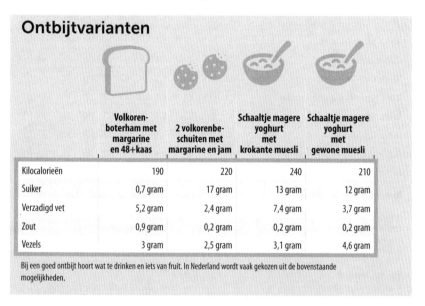

Ontbijtvarianten

	Volkorenboterham met margarine en 48+kaas	2 volkorenbeschuiten met margarine en jam	Schaaltje magere yoghurt met krokante muesli	Schaaltje magere yoghurt met gewone muesli
Kilocalorieën	190	220	240	210
Suiker	0,7 gram	17 gram	13 gram	12 gram
Verzadigd vet	5,2 gram	2,4 gram	7,4 gram	3,7 gram
Zout	0,9 gram	0,2 gram	0,2 gram	0,2 gram
Vezels	3 gram	2,5 gram	3,1 gram	4,6 gram

Bij een goed ontbijt hoort wat te drinken en iets van fruit. In Nederland wordt vaak gekozen uit de bovenstaande mogelijkheden.

Krokante muesli

Naast de gewone muesli's zijn er nog veel meer 'krokante muesli's' te koop, door velen 'cruesli' genoemd. Cruesli is een merknaam van de firma Quaker, die een plek in de Nederlandse taal veroverde om een productsoort mee aan te duiden. Krokante muesli wordt gemaakt door de mix van haver-, tarwe- of gerstvlokken en andere ingrediënten te besprenkelen met olie en suiker, en in de oven te bakken. De 'koek' die vervolgens ontstaat wordt in stukjes gebroken. Ook van de krokante muesli kozen we de varianten met noten: soms zitten er para- en pecannoten in. In alle merken zitten ongeveer evenveel noten: ongeveer 4 gram per portie van 40 gram. Opvallend genoeg zit er in de duurste van de geteste krokante muesli's, Whole Earth, de kleinste hoeveelheid noten.

Gezond?

In het laboratorium zijn de hoeveelheden vezels, suiker en vet bepaald. Veel mensen zouden meer vezelig voedsel moeten eten. Vezels zijn belangrijk voor een goede darmwerking. Ze geven een verzadigd gevoel, wat goed is tegen overgewicht en sommige vezels verlagen het cholesterolgehalte. Volkorenbrood bevat nogal wat vezels. En een goede muesli soms zelfs nog meer. De gewone muesli's zijn aanmerkelijk beter op dit terrein dan de krokante.

Minder gunstig is het vetgehalte: ongeveer 10 gram per 100 gram in de gewone muesli en het dubbele in krokante. Best veel en dat zie je aan de calorieën. Een deel van het vet is nog gezond te noemen; dat zijn bijvoorbeeld de onverzadigde vetten in noten en zaden.

Voor de smaak wordt wel kokos toegevoegd, zoals kokosolie en kokosrasp. Kokos bevat relatief veel ongezond verzadigd vet. We eten te veel verzadigd vet en vergroten daarmee het risico op hart- en vaatziekten. Het nog ongezondere transvet hebben we nauwelijks aangetroffen. In de tabel zijn in de kolom 'Vet' de voor- en nadelen afgewogen.

Wat er nog meer in zit

Naast de in het artikel genoemde ingrediënten als haver-, gerst- en tarwevlokken, noten en vruchten zit er nog een handvol andere stoffen in de geteste muesli's. Zoals olie (voor de smaak en brokvorming), suiker, honing, een snuf zout, emulgator (om het vet goed te verdelen) en aroma's. Quaker bijvoorbeeld, gebruikt hazelnootaroma, wat een cynische manier is om extra invulling te geven aan zijn presentatie vol noten. In krokante muesli zitten soms ook bloem, (gerste)mout, rijst of rijstmeel, of zelfs gepofte rijst en antioxidanten voor de houdbaarheid. De zonnebloempitten maken de muesli's ongetwijfeld lekkerder. Kokos is eveneens een smaakmaker die in vele vormen wordt toegepast. Lupinebloem in veel krokante muesli's is een meelsoort die uit de boontjes van lupine gewonnen wordt. Een soort bonenmeel dat het effect heeft van een bindmiddel, en het smaakt naar noot.

Soort suiker

Suiker is niet echt schadelijk, maar op zijn minst onhandig voor wie aan de lijn doet. Gemiddeld zat in de door ons geteste muesli 15 gram aan suikers per 100 gram; in de krokante iets meer. Nog zonder dat je zelf suiker in je schaaltje yoghurt met (krokante) muesli doet, krijg je dus algauw 6 gram (anderhalf klontje) suiker binnen. Het grootste deel van de suiker uit de gewone muesli komt van de vruchten, en soms een klein beetje van honing. De suiker in de krokante muesli komt voornamelijk uit de suikerpot. Dus niet zozeer het gehalte als wel de soort suiker verschilt tussen muesli en krokante muesli. Voor de gezondheid maakt dat niets uit. Overigens zou krokante muesli door al die ingebakken suiker beter koekmuesli kunnen heten.

Van Zoelen Muesli met vruchten en noten
(Beste uit de test en Beste koop)
Prijs: €1,09 per kilo
Testoordeel: 7,9
Het gunstige Testoordeel is geheel te danken aan de gezonde samenstelling voor wat betreft suikers, vet en vezels. Het goedkope product is bijzonder karig met noten en vruchten. De smaak is niet onderzocht.

Hema biologische muesli fruit & noot (Beste uit de test)
Prijs: €2,00 per 500 gram
Testoordeel: 7,7
Kost vier keer zoveel als Van Zoelen, maar is dan ook wat beter gevuld. Bevat ook zonnebloempitten en geroosterde boekweit. De voedingswaarde is prima.

De winnaar

Het is opvallend dat de karige muesli van Van Zoelen als winnaar uit de bus komt. Doordat het etiket vermeldt dat deze muesli vruchten en noten bevat, is hij in de test opgenomen. Voor wat betreft de noten vonden we alleen hazelnootstukjes, om precies te zijn een halve gram per 100 gram. De vruchten die we aantroffen waren slechts wat rozijnen: een kleine 10 gram per 100 gram. Gelukkig is de verpakking transparant:

294

geen noot te zien. Bij het Testoordeel heeft de hoeveelheid noten en vruchten geen rol gespeeld. Wel de voedingswaarde en dat is de onverwachte troef van dit goedkope product. De smaak van de muesli's is niet beoordeeld.

Pesto

Consumentengids juli/augustus 2013

Pesto, letterlijk 'gestampt', is voor Italianen simpelweg een 'gerecht gemaakt in een vijzel'. In Nederland denken we meteen aan de groene pesto 'alla Genovese' met basilicum, uit een potje van de supermarkt. Oorspronkelijk komt pesto met basilicum uit de Italiaanse stad Genua, waar de inwoners hem door de pasta roeren, geserveerd met een gekookte aardappel en sperziebonen. In Nederland is pesto een veelzijdige smaakmaker die we volop bij pasta, op brood, op een toastje of door een saus of salade gebruiken.

Dit populaire smeersel onderwierpen we aan een uitgebreide test. Ons smaakpanel van 40 regelmatige pesto-eters kan de meeste pesto's wel waarderen. De lekkerste zijn die van Lidl, Plus, Grand'Italia en Sacla Italia. De proevers houden vooral van een pesto met veel geur en een echte basilicumsmaak. En ze vinden koelverse pesto's minder lekker dan de lang houdbare potjespesto. Verse pesto, volgens Italiaans recept bereid, vindt het smaakpanel opvallend genoeg het minst lekker.

Creatief met ingrediënten

Een echte Italiaanse pesto maak je met basilicum, olijfolie van eerste persing (extra vergine), pijnboompitten en één of meer Italiaanse kazen. Maar de ingrediënten van de potjespesto uit de Nederlandse supermarkt wijken daar – op een uitzondering na – flink vanaf. Omdat de naam 'pesto' niet beschermd is, hebben fabrikanten alle vrijheid om creatief met de ingrediënten om te gaan.

Ook de koelverse varianten lijken vaak maar weinig op traditionele pesto. Alleen de pesto van Proef bestaat uitsluitend uit traditionele ingrediënten. Daar hangt wel een prijskaartje aan. Hij kost meer dan zeven keer zo veel als de goedkoopste, van Lidl en Aldi.

Pesto

Merk & Type	Richtprijs	Testoordeel	Prijs per 100 gram	Inhoud (gram)	Smaak	Zout	Vet	Etiket
Weging voor Testoordeel (%)					50	25	20	5
1. **Lidl** Baresa Pesto alla Genovese	€0,90	6,8	€0,47	190	+	□	□	--
2. **Grand'Italia** Pesto alla Genovese	€2,40	6,8	€1,30	185	+	□	□	++
3. **Jumbo** Pesto alla Genovese	€1,50	6,7	€1,15	130	+	□	□	++
4. **Aldi** De Kruidencompany Pesto alla Genovese	€0,90	6,6	€0,47	190	+	–	□	++
5. **AH** Euroshopper Groene pesto	€1,40	6,6	€0,74	190	+	□	□	++
6. **Sacla Italia** Pesto alla genovese	€2,55	6,5	€1,34	190	+	–	□	□
7. **Albert Heijn** Pesto alla Genovese	€1,80	6,4	€1,00	2x90	+	–	□	++
8. **Plus** Groene pesto	€1,80	6,3	€1,33	135	+	--	+	–
9. **Albert Heijn** Groene pesto (koelvers)	€2,00	6,2	€1,60	125	□	+	□	+
10. **Bertolli** Pesto alla Genovese	€2,35	5,8	€1,27	185	□	□	□	++
11. **Jumbo** Verse groene pesto (koelvers)	€2,00	5,8	€2,00	100	□	+	□	□
12. **Proef** Verse pesto (koelvers, biologisch)	€3,30	5,7	€3,88	85	□	+	□	--
13. **Hema** Pesto groen (koelvers)	€2,25	5,1	€1,50	150	□	--	+	+

■ Beste uit de test ▶ Beste koop

++ Zeer goed + Goed □ Redelijk – Matig -- Slecht

- Het oordeel voor smaak is gebaseerd op de beoordeling van een smaakpanel van 40 consumenten.
- Het oordeel voor vet omvat verzadigd vet (50%) en onverzadigd vet (50%).
- Verkrijgbaarheid: Bertolli, Grand'Italia en Sacla Italia zijn te koop bij diverse supermarkten. Proef is te koop bij Ekoplaza.

Olijfolie zit meestal wel in de potjespesto, maar in zulke kleine hoeveelheden dat er weinig meer van te proeven is. Bijvoorbeeld 1,5% in die van Grand'Italia. En in die van Albert Heijn, Euroshopper en Hema zelfs helemaal niets. In sommige pesto's zit redelijk wat olijfolie, maar dan van mindere kwaliteit en niet extra vergine.

Geen pit

In plaats van olijfolie gebruiken de meeste pestomakers zonnebloemolie. Als de Consumentenbond vraagt waarom ze dit doen, zijn Plus en Albert Heijn eerlijk: 'Zonnebloemolie is goedkoper dan olijfolie.' Bovendien kun je pesto met zonnebloemolie volgens Albert Heijn beter verhitten en langer bewaren.

Ook voor pijnboompitten kiezen fabrikanten een goedkope vervanger: cashewnoten. In de meeste potjes zit volgens het etiket 1 à 2% pijnboompitten, een stuk minder dan de 20% die in het recept voor verse pesto staat. Nu is 1% al niet veel, Albert Heijn maakt het helemaal bont. Op het etiket staat dat er pijnboompitten in zitten, maar niet hoeveel. Als we doorvragen, blijkt het te gaan om 0,02%. In de pesto van Euroshopper ontbreken de pijnboompitten helemaal.

Dan de kaas, ook zo'n duur ingrediënt waarvan de pestomakers het liefst zo weinig mogelijk gebruiken. Over welke kaas er in het oorspronkelijke recept hoort te zitten, verschillen de meningen. Vaak is het een combinatie van parmezaanse kaas en pecorino, een Italiaanse schapenkaas. Ook Grana Padano, een kaas die lijkt op parmezaan, maar korter heeft gerijpt en daardoor goedkoper is, wordt gebruikt.

In de potjespesto ontbreekt kaas soms compleet. Zo slaat Plus de plank mis door kaas als ingrediënt te vermelden, terwijl het helemaal geen kaas blijkt te zijn. Het is een goedje gemaakt van kaaspoeder, natuurlijk aroma, palmvet en melkeiwit. Dat mag van de wet geen kaas heten. En we ontdekken meer etiketmissers. Als de Consumentenbond hierop wijst, geeft Plus ons gelijk en besluit deze pesto van de markt te halen.

Langer bewaren

Potjespesto is lang houdbaar; ongeopend wel een jaar buiten de koelkast. Koelverse pesto's zijn maar enkele dagen tot een paar weken houdbaar. Vaak zitten er conserveermiddelen in. Eenmaal geopend kun je elke pesto maar kort bewaren. Door er een laagje (olijf)olie op te schenken blijft het iets langer goed.

Scheutig met basilicum

Waar de Nederlandse pestomakers wel scheutig mee zijn is basilicum. Meestal bestaat ongeveer eenderde van de inhoud uit dit tuinkruid. Vaak zijn volgens onze pesto-experts – vijf Italiaanse koks die we de producten ook lieten keuren – bevroren basilicumblaadjes gebruikt: daardoor wordt de pesto vaak donkergroen en verliest zijn smaak. Nog een minpunt volgens de pestokenners: in supermarktpesto worden ook de steeltjes van de basilicum verwerkt. En dat proef je. Je krijgt daardoor namelijk harde, dradige stukjes in de pesto. Overigens is basilicum een kruid dat je volgens het Voedingscentrum maar met mate moet eten. Wat zit er verder in de potjespesto? Aardappel. Die zit in bijna alle merken. Volgens de fabrikanten is het een vulmiddel dat voor een goede textuur zorgt. Mooi gezegd, maar wij vinden het vooral een goedkope manier om 'meer voor minder' te krijgen. Ook zit er bijna altijd suiker of glucosestroop in. Soms om het overmatige gebruik van zout te maskeren, maar ook om de pesto beter te kunnen bewaren. Om diezelfde reden zitten er bijna altijd allerlei zuren in. Die verlengen de houdbaarheid, maar veroorzaken ook de wat zurige smaak. Ook gebruiken de fabrikanten aroma's om de pesto extra geur en smaak te geven. Grand'Italia bijvoorbeeld gebruikt een basilicumextract voor de geur.

Veel zout

Sommige fabrikanten zijn behoorlijk uitgeschoten met het zoutvaatje. De Hema spant de kroon: in 50 gram pesto zit bijna de helft van de dagelijks aanvaardbare hoeveelheid (2,7 gram) zout. Ongezond veel en stukken meer dan op het etiket staat. Als reactie meldt de Hema over te stappen op een andere leverancier. Ook de pesto van Plus is veel te zout. Een stuk beter doen de koelverse pesto's van AH, Jumbo en Proef het.

We schotelden ons smaakpanel ook een zelfgemaakte, verse pesto voor, met alle ingrediënten die in een traditionele Italiaanse pesto horen te zitten. Tot onze verbazing vindt het consumentenpanel deze het minst lekker. Te weinig smaak en te melig, zeggen de proevers. Zo gewend als wij Nederlanders inmiddels zijn aan de supermarktpesto, zo onbekend zijn we met de smaak van verse pesto. Panelleden die vaker zelfgemaakte pesto eten, waarderen de verse opvallend beter. Ook onze experts veren op als ze deze verse pesto proeven: 'Eindelijk een pesto die goed is: dit smaakt vers, je proeft kaas, pijnboompitten en basilicum.'

Alle Italiaanse koks vonden de verse veruit het best. De kwaliteit van de andere pesto's vinden ze onder de maat. 'Eigenlijk moet alles in de afvalbak', verzucht een van de experts. Te zout en te zuur, zijn veelgehoorde opmerkingen. Redelijk te spreken zijn zij nog over de pesto van Proef. Zo zie je maar; de smaken van Nederlanders en Italianen kunnen behoorlijk verschillen.

1. Lidl Baresa (Beste uit de test en Beste koop)

Prijs: €0,90

Testoordeel: 6,8

De goedkoopste en de nummer één van het consumentensmaakpanel. 'Prima pesto, in de juiste balans' volgens een panellid. Veel basilicumsmaak volgens de proevers. Opvallend ingrediënt: 4% yoghurt, volgens Lidl 'voor een lichte smaak'.

2. Grand'Italia (Beste uit de test)

Prijs: €2,40

Testoordeel: 6,8

'Lekker smaakvol' is deze lichtgroene pesto volgens een van de proevers. Het etiket meldt duidelijk hoeveel er van de belangrijkste ingrediënten in zit: veel zonnebloemolie en redelijk wat Italiaanse kaas (Grana Padano en pecorino).

3. Jumbo (Beste uit de test)

Prijs: €1,50

Testoordeel: 6,7

Het minst zout van alle houdbare pesto's. Met zonnebloemolie, Parmezaanse kaas en pecorino. Volgens een van de experts smaakt hij naar kool. Het consumentenpanel waardeert de structuur: 'niet te grof en niet te fijn'.

4. Aldi (Beste uit de test en Beste koop)

Prijs: €0,90

Testoordeel: 6,6

Deze goedkoopste pesto is volgens de proevers vooral geschikt als smeersel op brood of een toastje. In deze pesto zit meer olijf- dan zonnebloemolie. En dat is uitzonderlijk. Met Grana Padano en pecorino. Veel zout.

5. AH Euroshopper (Beste uit de test)

Prijs: €1,40

Testoordeel: 6,6

De samenstelling van deze fijngemalen pesto wijkt nogal af: geen pijnboompitten, wel weipoeder en aardappelvlokken. Toch een goede smaak volgens het panel. Wordt inmiddels onder het nieuwe merk AH Basic verkocht.

6. Sacla Italia (Beste uit de test)

Prijs: €2,55

Testoordeel: 6,5

Samen met Grand'Italia een gedeelde derde plek voor smaak. Heeft wel een sterke smaak en is behoorlijk zout. Bevat veel zonnebloemolie en maar een klein beetje extra vergine olijfolie, en verder echte Italiaanse Grana Padano en pecorino.

7. Albert Heijn

Prijs: €1,80

Testoordeel: 6,4

Er zitten nauwelijks pijnboompitten in: 0,02%. Het consumentenpanel is te spreken over de smaak. De experts zijn het er niet mee eens: volgens twee van hen smaakt hij naar vis. Nogal zout en ingrediënten die niet in pesto horen, zoals erwtenvezel en glucosestroop.

8. Plus

Prijs: €1,80

Testoordeel: 6,3

Qua smaak de nummer twee van de proevers. Ook de experts vinden deze pesto niet slecht. Toch is hij veel te zout en zit er nepkaas in. Terwijl op het etiket toch echt 'kaas' staat. Plus stapt, door ons onderzoek, over op een nieuwe receptuur.

9. Albert Heijn

Prijs: €2

Testoordeel: 6,2

Deze koelverse pesto is niet geliefd bij het smaakpanel. Met redelijk veel Parmezaanse kaas en (soms hele) pijnboompitten. Sommigen vinden dat lekker, voor anderen is het te veel van het goede. Weinig zout, wel vier verschillende conserveermiddelen.

10. Bertolli

Prijs: €2,35

Testoordeel: 5,8

Deze lichtgroene pesto is volgens onze proevers een stuk minder lekker dan de andere geteste houdbare pesto's. Hij heeft weinig geur, maar is behoorlijk zuur. Vergeleken met andere houdbare pesto's redelijk veel traditionele ingrediënten.

11. Jumbo

Prijs: €2,00
Testoordeel: 5,8
Koelvers, maar één van de minst lekkere pesto's volgens de proevers. De azijn maakt hem zuur en er drijft veel olie op. Hij is niet zo zout en walnoten zorgen voor een nootachtige smaak. Met kaas, maar welke wil Jumbo niet vertellen. En met kaaspoeder.

12. Proef

Prijs: €3,30
Testoordeel: 5,7
Qua ingrediënten lijkt deze duurste uit de test het meest op traditionele pesto. Hij is koelvers en biologisch. Het is de favoriete kant-en-klare pesto van de experts, maar hij valt minder in de smaak bij het consumentenpanel. Hij smaakt niet zuur.

13. Hema

Prijs: €2,25
Testoordeel: 5,1
Valt niet in de smaak bij het consumentenpanel. Deze koelverse, grove pesto is ook nog eens veel zouter dan het etiket meldt, en veel vetter. Geconfronteerd met deze testresultaten, stapt Hema over naar een andere leverancier.

Geproefd door kenners

Behalve door een smaakpanel van 40 personen zijn de pesto's ook geproefd door vijf experts: Simone Ambrosin, Max Faella, Marco Loren, Adriano Raimondi en Italo Servidio, allen koks in Italiaanse restaurants in Nederland. Hun expertmeningen zijn niet meegewogen in het Testoordeel. Gelukkig maar voor de makers van de Hollandse supermarktpesto, want het oordeel van de kenners liegt er niet om: 'Te zout en te zuur, dit smaakt niet naar pesto.'

Sinaasappelsap

Consumentengids januari 2013

Sinaasappelsap vind je op twee plekken in de supermarkt: naast de frisdranken en in het koelvak. Vers, onbehandeld sap bederft snel en moet daarom gekoeld worden bewaard. Je gaat er dus van uit dat sap uit het koelvak vers geperst en onbehandeld is. Maar in veel koelvakken staan sappen die ook in het gewone schap lang goed blijven. Consumenten die de kleine lettertjes niet lezen worden op het verkeerde been gezet. Milieubelastend is het ook nog, want er wordt onnodig gekoeld.

Ver weg geperst

We lieten het smaakpanel 25 soorten sinaasappelsap uit de koelvakken van 10 winkels beoordelen op (verse) smaak. De uitspraken liegen er niet om: van 'dit lijkt op het sap dat ik zelf pers' tot 'chemische smaak' en 'dit lijkt een poederoplossing'.

Twee sappen zijn favoriet: het sinaasappelsap van Top Fresh, te koop bij Dirk, Bas en Digros en het sap dat op die dag geperst is. Wij persten zelf bij Plus in de winkel, maar ook bij andere supermarkten kan dit. Beide sappen zijn vers, als je tenminste onder 'vers' verstaat dat het sap zonder enige behandeling na het persen in de fles is gestopt en heel kort houdbaar is.

Het 'sap uit concentraat' is een ander verhaal. Hiervoor worden sinaasappels in het land van herkomst geperst, vezels, schillen en pitjes verwijderd en het water eraan onttrokken. Het 'concentraat' dat overblijft, gaat naar Europa. Daar wordt het aangevuld met water – niet meer dan er oorspronkelijk uitgehaald is – en eventueel met aroma's en/of pulp. Als sinaasappelsap uit concentraat is gemaakt, moet dat op de verpakking staan en wordt de term 'vers geperst' meestal niet gebruikt.

Er kan ook geperst zijn in het herkomstland van de sinaasappels, waarna het sap – geconserveerd – per tanker vervoerd wordt naar Nederland. Dat is het geval bij het sap van Tropicana en Vruchtoase.

Zoet, zuur of bitter

Echt vers scoort goed, en de vijf meest favoriete sappen zijn niet geconserveerd. Vers sinaasappelsap moet iets bitter, niet zo zoet en een beetje zuur zijn.

Gekoeld sinaasappelsap

Merk & Type	Verpakking	Inhoud (liter)	Richtprijs	Prijs per liter	Rapportcijfer voor smaak	Verse smaak	Uit concentraat	Conserveringsbehandeling	Vitamine C (mg/glas van 250 ml)	Vitamine C toegevoegd
1. Zelfgeperst sap (bij Plus)	fles	1	€3,50	€3,50	7,8	√			113	
2. Top Fresh	fles	0,5	€1,80	€3,60	7,8	√			116	
3. C1000	fles	0,5	€1,95	€3,90	7,6	√			104	
4. Jumbo	fles	0,5	€1,95	€3,90	7,4	√			107	
5. Albert Heijn	fles	0,5	€2,00	€4,00	7,2	√			128	
6. C1000	jerrycan	2	€2,00	€1,00	7,0		√	g	91	
7. CoopSelect	fles	1	€3,30	€3,30	7,0	√		hpp	96	
8. Hema	fles	1	€2,75	€2,75	6,9	√		g	111	
9. Naturis	fles	0,5	€1,50	€3,00	6,9	√		pef	98	
10. Coolbest	pak	1	€1,25	€1,25	6,8		√	g	75	
11. Tropicana	pak	1	€2,80	€2,80	6,8			fg	85	
12. DrinkitCool	pak	1	€1,00	€1,00	6,7		√	g	130	√
13. Albert Heijn	pak	1	€1,05	€1,05	6,7		√	g	173	
14. C1000	pak	1	€1,05	€1,05	6,6		√	g	140	√
15. Jumbo Fris & Fruitig	jerrycan	2	€1,90	€0,95	6,3		√	g	89	
16. Vruchtoase	fles	1	€1,60	€1,60	6,2			g	79	
17. Mama natuur	fles	0,5	€1,60	€3,20	6,2			hpp	106	
18. I'm bio	fles	1	€4,25	€4,25	6,2			hpp	76	
19. Jumbo	pak	1	€1,05	€1,05	6,1		√	g	115	√
20. AH Excellent Valencia	fles	1	€2,00	€2,00	6,0			g	97	
21. Innocent	fles	0,9	€2,40	€2,65	6,0			g	81	
22. Fruity King	jerrycan	2	€1,90	€0,95	5,9		√	g	93	
23. Plus Premium	pak	1	€1,05	€1,05	5,9		√	g	108	√
24. AH Euroshopper	jerrycan	2	€1,95	€1,00	5,8		√	g	122	
25. Jumbo Valencia	fles	1	€2,00	€2,00	5,0			pef	73	

VERKRIJGBAARHEID

- DrinkitCool en Top Fresh zijn te koop bij Dirk, Bas en Digros.
- FruityKing is te koop bij Dirk, Bas, Digros en Jumbo.
- Naturis is te koop bij Lidl.
- I'm bio is te koop bij EkoPlaza.
- Innocent, Coolbest en Tropicana zijn onder andere verkrijgbaar bij AH.
- Mama Natuur is te koop bij veel filialen van Aldi, Vruchtoase was tot begin 2013 verkrijgbaar bij Aldi.

g = gepasteuriseerd
fg = flash-gepasteuriseerd
pef = pulsed electric field
hpp = high pressure processing
(indien cursief, dan niet op de verpakking vermeld)

Bij de meeste zit het wel goed met de smaak, maar het sap van de Hema en Mama Natuur (Aldi) is te zuur; het Valencia-sinaasappelsap van Jumbo is niet zuur genoeg en eindigt helemaal onderaan. Ook AH Excellent, van Valencia-sinaasappels bevalt niet goed: te bitter. Volgens het etiket zijn Valencia-sinaasappels extra zoet, maar het sap smaakt niet zoeter dan de andere. Het verse sap van Albert Heijn is ook bitter.

Houdbaarheid

Bij het bewaren van vers geperst vruchtensap ligt bederf op de loer. Fabrikanten doen van alles om dit tegen te gaan. Slechts 5 van de 25 gekoelde sappen in onze test zijn niet geconserveerd (zie de tabel). Meer dan de helft is gepasteuriseerd, wat wil zeggen dat het sap verhit is boven de 70 °C, waardoor micro-organismen doodgaan.

Een nadeel van pasteuriseren is dat de smaak van het sap verandert. Bij flashpasteurisatie, een kortdurende verhitting, is dit minder en ook van de techniek pascalisatie, oftewel HPP, wordt geclaimd dat dit de smaak niet beïnvloedt. Bij HPP wordt het sap sterk onder druk gezet en de PEF-methode gebruikt pulserende elektrische velden, waarmee de wand van de micro-organismen stukgemaakt wordt.

Bij 13 sappen staat niet op de verpakking dat ze een conserverings-behandeling hebben ondergaan, terwijl dat wel het geval is. Het is weliswaar niet wettelijk verplicht, maar als consument kun je hierdoor flink op het verkeerde been worden gezet. Vooral als je niet op de houdbaarheidsdatum let. Alleen daaraan kun je zien dat het sap niet vers kán zijn. Sap dat langer dan een paar dagen houdbaar is, moet wel behandeld zijn.

In het laboratorium zijn de sappen onderzocht op ziekmakers en bederf. We hoeven ons geen zorgen te maken dat we ziek worden van het sap, vertelt microbioloog Rijkelt Beumer: 'Het ziet er allemaal netjes uit. Geen enkel sap was bedorven of bevatte de darmbacterie E. coli. In de onbehandelde sappen zaten wat gisten en schimmels en soms enterobacteriën, maar dat is onvermijdelijk in vers sap en het zijn geen hoeveelheden waar je je zorgen over moet maken.' Dat Jumbo's Valencia-sinaasappelsap gisten en enterobacteriën bevatte, verbaast hem: 'Dit kan betekenen dat er niet schoon gewerkt is, want in principe moet alles dood zijn na pasteurisatie.'

Zelfgeperst sinaasappelsap (bij Plus)

Prijs: €3,50 voor 1 liter

Rapportcijfer smaak: 7,8

Perfecte jus; smaakt alsof hij net uit de pers komt. Fris, en een beetje aan de zure kant, met pitjes.

Top Fresh Sinaasappel

Prijs: €1,80 voor 0,5 liter

Rapportcijfer smaak: 7,8

Ziet er vers uit, en is het ook. Fijn vruchtvlees, een plezierige nasmaak en licht zuur. Voor sommigen net iets te zuur.

C1000 Sinaasappel

Prijs: €1,95 voor 0,5 liter

Rapportcijfer smaak: 7,6

Heerlijk, lekker vers. Door veel vruchtvlees kwamen het uiterlijk en de structuur niet zo goed uit de test.

Vitamine C

Sinaasappelsap wordt vaak in een adem genoemd met vitamine C. In een glas zit vaak al genoeg voor een hele dag. Voor volwassenen is de dagelijks aanbevolen hoeveelheid 70 milligram. In de sappen die wij testten varieerde het van 73 tot 173 milligram per glas.

In de verse sappen zit niet meer vitamine C dan in sap uit concentraat of gepasteuriseerd sap. Maar in de vier pakken gepasteuriseerd sap uit concentraat van C1000, Digros, Jumbo en Plus zit veel vitamine C, en die is extra toegevoegd door de fabrikant. Overigens is deze vitamine C qua chemische structuur vergelijkbaar met die uit de sinaasappel.

Gezond

Wie denkt dat sinaasappelsap met vruchtvlees vol zit met vezels, heeft het mis. Per glas komt het neer op nog geen gram, net zo veel als in een kwart volkorenboterham. In zelfgeperst sap of sap met extra vruchtvlees zit nauwelijks meer. Een sinaasappel eten werkt beter: ongeveer 2,5 gram vezels. In een glas sinaasappelsap zitten drie sinaasappels; als je die los opeet, levert dat 10 keer zoveel vezels.

Dus ja, de gezonde kant van sinaasappelsap wordt misschien wat over-dreven, en de negatieve kant wat onderbelicht. Bijvoorbeeld de suikers. Een glas sinaasappelsap bevat ruim 20 gram aan suikers, evenveel als een glas cola of andere frisdrank. Het zijn niet alleen de suikers waar-door tanden aangetast kunnen worden. Het sap is zuur en als je het vaak drinkt, kan dat leiden tot tanderosie. Om dat tegen te gaan, kun je bijvoorbeeld na het drinken van sinaasappelsap je mond spoelen met water. Het is niet goed voor het gebit om het meteen na het drinken van iets zuurs te poetsen.

Vitamine C wordt vaak in één adem genoemd met weerstand tegen ziekte. Een langdurig ernstig tekort aan vitamine C laat namelijk onze weerstand afnemen en kan eindigen in scheurbuik. De chemische naam voor vitamine C, ascorbinezuur, komt van a-scorbus, wat 'tegen scheur-buik' betekent. Ernstige tekorten komen in Nederland gelukkig niet voor, ook al eet niet iedereen twee ons groente en twee stuks fruit per dag. Te veel vitamine C, meer dan 2 gram per dag, kan leiden tot darmklachten en diarree.

Bewaren

Vers, onbehandeld vruchtensap is bederfelijk. Een geopende verpak-king kun je gekoeld en afgesloten vaak maar een dag bewaren. Bewaar je ongeopende flessen – gekoeld – langer dan de houdbaarheidsdatum, dan kan de fles onder druk komen te staan. De door ons gekochte glazen fles vers geperst sap van Albert Heijn was zelfs gaan lekken. Het vitamine C-verlies in een gekoelde, geopende verpakking valt erg mee, blijkt uit eerder onderzoek van de Consumentenbond. De zuurgraad speelt hier ook een rol bij.

Slagroomtaarten
Consumentengids mei 2013

Wie voor z'n verjaardag eens lekker wil uitpakken, trakteert op een fees-telijke slagroomtaart. Maar liefst 250 kilocalorieën per taartpunt (ruim 50 meer dan een stuk appeltaart), maar o zo lekker. Het is niet elke dag feest, dus we laten het vet, de suiker en calorieën voor wat ze zijn en beoorde-

Slagroomtaarten

	Merk	Richtprijs	Gewicht (gram)	Prijs per taartpunt	Rapportcijfer smaak	Oordeel patissiers	Diepvries
1.	Multivlaai	€27,00	1850	€1,24	8,2		
2.	C1000	€15,00	1755	€0,73	8,0		
3.	Bakker Bart	€10,00	1070	€0,79	7,9	👍	
4.	Meesterbakker	€17,50	1400	€1,06	7,9	👍	
5.	Limburgia	€15,50	1270	€1,03	7,8		
6.	Maître Paul	€5,30	900	€0,50	7,7	👎	√
7.	Albert Heijn	€7,00	780	€0,76	7,7		
8.	Jumbo	€13,00	1510	€0,73	7,6		
9.	PartyGebak	€3,50	1000	€0,30	7,5	👎	√
10.	Hema	€12,50	1590	€0,67	7,5		
11.	Patis	€3,50	1000	€0,30	7,3	👎	√
12.	Patisserie Sacristain	€3,50	1000	€0,30	7,1	👎	√
13.	Ekoplaza	€18,50	1460	€1,08	6,7	👎	

- Maître Paul is te koop bij onder andere C1000 en Plus, Patis is te koop bij Bas/Dirk/Digros, Patisserie Sacristain bij Lidl en Party-Gebak bij Aldi.
- Een taartpunt is 85 gram.
- Het rapportcijfer voor smaak is gebaseerd op het oordeel van het consumentensmaakpanel.
- Taarten die van de experts een negatief oordeel hebben gekregen, zijn uitgesloten van predicaten.

■ Beste uit de test ▶ Beste koop

len alleen de smaak. De 13 slagroomtaarten, gekocht bij de supermarkt, Multivlaai, Meesterbakker, Bakker Bart, Limburgia en de Hema werden door ons smaakpanel van 40 consumenten geproefd. Wat een heerlijke klus! Ook vroegen we vier patissiers, experts op het gebied van taart, de smaak te beoordelen.

Romig

De proevers uit het consumentensmaakpanel vonden alle slagroomtaarten om van te smullen; de experts waren iets kritischer. De slagroom is van alle taarten goed, uitgezonderd de diepvriestaarten – de goedkoopste in deze test. Daarvan is de slagroom waterig en niet lekker, en zijn de vruchtjes niet om over naar huis te schrijven. 'Iedereen kan goede slagroom maken, maar je moet hem natuurlijk niet invriezen', stelt Cees Holtkamp. Hij is een van Nederlands bekendste banketbakkers en oprichter van patisserie Holtkamp in Amsterdam. Je kunt je gasten beter een taart van Multivlaai of C1000 serveren: die komen het best uit de test, met goede slagroom, lekkere cake en heerlijk fruit.

Vers fruit is de kers op de taart. Of het fruit wel vers is, herken je snel aan aardbeien en kiwi's. Zitten die erop, dan is de slagroomtaart meestal vers. Ga je namelijk kiwi's of aardbeien invriezen, dan worden ze slap en smakeloos, zoals op de diepvriestaart van Maître Paul. En meer fabrikanten gebruiken helaas blik- of diepvriesfruit.

Toch maakt vers fruit alleen niet de taart. Ons panel hapte een paar keer in droge cake, ook bij taarten met een verse topping. Jammer. Waarschijnlijk worden veel taarten gemaakt van cake uit de vriezer die in de winkel wordt afgewerkt met verse slagroom en fruit, denkt Cees Holtkamp.

Vettige laag

Tussen de laagjes cake zit een laagje room. Bij banketbakkers is dat slagroom of banketbakkersroom, in supermarkttaarten soms plantaardige slagroom. 'Beter in te vriezen en goedkoper', aldus Hans Heiloo, lid van het Nederlands Patisserie Team en werkzaam bij ijs- en patisserieproducent Otelli. Hij is er niet over te spreken: 'Goede slagroom smelt op je tong, plantaardige crème laat een vettig laagje achter in je mond.' Het consumentenpanel viel vooral de overdreven witte kleur van de plantaardige room op.

En dan de jam, die is vaak – als er al jam inzit – slecht verdeeld over de taart.

De bodem van de Ekoplazataart is groen. Hij lijkt beschimmeld, maar is dat niet. 'Het zuur van de kersenvulling heeft gereageerd met het ei uit de cake en slaat daardoor groen uit. Niet aantrekkelijk', aldus patissier Adriaan van Haarlem, docent aan het Bakery Institute, het opleidingsinstituut voor de bakkerijsector.

Overheerlijk

Opvallend is de ingrediëntenlijst van een aantal geteste slagroomtaarten. Daaruit blijkt dat in de diepvriestaarten meer water zit dan room. Ook staan op het etiket van sommige taarten wel 30 ingrediënten, waaronder emulgatoren, verdikkingsmiddelen en kleurstoffen. En dat terwijl je met nog geen 10 ingrediënten een overheerlijke slagroomtaart kunt maken, getuige het recept van Cees Holtkamp in het boek *De Banketbakker*. Op zijn boodschappenlijstje prijken: bloem, maizena, eieren, suiker, citroenschil, zout, slagroom, abrikozenjam en vers fruit. Hmmm...!

Banketbakker bakt juweeltjes

Slagroomtaart uit de supermarkt is lekker, maar hoe zit het met de taart van de banketbakker? We deden een steekproef en lieten er vijf proeven door consumenten en experts. Drie taarten waren heuse juweeltjes die je graag je gasten voorschotelt. Patissier Cees Holtkamp licht toe: 'Een ambachtelijke taart kan zich onderscheiden door vers fruit, bijvoorbeeld frambozen, goede cake en een goede vulling. Niet door de slagroom bovenop, dat kan iedereen.' Een goede vulling bestaat uit verse banketbakkersroom of slagroom en vers fruit ertussen. De cake moet vers gemaakt zijn. Daar gaat het bij twee taarten van de banketbakker mis: we proeven blikfruit en van één taart komt de bodem uit de vriezer.

1. Multivlaai (Beste uit de test)

Prijs: €27

Rapportcijfer: 8,2

- Een feest om naar te kijken en om te eten. Lekkere slagroom en veel vruchtjes die ook nog goed smaken.
- De cake is lekker vers.
- Het is alleen een beetje jammer dat de jam niet goed verdeeld is.

2. C1000 (Beste uit de test en Beste koop)

Prijs: €15

Rapportcijfer: 8,0

- Lekker: vers fruit. Dat mag wat meer: er is niet voor iedereen een vruchtje als je de taart in stukken snijdt.
- De cake is heerlijk vers en de slagroom smaakt het best van alle 13 taarten.

3. Bakker Bart

Prijs: €10

Rapportcijfer: 7,9

- De zoetste van het stel, door de goed verdeelde jam.
- De cake is lekker en gevuld met heerlijke Zwitserse room, een mengsel van slag- en banketbakkersroom.
- De slagroom bovenop kan wel wat beter.

4. Meesterbakker

Prijs: €17,50

Rapportcijfer: 7,9

- Drie lagen vulling, dat zie je in weinig taarten: een laag slagroom, een laag gele room en een laag jam.
- Vooral de jam en de verse vruchtjes gooien hoge ogen.
- Zelfs de ananas is vers.

5. Limburgia

Prijs: €15,50

Rapportcijfer: 7,8

- Deze taart valt op: hij is afgewerkt met witte chocolade, de jam is van abrikozen en er zit fruit in de vulling.
- Hij smaakt lekker zoet door de chocolade.
- Helaas komt het fruit uit blik.

6. Maître Paul

(diepvries)

Prijs: €5,30

Rapportcijfer: 7,7

- Een lekker taartje dat smakelijk oogt.
- Best zoet, misschien iets té.
- Minpuntje: de taart lijkt meer een aardbeien- dan slagroomtaart.
- Fruit en room hebben geleden onder het invriezen.

7. Albert Heijn

Prijs: €7

Rapportcijfer: 7,7

- Deze opvallende en moderne verschijning ziet het consumentenpanel graag.
- De chocoladerand maakt het snijden en eten wel lastiger, maar hij smaakt heerlijk.
- Jammer dat de cake wat droog is en het fruit zo karig.

8. Jumbo

Prijs: €13

Rapportcijfer: 7,6

- Een aantrekkelijke taart, met goede vruchtjes, maar wel erg veel chocoladeschaafsel als topping.
- De cake is lekker luchtig, maar het laagje jam is slecht verdeeld.
- De slagroom is prima, maar overheerst enigszins.

9. Partygebak

(diepvries)

Prijs: €3,50

Rapportcijfer: 7,5

- Voor een diepvriestaart zijn de cake en slagroom best goed.
- Maar het uiterlijk is niet spannend en de smaak van het fruit en de slecht verdeelde jam brachten ons niet in vervoering.

10. Hema

Prijs: €12,50

Rapportcijfer: 7,5

- Vers fruit, maar wat weinig.
- De cake overheerst en is nogal droog, maar de gele vulling maakt veel goed.
- Die 'puddingachtige' vulling lijkt op de tompoucevulling en valt bij de meeste proevers in de smaak.

11. Patis

(diepvries)

Prijs: €3,50

Rapportcijfer: 7,3

- Qua uiterlijk gooit deze taart geen hoge ogen.
- Saai, met maar weinig vruchtjes.
- Wel lekker zoet, alleen is de jam slecht verdeeld. Lekkere nootjes, maar de slagroom smaakte niet echt naar slagroom.

12. Patisserie Sacristain

(diepvries)

Prijs: €3,50

Rapportcijfer: 7,1

- Weinig vruchtjes die bovendien niet lekker zijn.
- De kwaliteit van de slagroom is achteruitgehold in de vriezer.
- De cake is droog.
- Heerlijke jam, maar helaas slecht verdeeld.

13. Ekoplaza

Prijs: €18,50

Rapportcijfer: 6,7

- Deze taart oogt saai en is door de groene bodem niet aantrekkelijk. Dat beïnvloedt de smaak.
- De cake overheerst en is droog.
- De kersenjam is niet goed verdeeld, maar de slagroom smaakt wel goed.

Spaghetti

Consumentengids april 2013

Vers of gedroogd, volkoren of meergranen, met of zonder ei. Spaghetti is er in allerlei varianten. Om te bepalen welke pasta het lekkerst en gezondst is, onderwierpen we 18 soorten spaghetti aan een uitgebreid onderzoek. Elke soort werd geproefd door 40 panelleden. Zij beoordeelden de pasta op uiterlijk, geur en smaak. Ook onderzochten we de voedingswaarde en de informatie op het etiket.

Aan kop

In deze smaaktest zegeviert de gedroogde spaghetti van de huismerken, met de Italiaanse spaghetti van Albert Heijn en Jumbo aan kop. Het smaakpanel is vol lof over de dunne pastaslierten: 'smaak en uiterlijk heel erg goed' (over die van Albert Heijn) en 'erg lekker en smeuïg' (Jumbo). Ook Casa Italiana (onder andere Plus en Hoogvliet) valt in de smaak. Met maar €0,05 per portie is dit de goedkoopste pasta uit de test.

Spaghetti

	Merk & Type	Richtprijs	Testoordeel	Prijs per portie	Inhoud verpakking (g)	Smaak	Vezels	Etiket	Romige smaak	Beet	Extra vezels
Weging voor Testoordeel (%)						50	45	5			
1.	**Honig** Vezelrijk spaghetti	€1,35	**8,5**	€0,24	500	+	++	++	•••	••	√
2.	**C1000** Spaghetti meergranen	€1,05	**7,7**	€0,19	500	+	+	++	••	••	√
3.	**Bertolli** Spaghetti integrali volkoren	€1,80	**7,3**	€0,32	500	□	++	++	•	•••	√
4.	**Bio+** Spaghetti volkoren (biologisch)	€1,05	**7,1**	€0,19	500	□	++	□	•	••	√
5.	**Albert Heijn** Spaghetti Italiaans (zak)	€1,00	**6,8**	€0,18	500	++	–	++	•••	••	
6.	**Albert Heijn** Spaghetti (pak)	€0,80	**6,7**	€0,14	500	+	□	++	••	•	
7.	**Jumbo** Spaghetti Italiaans (zak)	€0,90	**6,7**	€0,16	500	++	–	++	•••	•	
8.	**Casa Italiana** Spaghetti	€0,30	**6,6**	€0,05	500	++	□	□	•••	•	
9.	**Aldi** D'Antelli Spaghetti	€0,60	**6,5**	€0,11	500	+	□	++	••	•	
10.	**Bertolli** Spaghetti	€1,20	**6,4**	€0,21	500	+	–	++	••	•	
11.	**Lidl** Combino Spaghetti	€0,60	**6,3**	€0,11	500	+	–	++	•	••	
12.	**Jumbo** Spaghetti (pak)	€0,75	**6,3**	€0,13	500	+	□	++	•••	•	
13.	**Honig** Vlugkokende spaghetti	€1,10	**6,2**	€0,20	500	+	–	+	•••	•	
14.	**Grand'Italia** Spaghetti all'uovo	€1,65	**6,0**	€0,29	500	+	–	+	••	••	
15.	**Grand'Italia** Spaghetti	€1,15	**5,9**	€0,21	500	+	□	+	••	••	
16.	**De Cecco** Spaghetti n 12	€1,90	**5,3**	€0,34	500	□	–	++	••	•••	
17.	**Albert Heijn** Spaghetti all'uovo (vers)	€2,00	**5,3**	€0,86	250	□	□	++	••	•••	
18.	**Pastella** Spaghetti al naturale (vers)	€2,00	**5,1**	€0,86	250	□	–	+	••	••	

■ Beste uit de test ▶ Beste koop

++ Zeer goed + Goed □ Redelijk – Matig –– Slecht

- Prijs per portie: 1 portie is 200 gram bereide spaghetti. Daarvoor is circa 90 gram gedroogde of 110 gram verse pasta nodig.
- Romige smaak: hoe meer bolletjes, hoe romiger.
- Beet: hoe meer bolletjes, hoe steviger.
- C1000 spaghetti meergranen werd vanaf mei 2013 vervangen door een volkorenspaghetti van het C1000-huismerk.

VERKRIJGBAARHEID

- Bertolli, De Cecco, Grand'Italia en Honig zijn te koop bij diverse supermarkten.
- Bio+ is onder andere te koop bij Coop, Jumbo, Plus en Spar.
- Casa Italiana is onder andere te koop bij Boni, Digros, Hoogvliet, Nettorama, Plus en Poiesz.
- Pastella is onder andere te koop bij Plus.

In 1997 gooide deze spaghetti ook al hoge ogen in een smaaktest van de Consumentenbond. Opmerkelijk is dat de prijs niet is gestegen: in 1997 betaalde je ƒ0,65, 16 jaar later €0,30.

De drie hoogstscorende pasta's zijn het romigst. Deze drie hebben ook een vrij zachte beet. En dat valt in de smaak bij de proevers: zij willen pasta die niet zo stevig is.

Het is verrassend dat de allergoedkoopste spaghetti zo goed scoort en de duurste pasta's onderaan eindigen. De twee verse pasta's die we onderzochten, zijn het duurst. Die van Albert Heijn en Pastella (te koop bij Plus) krijgen de laagste beoordeling van het smaakpanel. De proevers vinden de kleur onnatuurlijk en de smaak weinig romig. De verse spaghetti van Albert Heijn krijgt nog wat extra minpunten, omdat het panel deze te dik en te vierkant vindt. 'Daardoor kun je de eindjes niet naar binnen slurpen', vindt een van de panelleden.

Beide verse pasta's zijn bereid met ei, en ook dat valt bij het panel niet zo in de smaak. 'Te veel ei' (die van Albert Heijn) en 'een overheersende eigeur' (Pastella). Toch zijn er ook panelleden die de smaak van de verse pasta juist wel waarderen. Sommigen smullen van Pastella: 'Goed mondgevoel' en 'helemaal opgegeten'. Een ander vindt dat de pasta van Albert Heijn 'goed smaakt met saus'.

De prijs van verse spaghetti is per portie (van 200 gram) relatief hoger dan die van droge spaghetti (zie de tabel). Verse pasta bevat namelijk meer vocht dan 'gewone' gedroogde pasta en neemt daardoor bij het koken minder water op. Verse spaghetti kan minder lang bewaard worden dan de gedroogde variant en is al gaar na een paar minuten koken.

Niet geliefd

De eismaak van de verse spaghetti is niet geliefd bij het panel, net als de enige droge spaghetti met ei, van Grand'Italia. Hoewel de laatste in de smaaktest wel iets beter scoort dan Grand'Italia zonder ei. Ei zou moeten zorgen voor een romige pastasmaak, maar de proevers vinden geen enkele spaghetti met ei heel romig. 'Traditioneel bevat spaghetti geen ei', legt kok en restauranteigenaar Adriano Raimondi uit. 'Ei wordt in Italië vaker gebruikt bij het maken van andere pastasoorten, zoals tagliatelle en tortellini.' Niet alleen de dure verse pasta valt tegen. Ook de prijzige spaghetti van De Cecco is geen favoriet. De Cecco is een bekend Italiaans pastamerk: met €1,90 voor 500 gram is het de duurste gedroogde spaghetti uit de test. Maar ze proeven dat er niet vanaf. 'Te dik', is een veelgehoord commentaar. De pasta is volgens de aanwijzingen op de verpakking 11 minuten gekookt, maar toch vindt de meerderheid de spaghetti te hard, dus te 'al dente'. Anderen houden daar juist van: 'de spaghetti is goed stevig en ligt fijn in de mond'. Volg bij het koken daarom niet klakkeloos de richttijd die op de verpakking staat.

Honig Vezelrijk Spaghetti (Beste uit de test en Beste koop)

Prijs: €1,35 per 500 gram

Testoordeel: 8,5

Een middenmoter in de smaaktest. Smaakt als witte spaghetti, maar bevat de meeste vezels van alle geteste pasta's. Hij is niet zo gezond als volkorenpasta.

Albert Heijn Spaghetti Italiaans

Prijs: €1 per 500 gram

Testoordeel: 6,8

Beoordeeld als de lekkerste spaghetti en 'prima van kleur, dikte, lengte en buigzaamheid'. Hij bevat weinig vezels. Gemaakt van harde tarwegries.

Pastella Spaghetti al naturale (vers)

Prijs: €2 per 250 gram

Testoordeel: 5,1

Een van de duurste, maar met een lage score op smaak. Proevers vinden de spaghetti 'te veel naar ei ruiken' en 'te droog'. Bevat de minste vezels.

Vol vezels

Voor de meeste spaghetti uit de test is witte tarwebloem, het gemalen binnenste deel van de graankorrel, gebruikt. De volkorenspaghetti van Bio+ en Bertolli Integrali zijn echter gemaakt van volkorentarwemeel. Daardoor bevat deze volkorenpasta ruim twee keer zoveel vezels als witte spaghetti. Een portie volkorenpasta levert evenveel vezels als twee à drie volkorenboterhammen en meer vezels dan zilvervliesrijst en aardappelen. Dat is mooi meegenomen, want vezels zijn goed voor de darmen, en de meeste mensen eten er te weinig van. Ook bevat volkorenspaghetti meer vitaminen en mineralen dan witte. Allemaal positieve eigenschappen.

Lekker of gezond

Helaas waardeert het panel de smaak van volkorenspaghetti slechts met redelijk. Bio+ is wat plakkeriger dan Bertolli. Die laatste heeft volgens de proevers een te stevige beet. Het panel vindt ze beide niet zo romig en niet helemaal gaar.

Lekkerder vindt het panel de meergranenspaghetti van C1000. Die is wat romiger en heeft een zachtere beet. Meergranenspaghetti bevat bijna net zoveel vezels als volkorenspaghetti. Behalve 85% tarwe zit er in deze variant rogge, haver en mais. C1000 heeft laten weten dat deze spaghetti in mei 2013 vervangen werd door een volkorenspaghetti van het huismerk van C1000. Wij troffen in de supermarkt weinig andere meergranenspaghetti aan; het lijkt erop dat deze soort niet zo populair was.

De lekkerste spaghetti is dus de witte zonder veel vezels. De volkorenspaghetti zit wel vol vezels en andere gezonde stoffen, maar onze proevers vinden de smaak minder goed. Het is dus kiezen tussen lekker en gezond. Of een compromis. Bovenaan in de tabel prijkt namelijk Honig Vezelrijk, een spaghetti met veel vezels én de smaak van witte spaghetti. Deze spaghetti heeft niet de donkerder kleur en de kenmerkende smaak van volkoren. Hoe dat kan? De spaghetti wordt gemaakt van tarwebloem met toegevoegde vezels. Die extra vezels komen niet uit de graankorrel, maar uit andere delen van de tarweplant. Er zitten in Vezelrijk zelfs meer vezels dan in volkorenpasta. Maar wat voedingswaarde betreft, blijft deze spaghetti achter bij die van volkorenmeel. Die laatste bevat namelijk ook andere voedingsstoffen uit de graankorrel, zoals vitaminen en mineralen.

Hoewel Honig Vezelrijk dus een gezond en smakelijk compromis is, smaakt hij volgens ons panel minder goed dan de drie best gewaardeerde witte pasta's. En ook iets minder lekker dan de andere, vlugkokende, spaghetti van Honig. Die is wat zachter van beet en smeuïger dan Vezelrijk. Bijzonder aan deze Honig Vlugkokend is dat de pastaslierten hol zijn. Daardoor hoeft de spaghetti maar 5 à 6 minuten te koken, het kortst van alle gedroogde pasta's uit de test.

Raimondi stelt, zoals veel kenners, dat de beste pasta wordt gemaakt van harde oftewel durumtarwe. 'Die wordt niet plakkerig en blijft mooi al dente, beetgaar, na het koken.' Durumtarwe bevat veel gluten en is daardoor steviger dan zachte tarwe. En door die stevigheid zou pasta van durumtarwe beter smaken. Maar daar is ons panel het niet mee eens. Bijvoorbeeld Casa Italiana, de nummer drie uit de smaaktest, is gemaakt van zachte tarwe. Ook de Vlugkokende spaghetti van Honig is deels van zachte tarwe en goed beoordeeld. Bij de spaghetti van Albert Heijn en Jumbo gaat de hardetarwetheorie wel op: de Italiaanse varianten van harde tarwe scoren het hoogst in de smaaktest.

De beste pasta

Niet alleen de soort tarwe doet er toe. Ook van invloed is hoe fijn die tarwe gemalen is. 'De beste pasta maak je van semolina, oftewel griesmeel, van harde tarwe', weet Raimondi. Zulke grofgemalen tarwe zorgt volgens kenners voor de juiste structuur. Maar net als bij harde tarwe zien we dit niet terug in de resultaten van de smaaktest.

Nog een pastatheorie: 'De beste pasta's zijn gemaakt in bronzen mallen.' De pasta's van Bertolli en De Cecco melden dat zelfs vol trots op hun verpakking. Bronzen mallen zorgen voor een ruw pastaoppervlak, waardoor de spaghetti er wat mat uitziet en de pastasaus beter zou hechten. Onze panelleden proeven er weinig van: de saus hecht niet beter aan de pasta's van Bertolli en De Cecco dan aan de andere pasta's.

Tafeltje-dek-je-maaltijden
Gezondgids juni 2013

Diverse zorgcentra leveren kant-en-klaarmaaltijden tegen een bescheiden bedrag warm af aan huis. De gerechten zijn apart verpakt, bijvoorbeeld op een schotel met drie vakken, zodat aardappelen, groenten en vlees niet door elkaar gaan. Toetje en soep apart. Alles is goed geplastificeerd om morsen onderweg te voorkomen. Het is thuis alleen nog een kwestie van openmaken. Voor veel mensen is een dergelijke maaltijd een uitkomst. Anderen kiezen voor een diepvriesmaaltijd. Wij aten een hapje mee en beoordeelden de warme kant-en-klaarmaaltijden op de hoeveelheid zout, vet en groenten.

Zout

De Consumentenbond constateerde in een onderzoek uit 2008 (gepubliceerd in de *Consumentengids* van april 2008) al dat het zoutgehalte in tafeltje-dek-je-maaltijden een kritiekpunt was. Ons nieuwe onderzoek in 13 instellingen die we 5 jaar geleden ook bezochten, stemt nog steeds niet vrolijk. Wie zijn tafeltje-dek-je-maaltijd volledig oppeuzelt, inclusief soep en toetje, krijgt gemiddeld 5,3 gram zout binnen. En dat is veel. Het advies van het Voedingscentrum is niet meer dan 6 gram zout per dag te eten. Daar ga je met deze maaltijden ruimschoots overheen, want ook in een ontbijt en lunch zit onvermijdelijk zout. Eén boterham levert al een halve gram zout.

Tafeltje-dek-je is overigens ook al zout in vergelijking met wat een gemiddelde Nederlander binnenkrijgt. Als we de hoeveelheid namelijk vergelijken met de resultaten van de laatste voedselconsumptiepeiling van het Rijksinstituut voor Volksgezondheid en Milieu (RIVM), zien we dat een gemiddelde warme maaltijd (gemeten bij mensen tussen 51 en 69 jaar) 3,1 gram zout levert.

Wij legden onze metingen voor aan de instellingen. Die zagen echter geen probleem. De zoutkwestie die ons al jarenlang zorgen baart, lijkt daar nauwelijks voet aan de grond te krijgen. Koks vrezen een flauwe smaak en komen niet op de gedachte om de consument zelf het zout te laten strooien.

In de praktijk krijgt gelukkig niet iedereen al het zout van een tafeltje-dek-je-maaltijd binnen, om de eenvoudige reden dat één portie voor

Tafeltje-dek-je-maaltijden

Instelling	Testoordeel	Zout	Vet	Groente
Maaltijd zonder soep, met toetje				
Zorgcentrum **Riederborgh**, Ridderkerk	6,0	+	□	–
Woonzorgcentrum **Rosengaerde**, Dalfsen	5,7	□	–	++
Woon- & zorgcentrum **De Merwelanden**, Dordrecht	5,7	□	□	+
Maaltijd met soep en toetje				
SVRZ **De Kraayert**, Lewedorp	5,6	□	+	–
GouweCuisine, Reeuwijk	5,3	– –	++	□
Woon-zorgcentrum **Talma Borgh**, Apeldoorn	4,7	–	□	+
Woonzorgcentrum **De Regenboog**, Coloriet, Dronten	4,5	–	□	–
Zorgcentrum **St. Jozef**, Gendt	4,0	– –	□	+
Zorginstellingen **Pieter van Foreest**, Katwijk	4,0	– –	–	+
Woonzorgcentrum **De Weyert**, stichting Zorgcentra Zuidwest-Drenthe, Dwingelo	3,6	– –	□	+
ISZ **De Brug**, Driebergen	3,6	– –	□	□
Zorgcentrum **De Hoge Hof**, stichting Samen Zorgen, Herveld	3,4	– –	□	–
Dienstencentrum **De Berlage**, PuurZuid, Amsterdam	3,1	– –	–	+

++ = zeer goed   + = goed   □ = redelijk   - = matig   -- = slecht
- Het Testoordeel is opgebouwd uit de oordelen voor zout (45%), vet (35%) en groente (20%).
- Het oordeel voor vet omvat verzadigd vet (50%) en onverzadigd vet (50%).
- Let op: omdat alle maaltijden zijn onderzocht volgens dezelfde criteria, komen de maaltijden zonder soep er relatief goed af.

veel mensen te groot is. Zo bezorgt woonzorgcentrum Rosengaerde uit Dalfsen bijna 300 gram warme aardappelen in één maaltijd: genoeg voor minstens twee ouderen. Ook hoorden we van tafeltje-dek-je-koks dat het regelmatig voorkomt dat mensen twee dagen met zo'n maaltijd doen. Uit oogpunt van voedselveiligheid juichen we dat niet toe, want ziekmakende bacteriën krijgen dan de kans zodanig uit te groeien dat iemand daar ziek van kan worden. Dus: laat de kok een kleinere hoeveelheid maken of haal direct het teveel aan warm eten dat toch niet gegeten gaat worden van het bord om apart te bewaren, maar bewaar liever geen restanten van het bord.

Een belangrijk deel van het zout in de kant-en-klaarmaaltijden komt overigens op het conto van het voorgerecht: de soep. Daar zit algauw 2 gram zout in. Die kun je dus beter niet elke dag eten.

Op enkele adressen konden we ook geen soep bij de maaltijd krijgen. Van de kok van het woon- & zorgcentrum De Merwelanden in Dordrecht hoorden we dat het niet aanbieden van soep een bewuste keus is. Een goede keus, want zo eten mensen meer van de hoofdmaaltijd en krijgen ze minder zout binnen.

Zoutzondaar

Jus is trouwens nog zo'n bekende zoutzondaar, die soms overdadig over een kant-en-klaarmaaltijd zit. Van woonzorgcentrum De Regenboog van Coloriet in Dronten kregen we een maaltijd met meer dan 180 gram jus, genoeg voor drie maaltijden. Zorgcentrum St. Jozef in Gendt leverde 165 gram en zorgcentrum De Hoge Hof in Herveld 154 gram jus in één maaltijd. Gelukkig troffen we ook kleine beetjes jus aan. Opmerkelijk ook in een maaltijd van De Regenboog: in de ene maaltijd dus zoals gezegd 180 gram, maar in een andere maaltijd slechts 43 gram. Zou het ermee te maken hebben welke kok de pollepel hanteert?

Dat de Consumentenbond al geruime tijd stimuleert de zoutconsumptie te minderen, is natuurlijk niet voor niets. Het grootste bezwaar van te veel zout eten is dat het de bloeddruk kan verhogen, en een verhoogde bloeddruk is gevaarlijk voor hart en vaten. En er zijn nog meer ziektebeelden die kleven aan een te hoge zoutconsumptie: denk aan botontkalking, waar veel ouderen mee te maken hebben. Daarbij speelt zout een rol, omdat het teveel aan zout uitgeplast moet worden, waarbij calcium wordt meegesleept. En calcium is nu net nodig voor gezonde botten.

Groente

Behalve over zout zijn er nog enkele zorgen over de maaltijden van tafeltje-dek-je. We eten te weinig groente, roepen de voedingsvoorlichters en -deskundigen al enige tijd. Hoewel ouderen op dit punt relatief goed scoren in de landelijke voedselconsumptiepeiling van het RIVM blijft groente ook voor hen een aandachtspunt.

Niet alle kant-en-klaarmaaltijden bevatten genoeg groente. De Hoge Hof komt één keer net aan de 100 gram en St. Jozef en Riederborgh houden het op 118 gram. Ronduit riant is de aspergemaaltijd van Rosengaerde met 235 gram groente en zijn maaltijd met savooiekool scoort ook goed met meer dan 200 gram groente.

Gemiddeld kregen we 160 gram groente in deze kant-en-klaarmaaltijden. In ons vorige onderzoek vijf jaar geleden kregen we gemiddeld minder: 145 gram. Om aan de geadviseerde dagelijkse hoeveelheid van 200 gram te komen, is het dus verstandig ook nog iets van groente bij bijvoorbeeld de lunch te nemen, een tomaatje bijvoorbeeld of salade.

Vet

Na zout en groente is de derde zorg in de onderzochte maaltijden de hoeveelheid vet. Verzadigd vet verhoogt het cholesterolgehalte, dat op zijn beurt het risico op hart- en vaatziekten verhoogt. Hoe minder van deze vetsoort, hoe beter. Het ongewenste verzadigde vet haalde een gemiddelde van 9,1 gram in de onderzochte tafeltje-dek-je-maaltijden met soep. In vergelijking met de eerdergenoemde gemiddelde maaltijd uit de voedselconsumptiepeiling van het RIVM is dat helemaal niet gek, want die komt uit op 11,8 gram.

Het onverzadigde vet daarentegen is juist nuttig. Maar ook dat moet binnen de perken blijven want elke gram vet, verzadigd of onverzadigd, levert calorieën en als je die niet verbrandt, word je daar dik van.

Conclusie

Tafeltje-dek-je is redelijk met groente, loopt in de pas met vet, maar brengt te veel zout met zich mee. Ons advies aan de consument: beperk soep en jus om met zout beter uit te komen. Of bestel een natriumbeperkte maaltijd.

320

VRIJE TIJD & VERVOER

Autohuur in het buitenland
Consumentengids maart 2013

Ton Terlouw, vaak op pad in het buitenland, boekte een huurauto via de website van KLM. Hij ging ervan uit dat de auto standaard allrisk was verzekerd, hoewel er op de website geen informatie stond over verzekeringen. Een eigen risico van €900, dat hij ter plaatse zou kunnen afkopen, vond hij als ervaren chauffeur aanvaardbaar. Tijdens zijn reis kreeg hij een aanrijding, waardoor de auto total loss werd verklaard. Tot verbijstering van Terlouw werd hij voor de complete schade van €16.000 aansprakelijk gesteld. Hij bleek alleen WA verzekerd. Terlouw vindt dat iSeatz, het bedrijf dat de boekingen afhandelt, hem slecht heeft geïnformeerd over de verzekering van zijn huurauto op de website van KLM. Alle essentiële verzekeringen zouden volgens hem in de huursom moeten zitten. We hebben KLM om een reactie gevraagd, maar daarop geen antwoord gekregen.

'Brokers' goedkoop
Een vermoeiende vlucht, een chaotische luchthaven in een warm land, taalproblemen; kortom, niet de ideale situatie om de kleine lettertjes van het huurcontract eens rustig te gaan lezen. Je wilt weg en tekent, misschien met een lichte twijfel, bij het kruisje. Alleen al om die reden is het verstandig bij het reserveren voldoende aandacht te besteden aan de voorwaarden. Helaas maken de weinig transparante tarieven en verzekeringsvoorwaarden dat niet gemakkelijk. Vooral de websites van internationale verhuurbedrijven blinken niet uit in duidelijkheid, ook al omdat ze soms alleen Engelstalig zijn.
Een auto huren kan rechtstreeks bij de grote internationale bedrijven en via 'brokers'. Brokers hebben geen eigen wagenpark, maar bemiddelen voor (inter)nationale verhuurbedrijven. Je krijgt van hen een voucher en het contract met het verhuurbedrijf teken je ter plaatse. In de tabel met huurtarieven zijn Sunny Cars en Auto Europe brokers.

Autohuur in het buitenland

	AutoEurope		Sunny Cars		Sixt		Alamo		Avis		Europcar		Budget		Hertz	
	start-prijs	eind-prijs	start-prijs	eind-prijs	start-prijs	eind-prijs	start-prijs	eind-prijs	start-prijs	eind-prijs	start-prijs	eind-prijs	start-prijs	eind-prijs	start-prijs	eind-prijs
Rome	€96	*€164	€235	€235	€173	€359	€233	€314	€134	€338	€149	€369	€114	€302	€125	€423
Lissabon	€48	*€70	€134	€134	€89	€189	€87	€147	€96	*€145	€110	€250	€77	*€108	€96	€259
Dublin	€56	*€123	€179	€246	€99	*€232			€91	€158	€81	€268	€75	*€268	€99	€293
Stockholm	€265	€298	€360	€392	€373	€398	€452	€506	€287	*€311	€270	€400	€261	€359	€282	€416
Madrid	€53	€76	€86	€86	€121	€187	€184	€250	€153	€287	€143	€330	€79	€330	€128	€374
Miami	€131	€184	€169	€205	€169	€222	€138	€183	€155	€214	€155	€208	€144	*€191	€150	
Vancouver	€171	€229	€238	€278	€249	€309	€246	€327	€286	*€344	€294		€177	*€190	€199	

- Peildatum november 2012 tot januari 2013.
- Het gaat hier om de webprijzen voor autohuur (goedkoopste categorie) in de periode 1-8 maart 2013 op de luchthaven, inclusief onbeperkte kilometers, tankregeling 'vol naar vol', tweede chauffeur en voor zover mogelijk volledige afkoop van het eigen risico bij schade en diefstal. De startprijs is zonder onmisbare verzekeringen.
- Bij Sunny Cars is in het pakket ook standaard schade aan banden, onderkant van de auto, ruiten en dak verzekerd.
- * = afkoop eigen risico niet (volledig) mogelijk of de prijs hiervan is bij reserveren niet te achterhalen. De eindprijs kan dan aanzienlijk hoger uitvallen.
- Een leeg vakje = geen prijsinformatie beschikbaar op internet.

Ze zijn vaak goedkoper dan de verhuurbedrijven zelf. Bij Sunny Cars kun je vooraf alle verzekeringen regelen, inclusief het afkopen van het eigen risico en een dekking voor schade aan ruiten, banden, dak, bodem en spiegels. Internationale verhuurbedrijven bieden die mogelijkheid niet altijd.

De tarieven in de tabel zijn een momentopname en sterk veranderlijk, maar illustreren wel de grote verschillen tussen aanbiedingsprijs (zonder verzekeringen) en eindprijs en de onderlinge prijsverschillen. Handige tip: een telefoontje naar de afdeling reserveringen kan een lager 'actietarief' opleveren.

Een creditcard – op naam van de hoofdbestuurder – is onmisbaar bij het huren van een auto. Deze wordt gebruikt als garantstelling en voor de betaling van het eigen risico bij schade, de kosten van aftanken, verkeersboetes en extra's zoals een tweede chauffeur, sneeuwkettingen of een kinderzitje. Ter plaatse machtig je de verhuurder voor deze betalingen. Het totaalbedrag kan, afhankelijk van het land en type auto, oplopen tot enkele duizenden euro's.

Verrassingen voorkomen

Bij autohuur moet je goed verzekerd zijn voor schade aan derden (WA) en aan de auto zelf. De risico's zijn domweg te groot, zoals blijkt uit de ervaring van de heer Terlouw. In het kader 'Verhuurdersjargon uitgelegd' staan de belangrijkste verzekeringen, waarvoor ze dienen en of je ze kunt missen. Om onprettige verrassingen achteraf te voorkomen, is het aan te raden alle risico's zo veel mogelijk af te dekken. Let erop dat de wettelijke aansprakelijkheid in landen waar dit nodig is, zoals de Verenigde Staten, verhoogd is tot een dekking van (omgerekend) €7.500.000.

Tips voor de autohuurder

- Afhalen op de luchthaven is vaak goedkoper en sneller dan bij een stadskantoor.
- Controleer de auto vooraf samen met de verhuurder op schade en laat die aantekenen op het huurcontract. Maak foto's van bestaande en nieuwe schade.
- Check lichten, remmen, ruitenwissers, krik, reservewiel, gevarendriehoek, veiligheidshesje, verbanddoos en of de tank vol is.
- Ga na of de auto volgetankt moet worden ingeleverd.
- Lever de auto zo mogelijk in tijdens kantooruren, anders staat deze vaak geparkeerd voor eigen risico en extra kosten. Maak dan foto's of een video van de situatie.
- Voor betalen met een creditcard is een pincode nodig.
- Bewaar bonnen en het huurcontract en check na afloop de creditcardrekening op afschrijvingen.

Eigen risico

Een verzekering voor schade als gevolg van aanrijdingen en diefstal zit meestal in de huurprijs, zij het met een blijvend eigen risico. Dit kan oplopen tot meer dan €1000. Wie geen eigen risico wil, kan het tegen een meerprijs afkopen tot €0 of een bedrag van een paar honderd euro. Bij veel verhuurders moet dat ter plaatse. Er ontstaat dan nogal eens verwarring omdat de huurder denkt alles al betaald te hebben.

Echt alle risico's afdekken is onmogelijk. Je blijft als bestuurder verantwoordelijk wanneer je bijvoorbeeld de verkeerde brandstof tankt, op onverharde wegen rijdt of buiten de toegestane (lands)grenzen. En uiteraard bij alcoholgebruik en roekeloos rijden.

Onderverzekerd zijn is erg riskant, maar geld uitgeven aan onnodige verzekeringen is ook niet de bedoeling. Ga daarom vooraf na welke verzekeringen je wilt en waarvoor je verzekerd bent. Eenmaal ter plaatse is de druk soms groot, omdat de provisie voor de verhuurders erg aantrekkelijk is.

Verhuurdersjargon uitgelegd

- Third Party Liability (TPL): aansprakelijkheidsverzekering die standaard in de huurprijs zit; dekt schade aan derden.
- Additional Liability Insurance (ALI) of Extended Protection (EP): uitbreiding van de standaarddekking van de aansprakelijkheidsverzekering; onmisbaar als die te laag is, zoals in Noord-Amerika.
- Collision Damage Waiver (CDW): dekt schade aan de huurauto door eigen schuld; zit doorgaans standaard in het huurcontract met een eigen risico. Is onmisbaar. Een aanvullende schadeverzekering voor ruiten, dak, bodem en banden zit niet standaard in het contract, maar is wel aan te bevelen.
- Super Collision Damage Waiver (SCDW) of Super Top Cover: aanvullende verzekering om het resterende eigen risico af te kopen, is vaak alleen ter plaatse afsluitbaar. Is aan te bevelen.
- Loss Damage Waiver/Theft Waiver (LDW): dekt de schade bij autodiefstal, mits de sleutel overhandigd kan worden. Zit doorgaans in de huurprijs met blijvend eigen risico. Is onmisbaar.
- Super Theft Waiver (STW): aanvullende verzekering om het blijvend eigen risico bij diefstal af te kopen. Is onmisbaar.
- Personal Accidents Insurance (PAI): een inzittendenverzekering die uitkeert bij overlijden of blijvend letsel, is ter plaatse af te sluiten; deze dekking zit ook in een reisverzekering, tenzij je dit onderdeel eruit hebt gelaten. Dit geldt ook voor de Personal Effects Protection/Coverage: een bagageverzekering.

Bijkomende kosten

Ga bij het boeken niet uitsluitend af op de aanbiedingsprijs. De tabel maakt duidelijk dat de eindprijs vaak veel hoger is. Soms kosten de verzekeringen al meer dan de 'kale' huurprijs.

Ook alle extra's kosten geld. Ben je jonger dan 23 of 25 jaar? Dan betaal je algauw €15 à €20 meer per dag. Een tweede bestuurder? Dat betekent zo'n €5 à €10 per dag extra.

Een navigatiesysteem huren kost vaak bijna net zoveel als een nieuw kopen. Voor een kinderzitje betaal je al snel €50. Er zelf een meenemen, als dit past, is goedkoper en wellicht ook veiliger.

Wanneer je de auto niet met een volle tank inlevert, betaal je de hoofdprijs voor de brandstof en een bedrag ('fee') voor het bijtanken.

Langer dan een halfuur te laat inleveren, betekent doorgaans een (extra dure) extra dag betalen; ook elders inleveren ('one way rental') kost vaak extra.

Ten slotte verdienen verhuurbedrijven aan administratiekosten. Zo kost een verkeersboete doorsturen al snel een paar tientjes.

Autokosten

Consumentengids juni 2013

Afschrijving en brandstofkosten zijn veruit de grootste kostenposten voor autobezitters. Bij een nieuwe auto maken ze zo'n 80% van het totale kostenplaatje uit, bij een gebruikte bijna 70%. Uitgesplitst voor een gemiddelde kleine middenklasser gaat het om bijna 50% aan afschrijving, 30% aan brandstof en bij elkaar zo'n 20% aan verzekering, motorrijtuigenbelasting, onderhoud en rente.

Belangrijkste les blijft daarbij dat een gebruikte auto veel goedkoper uitpakt dan een vergelijkbare nieuwe, omdat de afschrijving in de eerste jaren het hoogst is. Ook door met de nieuwe auto zes jaar door te rijden – in plaats van na drie jaar al in te ruilen – valt veel te besparen.

160 auto's onderzocht

De Consumentenbond houdt de autokosten al tientallen jaren bij. Ook voor 2012 hebben we berekend hoeveel je maandelijks kwijt bent als je een nieuwe auto koopt en die na drie dan wel zes jaar wegdoet. Ook bekeken we hoeveel je betaalt als je een drie jaar oude auto koopt en er drie jaar mee rijdt. Het gaat om de 160 meest verkochte auto's in de afgelopen zes jaar.

De tabellen bevatten een selectie; het volledige overzicht plus specificaties van andere kostenposten staan op www.consumentenbond.nl/auto.

Besparen op autokosten

De kosten voor onderhoud en motorrijtuigenbelasting blijven hier buiten
beeld. Toch valt ook daarop te besparen, bijvoorbeeld door van een
allriskverzekering naar beperkt casco over te stappen. Onderhoudskosten
zijn, zeker bij jonge auto's, bijna te verwaarlozen.
Wie een zeer zuinige benzine- of dieselauto kocht die dit jaar nog belas-
tingvrij rijdt, moet opletten: deze auto is per 1 januari 2014 ook belasting-
plichtig. Dit heeft zeker invloed op de restwaarde.

Meer ruimte: kosten omhoog

Waarschijnlijk een herkenbaar scenario: ooit begonnen in een kleine,
gebruikte auto, blijkt die bij de eerste gezinsuitbreiding achterin toch echt
te krap voor het kinderstoeltje. Dus wordt er een auto uit de compacte
klasse aangeschaft. En dan, als de kinderen boven jezelf uit gaan torenen,
wordt het tijd naar een kleine middenklasser uit te kijken.
Zijn de kinderen de deur uit, dan maak je de stap naar kleiner misschien
niet meer zo snel. Maar als je wilt bezuinigen, is dat wel de manier – of je
rijdt met de auto langer door dan je gewend bent. Het brandstofverbruik
in deze drie klassen blijkt weinig uit elkaar te lopen, maar de afschrijving
des te meer. Zo kost een gemiddelde kleine auto €210 per maand als
je met een nieuwe zes jaar rijdt. Dat is €180 bij een gebruikte auto. De
kosten lopen op naar €265 voor een nieuwe auto in de compacte klasse
tot €355 voor een kleine middenklasser.

Uitschieters

In alle klassen zitten uitschieters in positieve en negatieve zin. In het
algemeen blijkt dat auto's in de kleine en compacte klasse relatief het
minst afschrijven. Autotelex, een grote leverancier van voertuiggege-
vens die ook de afschrijvingskosten voor dit onderzoek berekent, heeft
becijferd dat de meeste kleine auto's een restwaarde hebben van bijna
70% na drie jaar. Dat staat in schril contrast met veel grote auto's: een
Chrysler Grand Voyager (grote MPV) en een Peugeot 4007 (grote SUV)
brengen dan nog maar 40% van de nieuwwaarde op.

Autokosten

Merk & Type & Uitvoering (brandstof & bouwjaren)	0-3 jaar	0-6 jaar	3-6 jaar	Brandstofkosten/maand min/max (€)
KLEINE KLASSE	110	80	50	130/145
Chevrolet Matiz 1.0 5 dr		100	70	145/160
Chevrolet Spark 1.0 L	80			130/145
Citroën C1 1.0 Ambiance 3 dr	100	70	45	115/125
Daihatsu Cuore 1.0 12V		55	60	120/130
Fiat 500 1.4 Pop 3 dr	160	110	65	155/170
Fiat Panda 1.2 Dynamic 5 dr	105	75	40	130/140
Fiat Panda 1.1 8V Active	105	75	40	130/140
Ford Ka 1.3 Futura 3 dr		80	60	170/190
Ford Ka 1.2 Titanium 3 dr	125	90	60	130/145
Hyundai i10 1.1 Pure 5 dr	70	50	30	130/140
Kia Picanto 1.1 X-tra 5 dr	145	90	30	135/145
Nissan Pixo 1.0 Acenta	85			110/125
Peugeot 107 1.0-12V XS 5 dr	100	75	50	115/125
Peugeot 107 1.0 XS 3 dr		75	45	120/130
Renault Twingo 1.2 Auth.	90			140/155
Renault Twingo 1.2 16V Dyn.	140	100	65	145/160
Suzuki Alto 1.0 Comfort	90			110/125
Toyota Aygo 1.0-12V 3 dr		60	25	120/130
Toyota Aygo 1.0-12V 3 dr	95	65	30	115/125
VW Fox 1.2		85	55	155/170
VW Up 1.0 60 pk move up	135			145/160
COMPACTE KLASSE	170	120	70	145/160
Alfa Romeo MiTo 1.4	215			150/165
Audi A1 1.2 TFSI Attraction	170			130/145
Chevrolet Aveo 1.2 LS	140			130/145
Citroën C3 1.1i Attraction	115			150/165
Citroën DS3 VTi 120	195			150/165
Dacia Sandero 1.6 Amb. 5 dr	105	80	55	185/205
Daihatsu Sirion 1.0 5 dr	125	95	60	130/140
Fiat Punto 1.2 Ed. Cool 3 dr	125	95	65	145/160
Fiat Punto 1.2 Active 3 dr	155			145/160
Ford Fiesta 1.25 Titanium 3dr	205	150	100	140/150
Ford Fiesta 1.3 8V 3 dr		95	45	155/170
Ford Fiesta 1.4 Ghia 3 dr	220	170	115	145/160
Hyundai i20 1.25i Active 5 dr	125	90	50	135/145
Kia Rio 1.2 CVVT	150			125/135
Mazda 2 1.3 TS	165			130/145
Mitsubishi Colt CZ3 1.5 Intense	205	135	60	155/170
Nissan Micra 1.2 Mix 3dr	150			150/165
Opel Agila 1.0 Edition	135			130/145
Opel Corsa 1.2-16V Enjoy 3 dr	215	135	55	150/165
Opel Corsa 1.2-16V Select. 3 dr	175			135/150
Opel Corsa 1.4-16V Cos. 5 dr	215	140	65	150/165
Peugeot 206 1.4 3 dr		100	60	160/175
Peugeot 207 1.4 X-Line 5 dr	210			150/165
Peugeot 207 1.4 XR 3 dr	195	125	50	160/175
Peugeot 207 SW 1.4 XR 5 dr	210	140	75	165/185
Peugeot 208 Acc. 1.2 5 dr	180			115/125
Renault Clio 1.2-16V Auth. 3 dr	180	120	65	150/165
Renault Clio 1.4-16V 3 dr		120	80	170/190
Seat Ibiza 1.2 Reference 5 dr	180	125	75	140/150
Seat Ibiza 1.4 Style 5 dr	190	145	100	150/165
Skoda Fabia sw 1.4-16V El.	220	165	110	165/185
Suzuki Splash 1.0 Trend	115	90	60	130/140
Suzuki Swift 1.3 Comfort 3 dr	150	95	40	150/165
Toyota Yaris 1.0 3 dr	135	105	75	140/150
Toyota Yaris 1.3 L Sol 3 dr		135	70	155/170
VW Polo 1.2 70 pk Trendline	140			140/155
VW Polo 1.2 TDI BM 5d	210			70/80
VW Polo 1.4-16V Comf. 3 dr	185	130	80	160/175
KLEINE MIDDENKLASSE	260	195	120	160/175
Audi A3 1.6 Ambition 3 dr	360	240	125	175/190
Citroën C4 1.6-16V Image 5 dr	265	195	125	180/200
Dacia Logan MCV 1.6 Amb.	100	85	70	200/220
Ford Focus 1.4 Trend 3 dr	250	175	105	170/185
Ford Focus 1.6 Ghia 5 dr	260	210	160	170/190
Ford Focus 1.6 TDCI Ghia 5 dr	360	270	185	135/150
Honda Civic 1.8 Comfort 5 dr	300	210	125	170/185
Honda Civic Hybrid	355	225	95	120/130
Hyundai i30 1.4i i-Drive	170	110	55	150/165
Kia cee'd 1.6 X-tra 5 dr	170	140	110	150/165
Lexus CT 200h Hybrid	305			95/105
Mercedes A 160 BlueEFF.	240	160	80	155/170
Mercedes B 180 BlueEFF.	310			150/165
Mini One	195	150	110	135/150
Opel Astra 1.4 100 pk Ed. 5 dr	195			140/155
Opel Astra 1.4 Essentia 5 dr		180	70	160/175
Peugeot 307 1.6-16V Prem. 5 dr		190	125	190/210
Peugeot 308 1.6 Vti XS 5 dr	260	200	145	165/180
Renault Mégane 1.4 Auth. 3 dr		215	80	175/195
Renault Mégane 1.6 Auth. 5 dr	220	165	115	170/190

Autokosten

Merk & Type & Uitvoering (brandstof & bouwjaren)	Afschrijving per maand (€)			Brandstofkosten/maand min/max (€)
	0-3 jaar	0-6 jaar	3-6 jaar	
Seat Leon 1.4 TSI Styl. 5 dr	270	195	120	165/180
Toyota Auris 1.6 Comfort 5 dr	200			170/185
VW Golf 1.4 TSI 122 pk 5 dr	230	200	170	160/175
VW Golf 1.6 FSI 5 dr		190	135	180/200
VW Golf Variant 2.0 TDI	415	315	215	120/130
Volvo C30 1.8 3 dr	305	215	120	185/205
MIDDENKLASSE	390	315	215	170/190
Alfa Romeo 159 1750 Tbi Dist.	430	375	320	205/230
Audi A4 2.0 TDI 143pk	530	385	245	105/120
Audi A5 SB 1.8 TFSI	425			150/165
BMW 318i	435	315	195	150/165
Citroën C5 1.8i Dynamique	370	275	175	200/220
Ford Mondeo 2.0 Ghia 4 dr	385	275	165	200/220
Mazda 6 SB 2.0 S-VT Bus.	405	305	210	185/205
Mercedes C180 K 4 dr	530	415	305	220/245
Opel Insignia 2.0 CDTI Ed.	465	330	195	120/130
Peugeot 407 SR 1.8	390	265	135	195/215
Peugeot 508 2.0 HDi SW	485			105/115
Renault Laguna 2.0 Dyn.	440	320	200	195/215
Skoda Octavia 1.6 Comf. 5 dr	200			190/210
Toyota Avensis 1.6 Comf. 4 dr	230			165/185
Toyota Prius 1.8	275			100/110
VW Jetta 1.6 Comfortline	285	230	175	190/210
VW Passat Variant 1.6 TDI	295			90/100
VW Passat 1.8 TSI Comfortline	335	290	245	190/210
VW Passat 2.0 TSI Comfortline		305	250	205/225
Volvo S40 1.8 Kinetic	375	265	155	185/205
Volvo S60 2.4 Kinetic	470	365	260	225/250
GROTE MIDDENKLASSE	560	510	330	160/180
Audi A6 2.0 TFSI Busi. Ed. aut.	475			195/215
BMW 530i	780	590	395	195/215
Mercedes E 200 CDI aut.	640	485	330	105/120
Skoda Superb SW 1.8 TSI	255			185/205
Volvo V70 2.0D Summum	650	455	265	125/135
KLEINE RUIMTEWAGEN	210	155	105	145/160
Ford Fusion 1.4-16V Style	180	140	105	165/185
Honda Jazz 1.2	140	105	75	135/150
Hyundai ix20 1.4 CRDi	285			90/100
Kia Venga 1.6 CVVT X-tra	115			150/165
Nissan Note 1.6 Life	230	165	105	160/175

Merk & Type & Uitvoering (brandstof & bouwjaren)	Afschrijving per maand (€)			Brandstofkosten/maand min/max (€)
	0-3 jaar	0-6 jaar	3-6 jaar	
Opel Meriva 1.6-16V Cosmo	290	210	130	170/190
Renault Modus TCE 100 Dyn.	210	155	100	150/165
COMPACTE RUIMTEWAGEN	375	280	180	165/180
Citroën C4 Picasso 2.0 HDiF 7p.	625	415	205	130/140
Ford C-MAX 2.0 16V Titanium	345	265	180	185/205
Opel Zafira 1.8 Cosmo 5 dr	400	275	150	185/205
Peugeot 3008 ST 1.6 HDi	330			105/120
Peugeot 5008 ST 2.0 HDi	400			135/150
Renault Scénic 1.6 Dynamique	375	280	190	195/215
Renault Scénic 1.6 Dynamique	260			175/195
Seat Altea 1.6 Comfortstyle	230	200	165	195/215
Toyota Corolla Verso 1.8 Sol		230	140	195/215
VW Touran 1.9 TDI Comfortl.	400	310	215	125/140
RUIMTEWAGEN				
Ford S-MAX 2.0 TDCi Titanium	495	415	335	130/145
Renault Espace 2.0T Expr.	510	400	290	245/270
COMPACTE SUV	335	245	165	180/200
Hyundai ix35 2.0 CRDi 4WD	445	330	215	120/130
Hyundai Tucson 2.0i 4WD Style	365	245	125	180/200
Kia Sportage 2.0 2WD Comf.		210	170	205/225
Nissan Qashqai+2 2.0 tekna	305	255	210	215/235
Suzuki SX4 1.5 Comfort SUV	165	130	100	170/190
Toyota RAV4 2.0 Terra	235	185	135	220/240
VW Tiguan 1.4 TSI 4Motion	340	250	160	205/225
Volvo XC60 2.4D DRIVe	490	355	225	125/140
SUV				
Mitsubishi Outlander 2.4 2WD	325	225	130	235/260

• Kosten per maand, over 2012. • 3 dr = driedeurs; 5 dr = vijfdeurs; B = benzine; D = diesel; H = hybride. Bouwjaren xx-yy = beginjaar-eindjaar. • Afschrijving: 0-3 = nieuw gekochte auto (3 jaar mee gereden); 0-6 = nieuw gekocht, 6 jaar gereden; 3-6 = 3 jaar oud gekocht, 3 jaar gereden. De afschrijving is gebaseerd op inruilprijsberekeningen van Autotelex. • Kilometrage: 16.000 km p/jaar. • Brandstofkosten: gerekend met literprijs €1,759 voor benzine (12 ct meer dan in 2011) en €1,444 voor diesel (9,6 ct meer), gebaseerd op de gemiddelde prijs volgens het CBS 2012. • Min/max: uit onze Ecotest (zie consumentenbond.nl/ecotest) blijkt dat 95% van alle auto's 9 tot 20% méér verbruikt dan de fabrikant opgeeft. Met deze opslag is berekend wat de auto per maand minimaal en maximaal aan brandstof kostte. • Geen bedrag vermeld: de situatie is niet van toepassing of wij hebben de gegevens niet. • Eigen kosten kunnen afwijken, bijvoorbeeld vanwege een andere uitvoering en/of ander gebruik. • Het gemiddelde per klasse is vermeld als daarin minimaal 5 merken/typen bekeken zijn.

Kleine klasse

Goedkoopste in 2012 is de Toyota Aygo (samen met de technisch identieke Peugeot 107 en Citroën C1). Een Aygo van drie jaar oud kopen en
daar drie jaar mee rijden kostte aan afschrijving plus brandstof €145 per
maand. De Ford Ka 1.3 (tot 2007) blijkt relatief duur, vooral in zijn verbruik.
Aan deze auto was je in 2012 €230 per maand kwijt.

Compacte klasse

In deze klasse is de Hyundai i20 1.25 met €185 per maand het goedkoopst
en de Skoda Fabia Combi 1.4 met €275 het duurst. De Fabia verbruikt veel
brandstof voor zijn klasse.

Kleine middenklasse

Ook hier is de goedkoopste een Hyundai, nu de i30 1.4. Koop je 'm als
occasion van drie jaar oud, dan kost hij €205 per maand aan afschrijving
en brandstof. Een Volkswagen Golf Variant 2.0 TDI kost anderhalf keer
zoveel, vooral door de afschrijving.

Automankementen

Consumentengids november 2012

Elk jaar inventariseert de Consumentenbond de automankementen van
het jaar ervoor. In 2012 deden we dat samen met *AutoWeek*, waardoor
we preciezere uitspraken over meer modellen kunnen doen. Opnieuw
komen de beste auto's uit Azië. De top van onze betrouwbaarheidstabel
wordt dan ook gedomineerd door Japanners. Europese merken als Alfa
Romeo en Peugeot zien we vaak onderin.
Sommige merken met niet zo'n beste reputatie lijken de weg naar boven
te hebben gevonden. Bij het Italiaanse Fiat zet de oudere Stilo nog een
van de slechtste scores neer, maar de nieuwere Panda en Bravo doen
het bovengemiddeld goed. Ook bij Fiat-dochter Alfa Romeo zien we dit
beeld met de MiTo en Giulietta. De alweer wat oudere Santa Fe is echt
een uitglijder van Hyundai, want bijvoorbeeld met de ix20 laat het bedrijf
zien ook zeer betrouwbare auto's te kunnen maken.

Betrouwbaarheid

Volkswagen en zijn zustermerken Audi en Seat zijn afgelopen jaar veel in het nieuws geweest vanwege problemen met de distributieketting van T(F)SI-turbomotoren. Ook onder onze geënquêteerden is het aantal motorproblemen bij deze merken bovengemiddeld. Volkswagen wil met tv-spotjes doen geloven dat iedere tweedehands Golf zo betrouwbaar is, dat het lijkt of hij van een oud omaatje is geweest. In ons onderzoek scoort de Golf slechter dan gemiddeld. Bij de slechtste tien staan nog twee Volkswagens (de Touran en Passat) en maar liefst drie Peugeots (206, 307 en 308). Bijna de helft van de eigenaren van deze auto's meldde een probleem dat verder rijden onmogelijk maakte of waarbij het direct bezoeken van een garage nodig was.

Aanvoerder van de betrouwbaarheidslijst is de Toyota Urban Cruiser. Van de geënquêteerden heeft 95% geen enkel probleem ondervonden in het afgelopen jaar. Was er een mankement, dan betrof het een kleine reparatie waarbij een garagebezoek niet direct nodig was. De eerste Europese auto staat op een gedeelde vijfde plek: de Dacia Sandero.

Prijsinvloed

Dacia bewijst dat een lage aanschafprijs prima hand in hand kan gaan met grote betrouwbaarheid. Wat misschien meespeelt, is dat de voor slechte Oost-Europese wegen ontworpen Sandero niet overladen is met moderne techniek. Wat er niet op zit, kan ook niet kapot. Dat betekent overigens niet dat auto's die wel zijn voorzien van moderne, complexere techniek per definitie onbetrouwbaar zijn. Zo scoren de Honda Insight, Toyota Prius en Lexus CT200h hoog, terwijl ze hybridetechniek hebben en meestal een hele waslijst aan elektronische snufjes. De Honda Insight is zelfs nummer twee in onze lijst. Eigenaren van de Insight werden slechts zeer sporadisch getroffen door een probleem waarbij ze niet verder konden rijden of een onmiddellijk bezoek aan de garage nodig was. Bestuurders van de Lexus CT200h belandden zelfs helemaal nooit op de vluchtstrook. Wel meldden zij iets meer kleine mankementen, waardoor hij op plaats drie terechtkomt, samen met de eveneens Japanse Honda Jazz en Mazda 3. Niet ver daarachter staat de Suzuki SX4, waardoor vijf grote Japanse merken in de top-5 zitten.

Automankementen

Merk & Type	Rapportcijfer	Kon niet meer rijden %	Direct naar de garage %	Kon wachten %
KLEINE KLASSE				
Citroën C1	**8,6**	6	3	15
Peugeot 107	**8,6**	0	9	20
Suzuki Alto	**8,6**	3	3	22
Daihatsu Cuore	**8,2**	3	6	27
Kia Picanto	**8,2**	2	10	22
Renault Twingo	**8,1**	3	7	28
Hyundai i10	**8,0**	0	7	37
Toyota Aygo	**8,0**	1	11	29
Fiat Panda	**7,5**	2	10	40
Fiat 500	**7,4**	1	15	37
Ford Ka	**6,9**	4	23	29
Volkswagen Fox	**6,2**	11	17	39
COMPACTE KLASSE				
Dacia Sandero	**8,9**	2	2	20
Mazda 2	**8,9**	7	0	11
Suzuki SX4	**8,9**	0	5	18
Daihatsu Sirion	**8,7**	2	5	20
Hyundai i20	**8,7**	0	5	23
Toyota Yaris	**8,7**	2	5	19
Kia Rio	**8,5**	0	4	30
Mitsubishi Colt	**8,4**	1	9	22
Smart Forfour	**8,2**	0	5	37
Hyundai Getz	**8,1**	4	7	26
Citroën DS3	**7,9**	2	6	37
Suzuki Swift	**7,7**	2	9	36
Citroën C3	**7,3**	9	11	28
Alfa Romeo MiTo	**7,2**	0	18	38
Renault Clio	**7,1**	7	17	27
Opel Corsa	**7,0**	6	13	38
Ford Fiesta	**6,9**	9	12	35
Peugeot 207	**6,7**	4	20	37
Fiat (Grande) Punto	**6,4**	7	17	43
Skoda Fabia	**6,3**	10	15	43
Volkswagen Polo	**6,1**	7	22	42
Seat Ibiza	**6,0**	10	21	40
Peugeot 206	**5,3**	8	28	49
KLEINE MIDDENKLASSE				
Honda Insight	**9,3**	2	2	10
Lexus CT	**9,2**	0	0	21
Mazda 3	**9,2**	0	6	9
Toyota Prius	**8,7**	3	4	18

Merk & Type	Rapportcijfer	Kon niet meer rijden %	Direct naar de garage %	Kon wachten %
KLEINE MIDDENKLASSE				
Kia cee'd	**8,5**	2	2	30
Fiat Bravo	**8,2**	3	6	27
Toyota Auris	**8,2**	5	6	22
Mercedes-Benz A-kl.	**8,1**	2	7	30
Honda Civic	**8,0**	3	10	26
Subaru Impreza	**8,0**	6	8	22
Toyota Corolla	**8,0**	2	10	27
Hyundai i30	**7,7**	2	12	33
Dacia Logan	**7,5**	3	10	39
Mitsubishi Lancer	**7,5**	4	14	29
Alfa Romeo Giulietta	**7,3**	4	12	38
BMW 1-serie	**7,3**	5	16	28
Volvo C30	**7,3**	5	15	31
Nissan Qashqai	**7,2**	3	12	41
Skoda Octavia	**6,7**	6	17	40
Citroën C4	**6,3**	5	22	42
Renault Mégane	**6,2**	7	20	45
Seat Leon	**6,2**	9	18	43
Volkswagen Golf	**6,2**	9	22	37
Ford Focus	**6,1**	9	21	39
Mini Mini	**6,1**	8	20	45
Alfa Romeo 147	**6,0**	9	17	49
Opel Astra	**5,9**	10	22	41
Alfa Romeo GT	**5,7**	7	23	50
Audi A3	**5,7**	11	27	35
Peugeot 308	**4,9**	17	29	37
Fiat Stilo	**4,3**	12	29	65
Peugeot 307	**4,1**	16	30	58
MIDDENKLASSE				
Volvo V60	**8,8**	0	11	11
Honda Accord	**8,4**	2	7	24
Volvo S40	**8,3**	0	6	33
Lexus IS	**8,1**	3	10	23
Volkswagen Jetta	**8,1**	6	6	23
Mercedes-Benz C-kl.	**7,8**	3	13	25
Toyota Avensis	**7,7**	5	11	26
Peugeot 508	**7,6**	4	10	33
Subaru Legacy	**7,5**	3	18	25
Opel Insignia	**7,0**	5	18	33
Mazda 6	**6,9**	4	14	43
BMW 3-serie	**6,8**	4	21	34

Automankementen (vervolg)

MIDDENKLASSE	Rapportcijfer	Kon niet meer rijden %	Direct naar de garage %	Kon wachten %
Ford Mondeo	6,8	8	15	36
Audi A5	6,7	8	8	49
Renault Laguna	6,5	7	17	41
Saab 9-3	6,5	10	14	39
Volvo S60	6,3	10	23	30
Fiat Croma	6,1	5	20	50
Volvo V50	6,1	11	20	37
Audi A4	5,8	13	22	36
Citroën C5	5,8	10	19	50
Opel Vectra	5,8	11	16	52
Alfa Romeo 159	5,5	12	21	49
Peugeot 407	5,4	11	20	56
Volkswagen Passat	5,3	15	23	43
Alfa Romeo 156	2,4	22	35	78
GROTE MIDDENKLASSE				
Volvo S80	8,0	7	0	33
Volvo V70	7,3	4	14	35
Skoda Superb	7,0	3	13	45
Mercedes-Benz E-kl.	6,7	7	15	41
Saab 9-5	6,2	5	14	59
BMW 5-serie	5,7	6	27	46
Audi A6	5,4	12	24	45
ROADSTER				
Mazda MX-5	8,8	0	4	24
COMPACTE RUIMTEWAGEN				
Toyota Verso	8,5	0	8	24
Toyota (Corolla)Verso	8,1	5	7	25
Mazda 5	8,0	0	5	41
Skoda Roomster	8,0	5	5	30
Ford C-Max	7,8	6	10	24
Mercedes-Benz B-kl.	7,7	3	15	25
Volkswagen Golf Plus	7,7	0	15	31
Seat Altea	7,3	5	18	25
Citroën Xsara Picasso	7,1	3	20	30
Ford Focus C-Max	6,7	3	22	36
Peugeot 3008	6,0	4	25	48
Renault Scénic	5,7	10	22	47
Peugeot 5008	5,6	5	21	62
Citroën C4 Picasso	5,5	13	23	42

COMPACTE RUIMTEWAGEN	Rapportcijfer	Kon niet meer rijden %	Direct naar de garage %	Kon wachten %
Opel Zafira	4,7	16	32	41
Volkswagen Touran	4,2	16	33	51
KLEINE RUIMTEWAGEN				
Toyota Urban Cruiser	9,8	0	0	5
Honda Jazz	9,2	1	3	12
Hyundai ix20	9,0	0	0	25
Nissan Note	7,9	4	12	23
Kia Venga	7,6	3	13	31
Ford Fusion	7,4	7	13	27
Renault Modus	7,4	5	23	14
Opel Meriva	7,0	9	12	33
Opel Agila	6,4	8	19	38
RUIMTEWAGEN				
Ford S-Max	6,0	16	13	42
Ford Galaxy	5,8	13	17	46
Renault Espace	4,3	24	20	54
SUV				
Nissan Juke	8,8	0	5	20
Honda CR-V	8,7	1	7	17
Mitsubishi ASX	8,6	6	0	21
Subaru Forester	8,5	2	5	23
Toyota RAV4	8,5	3	5	22
Dacia Duster	8,3	4	4	26
Hyundai ix35	8,3	0	10	25
Volvo XC60	8,2	3	10	20
Mitsubishi Outlander	8,1	1	14	20
BMW X3	8,0	4	12	20
Nissan X-Trail	7,8	7	11	21
Kia Sportage	7,5	4	5	44
Hyundai Tucson	7,4	6	11	31
Skoda Yeti	7,2	6	14	33
Volkswagen Tiguan	6,9	6	24	21
Suzuki Grand Vitara	6,4	10	19	33
Volvo XC90	6,1	0	32	40
Volvo XC70	5,8	9	21	47
Audi Q5	5,6	6	24	53
Kia Sorento	5,6	13	13	57
Hyundai Santa Fe	5,0	27	19	31

Comeback

Grote betrouwbaarheid leidt niet vanzelf tot hogere verkoopcijfers. Daar is Mazda een goed voorbeeld van. Het marktaandeel van dit merk is de laatste jaren gekelderd. Maar met enkele goed uitziende en concurrerend geprijsde modellen als de CX-5 en de 6, lijkt de weg naar boven weer gevonden. Daihatsu doet het met de Sirion en Cuore ook goed qua betrouwbaarheid. Opvallend genoeg gaat het merk – in tijden dat kleine auto's hier niet aan te slepen zijn – in 2013 toch de Europese markt verlaten.

Zuid-Koreaanse merken zijn juist flink in opkomst. Kia en Hyundai doen het steeds beter in de verkoopstatistieken. Bleef de (rij)kwaliteit van de vorige generatie modellen soms flink achter bij de concurrentie, de huidige modellen doen er weinig voor onder. En ook met de betrouwbaarheid zit het goed. Op een enkele uitzondering na scoren ze ruim bovengemiddeld. Niet vreemd dus dat Kia als enige zeven jaar garantie durft te bieden.

Verzorging

Hoewel de betrouwbaarheid per merk en type verschilt, kun je ook als bestuurder je best doen om een verplichte stop langs de weg te voorkomen. Structureel drempels te hard nemen, te laat olie bijvullen, onderhoudsbeurten niet of veel te laat laten uitvoeren: dat is vragen om mankementen. Kortom, betrouwbaarheidscijfers geven een goede indicatie van wat je kunt verwachten, maar vaar er niet blind op. Probeer daarom bij de koop van een tweedehandsauto te achterhalen of er goed voor gezorgd is, zodat je niet voor verrassingen komt te staan.

Bouwjaar

Bij sommige auto's wordt een grote kwaliteitsslag gemaakt bij een facelift of modelwissel. Zo scoort de Renault Laguna van oudere bouwjaren een flinke onvoldoende, terwijl de auto's met bouwjaar 2007-2009 juist bovengemiddeld goed scoren. Maar welke bouwjaren je ook bekijkt, Japanse en Koreaanse auto's voeren de boventoon als het gaat om betrouwbaarheid.

Zie consumentenbond.nl/automankementen voor betrouwbaarheidsresultaten van veel auto's uitgesplitst naar bouwjaar.

Autonavigatie

Consumentengids juli/augustus 2013

Autonavigatie testen we met hightech gps-simulaties in een laboratorium. Voor dit artikel gaan onze onderzoekers er ook de straat mee op in een wedstrijd tussen smartphone-apps en losse autonavigatie. Arjen gaat op pad met het kant-en-klare systeem TomTom Go Live 1005 HDT&M (€320). Sanne gebruikt voor deze praktijktest twee navigatie-apps, van Waze en TomTom. Het gratis Waze downloadt de routes onderweg via mobiel internet. Bij de app van TomTom (€70) staan de kaarten op de telefoon. Arjen: 'Voor €80 tot €300 koop je een compleet navigatiesysteem waarmee je direct op pad kunt. Zo'n systeem heeft een lekker groot scherm, grote knoppen en goed geluid. Er zit een raamhouder bij, en een laadsnoer om hem in de auto op te laden. Nog een voordeel: alle gezinsleden kunnen ermee op pad; je mobiel leen je niet uit.'

Sanne: 'Een navigatie-app is aantrekkelijk als je al een smartphone hebt. En de telefoon heb je altijd bij je. De gratis apps kun je vrijblijvend proberen. Betaalde apps bieden meerwaarde; voor €30 tot €70 kun je onder andere navigeren zonder dataverbinding. De meeste smartphones zijn aan te sluiten op de autoradio voor meer volume, bijvoorbeeld met een kabeltje of via bluetooth. Houd rekening met extra kosten voor accessoires.'

Kaarten updaten of een nieuw apparaat?

Met een nieuwe kaart van een paar tientjes kan een oud navigatiesysteem weer even vooruit. Updaten is een lastig klusje dat algauw een paar uur duurt. Doe het dus ruim voor vertrek.

Updaten kan flink puzzelen zijn wanneer de nieuwe kaart niet in zijn geheel op het systeem past; je moet dan kiezen welk deel van de kaart je wilt installeren. Zijn het navigatiesysteem en de kaarten enkele jaren oud, dan kan een nieuw apparaat kopen voordeliger zijn dan updaten. Met een nieuw apparaat heb je in één keer een nieuwe kaart, frisse hardware en (vaak) gratis kaartupdates voor zolang als het apparaat meegaat. Apparaten met gratis kaartupdates zijn te herkennen aan de letter 'M' (van 'map updates') in de modelnaam. Het updaten van apps is veel makkelijker en kan draadloos. Je kunt dat het best via wifi doen, omdat updates vaak tientallen megabytes tot enkele gigabytes groot zijn.

Autonavigatie

Merk & Type	Richtprijs	Testoordeel	Navigatiekwaliteit	Gebruiksgemak	Veelzijdigheid	Overig [1]	Kaart [2]	Werk zonder dataverbinding	Verkeersinformatie [3]	Besturings-systeem
Losse navigatiesystemen (5 inch beeldscherm)		**50%**	**40%**	**5%**	**5%**					
■ 1. **TomTom** Via 135 M	€180	8,0	8,0	+	+	+	e		opt	
■ 2. **TomTom** Go Live 825 M	€210	7,8	8,0	+	+	+	e		ja	
■ 3. **TomTom** Go Live 1005 HDT&M	€320	7,8	7,8	+	+	++	e		ja	
4. **TomTom** Start 25	€145	7,6	8,0	+	–	+	e		opt	
5. **Garmin** nüvi 3590 LMT	€275	7,4	6,7	+	+	++	e		ja	
6. **Garmin** nüvi 2595 LMT	€185	7,2	6,6	+	+	+	e		ja	
7. **Garmin** nüvi 2585TV	€255	7,0	6,5	+	+	+	e		ja	
8. **Garmin** nüvi 150T	€120	6,9	7,6	–	□	ce			ja	
9. **TomTom** XXL Classic	€120	6,9	6,7	+	□	+	we		opt	
10. **Garmin** nüvi 2545 LM	€170	6,9	6,6	+	–	+	we		opt	
11. **Mio** Spirit 697 LM	€155	6,7	7,0	□	+	+	e		ja	
12. **Mio** Moov M613LM	€130	6,3	6,9	□	–	□	e		opt	
13. **Mio** Moov M610	€90	6,0	6,9	□	–	□	we		opt	
Navigatie-apps										
■ 1. **TomTom** Europa (v1.12)	€70	7,8	7,7	+	+	++	e	ja	opt	iOS
■ 2. **TomTom** Europa (v1.1.1)	€70	7,5	7,0	+	+	++	e	ja	opt	Android
3. **CoPilot** Live Premium Europe (v9.4.0.146)	€45	7,3	6,5	++	+	++	e	ja	opt	iOS
4. **Navigon** Europa (v4.7.0)	€45	7,3	7,0	+	+	++	e	ja	opt	Android
5. **CoPilot** Live Premium Europe (v9.4.0.144)	€45	7,2	6,2	++	□	++	e	ja	opt	Android
6. **Navigon** Europa (v2.3)	€70	7,1	6,5	+	+	++	e	ja	opt	iOS
7. **Sygic** Europa GPS Navigation (v12.2.0)	€35	7,0	6,2	+	+	++	e	ja	ja	iOS
8. **Garmin** Streetpilot Western Europe (v2.3.01)	€60	7,0	6,4	+	+	++	we	ja	opt	iOS
9. **Sygic** GPS Navigation Europe (v12.2.0)	€40	6,9	6,4	+	□	+	e	ja	opt	Android
10. **Waze** (v3.5.2.0)	€0	6,6	6,1	+	+	– –	w	nee	ja	iOS
11. **Route 66** Maps + Navigation (v5.12.50)	€50	6,6	5,9	+	□	+	w	ja	opt	Android
12. **Waze** (v3.5.1.4)	€0	6,5	6,0	+	+	– –	w	nee	ja	Android
13. **Google** Maps (v6.14.2)	€0	6,3	5,9	+	+	– –	w	nee	ja	Android
14. **Google** Maps (v1.0.0.3977)	€0	6,0	5,9	+	+	– –	w	nee	ja	iOS
15. **Apple** Maps (v6.0.2)	€0	5,7	5,3	□	+	– –	w	nee	ja	iOS

■ Beste uit de test   ++ Zeer goed   + Goed   □ Redelijk   – Matig   – – Slecht

- Prijzen zijn van mei 2013.
- In de tabel staan alleen systemen met een scherm van 5 inch.
- De apps zijn getest op een iPhone 5 (iOS) en Samsung Galaxy S III (Android). De testresultaten gelden enkel voor gebruik met deze toestellen.
- Controleer of op de smartphone voldoende geheugen vrij is om

een navigatie-app te installeren (geldt vooral bij smartphones met 4 GB geheugen of minder).
1) Bij losse systemen is dat installatie, degelijkheid en afwerking. Bij apps aanschaf en installatie.
2) e= Europa; ce = Centraal Europa; we = West-Europa; w = wereld; 3) opt = optioneel.

Dataverkeer

Gratis apps downloaden de route onderweg. Om te navigeren heb je dus een databundel nodig bij je mobielabonnement. Navigeer je er dagelijks mee, dan tikt het datagebruik aardig aan: bij een testrit gebruikten de gratis apps grofweg 8 MB voor een route van 120 km.

Door de benodigde dataverbinding is in het buitenland navigeren met een gratis app onaantrekkelijk duur. Vakantiebundels zijn te krap en bij het Europese mobiel-internettarief van €0,54 per MB kost een route van 8 MB al ruim €4. Terwijl je voor €30 al een prima app voor op de smartphone koopt. Het loont dus al als je meer dan 7 buitenlandse ritten maakt.

Ook apps waarbij de kaarten op de smartphone staan, gebruiken data, bijvoorbeeld voor verkeersinformatie onderweg. Dit zijn echter slechts enkele kilobytes. Bovendien kun je het dataverkeer in het buitenland uitschakelen. Het is dan nog steeds mogelijk om te navigeren. Met een los navigatiesysteem heb je dit soort zorgen niet.

Ronde 1: door de stad

Arjen en Sanne stappen in de auto en installeren hun systemen. Sanne is even bezig met het aansluiten van alle accessoires. Een raamhouder is onmisbaar en voor lange ritten is een autolader voor de smartphone aan te raden. De accu is namelijk snel leeg bij navigeren.

De eerste bestemming is een straat in Den Haag met een lange naam. Arjen heeft de route zo ingetikt: eerst de stad en dan de eerste letters van de straat. De TomTom-app van Sanne werkt net zo, maar bij Waze moet ze handmatig het hele adres intypen. En dat duurt lang.

De eerste rit is voor beiden een makkie. Zowel de apps als het losse apparaat wijzen hen probleemloos de weg dankzij instructies op het scherm en gesproken aanwijzingen.

Arjen lijkt met zijn grotere scherm en duidelijke geluid in het voordeel, maar in een tunnel let hij even niet op en mist een afslag. Dat betekent omrijden en Sanne is dan ook eerder op de eerste bestemming dan Arjen. Zo zie je maar weer: hoe goed de navigatie ook is, je moet zelf altijd blijven opletten.

Ronde 2: een omleiding

Nu moeten de onderzoekers via Madurodam naar hun volgende bestemming rijden. Het lukt Arjen niet om op de TomTom de bestemming 'Madurodam' te vinden tussen de straatnamen. Via 'plaatsen' op een andere plek in het menu vindt hij die alsnog. Sanne heeft het makkelijker: bij Waze is er maar één zoekveld en daardoor heeft zij Madurodam zo gevonden.

Navigeren met een tussenstop blijkt lastiger dan direct van A naar B navigeren. Waze raakt bij deze 'via-route' de weg kwijt. Het scherm blijft maar herhalen 'ga naar de gemarkeerde route', zonder dat de route wordt aangepast tijdens het rijden. Uiteindelijk moet Sanne de auto aan de kant zetten om de app opnieuw in te stellen. Tijdverlies!

Dan worden alle navigatiesystemen flink op de proef gesteld: vlak voor de eindbestemming blijkt de weg afgesloten. Arjen en Sanne hebben vooraf beloofd het navigatiesysteem te volgen en niet te letten op omleidingsborden. Op alle apparaten wordt de route vlot herberekend, maar beide chauffeurs worden steeds in rondjes gestuurd. Wanneer het Sanne te veel wordt, zoekt ze de route op via de smartphone-app Google Maps. Zo'n handige terugvaloptie geeft de smartphone een streepje voor. Sanne komt wéér als eerste op de bestemming.

Ronde 3: de snelweg

In de laatste ronde rijden onze onderzoekers via de snelweg terug naar het kantoor van de Consumentenbond. Dan komt een belangrijke beperking van de gratis app Waze aan het licht: die geeft geen rijstrookinformatie. Het navigatiesysteem en de TomTom-app doen dat wel, en daardoor is het glashelder op welke baan je moet voorsorteren op de snelweg. Hier winnen de betaalde app en het losse navigatiesysteem het duidelijk van de gratis app.

Zowel uit de vergelijkende Consumentenbond-test als uit dit wedstrijdje blijkt dat betaalde apps de losse systemen inmiddels aardig kunnen bijhouden.

Gratis apps brengen je van A naar B, maar door de benodigde internetverbinding en het ontbreken van rijstrookinformatie verliezen ze het nog wel van hun 'grote broers'.

TomTom Via 135 M Europe (Beste uit de test)

Prijs: €180

Testoordeel: 8,0

Dit losse navigatiesysteem heeft een groot scherm van 5 inch (12,7 cm), is vlot te bedienen en heeft een geïntegreerde raamhouder en snelle routeberekening. Gesproken instructies zijn goed getimed en de visuele routegeleiding is zeer goed. Inclusief Lifetime Map Updates.

TomTom Go Live 1005 HDT&M Europe (Beste uit de test)

Prijs: €320

Testoordeel: 7,8

Dit systeem is zeer makkelijk te installeren, heeft een groot scherm van 5 inch (12,7 cm), vlotte bediening en adressen invoeren is simpel. De visuele routegeleiding is zeer goed. TomToms eigen verkeersinformatie is voor drie jaar inbegrepen.

TomTom Europa (Beste uit de test)

Prijs: €70 (iOS, Android)

Testoordeel: 7,8 (iOS) 7,6 (Android)

De bediening van deze app van TomTom lijkt sterk op de navigatieapparaten van dit merk. De kaarten worden gedownload op de smartphone. De app geeft goede rijstrookinformatie. Je hebt op de telefoon wel 2 GB opslagruimte nodig.

Waze

Prijs: €0

Testoordeel: 6,6 (iOS) 6,5 (Android)

Deze gratis app downloadt zijn kaartmateriaal onderweg. Gebruikers van het 'sociale' Waze houden elkaar onderweg via de app op de hoogte van files, gevaren, flitspalen en voordelige brandstof. Deze (vele) meldingen kunnen uitgezet worden. Rijstrookinformatie ontbreekt.

Alle geteste nieuwgeteste modellen staan op www.consumentenbond.nl/navigatie.

Autoverzekeringen
Consumentengids november 2012

Bijna alle autoverzekeraars gebruiken een bonus-malusregeling, waarbij de premie afhankelijk is van het rijgedrag. Hoe vaker je claimt, des te hoger de premie. Dat klinkt fair, maar verzekeraars gebruiken erg ingewikkelde tabellen en regels. Het is nauwelijks na te gaan wat de schadeclaim betekent voor de premie en het aantal schadevrije jaren. En die gegevens zijn wél nodig voor wie overweegt over te stappen naar een andere verzekeraar.

Het Verbond van Verzekeraars werkt in stilte aan een uniforme methode om de schadevrije jaren vast te stellen. In december 2012 namen de aangesloten verzekeraars hierover een besluit.

Achteraf zelf betalen

Wie schadevrij rijdt, klimt jaarlijks een trede op de bonus-malusladder. Na een schadeclaim daal je direct een aantal treden en stijgt de premie. Het maakt daarbij geen verschil of de claim €500 of €5000 is; de premie stijgt even hard.

Het kan interessant zijn een zelfveroorzaakte schade voor eigen rekening te nemen. Het omslagpunt verschilt per verzekeraar en is voor iedereen anders. Stel: je staat op trede 8 met een no-claimkorting van 50% en de jaarpremie bedraagt €850. Op een dag veroorzaak je zelf voor €750 aan schade. Deze claimen betekent terug naar trede 4, en dan duurt het vier jaar om het oude kortingniveau weer te bereiken. Na tien jaar zonder schade ben je in totaal €4186 kwijt aan premie. Bij niet claimen loopt de kortingopbouw door en is de premie over dezelfde periode €2656. Niet claimen levert zo een voordeel op van €780 (€4186 min €2656 min €750). Het is lastig vooraf uit te rekenen of het indienen van een claim gunstig is. Gelukkig bieden de meeste autoverzekeraars de mogelijkheid de schade eerst te claimen en hem naderhand alsnog zelf te betalen. Bijvoorbeeld als de nieuwe premie tegenvalt. De verzekeraar geeft te veel betaalde premie tot dat moment terug en hij herstelt ook het aantal schadevrije jaren. De terugbetalingstermijnen variëren; zie de tabel. Gangbaar is een bedenktermijn van 12 maanden na het uitbetalen van de schade of tot 3 maanden na afloop van het verzekeringsjaar. ZLM geeft 24 maanden de tijd. Bij Univé kan terugbetalen tot 12 maanden na afloop van het verze-

Allriskautoverzekeringen

	Verzekeraar & Polis	Testoordeel	Keurmerk Klantgericht Verzekeren	Eigen risico cascoschade	Achteraf zelf betalen (tot .. mnd)	Nieuwwaardegarantie (mnd)	Occasionwaardegarantie (mnd)	Bij total loss Waardebepaling	No-claimbeschermer	Vrije garagekeuze
■	1. **Onna-onna**	8,4		€0		36	24	ANWB+10%		
■	2. **Univé** Optimaal	8,4		€0	12	36	36	dagwaarde		√
	3. **Avéro Achmea** Goed op Weg	8,2	√	€0	12	36	36	ANWB+10%	√	
	4. **Centraal Beheer Achmea**	8,0	√	v.a. €0	12	36	36	dagwaarde	√	O
	5. **Allianz**	7,9		€0	12	36	36	dagwaarde	√	
	6. **Bovag** Plus	7,9	√	€0	12	36	24	dagwaarde	√	√
	7. **Delta Lloyd**	7,9	√	€0	12	12	36	ANWB+10%		
	8. **United Insurance**	7,9		€0	12	12	36	ANWB+10%		
	9. **ANWB**	7,8	√	€0	12	12, 36	12, 36	ANWB+10%		
	10. **Aegon** Auto Op Maat	7,7	√	€0	3	12, 36		dagwaarde		
	11. **De Goudse**	7,7	√	€150	12	36	24	dagwaarde	√	
	12. **Ohra**	7,7	√	€150	12	12	36	ANWB+10%		√
	13. **London Verzekeringen**	7,7	√	v.a. €0	12	12, 36	12	dagwaarde	√	
	14. **FBTO**	7,6	√	v.a. €0	12	36	36	dagwaarde	√	O
	15. **Aegon** Bank online	7,5	√	€200	3	12		dagwaarde		
	16. **Nationale-Nederlanden**	7,5	√	€0	12	24		ANWB+10%		
	17. **Polis Direct**	7,5	√	€150	999	12	12	dagwaarde		√
	18. **Reaal**	7,5	√	€0	3	12, 36	12	dagwaarde		
	19. **Unigarant**	7,5	√	€0	12	12	12, 36	ANWB+10%		
	20. **Verzekeruzelf.nl** AutoSure	7,5		€0	12	12	12	dagwaarde		
	21. **Witgeld**	7,5		€0	12	12		dagwaarde		√
	22. **ING**	7,4		€0	12	24		ANWB+10%		
	23. **Kruidvat**	7,4		€200	3	12		dagwaarde		
	24. **Kilometerverzekering**	7,3		€0	12	36		ANWB+10%		
	25. **Nederlanden van Nu**	7,3		€0	12	12, 36	12, 36	ANWB		
	26. **AllSecur**	7,2		€0	12	12, 24, 36		ANWB+10%	√	√
	27. **Bovag** Basis	7,2	√	€230	12	12	12	dagwaarde		√
	28. **Aon Direct**	7,1		€0	3	12		dagwaarde	√	
	29. **Ditzo**	7,1	√	€0	12	12		ANWB+10%		
	30. **PolisVoorMij**	7,1		€0	12	12	12	dagwaarde		
	31. **Queens**	7,1		€150	12	36	24	dagwaarde	√	
	32. **Klaverblad** Royaal	7,0		€67,50	12	12		ANWB+10%		
	33. **Zelf.nl**	7,0	√	€150	12	12, 36		ANWB+10%		
	34. **ZLM**	7,0	√	€0	24	12		dagwaarde		
	35. **Crisper**	6,7		€250		12		ANWB+10%		
	36. **Univé** Plus	6,7		€100	12	12		dagwaarde		
	37. **Univé** Budget	6,0		€250	12	0		dagwaarde		

■ Beste uit de test   O = optie

Bron: MoneyView, bewerking Consumentenbond

keringsjaar. Bij Polis Direct is terugbetalen zelfs de hele looptijd mogelijk. Nicole Ramsaran had een goede ervaring met Ohra: 'Het ijzelde en we raakten met meerdere auto's in een slip. Ohra wikkelde eerst alles netjes af en bood ons daarna de keuze of we zelf de schade wilden afrekenen of dat onze no-claim werd aangesproken. Wij hebben zelf betaald, omdat dit op de lange termijn goedkoper was. Het was prettig dat we konden kiezen.'

IN DETAIL

Onna-onna (Beste uit de test)

Testoordeel: 8,4

Richt zich op vrouwen. Zo is er een handtasdekking. Maar ook mannen kunnen er terecht. De verzekering biedt een prima uitkeringsregeling voor zowel nieuwe als tweedehandsauto's.

Univé Optimaal (Beste uit de test)

Testoordeel: 8,4

Heeft naast de gewone dekking standaard inzittendendekking, rechtshulp en pechhulp. En er is een prima uitkeringsregeling voor nieuwe en twee-dehandsauto's. Let op voor dubbelverzekering.

No-blame-no-claim

De wet beschermt fietsers en voetgangers tegen de gevaren van gemo-toriseerd verkeer. Autoverzekeraars moeten soms een schade vergoeden ondanks dat de verzekerde geen verkeersfout of overtreding beging. Nor-maal zou zo'n schade-uitkering ten koste gaan van de no-claimkorting en het aantal schadevrije jaren. Bij een no-blame-no-claimregeling heeft de schade geen gevolgen. Bijna alle autoverzekeringen hebben zo'n regeling.

Bovag geeft bij zijn Plusdekking een andere uitleg aan de no-blame-no-claimregeling. Bovag herstelt ook schade die is toegebracht door een onbekende dader zonder gevolgen voor de premie en het aantal schadevrije jaren. Andere verzekerden kunnen in zo'n situatie soms terecht bij het Waarborgfonds Motorverkeer.

Wel of niet claimen?

1. Is de oorzaak van de schade van invloed op de opgebouwde korting? Oorzaken van buitenaf, zoals brand, diefstal, storm en ruitbreuk hebben doorgaans geen gevolgen voor de opgebouwde no-claimkorting.
Nee = claimen; Ja = naar stap 2

2. Is er een no-claimbeschermer of bonusbeschermer? Met een no-claimbeschermer kunt u jaarlijks één schadeclaim indienen zonder dat de premie stijgt. Een bonusbeschermer geldt vaak bij veel schadevrije jaren. Na een schade daalt u wel op de bonus-malusladder, maar de korting blijft hetzelfde.
Ja = claimen; Nee = naar stap 3

3. Wat kost reparatie via de verzekering? En wat zijn de gevolgen voor de premie en het aantal schadevrije jaren? Bij voorkeur doorgerekend over een aantal jaren. Geldt er een eigen risico? Informeer hiernaar bij de verzekeraar of tussenpersoon.

4. Wat kost de reparatie elders? Vraag dit aan een of twee erkende schadeherstellers.

5. Weegt de hogere premie op tegen het schadebedrag volgens de verzekeraar?
Ja = claimen; Nee = drie mogelijkheden:
- alsnog claimen, achteraf zelf betalen;
- laten repareren buiten de verzekering om;
- de schade niet laten repareren.

Zie ook het dossier *Autoverzekeringen* op www.consumentenbond.nl/autoverzekering.

Auto: winterbanden
Consumentengids november 2012

Autobanden moeten van alle markten thuis zijn: veilig, duurzaam, comfortabel en zuinig met brandstof. De vereiste eigenschappen zijn soms tegenstrijdig en dat maakt het moeilijk om een band te maken die overal in uitblinkt. Het rubber van winterbanden is veel zachter en het profiel is grover dan dat van zomerbanden. In winterse omstandigheden heb je met winterbanden meer grip en remt de auto aanzienlijk beter.

Beter huren?

Winterbanden huren is een alternatief voor wie met de auto op wintersport gaat en verder niet in winterse omstandigheden rijdt. De huurprijs voor vier banden bedraagt zo'n €130 à €200 voor tien dagen; zie www.consumentenbond.nl/autobanden.

Afraders

De Consumentenbond test elk jaar in internationaal verband twee maten winter- en zomerbanden. In november 2012 waren dat winterbanden in de maten 165/70 R14 T, die onder veel verkochte compacte auto's (Citroën C3, Fiat Panda, VW Polo) zitten, en 205/55 R16 H, die je onder kleine middenklassers (Ford Focus, Opel Astra, Peugeot 308, VW Golf) aantreft. Van de 15 geteste banden in de maat 165/70 doen de Michelin, Continental en Pirelli het goed op sneeuw, ijs, droog en nat wegdek en ze scoren ook ten minste goed voor brandstofverbruik en slijtvastheid. De Effiplus en Premiorri raden we af. Ze presteren ver onder de maat op een nat wegdek. De Premiorri doet het ook niet best op een droge weg. In de maat 205/55 doen Continental, Michelin, Goodyear, Dunlop en Nokian het op vrijwel alle aspecten minimaal goed. Alleen voor geluid behalen deze vijf slechts een matige of redelijke score. De Syron raden we af. Deze lawaaiigste band schiet tekort op een nat wegdek.

Prijs per kilometer

Bij het bepalen van de Beste koop kijken we niet alleen naar de prijs, maar ook naar de slijtvastheid. Op een nat wegdek slijt een band vreemd genoeg sneller dan op een droog wegdek. Rijstijl van de bestuurder,

Winterbanden

Merk & Type	Richtprijs	Testoordeel	Op een droge weg	Op een natte weg	Op sneeuw	Op ijs	Geluid	Brandstofverbruik	Slijtvastheid
Weging voor Testoordeel (%)			15	30	20	10	5	10	10
Bandenmaat 165/70 R14 T									
■ ▶ 1. **Michelin** Alpin A4	€90	7,2	+	+	+	+	□	+	++
■ 2. **Continental** WinterContact TS800	€95	7,0	+	+	+	+	–	+	+
3. **Pirelli** Winter 190 Snowcontrol 3	€90	6,7	+	+	+	+	–	+	+
4. **Sava** Eskimo S3+	€75	6,3	□	+	+	+	□	+	+
5. **Barum** Polaris 3	€75	6,2	□	+	+	+	□	+	+
6. **Marshal** I'zen MW 15	€75	6,0	□	+	+	+	□	+	+
7. **Vredestein** Snowtrac 3	€85	5,9	□	+	+	+	□	+	+
8. **Goodyear** UltraGrip 8	€90	5,9	+	+	□	+	□	+	+
9. **Semperit** Master-Grip	€80	5,8	+	+	+	+	□	+	□
10. **Firestone** Winterhawk 2 Evo	€80	5,6	+	□	□	□	□	+	+
11. **Dunlop** SP Winterresponse	€85	5,5	□	+	□	+	□	+	□
12. **Hankook** Winter i*cept RS W442	€75	5,3	+	□	□	+	□	+	+
13. **GT Radial** ChampiroWinterPro	€75	4,4	+	□	–	□	□	++	+
▼ 14. **Effiplus** Epluto I	€65	2,1	+	––	□	□	□	+	+
▼ 15. **Premiorri** ViaMaggiore	€65	1,0	–	––	+	□	–	+	+
Bandenmaat 205/55 R16 H									
■ ▶ 1. **Continental** WinterContact TS850	€145	7,2	+	+	+	+	□	++	++
■ ▶ 2. **Michelin** Alpin A4	€150	7,1	+	+	+	+	–	+	++
3. **Goodyear** UltraGrip 8	€140	6,8	+	+	+	+	–	+	+
4. **Dunlop** SP Wintersport 4 D	€140	6,7	+	+	+	+	□	+	+
5. **Nokian** WR D3	€115	6,4	+	+	+	+	–	+	+
6. **Bridgestone** LM-32	€135	6,3	+	□	+	+	–	+	+
7. **Vredestein** Snowtrac 3	€130	6,1	□	□	□	+	□	+	+
8. **Semperit** Speed-Grip 2	€125	6,0	□	+	+	□	+	+	+
9. **Yokohama** W.drive V903A	€140	5,8	+	□	□	+	□	+	++
10. **Fulda** Kristall Control HP	€125	5,5	□	□	+	□	□	+	+
11. **Pirelli** Winter 210 Snowcontrol 3	€140	5,5	□	□	□	+	–	+	+
12. **Falken** HS449 Eurowinter	€105	5,3	+	+	□	+	□	+	+
13. **Uniroyal** MS plus 66	€125	5,0	+	+	□	+	□	+	+
14. **Hankook** Winter i*cept RS W442	€115	4,9	+	□	□	+	–	+	+
▼ 15. **Syron** Everest 1	€100	1,0	□	––	□	□	–	□	+

■ Beste uit de test ▶ Beste koop ▼ Afrader   ++ Zeer goed + Goed □ Redelijk – Matig –– Slecht

- De richtprijs is inclusief balanceren, monteren en ventiel, exclusief verwijderingsbijdrage. De prijzen zijn van september 2012.
- Op een natte weg zijn rijden en remmen en neiging tot aquaplaning beoordeeld; op een droge weg stuurrespons, remmen en uitwijken; op sneeuw remmen, grip en accelereren en op ijs

- remmen en grip. Het geluid is binnen en buiten de auto gemeten.
- Indien een van de suboordelen (uitgezonderd geluid) lager dan 'goed' is, kan het Testoordeel niet hoger zijn dan de score voor dat suboordeel.
- De Premiorri en Syron zijn volgens de fabrikant inmiddels gewijzigd.

soort wegdek, bandenspanning en omgevingstemperatuur kunnen sterk variëren en hebben grote invloed. In deze test zijn de omstandigheden gelijk, zodat we de banden goed op slijtvastheid kunnen vergelijken. Door de prijs aan de levensduur te koppelen, bepalen we een prijs per kilometer, waarop wij onze Beste koop baseren.

IN DETAIL

Michelin Alpin A4 (Beste uit de test en Beste koop)
Maat: 165/70 R14 T en 205/55 R16 H
Prijs: €90 en €150
Testoordeel: 7,2 en 7,1
Goed op sneeuw en ijs en op een natte en droge weg, en zeer slijtvast.

Continental ContiWinter-Contact TS850
(Beste uit de test en Beste koop)
Maat: 205/55 R16 H
Prijs: €145
Testoordeel: 7,2
Goede scores op de weg, en verder heeft hij het laagste brandstofverbruik en is zeer slijtvast.

Premiorri ViaMaggiore en Effiplus Epluto I (Afrader)
Maat: 165/70 R14 T
Prijs: €65
Testoordeel: 1,0 en 2,1

Syron Everest 1 (Afrader)
Maat: 205/55 R16 H
Prijs: €100
Testoordeel: 1,0
Alledrie de afraders zijn slecht op een natte weg.

Zie voor testresultaten van andere maten en soorten banden en een video het dossier op www.consumentenbond.nl/autobanden.

Auto: zomerbanden
Consumentengids maart 2013

Wie nieuwe banden wil kopen, moet eerst wat huiswerk doen. Zoals de bandenmaat bepalen. In deze test zijn twee veelvoorkomende maten onder de loep genomen. De eerste is de 185/60 R15 H, te vinden onder veel compacte auto's. De tweede is de 225/45 R17 W/Y, waar veel middenklassers op rijden. Een andere bandenmaat nodig? Kijk dan op onze site. De prijzen in de tabel zijn richtprijzen per band. Die prijs is inclusief balanceren, monteren en ventiel, maar exclusief de verwijderingsbijdrage van €1,55.

Hieronder de antwoorden op negen veelgestelde vragen over autobanden en onze manier van testen.

Alle banden hebben een label; wat kan ik daarmee?

Op dit label staan oordelen voor rolweerstand, rijden op een nat wegdek en geluidsproductie. Dat lijkt handig, maar helaas komt die informatie niet altijd overeen met onze testresultaten. Zo heeft de Firestone een A-label voor grip op een nat wegdek, maar scoort hij in onze test duidelijk minder dan diverse banden met een B- of C-label. Ook houdt het label geen rekening met de slijtvastheid van de band, het rijden op een droog wegdek en de kans op aquaplaning, en dat doen wij in onze test wel.

Hoe kom je achter de bandenmaat van de auto?

Daarvoor moet je op de knieën naast de auto gaan zitten en op de band zoeken naar een cijfer- en lettercombinatie die lijkt op bijvoorbeeld '185/60 R15 H'. Deze code staat voor: 185 millimeter breed, de hoogte is 60% van de breedte, de R is van radiaal, de velgmaat is 15 inch (38,1 cm) en de H geeft de maximale snelheid aan. In principe geldt: hoe verder in het alfabet, hoe hoger de snelheid die de band aankan. Een W kan dus sneller dan een T. Maar let op: de H is hierop een uitzondering, die zit qua snelheid tussen de T en de V in.

Zomerbanden

	Merk & Type	Richtprijs	Testoordeel	Op een droge weg	Op een natte weg	Geluid	Brandstofverbruik	Slijtvastheid
Weging voor Testoordeel (%)				20	40	10	10	20
Bandenmaat 185/60 R15 H								
■▶	1. **Michelin** Energy Saver +	€115	7,3	+	+	□	+	++
■	2. **Continental** ContiPremiumContact 5	€100	7,2	+	+	□	+	+
■	3. **Dunlop** Sport BluResponse	€100	7,2	++	+	□	+	+
■	4. **Goodyear** EfficientGrip Perform.	€105	7,1	+	+	□	+	+
	5. **Vredestein** Sportrac 5	€95	6,9	+	+	□	+	+
	6. **Nokian** Line	€90	6,8	+	+	□	+	+
	7. **Bridgestone** Turanza T001	€100	6,8	+	+	□	+	+
	8. **Fulda** EcoControl HP	€95	6,5	+	+	□	+	+
	9. **Semperit** Comfort-Life 2	€90	6,4	+	+	□	+	+
	10. **Pirelli** Cinturato P1	€105	6,3	+	□	□	+	+
	11. **Barum** Brillantis 2	€90	5,8	□	+	□	+	+
	12. **Hankook** Kinergy Eco K425	€80	5,5	+	□	□	+	+
	13. **Firestone** Firehawk TZ300α	€95	4,9	+	□	□	□	+
	14. **GT** Radial Champiro 228	€75	4,0	□	–	□	+	++
	15. **Nexen** NBlue HD	€75	4,0	+	□	□	++	–
▼	16. **Kleber** Dynaxer HP 3	€85	2,1	+	––	□	+	+
▼	17. **Rotalla** Radial F108	€75	1,0	□	––	□	+	++
▼	18. **Sailun** Atrezzo SH402	€75	1,0	–	––	□	+	+
▼	19. **Marangoni** Verso	€80	1,0	+	––	□	+	++
Bandenmaat 225/45 R17 W of Y								
■	1. **Goodyear** Eagle F1 Asymetric 2 (Y)	€155	7,1	++	+	□	+	+
■	2. **Continental** ContiSportContact 5 (Y)	€160	7,1	+	+	□	+	+
■▶	3. **Vredestein** Ultrac Vorti (Y)	€145	7,0	++	+	□	+	+
■	4. **Dunlop** Sport Maxx RT (Y)	€150	7,0	+	+	□	+	+
▶	5. **Semperit** Speed-Life (W)	€140	6,9	+	+	□	++	+
	6. **Michelin** Pilot Sport 3 (Y)	€170	6,9	+	+	□	+	+
	7. **Hankook** Ventus S1 Evo 2 K117 (Y)	€140	6,8	+	+	□	+	+
	8. **Kumho** Ecsta LE Sport KU39 (W)	€140	6,1	+	□	□	+	+
	9. **Pirelli** Cinturato P7 (Y)	€150	6,1	+	□	□	+	++
	10. **Yokohama** C.drive 2 (W)	€165	6,1	+	□	□	+	++
	11. **Apollo** Aspire 4G (W)	€120	6,0	+	□	□	+	+
	12. **Bridgestone** Potenza S001 (W)	€150	6,0	++	□	□	+	+
	13. **Falken** Azenis FK453 (Y)	€150	5,9	+	□	□	+	+
	14. **Uniroyal** RainSport 2 (Y)	€155	5,8	□	+	□	+	□
	15. **Toyo** Proxes T1 Sport (Y)	€140	5,5	+	□	□	+	+
	16. **Nexen** N8000 (W)	€100	4,9	+	+	□	+	□
	17. **High Performer** Sport HS-2 (W)	€100	4,0	+	–	□	+	□
	18. **Syron** Race 1 Plus (W)	€140	4,0	+	–	□	+	+

■ Beste uit de test   ▶ Beste koop   ▼ Afrader   ++ Zeer goed   + Goed   □ Redelijk   – Matig   –– Slecht

Is de duurste band de beste?

Nee, bij de brede banden blijkt dat niet zo te zijn. Diverse merken met vergelijkbare of hogere prijzen dan de Beste uit de test, scoren beduidend minder. Wie bijvoorbeeld €140 per band uitgeeft voor de Syron Race 1 Plus komt bedrogen uit. De band krijgt het Testoordeel 4,0, voornamelijk door de matige resultaten op een nat wegdek.

Waarom test de Consumentenbond niet meer goedkope banden?

We doen deze test samen met andere Europese consumentenorganisaties en automobielclubs. En samen testen we de meest voorkomende maten van de grote merken. Er wordt ook een plek ingeruimd voor enkele B-merken en voor (Aziatische) budgetmerken. Ook dit jaar zijn er onvervalste Afraders. Naast de Kleber Dynaxer HP3 – een dochtermerk van Michelin – die het Testoordeel 2,1 heeft, zijn er drie banden met een 1,0 (zie de tabel). Ze zijn goedkoop, maar doen het slecht op een nat wegdek.

Waarom is het testen op een natte weg zo belangrijk?

Op wegen met een laagje water (een waterfilm), moet de autoband zich extra bewijzen. Want ook dan moet je goed kunnen uitwijken bij gevaar en de auto zo snel mogelijk tot stilstand kunnen brengen. Het profiel op de band heeft het dan zwaar, want het moet al het water snel afvoeren. Lukt dat onvoldoende, dan dreigt aquaplaning: de auto raakt het wegdek niet meer, maar drijft óp de waterfilm. Dan kun je sturen en remmen wat je wilt, de auto gaat net zo hard rechtuit. De enige remedie is dan rustig gas terugnemen totdat er weer wegcontact is. En dan zo snel mogelijk goede, nieuwe banden laten monteren! Natuurlijk regent het niet altijd – zelfs niet in Nederland – en dus tellen het rijden en remmen op een droge weg zeker ook mee in de test, maar slechts half zo zwaar als op een natte weg. Op het droge wegdek wordt ook beoordeeld hoe de banden reageren op een stuuringreep. Uit de testresultaten blijkt dat bijna alle banden voldoende tot (zeer) goed scoren op een droge weg. De Dunlop Sport BluResponse haalt in de 185/60-groep als enige een dubbele plus hiervoor.

Wordt de slijtage ook getest?

Ja, de slijtvastheid speelt in onze test een grote rol. We testen niet alleen de levensduur in kilometers, maar bekijken ook het verband tussen slijtvastheid, Testoordeel en aanschafprijs en bepalen zo de Beste koop. De slijtvastheid wordt onder constante omstandigheden gemeten, zodat de resultaten vergelijkbaar zijn. In het normale verkeer spelen ook de rijstijl van de bestuurder, het soort wegdek, de bandenspanning en de omgevingstemperatuur een rol. In onze test scoort alleen de Nexen N Blue HD minder dan een voldoende op slijtvastheid: hij haalde maar de helft van de gemiddelde levensduur.

IN DETAIL

Michelin Energy Saver + (Beste uit de test en Beste koop)
Maat: 185/60 R15 H

Prijs: €115

Testoordeel: 7,3

Ook banden van Continental, Dunlop en Goodyear zijn in deze maat Beste uit de test, maar alleen deze Michelinband is ook Beste koop. Hij is opvallend slijtvast, zonder veel in te leveren op rijden op een droge en natte weg.

Vredestein Ultrac Vorti (Beste uit de test en Beste koop)
Maat: 225/45 R17 Y

Prijs: €145

Testoordeel: 7,0

In deze maat deelt de band van Vredestein zijn Beste koopredicaat met de Semperit Speed-Life. Maar hij is bovendien Beste uit de test. Op de belangrijkste testonderdelen scoort hij een plus of hoger en daarbij heeft hij een relatief lage prijs.

Kleber Dynaxer HP 3 (Afrader)
Maat: 185/60 R15 H

Prijs: €85

Testoordeel: 2,1

Liefst vier banden in deze maat doen het slecht op een nat wegdek en zijn daardoor afraders. De band van Kleber valt extra op, omdat dit merk met andere bandentypen wel betere resultaten haalt.

Je kunt dus beter kiezen voor een slijtvastere band?

Niet helemaal, want bij autobanden zijn slijtvastheid en veiligheid in principe twee tegenstrijdige eigenschappen. Een heel veilige band geeft veel grip bij grote krachtinwerkingen – zoals in noodsituaties – maar slijt daardoor vrij fors. Een heel slijtvaste band geeft vaak minder grip dan een wat minder slijtvaste. De bandenfabrikanten proberen daarom een zo goed mogelijk compromis tussen slijtvastheid en veiligheid te vinden.

Heeft de band ook invloed op het brandstofverbruik?

Jazeker. Tijdens het rijden vervormt de band en dat kost kracht (de zogenoemde rolweerstand) en zorgt voor extra brandstofverbruik. In dit onderzoek komt alleen de Firestone Firehawk bij de 185-groep in negatieve zin bovendrijven. In harde cijfers: in vergelijking tot bijvoorbeeld de hard slijtende band van Nexen kost deze Firestone zo'n 6% extra aan brandstof. Dat is bij 16.000 km per jaar voor €100 aan brandstof.

Kun je met winterbanden doorrijden in de zomer?

Dat is niet verstandig. Je bespaart er bovendien nauwelijks geld mee. Het is een hardnekkig misverstand dat het gebruiken van een zomer- en een winterset flink duurder zou zijn dan doorrijden met één set. Ten eerste gaat de slijtage van beide sets half zo hard (omdat je er minder op rijdt) en doe je dus langer met de banden. Ook verbruik je met de juiste banden minder brandstof. Tot slot is het niet veilig. Winterbanden komen tot hun recht bij winterse omstandigheden. Wie in de zomer met winterbanden rijdt, heeft een veel langere remweg dan met zomerbanden.

Zie ook het dossier op www.consumentenbond.nl/autobanden.

Elektrische fietsen
Consumentengids juni 2013

Eén op de zes verkochte fietsen is tegenwoordig een e-bike. En aangezien die gemiddeld veel duurder is dan een fiets zonder ondersteuning, drijft de vakhandel qua omzet al voor meer dan 40% op e-bikes, zo blijkt uit cijfers van brancheorganisatie RAI Vereniging.

Elektrische fietsen

Merk & Type	Richtprijs	Testoordeel	Elektrische ondersteuning	Uitrusting	Actieradius	Gewicht en rijeigenschappen	Bediening en gebruik display	Bouwkwaliteit	Handleiding	Gewicht met/zonder accu (kg)	Actieradius (km)	Capaciteit accu (Wh)	Adviesprijs vervangende accu	Versnellingen
Weging voor Testoordeel (%)			25	20	15	15	10	5	5					
■ 1. **Koga** E-Deluxe	€3300	8,4	++	++	++	+	++	++	++	26,9/23,5	60	504	€750	27, d
■ 2. **Sparta** Ion RX+	€2450	8,3	++	++	++	□	++	++	++	28,7/25,3	62	504	€750	8, n
■ 3. **Sparta** Ion RXS+	€2350	8,1	++	++	+	+	++	++	++	28,3/24,9	51	504	€750	24, d
■▶ 4. **Batavus** Fuego E-go	€1750	8,0	++	++	□	+	++	++	+	23,2/21,3	43	313	€565	8, n
■ 5. **RIH** Omega	€2500	8,0	+	++	+	+	++	++	++	27,1/22,5	57	432	€400	8, n
6. **Sparta** E-Motion C3	€1800	7,8	++	++	□	+	+	++	++	27,1/22,9	44	407	€495	7, n
7. **Batavus** Ventoux Easy	€1950	7,6	+	++	□	+	++	++	+	27,7/24,3	48	504	€750	21, d
8. **Gazelle** Xtra Innergy	€1840	7,5	+	++	++	+	+	+	++	26,9/23,4	69	405	v.a.€400	8, n
9. **Sparta** E-Motion C4	€1950	7,4	++	+	□	+	+	++	++	27,6/23,4	43	407	€495	8, n
10. **Giant** Twist Go Double Pw.	€2200	7,4	++	++	+	–	++	□	++	31,7/26,1	55	288	€480	8, n
11. **Giant** Twist Lite Power	€1800	7,3	++	□	□	+	++	+	++	25,8/22,1	45	360	€500	7, n
12. **Batavus** Genova E-go	€1360	7,2	++	++	--	+	+	++	□	26,5/23,5	26	259	€330	7, n
13. **Gazelle** Excellent Innergy	€2000	7,1	□	++	+	+	+	++	+	27,6/24,1	51	405	v.a.€400	8, n
14. **Gazelle** Plus Innergy	€1560	6,6	+	+	–	+	+	++	++	26,3/23,2	33	324	v.a.€400	7, n

■ Beste uit de test ▶ Beste koop   ++ Zeer goed + Goed □ Redelijk – Matig -- Slecht

- De geteste Gazelle Excellent Innergy is in 2012 al aangeschaft, hij is voor deze test weer getest met een nieuwe accu. De fiets is technisch identiek aan de Xtra Innergy; met een software-update zal de actieradius groter worden. Dit alles geldt ook voor de Sparta Ion RXS+ ten opzichte van de Ion RX+.
- De meeste geteste fietsen laten zich makkelijk opladen, alleen bij de twee fietsen van Giant gaat dat minder eenvoudig.
- Bij versnellingen: n = naaf, d = derailleur.

De consument is bereid een flinke prijs te betalen voor zijn nieuwe e-bike: in 2012 gemiddeld €1820. We hebben de 14 bestverkopende modellen getest. De aanschafprijzen lopen uiteen van €1360 voor de Batavus Genova E-go tot €3300 voor de Koga E-Deluxe. Vooral de merken Sparta en Gazelle doen goede zaken met e-bikes. Zij zijn met meerdere modellen in deze test vertegenwoordigd.

Online en in bouw- en supermarkten worden soms veel goedkopere elektrische fietsen aangeboden. Maar kwaliteit heeft zijn prijs. Heel vaak is er dan bezuinigd op de elektrische componenten, zijn deze niet goed op elkaar afgestemd en is de ondersteuning niet prettig 'gedoseerd', bijvoorbeeld bij opstappen en in bochten. Verder viel ons op dat de kwetsbare bedrading soms simpelweg rond het frame is gewikkeld en dat de actieradius tegenvalt. Voor onderhoud en garantieaanspraken is het bovendien toch wel erg prettig als de verkoper dicht bij huis zit en over de nodige vakkennis beschikt.

Accutips

- Laad de accu de eerste vijf keer volledig op.
- Voorkom dat de accu helemaal leegraakt; sommige accu's zijn daartegen niet beveiligd.
- Laad hem na elk gebruik op bij minimaal 10 °C. Overwinteren in een schuur in de vrieskou, is vragen om problemen. Kan de accu van de fiets af, neem hem dan mee naar binnen.
- Gebruik alleen de meegeleverde oplader.
- Accu's leeg bewaren is funest voor de levensduur. Wordt de fiets lang niet gebruikt, bewaar de accu dan los van de fiets, opgeladen en droog. Raadpleeg de gebruiksaanwijzing van de fabrikant. Deze kan bijvoorbeeld voorschrijven dat de accu continu aan de lader moet of melden dat de levensduur optimaal is bij 40% opgeladen bewaren.

In het voorwiel

Bij de meeste e-bikes verraden alleen de accu onder de bagagedrager en een kleine motor in het voor- of achterwiel dat de berijder een 'steuntje in de rug' heeft. De accu wordt nauwelijks meer in het frame gebouwd en soms is hij lager in het frame boven op de kettingkast gemonteerd. Bij de Batavus Fuego E-go zit de accu in de loze ruimte van de kettingkast. Zo ziet niemand meer dat het om een e-bike gaat; je hoort het alleen aan het ruisen van de motor.

Consumenten elders in Europa kiezen vaak voor een motor onder de trapas of in het achterwiel. Dat zijn dure oplossingen, maar de ondersteuning is dan ook heel soepel. Nederlanders gaan dikwijls voor een motor in het voorwiel: dat kost minder, maar de ondersteuning is dan minder goed gedoseerd, vooral in bochten. In de maximale stand willen sommige voorwielaangedreven fietsen bij het wegrijden weleens onder de opstappende fietser wegspurten.

Nieuwe technieken

In deze test zitten nog geen fietsen met Bosch-techniek. Dat is een set van motor (bij de trapas) en accu, die in de praktijk goed bevalt. Net als de Ion-techniek (bij onder meer Sparta, Koga en Batavus) en de Panasonic-techniek (bij Trek, Flyer en Kalkhoff, hier niet getest) zorgt de Bosch-techniek voor een goede dosering van de ondersteuning onder alle omstandigheden. Dat blijkt elk jaar opnieuw in de test van de *Telegraaf*, waaraan ook de Consumentenbond deelneemt. De fietsen met Ion-, Panasonic- en Bosch-techniek zijn wat duurder, maar gezien de voordelen zal de verkoop van dit type fietsen ongetwijfeld gaan toenemen.

Let bij aanschaf ook goed op de sensortechniek. Er zijn twee soorten: de kracht- en bewegingssensor. De laatste is wat goedkoper, maar reageert trager wanneer je kracht zet op de pedalen. Vooral vanuit stilstand een helling op rijden is dan lastig. De duurdere krachtsensor reageert veel rapper en zorgt ook dat de ondersteuning direct vermindert als je stopt met trappen.

Knelpunt: accu

Al worden de e-bikes steeds beter, vooral bij de accu's gaat het weleens mis. Zo valt de levensduur van de accu soms erg tegen en kan hij kapotgaan door verkeerd opbergen of opladen. Het is extra vervelend als de accu de geest geeft als de garantie (meestal twee jaar) net is afgelopen. Zeker als de dealer meldt dat de accu vanwege onjuist gebruik vervangen moet worden voor minimaal €300, met uitschieters tot boven de €700!

Alleen bij Gazelle kun je kiezen uit vier typen accu's. De accu 'brons' heeft volgens de fabrikant een capaciteit van 252 Wattuur en kost €400. Tegen meerprijs kun je een accu 'zilver', 'goud' of 'platina' kopen. De laatste heeft de grootste capaciteit, kost €740 en levert tweemaal zo veel Wattuur als de accu 'brons'. Deze accu's zijn van het type Lithium-Ion (Li-Ion).

Aan de lader

De Consumentenbond vindt dat een dure accu de eerste drie tot vijf jaar als een zonnetje hoort te werken. Fabrikanten geven doorgaans op dat je de accu 500 tot 700 keer kunt opladen. Een gemiddelde recreatieve fietser zal daar in vijf jaar wel onder blijven.

Accu's kunnen slecht tegen opladen bij vrieskou en helemaal leegrijden ('diepteontlading'). Je kunt de fiets ook beter niet in de felle zon laten staan. Zulke omstandigheden kunnen de levensduur van de accu bekorten, maar zijn moeilijk te voorkomen. Daarom is het 't overwegen waard een verlengde garantie op de accu te nemen. Let dan wel goed op de voorwaarden. Sparta-dealers kunnen bijvoorbeeld 'uitlezen' of de accu vaak genoeg en voldoende tijd aan de lader heeft gelegen. Alle fabrikanten waarschuwen tegen meermalen volledig ontladen. Dit gebeurt als je de accu helemaal leegrijdt of als je de fiets lange tijd niet gebruikt en de accu langzaam leegloopt zonder opladen. Deze diepteontlading kan funest zijn voor de accu.

Interessant voor 'heavy users' is de nieuwe lithium-ijzerfosfaataccu (LiFePO4). Hij zit nog niet op veel fietsen en is in prijs-capaciteitsverhouding iets duurder dan de Li-Ion-accu, maar is op een hoger vermogen veel sneller te laden en gaat volgens opgave van de fabrikanten meer dan 2000 keer laden mee.

Batavus Fuego E-go (Beste koop en Beste uit de test)

Prijs: €1750
Testoordeel: 8,0
Plaats motor: in voorwiel
Sensor: beweging

Een heel goede e-bike hoeft niet al te veel te kosten. Dat bewijst deze relatief lichte fiets. De Fuego is alleen qua actieradius niet de beste, omdat de accu in capaciteit niet de grootste is. Vooral de ondersteuning is zeer goed en hij rijdt stabiel.

Koga E-Deluxe (Beste uit de test)

Prijs: €3300
Testoordeel: 8,4
Plaats motor: in achterwiel
Sensor: kracht en beweging

De Koga grossiert in dubbele plussen, ook op belangrijke zaken als ondersteuning en actieradius. Het frame is opvallend stabiel ('stijf') en de ondersteuning met Ion-techniek van Sparta is zeer soepel. Dit heeft wel een prijs.

Kijk voor alle fietsen en testgegevens op www.consumentenbond.nl/ elektrischefietsen.

Fietsnavigatiesystemen
Digitaalgids mei 2013

Onderzoekers Arjen Oving en Bart Lucassen trokken er voor de *Digitaalgids* op uit met op hun fietsen zeven navigatiesystemen en twee smartphones. We vroegen ze naar hun ervaringen.

Leuke klus!

Ja en nee. Dingen in de praktijk testen is altijd leuk, maar dit onderwerp was ingewikkelder dan we hadden verwacht. Het kostte ons een paar dagen voor we doorhadden hoe alles werkt. Maar de uitkomsten verrasten ons: de smartphones blijken het op veel punten beter te doen dan speciale gps-apparaatjes.

Het kiezen van de modellen was al een probleem. Er zijn echt heel veel verschillende apparaten. Wij wilden de navigatie geschikt voor de recreatieve fietser, met een kleurenscherm waarop je zowel een kaart als een route kunt zien. Maar zelfs met deze voorwaarden was het lastig kiezen. De markt voor draagbare navigatie wordt gedomineerd door Garmin; er zijn alleen al van dat merk tientallen apparaten. Garmin heeft speciale apparaten voor fietsen, wandelen, watersport en nog een hoop andere dingen, maar de verschillen zijn lang niet altijd even duidelijk.

Navigeren op de fiets

Merk en type	Prijs ca.	Prijs kaart	Prijs stuurhouder	Testoordeel	Navigatiekwaliteit 50%	Gebruiksgemak 40%	Degelijkheid 10%	Turn-by-turn	Gedetailleerde kaart	Schermdiameter inch
Speciale fietsnavigatiesystemen										
1 **Mio** Cyclo 505	€420	incl.	incl.	7,0	□	+	++	ja	West-Europa	3,0
2 **Garmin** Edge 810	€420	€100	incl.	7,0	+	+	++	ja	Benelux	2,6
3 **Mio** Cyclo 300	€300	incl.	incl.	6,9	□	+	++	ja	Benelux	3,0
4 **A-Rival** Teasi One	€160	incl.	incl.	6,0	□	□	++	ja	Europa	3,2
5 **Bryton** Rider 50E	€230	incl.	incl.	5,2	–	□	++	nee	Benelux	2,2
6 **Garmin** eTrex 20	€175	€100	€25	4,9	–	□	++	nee	Benelux	2,2
7 **Garmin** Dakota 20	€190	€100	€25	4,7	–	□	++	nee	Benelux	2,6
Smartphone plus apps										
1 **Samsung** Galaxy S III			€15	8,1	++	+	+			4,8
2 **Apple** iPhone 5			€15	7,6	+	+	+			4,0

++ = zeer goed + = goed □ = redelijk – = matig – – = slecht

- Prijspeiling: april 2013.
- Bijzonderheden: de twee smartphones zijn meegenomen als referentie; de scores zijn op basis van de telefoon in combinatie met een of meer apps. De kosten van de telefoon zelf en benodigde (data)abonnementen zijn niet meegerekend.
- De Garmin Edge 810 is ook verkrijgbaar met een Performance & Navigation Bundle met hartslagmeter, cadansmeter en een gedetailleerde kaart van Europa (adviesprijs €580). Met alleen de Performance Bundle (zonder kaart) is de adviesprijs €530.
- De Mio Cyclo 505 is ook te koop in een HC-variant met onder meer een hartslag- en cadansmeter (prijs circa €470).
- De Mio Cyclo 300 kan ook geleverd worden met een kaart van Europa (prijs circa €350).
- De Cyclo 305 HC heeft daarnaast het HC-pakket (prijs circa €400).

We hadden uiteindelijk hulp nodig van het bedrijf zelf om een goede keuze te maken.

Wat is het verschil tussen die systemen?

We weten het nog steeds niet helemaal. Fietsnavigatiecomputers zijn gelukkig vrij makkelijk te herkennen: ze worden meegeleverd met een fietssteun en vaak zijn er ook accessoires voor sportieve fietsers, zoals een hartslagmeter en een cadansmeter. Maar de verschillen tussen de meer voor wandelaars bedoelde Garmin Dakota 20 en eTrex 20 zijn minimaal, en er zijn nog drie andere eTrex- en Dakota-modellen. We werden er een beetje duizelig van. Er is ook zoiets als te veel keus.

Ook het autonavigatiemerk Mio zet in op fietsnavigatie, en de twee modellen met een kleurenscherm hebben we ook geselecteerd. En daarna is het goed zoeken. Andere bekende navigatiemerken, zoals TomTom,

maken geen draagbare navigatie. We vonden alleen nog twee vrij onbekende modellen van de merken Bryton en A-Rival.

Kaarten voor Garmin

Garmin levert navigatiesystemen standaard met alleen een globale basis-
kaart. U kunt kaarten bijkopen. De opties voor fietsers:

- OpenStreetMap (gratis): prima gratis kaarten, bijgehouden door gebruikers. garmin.openstreetmap.nl
- Garmin Fietskaart (Benelux, €99): kaarten met ANWB-fietsroutes en het
  fietsknooppuntennetwerk.
- City Navigator NT (Benelux, €40): goedkoper alternatief voor racefiet-
  sers met alleen verharde wegen.
- Garmin Topo (Benelux, €99): topografische kaart met veel detail, vooral
  bedoeld voor wandelaars en mountainbikers.

Navigatiesystemen zijn duur.

Ja, daar schrokken we een beetje van. Sommige van die apparaten kosten net zoveel als een goede smartphone, wel €300 of €400. En jammer
genoeg kwamen we ook nog wat valkuilen tegen. Sommige modellen
van Garmin, de eTrex en de Dakota, worden zonder fietshouder, goede
fietskaart, batterijen en geheugenkaart geleverd. Daarvoor moesten we
meer dan €100 afrekenen.

Alleen bij Garmin zijn kaarten echt een probleem. Op de navigatiesystemen van dat merk staat standaard alleen een kaart met heel weinig
details. Wie een uitgebreidere kaart wil, kan de gratis OpenStreetMap voor
Garmin downloaden. Ook kun je voor rond de €100 een gedetailleerde
kaart van Garmin kopen. De gekochte kaarten moet je dan vervolgens
via een ingewikkeld proces op de computer ontgrendelen en op het apparaat zetten. Vervelend. Bij de andere systemen is een kaart van (West-)
Europa inbegrepen. Toen we de Mio's op de computer aansloten, moesten die kaarten eerst bijgewerkt worden, en dat duurde uren. Uitpakken
en meteen fietsen is er jammer genoeg ook hier niet bij.

Computer nodig?

Ja, eigenlijk wel. Bij de meeste systemen wordt software meegeleverd,
waarmee je de kaarten kunt bijwerken en meestal ook routes uitzetten.

Jammer genoeg liepen we ook hier tegen een hoop problemen aan. De software is vaak van heel lage kwaliteit. De twee slechtste programma's, Mio Share en Bryton Bridge, starten na installatie standaard op met de pc en zijn dan continu actief. Compleet onnodig. Mio Share liep op een van onze computers ook om onduidelijke redenen om de haverklap vast. Voor het updaten van de kaarten heb je software nodig. En als je met een apparaat een route opneemt en die vervolgens via je computer wilt delen met andere fietsers, heb je meestal ook software nodig. Maar je hebt de programma's niet per se nodig om een route te plannen en op het apparaat te zetten. Je kunt ook gewoon een trip plannen met een andere routeplanner (zie kader 'Hoe kom ik aan fietsroutes?') en die route via de (Windows) Verkenner op het navigatiesysteem zetten.

Goed, en toen gingen jullie op weg.

Eerst moesten we nog een constructie maken om zeven systemen op twee fietsen te bevestigen. Maar dat ging zonder problemen: de fietsbevestiging gaat vaak met een simpele tie-wrap (kabelbindertje). Dat werkt prima. Dus toen konden we eindelijk de natuur in.

Je hebt twee manieren om de geplande route te volgen tijdens het fietsen: de echte fietssystemen geven je *turn by turn*-navigatie, waarbij instructies in het scherm staan ('over 100 meter linksaf', bijvoorbeeld). Op goedkopere systemen (zoals de Garmin eTrex en Dakota) zie je alleen een kaart van de omgeving met jouw positie en de route in een andere kleur. *Turn by turn*-navigatie is essentieel als je in de auto zit, maar op de fiets is het wat minder belangrijk. Het is minder erg als je een afslag mist, je kunt gewoon stoppen en omdraaien. De *turn by turn*-navigatie moet je ook even onder de knie krijgen. Vooral als je een route niet oppakt bij het geplande beginpunt, sturen de systemen je soms het bos in. Alleen op de Garmin Edge en de twee Mio's werkte turn-by-turn goed. Die systemen zijn vooral bedoeld voor sportieve fietsers. Als je de vaart erin wilt houden, zijn *turn by turn*-instructies waarschijnlijk heel bruikbaar. Als je voor je plezier een stuk fietst, is een overzichtskaart handiger. Je moet dan wel een groot en duidelijk scherm hebben.

En hebben deze systemen dat?

Het viel meteen op dat er een wereld van verschil is voor wat betreft schermen. Sommige van deze apparaatjes hebben een klein scherm dat heel moeilijk te lezen is als je op de fiets zit in fel zonlicht. Zelfs nadat we de schermen op maximale helderheid hadden ingesteld, konden we de kaart op de goedkopere modellen van Bryton en A-Rival nauwelijks lezen. Maar ook bij de andere systemen vonden we het scherm klein en niet zo goed leesbaar.

Hoe kom ik aan fietsroutes?

Gps-routes worden opgeslagen in een aantal standaardformaten. Met afstand het populairste formaat is GPX. Er zijn twee manieren om aan fietsroutes in GPX-formaat te komen: je downloadt een route van iemand anders, of je maakt er zelf een. In beide gevallen zijn er vele (gratis) internetsites die je kunt gebruiken. Dit zijn onze tips.

Een bestaande route downloaden
Www.nederlandfietsland.nl is een prima website van het Landelijk Fietsplatform, waarop talloze GPX-routes te vinden zijn. De site maakt ook gebruik van het fietsknooppuntennetwerk (met de groene cijfers). Www. gpstracks.nl is een wat minder gebruiksvriendelijke site, maar staat wel vol routes van enthousiaste gebruikers. En routes downloaden kan zonder dat je een gebruikersnaam moet aanmaken.

Zelf een route maken
Een heel goede fietskaart van Nederland is de OpenStreetMap Cycle-map (www.opencyclemap.org). Deze wordt bijgehouden door gebruikers zelf. Op deze fietskaart staan niet alleen fietspaden aangegeven, maar ook de landelijke fietsroutes en het knooppuntennetwerk. Alles wat je nodig hebt voor een goede fietstrip dus.
Op www.openrouteservice.org kun je een route plannen op de OSM Cycle-map (druk op het plusje rechts voor de fietskaart) en die route exporteren als GPX. De site is niet in het Nederlands en het maken van een route is even wennen, maar als je het in de vingers hebt, werkt het minstens zo goed als de planners die meegeleverd worden met navigatiesystemen.

Fietsrouteplanner
Op www.nederlandfietsland.nl/fietsrouteplanner. Je kunt routes op allerlei manieren uitzetten en alles exporteren naar GPX.

Smartphones hebben grotere schermen én gps. Zijn die niet beter? Dat is wel even wat anders ja. We hadden voor de test ook twee toptelefoons meegenomen, de iPhone 5 en de Samsung Galaxy S III, met daarop een aantal fietsnavigatie-apps. Misschien is de vergelijking niet helemaal eerlijk, maar de schermen van deze smartphones zijn gewoon veel beter. Daarop konden we grote en duidelijke kaarten van de omgeving makkelijk bekijken tijdens het fietsen. Ideaal. Echte *turn by turn*-navigatie is bij smartphones trouwens zeldzaam. De meeste apps tonen niet meer dan een kaart.

Zo'n telefoon heeft een groot nadeel. De accu van de iPhone 5 hield het maar zo'n 3 uur vol met het scherm en de gps continu aan. De Galaxy S III deed het iets beter. Het eerste navigatiesysteem gaf het pas op na twee dagen. Dit is iets om rekening mee te houden als je een smartphone gebruikt. Net als het feit dat sommige navigatie-apps een dataverbinding nodig hebben om te werken. De navigatiesystemen zijn ook een stuk robuuster dan smartphones. Ze doorstonden onze val- en regentest uitstekend.

We hebben onderweg een paar testjes gedaan waarbij we probeerden op locatie een route te laten bepalen, bijvoorbeeld naar een NS-station in de buurt. De resultaten daarvan waren teleurstellend. Het was heel lastig om te doen, en de meeste apparaten kenden de locaties van dichtbijgelegen NS-stations niet eens. Vergelijk dat met de smartphone, waarop je met Google Maps alles kunt vinden.

Is de smartphone de testwinnaar?

Ja, eigenlijk wel. Innovatie bij smartphones gaat zo snel, dat je moet concluderen dat de losse apparaten zijn ingehaald. Het ligt er natuurlijk wel aan wat je wilt, maar ik zou iedereen die op de fiets wil navigeren en die al een goede smartphone heeft, aanraden om een stuurhouder te kopen – die heb je al voor €15 – en een paar apps te installeren. Koop er dan een extra accu bij om langer dan 3 of 4 uur te kunnen fietsen. Als je voor de sport gaat fietsen, zijn de Garmin Edge en de twee modellen van Mio een goede keus. De rest kunnen we voor fietsers niet aanraden.

Fiets-apps

Er zijn tientallen telefoon-apps die je kunnen helpen bij het vinden van je weg op de fiets, maar helaas zijn de meeste in het Engels. Veel apps zijn gratis, maar voor de volledige versie of voor de kaarten moet meestal een paar euro betaald worden. Enkele tips.

Google Maps voor iOS & Android is gratis
De beste app voor het ter plekke uitstippelen van een route. Maps heeft verreweg de grootste database met 'Points-Of-Interest'. Voor het plannen van een route en het turn-by-turn navigeren (alleen bij Android) is altijd een dataverbinding nodig. Nederlandstalig.

OsmAnd voor Android is gratis
Heel uitgebreide app voor Android op basis van OpenStreetMap. Hij kan veel, zelfs rijinstructies geven. OsmAnd is Nederlandstalig, maar helaas niet erg gebruiksvriendelijk. De kaarten kosten veel opslagcapaciteit. De app was eind april (tijdelijk) uit Google Play.

EveryTrail voor iOS & Android is gratis; de PRO-versie kost €3,09
Simpele en gebruiksvriendelijke app voor het volgen van een vooraf geplande route op de kaart. Engelstalig.

Fiets! NL voor iOS kost €2,69, die voor Android is gratis.
Bikenode voor Android is gratis
Twee apps die ongeveer hetzelfde doen: je kunt in de app een route maken met het fietsknooppuntennetwerk en die op een gemakkelijke manier volgen. Allebei Nederlandstalig.

Fietsverzekeringen
Consumentengids juni 2013

Kijken we per gemeente naar het aantal fietsdiefstallen per 1000 inwoners, dan ligt dit in de periode 2005-2011 in Amsterdam met bijna 9 'slachtoffers' per jaar boven het landelijk gemiddelde van 7,4. Dat is niet

Fietsverzekeringen

Verzekeraar	Testoordeel	Looptijd (jaren)	Uitkering bij diefstal	Keuze diefstal (d) en volledig casco (vc)	Eigen risico bij schade	Eigen risico bij diefstal	Jaar 1	Jaar 2	Jaar 3	Jaar 4	Jaar 5	Schade aan accu gedekt	Pechhulp
VOOR GEWONE FIETS													
1. **Unigarant** via internet	7,9	doorlopend	geld	ja	€25	0	A	A	A	75% A	60% A		
2. **Enra**	7,9	3, 4, 5	natura	ja	€25	0	N	N	N	N	A		
3. **ANWB**	7,7	3, 5	geld	ja	€25	0	A	A	A	75% A	60% A		
4. **Rijwielverzekeren.nl**	7,7	2, 3, 4	geld	ja	€25	0	N	N	N	N	60% A		
5. **Unigarant** via rijwielhandel	7,5	doorlopend	natura	ja	€25	0	N	N	N	75% A	60% A		
6. **Unigarant** via tussenpersoon	7,2	3, 5	geld	ja	€25	0	A	A	A	75% A	60% A		
7. **Hema**	7,2	doorlopend	geld	d	€25	€25	A	A	A	75% A	60% A		
8. **Unigarant** via rijwielhandel	7,0	3, 5	natura	ja	€25	0	N	N	N	75% A	60% A		
9. **Univé**	6,7	3	geld	vc	€25	0	N	N	N	V	V		
10. **Helepolis**	6,5	3	natura	ja	€25	0	A	A	A	n.v.t.	n.v.t.		
11. **Klaverblad**	5,8	doorlopend	geld	vc	€10	10%*	A	F	F	F	F		
VOOR E-BIKE													
1. **Enra**	8,3	3, 4, 5	natura	ja	€25	0	N	N	N	N	A	ja	ja
2. **Unigarant** via internet	8,2	doorlopend	geld	ja	€25	0	A	A	A	75% A	60% A	ja	ja
3. **Unigarant** via rijwielhandel	8,0	doorlopend	natura	ja	€25	0	N	N	N	75% A	60% A	ja	ja
4. **ANWB**	7,9	3, 5	geld	ja	€25	0	A	A	A	75% A	60% A	ja	ja
5. **Europeesche/Kingpolis**	7,9	doorlopend	natura	ja	€25	0	A	A	A	A	A	ja	ja
6. **Unigarant** via tussenpersoon	7,8	3, 5	geld	ja	€25	0	A	A	A	75% A	60% A	ja	ja
7. **Unigarant** via rijwielhandel	7,7	3, 5	natura	ja	€25	0	N	N	N	75% A	60% A	ja	ja
8. **Univé**	7,1	3	geld	vc	€25	0	N	N	N	V	V	ja	nee
9. **Helepolis**	5,9	3	natura	ja	€25	0	A	A	A	n.v.t.	n.v.t.	nee	nee
10. **Hema**	5,0	doorlopend	geld	d	€25	€25	A	A	A	75% A	60% A	nee	nee

Uitkering bij diefstal kolommen: Jaar 1 t/m Jaar 5

■ Beste uit de test

A = Aanschafwaarde
N = Nieuwwaarde
F = Afschrijvingswaarde
V = Verzekerd bedrag (na verlenging)
- Bij de Testoordelen is uitgegaan van een verzekeringstermijn van drie jaar met volledig-cascodekking (diefstal en beschadiging).

- Bij N zijn prijsstijgingen tot circa 4% per jaar meeverzekerd.
- Bij Univé geldt in Amsterdam, Rotterdam, Den Haag en Utrecht een eigen risico bij diefstal en total loss van 5% van de verzekerde waarde. Het Testoordeel komt daardoor uit op 5,9 (gewone fietsen) respectievelijk 6,4 (e-bikes).
- * = waarde fiets.

zo verrassend. Wel dat dit cijfer in bijvoorbeeld Harlingen op 9,3 ligt, in Hoogeveen op 10,4 en in het keurige Bussum zelfs op 15,4. Vreemd genoeg komen deze diefstalcijfers niet tot uiting in de premie van de fietsverzekeraars, die ons land doorgaans verdelen in een handvol regio's. Daarbij delen zij Amsterdam stuk voor stuk in de hoogste en Harlingen in de laagste categorie in.

Zo ook Unigarant, dat zeven regio's onderscheidt. 'De verschillen in premie tussen de regio's worden uiteraard bepaald door het risico op schade in dat gebied', verklaart Gerard Nijdam van Unigarant, dat met Enra strijdt om het marktleiderschap. 'Dit risico wordt niet alleen bepaald door de diefstalfrequentie in een regio, maar ook door de kans op beschadiging en andere factoren, zoals de wijze en intensiteit van het gebruik van de fiets en het verkeersaanbod.'

Dubbele prijs

Ook Martin Keus van InShared, dat de fietsverzekering van de Hema uitvoert, trekt de cijfers breder: 'Wij proberen bij de premiestelling zo goed mogelijk het feitelijke risico te volgen. Daarbij kijken we ook naar slachtofferschap, persoonskenmerken en regio's.'

Deze werkwijze leidt ertoe dat het verzekeren van een doorsnee stadsfiets van €750 in de grote stad door de bank genomen twee keer zo veel kost als in de provincie. Grofweg €180 versus €90 voor drie jaar diefstaldekking. Univé rekent bij diefstal of total loss in de vier grote steden (Amsterdam, Den Haag, Rotterdam en Utrecht) zelfs standaard een eigen risico van 5% van het verzekerde bedrag. 'In die steden is de kans dat er iets met je fiets gebeurt immers aanmerkelijk groter dan in de rest van Nederland', verklaart de in Assen gevestigde verzekeraar. Kijk dan nog maar eens in je eigen achtertuin, Univé. Daar liggen namelijk de steden waar inwoners statistisch gezien de grootste kans lopen om slachtoffer te worden van fietsdiefstal: koploper is Groningen met ruim 18 diefstallen per 1000 inwoners, op de voet gevolgd door Leeuwarden met dik 17. In Assen vinden diefstallen eveneens bovengemiddeld vaak plaats, met gemiddeld meer dan 13 per 1000 inwoners.

Nieuwkomer Hema maakt de premieberekening nóg ingewikkelder door ook de leeftijd van de verzekerde mee te wegen. Rijwielverzekeren.nl gaat dit voorbeeld binnenkort waarschijnlijk volgen. Dit omdat van jeugdige fietsers wordt aangenomen dat ze meer brokken maken dan oudere. Wie evenwel in aanmerking wil komen voor Hema's bodemtarief van €2 per maand, moet minimaal 70 jaar oud zijn, een fiets hebben van minder dan €300 en in de goedkoopste regio wonen.

Populaire e-bikes

Van de almaar populairder wordende elektrische fietsen – eind vorig jaar werd de grens van 1 miljoen exemplaren overschreden – is het verzekeren gelukkig minder complex. De premies zijn relatief laag en verschillen niet of veel minder tussen de regio's. Vier verzekeraars kennen één standaard-premie voor e-bikes tot een bepaalde aanschafwaarde: Enra (tot €3000), Helepolis (tot €1500), Univé (tot €2100) en Europeesche (tot €3000). Daar-boven gelden hogere tarieven. Unigarant, ANWB en Hema laten de regio en de aanschafprijs van de e-bike wel meewegen in de premieberekening, maar de verschillen zijn kleiner dan bij gewone fietsverzekeringen.

Meer ongelukken

Door de hoge aanschafprijs verzekeren consumenten hun e-bike veel vaker dan hun gewone fiets. 'Uit cijfers blijkt dat e-bikes een lager dief-stalrisico hebben en een wat hoger risico op cascoschade. Er gebeuren bijvoorbeeld meer ongelukken door de snelheid die met de e-bike be-haald kan worden. De regio is daarbij niet of nauwelijks van belang', zegt Ernst van Donselaar van Europeesche.

Deze verzekeraar lanceerde dit jaar, samen met Kingpolis, het Fietsser-viceabonnement. De flink verbeterde fietsverzekering van Europeesche is daarbij uitgebreid met een ware menukaart aan 'service-elementen', zoals een gratis leenfiets, winterbeurt met haal- en brengservice en hulpverlening bij pech. Europeesche/Kingpolis gaan daarmee een stap verder dan Enra en Unigarant, die al eerder met specifieke verzekeringen voor e-bikes kwamen waarbij ook de schadegevoelige accu en pechhulp onder de dekking vallen.

Let wel op bij het afsluiten van een fietsserviceabonnement: de samen-stelling daarvan verschilt per rijwielhandelaar. En als verzekerde zit je vervolgens aan die winkelier 'vast'. Dat geldt overigens altijd als je – zoals velen – een fietsverzekering afsluit bij de dealer. Regelmatig komen bij de Consumentenbond beteuterde reacties binnen van consumenten die, nadat hun fiets gestolen is, geen geld krijgen uitgekeerd, maar bij hun dealer een nieuwe fiets moeten uitzoeken. De verzekeraar staat daarbij volledig in zijn recht; hij moet de schade vergoeden en hieraan voldoet hij. Wie een uitkering in geld wil, sluit de verzekering af via internet. En dat kan niet bij alle verzekeraars. Bij Helepolis kan dit wel, maar krijg je toch een nieuwe fiets in plaats van geld.

Unigarant (via internet) (Beste uit de test)

Deze doorlopende fietsverzekering scoort maximaal op flexibiliteit. Alles kan online, de uitkering is in geld en je betaalt nooit voor een periode waarin je niet meer verzekerd bent.

Enra e-bikeverzekering (Beste uit de test)

Enra biedt een riante dekking (schade door eigen schuld zonder opzet, ongevallen opzittenden, verhaalsrechtsbijstand) en dito uitkering: liefst vier jaar nieuwwaarde. Dit geldt ook bij gewone fietsen.

Wetenswaardigheden

- Het volledig casco verzekeren van een gewone fiets in de grote stad kost in drie jaar algauw eenderde van de aanschafprijs. Is dat het geld waard, of neemt u het risico en schaft u een goed slot aan?
- Alle fietsverzekeraars stellen een (ART-)goedgekeurd slot verplicht. Vervanging van het slot en verlies van de originele fietssleutels moeten gemeld worden.
- Bij diefstal moet u twee originele sleutels overleggen, waarvan één gebruikssporen vertoont. Enra, Helepolis, Hema, Klaverblad en Univé maken soms een uitzondering als de fiets is gestolen uit een afgesloten schuur of berging. Andere verzekeraars verwijzen dan naar de inboedelverzekering, die meestal slechts de dagwaarde uitkeert.
- Een fietsverzekering voor bepaalde tijd (bijvoorbeeld drie jaar) eindigt bij diefstal of total loss na uitkering. De rest van de vooruitbetaalde premie bent u doorgaans kwijt. Met een doorlopende verzekering voorkomt u dat.
- De fietsverzekering van Klaverblad komt met z'n voorwaarden als minste uit onze test (zie de tabel), maar is bijna altijd de goedkoopste.

Bereken uw premie op www.consumentenbond.nl/fietsverzekeringen.

Hotels (eco)
Reisgids januari/februari 2013

Wasmachines vol draaien rond met eenmalig gebruikte handdoeken en bedlinnen. 's Zomers ronkt de airco en 's winters staat de verwarming aan. Zwembadwater en sauna's moeten op temperatuur blijven en amper gebruikte flesjes shampoo en badschuim verdwijnen linea recta in de prullenbak. En dat dag in dag uit, jaar in jaar uit. Hotels gebruiken enorm veel energie voor dingen die niet altijd echt noodzakelijk zijn.

Groene hotels proberen zuiniger met energie om te gaan. Een aantal reisaanbieders, zoals Arke, Sunweb, Holland International, Kras en Corendon, biedt keuze uit verschillende 'groene accommodaties', waaronder het vijfsterren 'ultra all inclusive' Limak Limra Hotel in Kemer (Turkije). Arke vermeldt: 'Het hotel heeft het erkende duurzaamheidskeurmerk Travelife Gold. De accommodatie neemt vergaande maatregelen voor water, energie en afval, behandelt haar medewerkers eerlijk, gebruikt regionale producten en is actief betrokken bij de lokale bevolking.' Volgens Arke kunnen we er vanuit gaan dat alle hotels met dit label continu werken aan duurzaamheid.

4500 m² zwembaden

Toch worden in het 14 jaar oude Limak Limra Hotel alle 867 kamers gekoeld. En ze hebben bijna allemaal een bad of jacuzzi. Verder zijn er maar liefst 6 zwembaden met een totale oppervlakte van 4500 m², waarvan 300 m² zelfs verwarmd. En dat terwijl het complex pal aan zee ligt. Daar kun je overigens naar hartelust waterskiën of jetskiën, waarna je in de acht restaurants kunt genieten van ingevlogen Mexicaanse of Chinese gerechten. Het is dan ook weinig geloofwaardig om te spreken van 'vergaande maatregelen voor water, energie en afval' en gebruik van 'regionale producten'.

En er zijn veel meer voorbeelden van hotels die zich afficheren als milieuvriendelijk, maar dat in werkelijkheid niet echt zijn. Hoe kan dat? Er zijn tientallen ecolabels die allemaal andere criteria hanteren. En soms blijken die criteria nogal dubieus. Landen als Zweden (Good Environmental Choice), Frankrijk (NF Environment), Italië (Hotel Ecolabel), Zwitserland (Steinbock Label) en het Verenigd Koninkrijk (Green Tourism) hebben elk hun eigen keurmerk. In de gehele EU wordt het EU Ecolabel

Vijf ecolabels

Label	Aantal gecertificeerde accommodaties	Door externe gekeurd?	Kosten (eenmalig en eerste jaar)
Travelife	15.000	ja	€100
Green Key	1800	ja	€530-934
ECEAT	1000	nee	€100-500
EU Ecolabel	377	ja	€350-1500
Green Globe	220	ja	€650-4500

gebruikt, terwijl wereldwijd het keurmerk van Travelife het meest ge-
hanteerd wordt. Ruim 15.000 hotels, appartementen, kampeerterreinen,
villa's en zelfs Turkse schepen hebben sinds 2007 een bronzen, zilveren
of gouden Travelife-label gekregen. Het Limak Limra Hotel heeft zo'n
gouden label, de hoogst haalbare classificatie. Op de website van Travelife
staat dat 'het beperken van energieverbruik en afvalproductie relevant is
in massatoerisme resorts'. Juist daarom verwacht je in hotels die direct
aan de Turkse Rivièra liggen geen 4500 m² aan zwembaden.

Kinderarbeid gaat voor goud

Een hotel dat een van de drie labels wil krijgen, moet voldoen aan door
Travelife gestelde criteria. In totaal zijn er 99, maar voor een bronzen
waardering hoeft een hotel maar aan 14 criteria te voldoen. Dat zijn zeer
fundamentele als 'Houdt het bedrijf zich aan de wetgeving met betrekking tot de lozing van afvalwater?' en 'Krijgen de werknemers ten minste
het minimumsalaris betaald?' Deze voorwaarden gaan niet verder dan
de nationale wetgeving en die kan juist in ontwikkelingslanden behoorlijk tekortschieten. Een opmerkelijk sociaal criterium is 'Zijn er speciale
werktijden en -omstandigheden voor kinderen onder de 14 jaar?' Niet
alleen impliceert dit dat er zeer jonge kinderen mogen werken in een
gecertificeerde accommodatie, maar ook dat de werktijden en -omstan-
digheden voor kinderen van 14 jaar en ouder er niet zoveel toe doen. Bij
een keurmerk, opgezet om toeristen enig houvast te bieden bij de keuze
voor een groen hotel, zou je verwachten dat het kinderarbeid tegengaat.
Travelife laat weten dat het kinderarbeid zeker niet wil aanmoedigen,

maar dat de criteria in lijn zijn met een convenant van de Internationale Arbeidsorganisatie. Daarin staat dat bij wijze van uitzondering én in ontwikkelingslanden kinderen vanaf 12 jaar alleen lichte arbeid mogen verrichten. Je mag van een duurzaamheidskeurmerk toch juist verwachten dat het de bestaande situatie wil verbeteren door in te zetten op betere werkomstandigheden? Als een hotel een Travelife Gold Label heeft terwijl er 12-jarigen werken, is er iets flink mis.

Eigen vlees keuren

Een ander keurmerk is opgezet door het European Centre for Ecological and Agricultural Tourism (Europees Centrum voor Eco- en Agritoerisme). Het ECEAT is een van oorsprong Amsterdamse organisatie die al bijna 20 jaar kampeer- en logeeradressen toetst aan milieu- en comfortcriteria. Ze zijn concreter dan die van Travelife. Zo is een van de eisen dat er geen waterlekkage mag zijn en gasten moeten geïnformeerd worden over hoe ze duurzaam kunnen omgaan met water. Ter vergelijking: voor een Travelife Gold-label is het voldoende als een hotel 'actief werkt aan het terugdringen van het waterverbruik'. En dat zegt weinig.

Maar hoe betrouwbaar is zo'n ECEAT-label? Op de website staat dat het ECEAT zoekt naar verkopers die op provisiebasis telefonisch accommodatiehouders willen werven voor het label. In plaats van dat hotels uit zichzelf op zoek gaan naar een passend label om hun duurzaamheid te bewijzen, worden ze gebeld door verkopers die een label verkopen. Letterlijk, want ECEAT komt niet standaard langs voor een inspectie. De accommodatiehouder bepaalt zelf of hij in aanmerking komt voor het label. De slager keurt dus zijn eigen vlees. ECEAT geeft in een reactie aan dat ze steekproefsgewijs controleren en dat het label bij enkele accommodaties 'soms twijfelachtig' is.

Het Europees Ecolabel is een milieukeurmerk van de Europese Commissie voor uiteenlopende producten die gemaakt worden binnen de 25 lidstaten, Noorwegen, Liechtenstein en IJsland. Het logo staat op een veelheid van producten, van shampoo en meubelen tot toiletpapier en verf. Ook campings en andere accommodatiehouders kunnen het Ecolabel aanvragen. Op de website van het label staan welgeteld vier Nederlandse hotels, waaronder de vestiging van Stayokay op Ameland. Volgens marketingmanager Marieke Meijer is dat vreemd, want alle 27 hostels in

Nederland zouden al in 2008 gecertificeerd zijn. En inderdaad, ook op gevels van andere Stayokayhostels hangt het label. Blijkbaar vinden ze bij de EU het label zo onbelangrijk dat de site, dé plek om informatie te zoeken, 96% van de accommodaties verzwijgt.

Op het EU Ecolabel is ook behoorlijk wat aan te merken. Zo zijn terrasverwarmers toegestaan, mits ze maar op groene stroom werken. En ook de airco en lampen van hotelkamers hoeven niet automatisch te worden uitgeschakeld bij vertrek. Zo kan een leeg hotel probleemloos continu verlicht en gekoeld zijn én ook nog eens bekroond worden om het ecobeleid.

De criteria van het label Green Globe zijn eveneens ruim te interpreteren. Zo lezen we dat 'watergebruik gemeten zou moeten worden, waterbronnen bekend moeten zijn en dat maatregelen om verbruik te verminderen geïntroduceerd zouden moeten worden.' Hoe en waar je moet besparen en wie daarop moet toezien, is een raadsel. En zodra een accommodatie zich online aanmeldt als lid, dus voordat ze aan de criteria voldoet, mag het Green Globe-logo al op de website gezet worden. Dat voorlopige logo lijkt verdacht veel op het uiteindelijke logo. Bezoekers zullen geen verschil zien, tenzij ze het bord kennen.

Green Key concreter

Is er dan geen label dat écht iets zegt over of en hoe 'groen' een hotel is? Green Key, het op een na grootste label dat we onderzochten, lijkt het best uit de bus te komen. De beschreven 337 criteria – weliswaar met veel spelfouten – zijn concreet, meetbaar en controleerbaar. Van het aantal liters water dat per minuut door de douchekop mag stromen tot de hoeveelheid stroom die de minibar mag gebruiken, het is allemaal vastgelegd. En de criteria zijn afhankelijk van de locatie van een hotel: in Europa liggen de eisen hoger dan in Mexico. Verder zijn de accommodaties verplicht om elk jaar aan meer criteria te voldoen. Uiteindelijk verdwijnen die terrasverwarmers zo ook echt.

Conclusie

Keurmerken zoals Travelife, ECEAT en het EU Ecolabel zijn weinigzeggend vanwege de lage eisen die ze stellen en omdat serieuze controle soms ontbreekt. En zelfs mét een label kan er sprake zijn van kinderarbeid in het hotel. Green Key is een gunstige uitzondering.

Hotelreviews
Reisgids september/oktober 2013

Recensies en cijferlijstjes vormen prima informatie bij de keuze van een hotel. Hoe hotels zichzelf beschrijven is immers per definitie gekleurd. Maar kun je elke hotelbeoordeling blindelings geloven?

Nee, fraude is niet uit te sluiten. Niettemin worden reviews steeds populairder en zijn er steeds meer mensen die hun keus er mede door laten bepalen. Ze hechten er kennelijk zoveel waarde aan dat ze twijfels over de betrouwbaarheid op de koop toe nemen.

Ook voor de reisindustrie zijn reviews belangrijk. Bezoekers blijven langer op een website wanneer daar reviews staan; de inkomsten uit reclame en 'doorklikvergoedingen' lopen daardoor op en de kans op een boeking is groter. 'Zonder reviews geen klanten', is een gangbare mening.

Wij selecteerden acht websites en inventariseerden aan de hand van reviews over tien hotels die we kennen wat deze te bieden hebben. Daarnaast deden we een oproep naar ervaringen onder lezers van de nieuwsbrief van de Consumentenbond en spraken we met insiders. We beperken ons in dit artikel tot hotelreviews. Alle acht websites hebben ook andere recensies, variërend van B&B's en bungalows tot verblijfplaatsen en bezienswaardigheden.

Positief

Op de meeste boekings- en beoordelingswebsites kun je hotels een (rapport)cijfer geven voor diverse aspecten, zoals comfort, ligging, faciliteiten, personeel, kindvriendelijkheid en prijs-kwaliteitverhouding, en een overallcijfer dat soms (ook) door de computer wordt uitgerekend. Dat is handig, want zo kunnen anderen selecteren op aspecten die voor hen belangrijk zijn.

Vervolgens geef je aan tot welke categorie je behoort, zoals 'ouder stel', 'gezin met kleine kinderen', 'individuele reiziger'. Iedere gebruiker kan zo dus zoeken naar zijn eigen categorie. Tot slot kun je bij de meeste sites ook nog een beoordeling in eigen woorden schrijven.

Wanneer je de websites bekijkt, valt op dat er over het algemeen hoog wordt beoordeeld. Marthijn Tabak van Zoover onderschrijft dat: '85% geeft een 7 of hoger en maar 5% lager dan een 6'. Ook de tien hotels die wij naliepen (variërend van een tweesterrenhotel in een Franse kuurbadplaats tot een hotel in Vancouver), scoorden tussen een 7 en een 9,6. Grote verschillen tussen de acht websites deden zich hierbij niet voor. Overigens kwam het beeld uit de reviews over de hele linie tamelijk goed overeen met onze beoordelingen van de hotels. Dat de meeste mensen een 7 of hoger geven betekent dat je bij het gebruik van reviews de lat hoog moet leggen. Uit reacties op de oproep blijkt dat dit ook wel gebeurt: 'Als het rapportcijfer lager is dan gemiddeld een 7 kijk ik niet eens naar de recensies', meldt de heer Van der Weyde.

Hotelreviewsites

Website	Soort website [1]	Aantal reviews [2]	Aantal accommodaties [2][3]	Reviewers met profiel [4]	Welke aspecten [5]	Wie beoordeelt?	Hotelreactie?
booking.com	B	22.000.000	324.000	1,2,3,4,6,7	4,7,8,9,10,15	gasten	nee
expedia.nl	B	10.000.000	205.000	1,2,5,8,9	1,2,3,8,9	gasten	ja
holidaycheck.nl	R	3.500.000	483.000	1,2,4,6	1,2,3,4,5,6	sitebezoekers	ja
hotels.nl	B	450.000	1900	1,2,3,4,6,7,9	[6]	gasten	nee
tripadvisor.nl	R	100.000.000	1.100.000	1,2,4,5,6	1,2,3,4,6,7,10,11,14	sitebezoekers	ja
venere.com	B	810.000	120.000	1,2,3,4,6,7	3,4,7,8,12	gasten	nee
zoover.nl	R	2.000.000	300.000	1,2,3,4,5,6,7,9	1,2,3,5,10,13	sitebezoekers	ja
weekendjeweg.nl	B	300.000	2100	1,2,3,4,6	1,2,3,10,11	gasten	nee

1) B = boekingssite; R = reviewsite.
2) Volgens opgave van de websites.
3) Aantal accommodaties dat op de website voorkomt; niet van alle hoeven beoordelingen voor te komen.
4) 1 = gezinnen; 2 = (jonge) stellen; 3 = oudere stellen; 4 = vrienden(groepen); 5 = zaken/bedrijven; 6 = alleengaanden; 7 = gezin met jonge kinderen; 8 = studenten; 9 = overig

5) 1 = Hotel algemeen/waarde; 2 = kamers; 3 = service; 4 = ligging/locatie; 5 = eten/gastronomie; 6 = sport en animatie; 7 = netheid/hygiëne; 8 = comfort; 9 = personeel; 10 = prijs-kwaliteit; 11 = ontbijt; 12 = rust; 13 = kindvriendelijkheid; 14 = slaapkwaliteit; 15 = faciliteiten; 16 = grootte
6) Alleen rapportcijfers, plus- en minpunten en tips.

Misbruik

Omdat er veel van afhangt, kunnen hoteliers in de verleiding komen positieve beoordelingen te (laten) schrijven over hun eigen hotel. Of juist negatieve over de concurrent. Op internet gaan verhalen over hoteliers die hierop zijn betrapt.

We vroegen het management van de websites uit onze selectie welke maatregelen ze tegen misbruik nemen. De meeste hebben een geautomatiseerd systeem, dat onder meer kijkt naar ip- en mailadressen en verdachte recensies eruit moet filteren. Die worden dan vervolgens gescreend door medewerkers.

Over hoe die 'technische checks' in z'n werk gaan, wordt overigens uit concurrentieoverwegingen nogal geheimzinnig gedaan. Bij onder andere Zoover kun je met een 'meld misbruik-knop' aangeven dat je een beoordeling niet vertrouwt. Zoover gaat dan op onderzoek uit, wat kan leiden tot het verwijderen van de review. Maar ondanks alle inspanningen om misbruik tegen te gaan, is het voor beoordelingssites onmogelijk om dit geheel te voorkomen. Dat geven betrokkenen ook toe.

Als hotels zelf reviews plaatsen, is sprake van oneerlijke handelspraktijken. Het is dan de taak van de Autoriteit Consument en Markt om op te treden. Schattingen over het aantal gefingeerde beoordelingen lopen nogal uiteen; een raming is rond de 10%. Niettemin hebben de meeste consumenten vertrouwen in reviewsites, zo blijkt uit onderzoek.

Ook de 45 gebruikers die reageerden op onze oproep gaven een 7,5 à 8 voor de betrouwbaarheid van de sites.

Krom

Sommige sites werken met een vertaalmachine. Het voordeel is dat je zo ook toegang krijgt tot een veelvoud aan reviews in vreemde talen. Alleen is de taal soms krom; een voorbeeld: 'Wat minder dan bevredigend meestal zoet en gewone kaas worden vermeden na één smaak. 3 Keer minstens één punt was om 8 am gegaan en hadden niet bijgevuld.'

Nep herkennen

Hoe herken je een neprecensie? Daar is al heel wat studie naar verricht. Bij voorbaat verdacht zijn beoordelingen met veel uitroeptekens en hoofdletters, uitsluitend tienen of enen en tekst met veel superlatieven, zoals 'geweldig' en 'super'. Niet alles kan alleen maar waardeloos of top zijn.

Ook wanneer de naam van het hotel opvallend vaak wordt genoemd, is dat verdacht. Verzonnen recensies zijn vaak nogal algemeen. Hoe specifieker en gedetailleerder een hotelbeschrijving, hoe groter de kans dat die afkomstig is van een gast die er ook daadwerkelijk heeft overnacht; tenminste op de sites waar iedere bezoeker een beoordeling kan

372

achterlaten. Bij sites als booking.com en expedia.nl (zie de tabel) kunnen alleen gasten een beoordeling geven.

Ook een nadere kennismaking met de recensent werkt soms verhelderend. Dat kan door te klikken op diens profiel, wanneer dat is vermeld. Schrijft hij of zij meer recensies op de site dan kan dat een goed teken zijn, tenzij die uitsluitend extreem positief of negatief zijn. Verontrustend is het wanneer één persoon kort achter elkaar veel reviews over verschillende hotels produceert, helemaal wanneer die nogal verspreid over de wereld liggen.

Voor wie het waarheidsgehalte van een review door de computer wil laten testen: dat kan op de site www.reviewskeptic.com. De test, van de Cornell University (VS), analyseert woordgebruik en zinsstructuur.

Tips van gebruikers & deskundigen

- Lees minstens 15 à 20 reviews voor een evenwichtig beeld en zoek op verschillende websites. Kijk ook naar foto's.
- Kijk naar de grote lijnen. Wordt er tien keer gemeld dat de bedden slecht zijn, dan zijn ze dat meestal ook.
- Let vooral op de aspecten die u zelf belangrijk vindt of juist niet.
- Filter extreem positieve of negatieve reviews eruit.
- Lees ook reviews over hotels waar u pas bent geweest, dan leert u filteren.
- Zoek naar reviews van gasten uit de categorie waartoe u zelf behoort.
- Gebruik reviews met gezond verstand en neem ze met een korrel zout.

Betrouwbaar en bruikbaar

Het aantal bijdragen en de actualiteit verhogen de betrouwbaarheid en de bruikbaarheid van een beoordelingssite. Hoe meer reacties, hoe kleiner de invloed van nepreviews. Voldoende recente beoordelingen verminderen het risico dat de informatie is verouderd. Op sommige sites staan nog beschrijvingen van meer dan zes jaar oud. Dat is tot daar aan toe, zolang de plaatsingsdatum maar duidelijk is en ze niet meetellen bij het totaalresultaat.

De mogelijkheid om volstrekt anoniem een recensie te schrijven, werkt fraude in de hand. Wanneer hiervoor alleen een e-mailadres nodig is, geeft dat nog geen garantie dat de afzender te traceren is. Beter is het wanneer reviewers moeten inloggen en zich bekendmaken. Het is nog beter als alleen gasten die er daadwerkelijk hebben verbleven een beoordeling kunnen geven van een hotel. Veel boekingssites doen het zo. Zij nodigen gasten die bij hen geboekt hebben uit voor een review.

Wanneer hotelmanagers in de gelegenheid worden gesteld te reageren op beoordelingen, verhoogt dat de geloofwaardigheid. Dat geldt ook voor de mogelijkheid om foto's te bekijken, gemaakt door gasten. Op alle websites in ons overzicht kan dat. Meer informatie vindt u in de tabel.

Het combineren van reviews met social media heeft de toekomst. Het is dan niet alleen mogelijk om te filteren op gasten met een soortgelijk profiel maar ook om te selecteren op degenen die je kent en van wie je de beoordelingen meer vertrouwt dan die van vreemden.

Handige sites

- *trivago.nl* website met prijsvergelijkingen van hotels en een totaaloordeel van beoordelingen op andere sites (booking.com, expedia.nl, hotels.nl, venere.com, holidaycheck.nl).
- *hostelworld.com* vooral gericht op budgetreizigers.
- *vakantiepanel.nl* bevat recensies van hotels en bestemmingen van zowel consumenten als experts uit de reiswereld, waaronder die van Toeristiek, dat onafhankelijke accommodatiebeschrijvingen levert aan reisbureaus. Nuttig voor wie een strandvakantie boekt bij een reisorganisatie.
- *bedandbreakfast.nl* beoordelingen van ruim 14.600 B&B's in Nederland.

Rechtsbijstandsverzekeringen

Consumentengids juli/augustus 2013

Volgens de Stichting Achmea Rechtsbijstand (SAR) zijn arbeidszaken sinds 2007 met ruim een kwart gestegen, vooral door het aantal ontslagzaken. Ook Das en Arag geven aan dat arbeidsgeschillen in de top-3 van claims staan, naast verkeerszaken en kleinere consumentenkwesties, zoals geschillen na de koop.

Een basisrechtsbijstandspolis dekt doorgaans kleinere geschillen en verkeerszaken, net als algemeen juridisch advies en bemiddeling (mediation). Andere dekkingen zijn soms los af te sluiten, zoals de relatief prijzige dekking voor geschillen over fiscaal recht en vermogensbeheer, én de module werk en inkomen.

Dekking voor arbeidsgeschillen is bij 19 van de 40 onderzochte polissen standaard en kan bij de andere 21 los worden bijverzekerd. Klanten krijgen dan juridische bijstand en advies bij conflicten over bijvoorbeeld ontslag, een arbeidsovereenkomst of bedrijfsongeval. De meeste verzekeraars dekken geen geschillen over inkomen buiten dienstverband, zoals freelancewerk. Soms is de dekking beperkt tot geschillen over ontslag of een arbeidsovereenkomst, zoals bij de basispolis van ASR en de Univé Budgetpolis.

De module werk en inkomen kan soms wel 40% bovenop de basispremie kosten. Gepensioneerden ontvangen wel inkomen, maar hebben niets aan de dekking voor arbeidsconflicten in deze module. Zij kunnen dit onderdeel achterwege laten bij Das, ING en Ohra óf uitsluiten bij de Arag Flexpolis of bij IAK. Er is dan wel dekking voor pensioen- en uitkeringsgeschillen.

Uitsluitingen

Met een rechtsbijstandspolis ben je niet in alle gevallen verzekerd van hulp. Lopende en 'voorziene' geschillen zijn altijd uitgesloten van dekking. Een zwaar functioneringsgesprek of zwakke beoordeling kan voor de verzekeraar al reden zijn om een dreigend ontslag als 'voorzien' af te doen. Enkele maatschappijen hebben drempels ingebouwd, zoals een beperkt dekkingsgebied (Nederland in plaats van Europa) of een lagere maximumvergoeding voor externe kosten (zoals proceskosten). De Goudse hanteert bij werk- en inkomensgeschillen een maximum van €20.000 per geschil in plaats van de standaard onbeperkte vergoeding.

Arag is er dit jaar toe overgegaan werknemers van een reorganiserend bedrijf die een rechtsbijstandsverzekering aanvragen tijdelijk uit te sluiten van hulp bij ontslag. Volgens Arag is er bij een reorganisatie geen sprake van een onzeker voorval. Ook intermediair IAK zegt nieuwe dekkingsaanvragen niet te accepteren bij een aangekondigde reorganisatie. Bij deze aanbieders geldt bovendien een wachttijd van drie maanden voor arbeidsgeschillen.

Rechtsbijstandsverzekeringen

Aanbieder (product)	Testoordeel	Rechtshulpverlener	Premie twee volwassenen	Premie alleenstaande	Franchise	Max. vergoeding externe kosten	Scheidingsmediation	Fiscaal recht en vermogensbeheer	Consumentenzaken	Dekking arbeidsgeschillen	Wachttijd arbeidsgeschillen (mnd)	Sociale zekerheidsrecht	Wachttijd sociale zekerheidsrecht (mnd)	Dekkingsgebied
1. Ohra	8,4	Das	€266	€229	€175	€25.000	p	p	p	p	3	p	3	Benelux+D
2. Centraal Beheer Achmea	8,3	SAR	€254	€236	€0	€50.000	p	p	p	p	3	p	3	EU+
3. Das	8,2	Das	€345	€310	€175	€60.000	p	p	p	p	0	s	0	EU
4. Arag (ProRechtPolis)	8,1	Arag	€298	€298	€175	onbep.	nee	p	p	p	3	p	3	EU
5. EAG Assuradeuren (Pro-RechtPolis Arag)	8,1	Arag	€298	€298	€175	onbep.	nee	p	p	p	3	p	3	EU
6. Nationale-Nederlanden	8,0	SRK	€226	€189	€0	€30.000	p	p	s	p	0	p	0	EU
7. Aegon (Woon en VrijeTijd)	7,9	SRK	€250	€222	€175	€30.000	p	p	p	p	3	p	3	EU
8. ING	7,9	SRK	€257	€245	€225	onbep.	a	p	p	p	3	s	3	EU
9. DAK (Optimaal)	7,9	Arag	€261	€253	€200	onbep.	p	p	p	p	3	p	3	Wereld
10. IAK	7,8	Arag	€242	€230	€200	onbep.	nee	p	p	p	3	p	3	EU
11. Polis Direct (Gezinspolis)	7,8	SRM	€272	€230	€200	€25.000	nee	nee	p	p	3	p	3	EU
12. FBTO	7,7	SAR	€257	€257	€0	€30.000	a	nee	p	p	6	p	6	EU
13. De Goudse	7,7	SRK	€254	€229	€225	onbep.	ja	p	s	s	3	s	3	EU
14. Univé (Optimaal)	7,7	SUR	€235	▶€176	€100	€50.000	p	p	s	p	0	s	0	EU
15. Interpolis	7,6	SAR	€247	€226	€220	€50.000	p	p	p	p	3	p	3	EU
16. Klaverblad	7,6	KRS	€247	€202	€175	€100.000	nee	p	p	p	3	p	3	Benelux+D
17. Zelf.nl	7,6	Das	▶€202	€194	€225	onbep.	a	nee	p	p	3	p	3	EU
18. Kruidvat	7,5	SRK	€222	€201	€200	€20.000	p	p	p	p	3	p	3	EU
19. London Verzekeringen	7,3	Das	€302	€277	€225	onbep.	ja	p	s	s	6	s	3	EU
20. Verzekeruzelf.nl (Top)	7,3	Anker	€215	€193	€150	€30.000	ja	nee	s	s	6	s	6	EU
21. ABN Amro	7,2	Arag	€247	€247	€200	onbep.	nee	a	p	p	3	p	3	EU
22. Dak (Compleet)	7,2	Arag	€201	€193	€175	€25.000	nee	nee	p	p	6	p	3	EU
23. De Nederlanden van Nu	7,2	Das	€267	€254	€225	€12.500	p	p	p	p	3	p	3	EU
24. BLG Wonen	7,1	Das	€204	€186	€175	€25.000	ja	p	p	p	3	p	3	EU
25. Reaal	7,1	Das	€272	€248	€175	€25.000	ja	p	p	p	3	p	3	EU
26. SNS Bank	7,1	Das	€272	€248	€175	€25.000	ja	p	p	p	3	p	3	EU
27. ZLM	7,1	SR, Das	€208	€196	€100	€25.000	p	p	s	s	3	s	3	Benelux+D of EU
28. Avéro Achmea	7,1	SAR	€245	€233	€0	€50.000	p	p	s	s	3	s	3	Benelux+D of EU
29. ASR (Uitgebreid)	7,1	Das	€293	€284	€225	€25.000	p	p	s	s	3	s	3	Benelux+D of EU
30. Allianz Nederland	6,8	Das	€342	€330	€225	€12.500	p	p	s	s	6	s	3	Benelux+D of EU
31. Anker (Toppolis)	6,8	Anker	€242	€218	€150	€30.000	ja	nee	s	s	6	s	6	EU
32. ANWB (Zilver)	6,7	Das	€266	€251	€225	€12.500	p	p	s	s	6	s	6	Benelux+D
33. Unigarant (Huis- en Reispakket Zilver)	6,7	Das	€266	€251	€225	€12.500	p	p	s	s	6	s	6	Benelux+D
34. Arag (Flexpolis)	6,5	Arag	€243	€231	€175	€15.000	nee	nee		p	3	p	3	EU
35. Delta Lloyd	6,5	Das	€248	€235	€225	€12.500	nee	nee	s	s	3	s	3	Benelux+D
36. Bruns ten Brink	6,2	Das	€263	€251	€225	€12.500	nee	nee	s	s	6	s	6	Benelux+D of EU
37. Turien & Co	6,2	Das	€304	€291	€225	€12.500	nee	nee	s	s	6	s	6	Benelux+D of EU
38. ASR Basis	6,0	Das	€200	€190	€225	€50.000	nee	nee	s	b	3	b	3	NL
39. Univé (Budget)	5,8	SUR	€163	€122	€100	€50.000	nee	nee	s	s	0	b	0	NL
40. Anker (Basispolis)	5,5	Anker	€155	€117	€250	€15.000	nee	nee	s	s	6	s	6	NL

- p = optioneel; s = standaard; b = beperkt; a = advies (geen hulp).
- De gegevens zijn van 17 mei 2013.
- Ditzo biedt voorlopig geen rechtsbijstandsverzekeringen meer aan en is niet opgenomen in de test.
- De premies zijn inclusief 21% assurantiebelasting, exclusief collectiviteits- en pakketkortingen en afgerond op hele euro's.
- In de jaarpremies zijn de dekking voor consumentenrecht, arbeid en inkomen, verkeer en wonen opgenomen. De Anker Eigen Jurist Polis Basis biedt geen dekking voor wonen.
- Voor strafzaken en verkeersgeschillen gelden vaak andere bedragen voor de franchise en voor de maximumvergoeding voor externe kosten.
- Bij Nationale-Nederlanden zijn de leeftijd van de verzekerde en de postcode premiebepalende factoren.
- Avéro Achmea, Bruns ten Brink en Turien & Co hebben een standaard eigen risico van €100, Delta Lloyd van €75.
- +D = plus Duitsland.

Slim verzekerd

- Weeg de noodzaak van een rechtsbijstandspolis af: voor kleine geschillen loont jarenlang premie betalen niet.
- Voorkom dubbele dekking, bijvoorbeeld als u al rechtsbijstand bij uw autoverzekering heeft.
- Onderneem direct actie bij een geschil; maak schriftelijk bezwaar en onderstreep uw bereidheid om het geschil op te lossen. Roep daarnaast rechtsbijstand in; via uw polis kunt u vaak juridisch advies inwinnen, ook over niet-gedekte zaken.
- Ontvangt u een pensioen of andere uitkering? Kies dan voor een polis waarbij u de module arbeid of werk achterwege kunt laten (Das, ING en Ohra) of kunt uitsluiten (Arag Flexpolis en IAK).
- Wie zelf geen rechtsbijstandsverzekering heeft, kan mogelijk meeliften op de polis van een gezinslid.
- Is er geen dekking voor het geschil of bent u niet verzekerd? Overweeg dan prepaid of losse rechtshulp via Achmea, Das of Arag. U betaalt dan een gereduceerd tarief.
- Check de mogelijkheden voor gesubsidieerde rechtsbijstand via www.rvr.org.
- Consumentenbondleden kunnen juridisch advies krijgen via (070) 445 45 45 en vragen stellen via www.consumentenbond.nl/uvraagt.
- Voor conflicten over werk en inkomen kunnen vakbondsleden ook (collectief) bij de vakbond aankloppen. Gezinsleden krijgen dan geen juridische hulp.

Er zijn meer verzekeraars die voor sommige onderdelen een aanloopperiode hanteren waarin de dekking nog niet geldt. 'Met een harde wachttermijn worden discussies over dekking voorkomen', aldus Achmea. Bij de meeste verzekeraars gelden wachttijden echter níet als de verzekering direct aansluit op de oude polis met vergelijkbare dekking. Wie nu een rechtsbijstandsverzekering afsluit, kan te maken krijgen met wel zes maanden wachttijd voor rechtshulp bij arbeidsgeschillen.

Voor kleine geschillen heb je misschien geen dure rechtsbijstandspolis nodig. Maar wanneer het echt fout gaat met je baan kan een geschil uitmonden in een slepende rechtszaak. Volgens Maurits Barendrecht, hoogleraar privaatrecht, heeft een rechtsbijstandsverzekering een prima prijs-kwaliteitverhouding. Grote, ingewikkelde zaken zijn volgens hem potentiële verliesposten en worden daardoor misschien niet altijd optimaal behandeld door verzekeraars. 'Maar bij advocaten blijft dit soort zaken vaak te lang liggen', aldus Barendrecht.

Wie niet tevreden is met de hulpverlening via de verzekeraar, kan niet op eigen houtje een advocaat inschakelen op kosten van de verzekeraar. Dit mag doorgaans alleen in specifieke gevallen en uitsluitend na toestemming van de verzekeraar.

Ohra (Beste uit de test)

Ohra heeft zijn dekkingen flink opgekrikt na onder in de tabel te zijn beland in onze vorige test (april 2012). De maximumvergoeding voor externe kosten is verdubbeld naar €25.000 en alle modules zijn los bij te verzekeren, ook scheidingsmediation en fiscaal recht en vermogensbeheer. Ohra geeft bovendien juridisch advies over niet gedekte zaken.

Zelf.nl en Univé Optimaal (Beste koop)

De Optimaalpolis van Univé is voordelig voor alleenstaanden. De uitgebreide dekkingsmogelijkheden zorgen voor een Testoordeel van 7,7. Zelf.nl – een onlineverzekeraar onder de vleugels van SNS Reaal – volgt met een 7,6; voor twee volwassenen is dit de Beste koop. Mét kinderen stijgt de jaarpremie met €23.

Welke verzekering?

Bij goedkope (budget)polissen is de dekking vaak uitgekleed en ontbreken zaken als burenconflicten en geschillen over een tweede woning. De goedkoopste verzekeringen van ASR, Anker en Univé scoren dan

378

ook magertjes; het Testoordeel ligt tussen 5,5 (Anker Eigen Juristpolis Basis) en 6,0 (ASR Basis).

Let bij het afsluiten altijd op de kleine lettertjes. Aegon, FBTO en Nationale-Nederlanden bijvoorbeeld stellen in hun polisvoorwaarden dat de tegenpartij in een juridisch geschil binnen het dekkingsgebied moet wonen, in dit geval de Europese Unie. Dus dan heb je niets aan je verzekering bij een geschil met een Amerikaanse automobilist.

Bij de meeste gezinspolissen (twee volwassenen) zijn andere gezinsleden automatisch meeverzekerd, vaak zelfs inwonende schoonouders en een au-pair en uitwonende studerende kinderen. Sommige maatschappijen nemen dit nog ruimer, zoals Aegon en Ohra, waar ook pleeg- en stiefkinderen zijn meeverzekerd.

Met de vernieuwde rechtsbijstandsvergelijker op www.consumentenbond.nl/rechtsbijstand kunt u een snelle, onafhankelijke vergelijking maken tussen ruim 40 polissen en sommige ook direct afsluiten.

Reisverzekeringen
Consumentengids februari 2013

Steeds meer vakantiegangers nemen minimaal een smartphone, tablet en digitale camera mee op reis. Hoe voorkom je dat deze kostbaarheden in handen vallen van het dievengilde? Een reisverzekering keert lang niet altijd uit en de verschillen tussen verzekeraars zijn groot.

Bij een reisverzekering denken veel vakantiegangers om te beginnen aan de bagagedekking bij verlies of diefstal. Maar deze dekking is niet het belangrijkste onderdeel, zeker niet voor de bovengenoemde kostbaarheden. De dekking voor buitengewone of onvoorziene kosten is veruit het belangrijkst, want die kunnen flink in de papieren lopen. Daarom is dit onderdeel altijd standaard meeverzekerd.

Bij alle andere dekkingen ligt oververzekering op de loer. Kijk goed naar de verzekeringen die je al hebt, zoals voor medische zorg, rechtsbijstand, auto, inboedel, kostbaarheden, ongevallen en hulp bij autopech. Afhankelijk van de reis kun je de reisverzekering uitbreiden met extra modules.

Doorlopende reisverzekeringen

	Aanbieder & Verzekering	Testoordeel	Foto-/film-/videoapparatuur	Computerapparatuur	Telecommunicatie-apparatuur	Jaarpremie 1)	Jaarpremie 2)	Jaarpremie 3)	Jaarpremie 4)
■	1. **Aegon** Vakantie-Jaarverzeker. los	8,0	€500 vsd	€500 vsd	€500 vsd	€68	€68	€179	€179
■	2. **Univé** Comfortpakket	7,6	€2500 vs	€2500 vs	€350 v	€47	€47	€112	€112
	3. **Avéro Achmea**	7,4	€1250 vs	€1250 vs	€250 v	€42	€49	€117	€136
	4. **Allianz Global Assistance** Premium	7,3	€3500 vs	€3500 vs	€3500 vs	€49	€56	€104	€118
	5. **Centraal Beheer Achmea**	7,3	€1250 ps	€1250 ps	€160 v	€39	€45	€107	€127
	6. **De Europeesche** Topdekking	7,3	€2500 vsd	€2500 vsd	€300 v	€62	€69	€137	€157
	7. **Menzis** Topdekking	7,3	€2500 vsd	€2500 vsd	€300 v	€57	€63	€96	€108
	8. **Verzekeruzelf.nl** Excellent	7,3	€3500 vs	€3500 vs	€3500 vs	€33	€38	€72	€82
	9. **ABN Amro** Uitgebreid	7,2	€1250 vs	€1250 vs	€350 v	€42	€42	€122	€122
	10. **Reaal**	7,2	€2000 vsd	€2000 vsd	€300 vsd	€59	€70	€134	€161
	11. **SNS Bank** Plus	7,2	€1500 vsd	€1500 vsd	€300 vsd ▶	€22	€33 ▶	€50	€74
	12. **Verzekeruzelf.nl** Comfort	7,2	€1750 vs	€1750 vs	€1750 vs	€26	€31	€58	€69
	13. **Zilveren Kruis Achmea** Uitgebreid	7,2	€1250 vs	€1250 vs	€250 v	€52	€52	€124	€124
	14. **ZLM**	7,2	€750 vs	€1000 vs	€300 p	€41	€50	€123	€149
	15. **Allianz Global Assistance** Comfort	7,1	€1750 vs	€1750 vs	€1750 vs	€39	€46	€82	€96
	16. **Aon Direct**	7,1	€625 ps	€625 ps	€0	€31	€31	€65 ▶	€65
	17. **Delta Lloyd**	7,1	€1250 ps	€1250 ps	€350 p	€34	€34	€77	€77
	18. **Interpolis**	7,1	€1250 vs	€1250 vs	€250 v	€72	€72	€149	€149
	19. **Menzis** Vakantie Basisdekking	7,1	€1500 vsd	€1500 vsd	€200 v	€37	€43	€69	€81
	20. **Ohra**	7,1	€1250 ps	€1250 ps	€350 p	€36	€36	€81	€81
	21. **Unigarant**	7,1	€1500 p	€300 v	€300 p	€53	€61	€116	€137
	22. **ABN Amro** Standaard	7,0	€2500 vs	€2500 vs	€500 v	€62	€62	€161	€161
	23. **ANWB** niet-ledentarief	7,0	€1500 p	€300 v	€300 p	€51	€60	€112	€135
	24. **De Europeesche** Basisdekking	7,0	€1500 vsd	€1500 vsd	€200 v	€37	€44	€97	€117
	25. **Univé** Budgetpakket	7,0	€1500 vs	€1500 vs	€250 v	€29	€38	€68	€90
	26. **Aegon** Reisverzekering Online	6,9	€1250 ps	€1250 ps	€1250 ps	€28 ▶	€28	€74	€74
	27. **Allianz Nederland**	6,9	€1500 ps	€1500 ps	€250 p	€54	€60	€124	€138
	28. **ASR**	6,9	€1250 vd	€750 v	€500 vd	€38	€38	€93	€93
	29. **Kruidvat**	6,9	€1250 ps	€1250 ps	€1250 ps	€28 ▶	€28	€74	€74
	30. **Nationale-Nederlanden** ZPP	6,9	€750 vsd	€750 vsd	€250 vd	€85	€94	€155	€173
	31. **Zilveren Kruis Achmea** BasisPakket	6,9	€1250 vs	€1250 vs	€250 v	€37	€37	€85	€85
	32. **De Goudse**	6,8	€ 1500 vs	€ 1500 vs	€250 v	€77	€90	€142	€174
	33. **ING**	6,8	€1500 vs	€1500 vs	€250 v	€59	€74	€166	€212
	34. **Nederlanden van Nu**	6,8	€3500 ps	€3500 ps	€500 p	€42	€48	€111	€130
	35. **Polis Direct**	6,8	€1500 p	€500 p	€300 p	€56	€68	€151	€184
	36. **Turien & Co**	6,7	€1500 vsd	€1500 vsd	€200 v	€53	€53	€139	€139
	37. **Route Mobiel/Zelf.nl** Plus	6,6	€1250 vsd	€1250 vsd	€300 vsd	€22	€33	€50	€74

■ Beste uit de test   ▶ Beste koop

Zorgvuldigheid

We willen altijd bereikbaar zijn en niets missen. Dus op vakantie nemen we zeker onze mobiele telefoon mee. Zo ook Petra en Henk Terberg en hun twee tienerdochters. Tijdens een korte pauze op weg naar hun vakantiebestemming werd de auto opengebroken. Een rugzak en wat losse spullen zijn gestolen, waaronder drie smartphones, een iPad, een dvd-speler, een laptop, een digitale camera en twee draagbare spelcomputers. Schade €4000, maar de reisverzekering vergoedt niets omdat diefstal van kostbaarheden uit een voertuig geheel uitgesloten is.

De verzekeraar verwacht dat je zorgvuldig met je spullen omgaat. Hoe kostbaarder en kwetsbaarder voor diefstal, hoe hoger de eisen van zorgvuldigheid. Onbeheerd achterlaten mag alleen als de spullen veilig en uit het zicht opgeborgen zijn. Meestal moet je kostbaarheden in een kluis opbergen. Maar zie maar eens een laptop in een hotelkluis te krijgen. Vrijwel alle verzekeraars melden ons dat ze het dan een goed alternatief vinden als de kostbaarheden in een afsluitbare koffer of in een gesloten kast opgeborgen worden.

Maximale vergoedingen

Verwacht niet zomaar een nieuwe iPad bij verlies of diefstal. De meeste verzekeraars vergoeden het eerste jaar de nieuwwaarde. Na het eerste jaar vergoeden ze de dagwaarde: de nieuwwaarde min een afschrijving voor gebruik. Zo is de dagwaarde van een smartphone met een winkelprijs van €500 na het eerste jaar tussen de €250 en €375. Voor een laptop met een aanschafprijs van €1100 kun je na het eerste jaar rekenen op €800 à

€900. Maar dit wisselt sterk per verzekeraar en niet alle verzekeraars zijn even openhartig over de manier van afschrijven. Bij enkele reisverzekeringen is de vergoeding twee jaar lang de nieuwwaarde. Maar er zijn ook verzekeringen die uitsluitend dagwaardevergoeding hanteren. Dat is heel nadelig voor al die digitale apparaten.

Elektronica valt onder de noemer kostbaarheden en die is gemaximeerd. Maar de verschillen tussen verzekeraars zijn groot. Bij Kruidvat en Reisverzekering Online van Aegon vallen bijvoorbeeld alle elektronische apparaten, inclusief mobiele telefoons, onder dezelfde maximumdekking van €1250. Daar zit je al snel aan. De meeste verzekeraars hanteren eenzelfde maximumdekking voor foto-, film-, video- en computerapparatuur. Smartphones vallen onder de categorie telecommunicatie, net als bijvoorbeeld losse navigatiesystemen. Bij Delta Lloyd en Ohra valt de smartphone niet onder telecommunicatie, maar onder foto-, film-, geluids-, video- en draagbare computerapparatuur. Dit vanwege de enorme hoeveelheid functies op de hedendaagse mobieltjes. Bij ruim 60% van de verzekeringen zijn de maximumvergoedingen per polis vastgesteld, ongeacht het aantal verzekerden. Zeker voor gezinnen, zoals de genoemde familie Terberg, is het voordeliger een maximumvergoeding per verzekerde te hebben. Met de ABN Amro Doorlopende reisverzekering Standaard hadden ze ieder maximaal €1250 vergoed kunnen krijgen voor de foto-, film- en computerapparatuur. Centraal Beheer Achmea vergoedt ook €1250, maar dan per polis.

Kritische verzekeraars

Bij iedere door ons aangeschreven verzekeraar staan de smartphone, laptop en tablet hoog in de lijst van meest geclaimde producten. Helaas zijn deze producten ook populair bij fraudeurs. Niet zo verwonderlijk dus dat verzekeraars kritisch zijn. De gevolgen zijn hogere premies en beperkingen in de voorwaarden. De verzekeraars laten ons weten dat ze wel rekening houden met de omstandigheden op reis. Wil je geen discussie, laat kostbare spullen dan thuis als je ze niet echt nodig hebt. Vooral bij diefstal uit voertuigen is de verzekeraar kritisch. Bij sommige is vergoeding bij diefstal van kostbaarheden uit een voertuig geheel uitgesloten. Bij andere is de maximumvergoeding €500. En zelfs als er wel dekking is, moet je de kostbaarheden uit het zicht, in een afgesloten ruimte, achterlaten. Er moet ook altijd sprake zijn van braakschade. En laat nooit waardevolle spullen in een bagagebox op de auto zitten. Bij veel verzekeraars is vergoeding dan uitgesloten.

Een tent kun je niet op slot doen. Wat dan? Je wilt toch niet met de laptop sjouwen op dat dagtripje naar Barcelona. Verzekeraars zeggen daar coulant mee om te gaan. Belangrijk is dat je al het mogelijke doet om spullen zorgvuldig op te bergen. Achterlaten in de tent is nooit een goede optie. Is het mogelijk om een kluis te huren? Dan kom je niet weg met diefstal uit de auto. Maar is de achterbak van de auto de enige mogelijkheid, dan is dat de beste plaats om je spullen op te bergen. Informeer vooraf bij de verzekeraar wat een goede bewaarplaats is. Zo sta je niet twee keer met lege handen.

Bagagetips

Acht gouden tips:

1. Bedenk goed welke spullen je op vakantie echt nodig hebt.
2. Wie kiest voor een verzekering met bagagedekking doet er goed aan zich te verdiepen in de voorwaarden. Daarin staat hoe je met je spullen moet omgaan.
3. Zijn de voorwaarden niet duidelijk? Bel dan de verzekeraar over omgangs- en opbergvoorschriften.
4. Doe kostbaarheden in de handbagage.
5. Laat geen kostbaarheden achter in de auto.
6. Berg kostbaarheden op de bestemming op de veiligste plek op.
7. Bewaar bewijzen van eigendommen (aankoopbon, garantiebewijs, bankafschrift, foto).
8. Doe altijd aangifte van verlies of diefstal op de vakantiebestemming.

Buitenshuisdekking

Steeds meer verzekeraars bieden een inboedelverzekering met buitenshuisdekking aan. Die hebben wij getest, zie de *Consumentengids* van juni 2012. Bij een aantal verzekeraars zit deze dekking standaard in het pakket. Dit is het geval bij Aegon, Ditzo en Turien & Co Prima/Premium. Deze drie bieden werelddekking en een nieuwwaarde-uitkering na het eerste jaar. Een betere dekking dus dan de meeste reisverzekeringen. En de spullen zijn ook verzekerd als je niet op vakantie bent, maar bijvoorbeeld onderweg in de trein bij woon-werkverkeer.

De vakantiejaarverzekering van Aegon heeft een beperkte dekking voor kostbaarheden en is duur. Voor wie al de inboedelverzekering met buitenshuisdekking van Aegon heeft, is het product wel aantrekkelijk. Je krijgt dan een flinke premiekorting en de kostbare spullen zijn voldoende gedekt op de inboedelverzekering.

Inshared heeft standaard een beperkte dekking en vergoedt alleen de mobiele telefoon en de fotocamera. Bij ASR, De Goudse, Kruidvat, Nationale-Nederlanden en Woongarant kun je de buitenshuisdekking met werelddekking als losse module toevoegen. Ook een heel goed alternatief. Andere aanvullende of los af te sluiten buitenshuisverzekeringen dekken alleen in Nederland of hebben een lage maximumvergoeding. Alleen de losse verzekering van Woongarant biedt een hoge vergoeding en komt dus in aanmerking als alternatief.

Schoonmaak vakantiebungalows
Consumentengids februari 2013

Er kan bijna overal beter worden schoongemaakt. Dit blijkt uit onderzoek van de Consumentenbond, waarin we de schoonmaak van vakantiebungalows beoordeelden. Geen enkel huisje was helemaal schoon. Zelfs in het schoonste huisje, de Leemkule van vakantiepark Molecaten in Hattem, kon de vloer wel een sopje gebruiken en hing er een onaangename geur.

Schimmel en vlekken
Ons eigen huis is ongetwijfeld ook niet altijd spic en span. Maar andermans vuil vinden we toch net iets erger. En voor een vakantiehuisje moet je soms diep in de buidel tasten. Krijg je wel schone waar voor je geld? Incognito bezochten we 30 vakantiebungalows in verschillende vakantieparken verspreid over Nederland. Aan de hand van een checklist hebben we de schoonmaak van de gehuurde huisjes op het oog beoordeeld. Het vieste huisje was van Roompot in Vakantiepark Kijkduin (Den Haag). In deze woning kregen alle ruimten een slechte beoordeling. Zo zat er schimmel in het aanrechtkastje, in de douche en op de raamkozijnen. In het hele huisje vonden we veel stof en spinrag. En op het matras en de hoofdkussens zaten grote, gele vlekken.

In de vakantiewoning van Roompot Beach Resort in Kamperland waren alleen de slaapkamers, met uitzondering van een muffig bed, schoon. De rest was niet om over naar huis te schrijven. Zo waren de ooit gele zittingen van de eetstoelen bruin geworden. De vloer had een grijzige waas en zag er na een dweilbeurt een stuk helderder uit.

Bij klachten

Wie klachten heeft over de schoonmaak van een vakantiebungalow, moet die zo snel mogelijk melden bij de receptie van het park, zodat de problemen kunnen worden verholpen. Achteraf klagen heeft weinig zin en betekent meestal dat je je rechten verspeelt. Wanneer het huisje ook na klachten niet wordt schoongemaakt en een ander aanbod blijft achterwege, kun je de klacht voorleggen aan de Geschillencommissie Recreatie, mits het park is aangesloten bij de brancheorganisatie Recron. Bewijs is bij dit soort klachten weleens moeilijk; foto's maken of een filmpje is daarom aan te raden.

Zelf soppen

Bij Roompot kun je er voor kiezen om zelf de woning schoon te maken voor vertrek. Zo bespaar je op schoonmaakkosten. 'De gast loopt dan samen met een van onze controleurs door het huisje om te checken of alles naar behoren is schoongemaakt. Zo voorkom je dat je pas achteraf hoort dat de schoonmaak niet aan onze eisen voldoet en dat een deel van de borg wordt ingehouden om de extra schoonmaaktijd te vergoeden', staat in de schoonmaakrichtlijnen van Roompot. Toch krijgt de Consumentenbond klachten van bezoekers als een deel van de borg is ingehouden, omdat ze volgens het park niet goed hebben schoongemaakt. Wie deze discussie wil voorkomen, kan de eindschoonmaak beter niet zelf doen. Roompot benadrukt dat er altijd een eindcontrole plaatsvindt. Dan wordt vastgesteld of de woning geschikt is voor een volgende gast. Kennelijk verloopt die niet altijd goed.

Bacteriën

De badkamer bleek de minst frisse ruimte: bij eenderde van de huisjes was deze vies. Ook de grootste slaapkamer van negen huizen kon wel een grondige schoonmaakbeurt gebruiken.

De keuken werd juist vaak als schoonste ruimte beoordeeld. Maar schijn bedriegt, bleek toen we monsters microbiologisch lieten onderzoeken. Het aanrecht was regelmatig een bron van bacteriën. Microbioloog Rijkelt Beumer, sinds 2011 als extern medewerker verbonden aan Wageningen Universiteit, bevestigt dat het aanrecht doorgaans een zwak punt is. 'Het aanrecht is vaak viezer dan de wc-bril.' Dit gold ook voor 'onze huisjes'. In Vakantiepark Kijkduin troffen we vrij veel enterobacteriën aan op het aanrecht. 'Dat is behoorlijk vies', vindt Rijkelt Beumer. Het gaat om een groep bacteriën die zich in de darmen van mens of dier vermenigvuldigt. Hier kunnen ziekteverwekkende bacteriën in zitten. 'Ze komen niet allemaal uit poep; er zitten ook enterobacteriën in bijvoorbeeld rauwe groente, rauw vlees en gras. Maar in huis kom je niet veel enterobacteriën tegen die van planten afkomstig zijn. En na een goede schoonmaakbeurt horen ze er niet meer te zijn.'

Volgens Rijkelt Beumer hoeven we niet bang te zijn. 'Je wordt er niet ziek van, want niemand likt zijn aanrecht af. Rauw vlees pak je ook vast, en eet je soms zelfs op, zoals filet américain.' Overal zitten bacteriën op, maar het zegt wel iets over de hygiëne. Bij 13% van de huisjes vonden we een groot aantal enterobacteriën. Een andere hygiëne-indicator is het totaal kiemgetal. Dat kon bij 67% van de huisjes beter; ook in de – op het oog – redelijk schone huisjes. 'Ik vind deze percentages te hoog, vakantiewoningen horen schoon opgeleverd te worden', aldus Rijkelt Beumer.

Betalen voor de schoonmaak

Bij de meeste parken is de eindschoonmaak verplicht en standaard in de huurprijs opgenomen. De schoonmaakkosten verschillen per park en per bungalowtype. Gemiddeld betaalden wij zo'n €55 voor de schoonmaak van een vier- tot zespersoonshuisje. Bij de meeste Roompotparken kun je de schoonmaak zelf doen, behalve bij groepsvilla's of als je een huisdier meeneemt. Ook Hogenboom heeft parken waarbij je zelf de eindschoonmaak kunt doen.

Maximaal een uur

'Te weinig tijd voor de schoonmaak', geeft Jan Kampherbeek van CNV Vakmensen als verklaring, voor de vieze vakantiewoningen die wij aantroffen. Uit onderzoek dat de vakbond deed onder 350 schoonmakers van vakantieparken, blijkt dat 9 van de 10 vinden dat er te weinig tijd is om het werk goed te doen. 'Het is echt niet te doen in de minuten die je krijgt. Je moet van alles laten liggen omdat de tijd om is', licht een schoonmaker toe. 'Schoonmaakbedrijven spreken vaak een prijs per woning af. Voor een zespersoonshuisje krijgen ze meestal een uur de tijd, voor een klein huisje drie kwartier', legt Jan Kampherbeek uit. 'Maar door concurrentie staat deze tijd onder druk en neemt af. Ze weten zelf ook dat het in die tijd niet goed schoongemaakt kan worden. Bij extra vervuiling, bijvoorbeeld als er een hond was, komen de schoonmakers in de problemen. Alles wat je snel ziet, lukt vaak nog wel, zoals vegen en stofzuigen. Maar goed schoonmaken schiet er bij in.'

Volgens Jan Kampherbeek betaalt een vakantiepark zo'n €20 voor een uur schoonmaak. Dat is een flink verschil met de €50 die ze veelal aan hun gasten doorberekenen. 'Hier wordt door de vakantieparken winst op gemaakt. Schoonmakers willen graag goed werk afleveren. Dit moeten ze dan ook kunnen doen. Dat is ook in het belang van alle gasten die hun vakantie in een schoon huisje willen beginnen.'

Wandelnavigatie
Reisgids juli/augustus 2013

Wandelen in oude stijl gaat met een goede kaart, een routebeschrijving en (als je geluk hebt) ook met bewegwijzering onderweg. Die is lang niet overal betrouwbaar. In landen als Duitsland en Nederland zijn de wandelpaden keurig gemarkeerd, maar ook daar kun je weleens verkeerd lopen als je een markering mist. Met een gps (*global positioning system*) is wandelen een stuk zorgelozer. Ideaal dus voor zowel recreanten als de wat meer gevorderde wandelaars, zo lijkt het.

Gratis routes
Als je gaat wandelen met een gps moet je eerst op internet een geschikte wandelroute zoeken. Er is volop keuze aan websites met routes (zie het kader 'Websites voor wandelroutes'). De routes zijn gemaakt door andere enthousiaste wandelaars met gps-navigatiesystemen. Die apparaatjes

bieden namelijk allemaal de mogelijkheid om een gelopen route 'op te nemen' en met anderen te delen.

Je kunt zulke routes van anderen niet alleen bekijken op een kaart, maar ook downloaden en op je eigen gps zetten. Afhankelijk van de site zijn er meerdere bestandsformaten waarop je een route kunt exporteren. Het universele standaardformaat heet GPX. Dat kan door alle gps-ontvangers worden gelezen. Door zo'n GPX-bestand op een wandelnavigatie-apparaat te zetten, kun je onderweg je positie ten opzichte van de route zien. Je ziet dus heel snel of je nog de juiste route loopt. Zodoende is verkeerd lopen bijna onmogelijk, en zijn een kaart of beschrijving overbodig.

Wat & hoe

Voor dit artikel hebben we een week gewandeld in de Spaanse Alpujarras met een Garmin GPSMAP 62 (€239) en twee smartphones, om te kijken hoe de wandelnavigatie in de praktijk werkt. Dit artikel is voor een groot deel gebaseerd op onze bevindingen daar.

Elders in dit *Testjaarboek* staat een uitgebreide test van navigatiecomputers voor op de fiets.

Smartphone als alternatief

Er zijn twee soorten gps-ontvangers die in aanmerking komen voor wandelaars: de prijzige speciale navigatiesystemen en de smartphones. Met een smartphone kun je zonder verdere kosten gebruikmaken van (elementaire) gps-navigatie. Vrijwel alle smartphones, ook de goedkopere, bevatten een gps-ontvanger en er zijn veel (gratis) apps die routes kunnen tonen en opnemen (zie het kader 'Apps voor de smartphone'). Er zitten wel nadelen aan het navigeren met de smartphone: de gps werkt niet altijd even goed en nauwkeurig, en het gebruik ervan vraagt veel stroom. Zo kan het gebeuren dat de batterij van je smartphone het eind van de wandeling niet haalt.

Ook kun je er vaak niet op rekenen dat je op het scherm een kaart ziet: smartphoneapps maken gebruik van gratis kaarten, en die zijn meestal niet gedetailleerd genoeg voor wandelaars en/of afhankelijk van mobiel internet. Wat je dus op locatie ziet, is een effen achtergrond met daarop de route, en je huidige positie. De kaart gebruiken voor een mooie omweg is er meestal niet bij.

Apps voor de smartphone

Er zijn heel veel smartphone-apps die kunnen helpen bij het wandelen. Opvallend genoeg bieden veel apps alleen de mogelijkheid om een route op te nemen en te delen, maar niet de optie om de route ook te tonen op een kaart. De volgende twee kunnen dat wel:

Everytrail (iOS en Android)
De apps werken samen met een website (nl.everytrail.com) waarop je gps-routes kunt uploaden. In de apps kun je vervolgens de route bekijken. Voor een kaart is een (mobiele) internetverbinding nodig. De gratis versie is beperkt, de Pro-versie zonder beperkingen kost iets meer dan €3.

OsmAnd (Android)
Volwaardige navigatie-app met te downloaden kaarten (op basis van OpenStreetMaps). Kan erg veel, maar is niet zo gebruiksvriendelijk. Bij de gratis versie is het aantal te downloaden kaarten beperkt. GPX-bestanden binnenhalen gaat door de telefoon met usb te verbinden en de bestanden op de SD-kaart te zetten.

Technisch top

Navigeren met een smartphone is gratis, maar door de genoemde nadelen niet ideaal voor het serieuze werk. Voor wie goede navigatie wil, zijn er speciale navigatieapparaten te koop. De onaantastbare marktleider Garmin maakt al jaren speciale gps-ontvangers voor wandelaars en andere buitensporters. Veel ervaren wandelaars gaan nooit meer zonder op pad. Garmin-navigatiesystemen zijn voorzien van gevoelige gps-ontvangers en andere hulpmiddelen, zoals een kompas en een hoogtemeter. Verder kunnen ze tegen een stootje, voldoen aan de hoogste standaarden voor waterbestendigheid en gebruiken verwisselbare batterijen, zodat je niet overvallen wordt door een lege accu.

Maar ook nadelen

Garmin heeft ook nadelen: de complexiteit en de prijs. Zelfs de eenvoudigste modellen beginnen bij €150. En Garmins blinken niet uit in gebruiksgemak. Onze digitaal ervaren onderzoekers merkten dat je flink de tijd moet nemen om te leren hoe ze werken, zeker voor het programma Base-Camp, waarmee de kaarten beheerd worden en routes op het apparaat kunnen worden gezet. Eerder kost ook de aanschaf al hoofdbrekens: er is keuze uit wel 20 wandelsystemen.

De goedkopere apparaten missen een op luchtdruk gebaseerde hoog-temeter of een kompas. Ze hebben ook niet standaard een geheugen-kaartslot en een camera. De geheugenkaart is te gebruiken voor het laden van kaarten.

Websites voor wandelroutes

Hoe kom je aan gps-routes? Onze tips:

www.google.nl

Er zijn talloze sites met wandelroutes voor een streek of land; je vindt er vaak ook achtergrondinformatie. Voer een term in als 'GPX wandelroute' plus de naam van het gebied.

www.gpsies.com

Uitgebreide site met veel fiets- en wandelroutes over de hele wereld. Zoeken naar wandelingen gaat op de kaart en per wandeling is er veel informatie. Downloaden van routes kan zonder registratie.

nl.wikiloc.com

Veel wandelingen en fietsroutes en een goede zoekfunctie. Een (gratis) account is nodig om routes te downloaden.

www.gps-tour.info

Nog een site met veel internationale wandelingen en fietsroutes. Een (gratis) account is nodig om routes te kunnen downloaden; uitvoerige registratieprocedure.

gpstracks.nl

Beetje ouderwetse site vol wandelroutes. Bij de wandelingen mist in-formatie, zoals een kaart en een hoogteprofiel, maar downloaden kan zonder registratie.

De software van alle apparaten werkt min of meer hetzelfde, maar er zijn verschillen in de grootte en kwaliteit van het scherm. De goedkopere hebben een matig scherm en je bedient ze met knopjes, de duurdere (vanaf €250) hebben een groot en goed aanraakscherm.

Een standaardmodel Garmin wordt geleverd met een basiswereldkaart die heel weinig detail toont. Als wandelaar heb je het liefst een topografische kaart. Garmin levert die topografische kaarten optioneel mee met de apparaten, maar los kopen kan ook. Goedkoop is dat niet: een TOPO-kaart van een Europees land kost zo'n €100 extra.

Conclusie

Garmin-navigatiesystemen voor wandelaars werken goed, maar het kost veel tijd om er mee om te leren gaan. Bovendien zijn ze vrij duur. Voor wie maar af en toe een wandeling maakt en toch graag gebruik wil maken van gps, is navigeren met de smartphone een oplossing.

Woningruil

Reisgids mei/juni 2013

Je woning ruilen met iemand die je nog nooit eerder hebt ontmoet? En wat als die mensen je spullen kapotmaken of stelen? Als beginnend woningruiler is dit vaak de eerste reactie die je krijgt als je vertelt van de plannen. En zo vreemd is die reactie niet. Want eerlijk is eerlijk: bij geen enkele woningruil met vreemden krijg je een keiharde garantie dat er niets misgaat.

Woningruil gebeurt met gesloten beurzen, op basis van niets anders dan wederzijds vertrouwen. Dat moet je wel liggen, weet Corinne Nieman, van woningruilwebsite Huizenruil.com. 'Voor 90% van de Nederlanders is woningruil daarom onbespreekbaar. Ze durven het eenvoudigweg niet aan. Van de 10% die het wel overweegt, doet uiteindelijk maar een fractie het daadwerkelijk.'

Skypen en contracten

De meeste woningruilers vinden elkaar via een speciale website. Die zijn er dan ook voor een deel op gericht om twijfelaars over de streep te trekken. Zo besteden de meeste woningruilsites in hun veelgestelde vragen (FAQ's) uitgebreid aandacht aan hoe je wederzijds vertrouwen

Sites voor woningruil vergeleken

Naam	Kosten	Aantal woningen (circa)	Aantal landen (circa)	Website (ook) in het Nederlands	Vertegenwoordiging in Nederland	Ruilgarantie [1]	Recensies op de website	Advertenties zichtbaar voor niet-leden
homeexchange.com [2]	€95,40 per jaar of €35,85 per kwartaal	43.000	150	ja	ja	ja	ja	ja
holidaylink.com/woningruil [3]	€95 per jaar [4]	13.000	70	ja	ja	nee	nee	ja
homebase-hols.com [5]	€33,06 per jaar of €44,46 per 2 jaar	niet vermeld	70	nee	nee	nee	ja	ja
homeforexchange.com	€49,50 per jaar of €79,50 per 2 jaar of €99,50 per 3 jaar	15.000	40	ja	ja	ja	ja	ja
ihen.com	$39,95 (circa €30) per jaar	niet vermeld	60	nee	nee	nee	nee	ja
intervac-homeexchange.com	$100 (circa €75) per jaar	niet vermeld	niet vermeld	ja	ja	ja	ja	ja
lovehomeswap.com	vanaf €12,08 per maand [6]	35.000	150	nee	nee	nee	ja	nee

1) Ruilgarantie = als het eerste jaar geen ruil gerealiseerd is, is het tweede jaar lidmaatschap gratis.
2) De Nederlandstalige versie van deze website heet Huizenruil. com.
3) Deze website is een onderdeel van homelink.org.
4) Foto's erbij plaatsen kost €20 extra.
5) Deze website opereert ook onder de naam guardianhome-exchange.co.uk.
6) Voor gedetailleerdere prijsinformatie moet je je eerst inschrijven.

opbouwt met potentiële ruilers. Moderne technieken zoals Skype (bellen met beeld via internet) en e-mail maken dat makkelijker.

Op sommige websites staat een model voor een ruilcontract. Daarin kun je ook opnemen wat er bijvoorbeeld met de rekening van elektriciteit, gas en water gebeurt, hoe de sleuteloverdracht plaatsvindt en wat er wordt verwacht met betrekking tot de verzorging van de planten en de tuin. Je kunt er ook in vastleggen dat beide partijen een aansprakelijkheids-verzekering hebben die schade aan elkaars eigendommen dekt. Bekijk wel eerst de voorwaarden.

Sommige websites, zoals Holidaylink, verkopen een eigen verzekering voor 'problemen door onvoorziene omstandigheden', maar je moet de voorwaarden grondig bestuderen om te bepalen of deze verzekering wel meer biedt dan een reis- en aansprakelijkheidsverzekering.

Websites

De beste startplaats voor de beginnende woningruiler is een woning-ruilwebsite. Zo'n website faciliteert alleen: de eigenwoning te ruil zetten, ruilwoningen uitzoeken, contact leggen met een potentiële ruiler, afspraken maken en de ruil tot stand brengen doe je allemaal zelf. Voor het lidmaatschapsgeld onderhoudt de organisatie de website en de database van de woningen, beantwoordt ze vragen van leden en kan ze helpen bij de totstandkoming van de ruil.

Sommige organisaties treden ook op als bemiddelaar bij problemen tijdens een ruil.

De zoekterm 'home exchange' (bij zoeken op 'woningruil' of 'huizenruil' krijg je vooral websites over verhuizen) levert een lijst op van tientallen, vooral Engelstalige, websites. Een aantal van die linkjes blijkt uiteindelijk naar dezelfde websites te leiden. De websites die het vaakst komen bovendrijven hebben we op een aantal punten met elkaar vergeleken. De resultaten staan in de tabel.

Doelgroepen

Er zijn ook websites die bemiddelen in woningruil voor bepaalde doelgroepen, zoals senioren (seniorshomeexchange.com), singles (singleshomeexchange.com) en mensen die milieubewust leven en wonen (gti-homeexchange.com).

Betrouwbaar?

Het is lastig te zeggen of een website betrouwbaar is of niet, maar er zijn wel een paar punten om op te letten. Bijvoorbeeld of de website duidelijk is over het inschrijfgeld en wat je daarvoor terugkrijgt. En: hoeveel woningen heeft de website in zijn bestand? Kunnen ook niet-leden in het woningbestand grasduinen en de ervaringen lezen? Hoeveel informatie geeft de website over zichzelf en zijn manier van werken?

Op veel woningruilwebsites staan recensies van leden over hun ruilervaringen met elkaar. Check wel of er niet alleen juichverhalen staan. Doorgaans geldt: hoe meer recensies, hoe betrouwbaarder. Wil je uitsluitend objectieve ervaringen? Zoek op internet naar onafhankelijke beoordelingen met de zoektermen 'huizenruilervaringen' of 'home exchange forum'.

Kostenbesparing

Lees ook de veelgestelde vragen (FAQ's). Daarin staan 'gedragsregels' voor woningruilers, verzekeringstips en voorbeelddocumenten voor het vastleggen van afspraken.

Het is prettig als de website een vertegenwoordiger heeft in eigen land en het land waar je heen wilt. Bij vragen en vooral problemen tijdens een ruil zijn die vaak makkelijker en sneller te bereiken dan vanuit een ander land. En een vertegenwoordiger in Nederland spreekt je eigen taal. Veel websites noemen de verblijfskosten die je uitspaart als groot voordeel van woningruil. Toch is de kostenbesparing vaak niet meer dan een prettige bijkomstigheid voor de woningruilers. 'De reden die ik het meeste hoor is de bijzondere ervaring', vertelt Corinne Nieman. 'Huizenruilers vinden het leuk om "tussen de gewone mensen" te zitten, vaak in een omgeving waar je als toerist niet zo snel zou komen. De meesten maken graag contact met de lokale bevolking. Dat heb je eerder als je in iemands woning zit dan in een hotel of op een camping.'

'Ineens kwam de ene na de andere reactie binnen.' Noëlle van der Weel ruilde in het najaar van 2012 met haar man en twee kinderen met een gezin uit Melbourne, Australië.

'Na lang wikken en wegen schreven we ons in op een grote woningruilwebsite. De eerste weken waren stil, en de twijfel sloeg al toe, toen ineens de ene na de andere reactie binnenkwam. Allemaal mensen die graag vakantie wilden vieren in onze Haagse woning. Uit Duitsland, Ierland, hartje Rome en zelfs Quebec en Singapore. Maar wij wilden naar Australië dus benaderden we zelf ook potentiële ruilers.

Nick en Katrina uit Melbourne reageerden enthousiast op onze mail. Ze zochten in 'onze' vakantieperiode een centrale locatie in Europa voor uitstapjes naar Londen, Parijs en Duitsland. Onze woning vonden ze ideaal. Toen bleek dat we ook nog kinderen in dezelfde leeftijd hadden, waren we alle vier om. Een intensieve mailwisseling volgde en we ondertekenden beiden het model-ruilcontract van de woningruilwebsite. We hadden FaceTime-contact en de kinderen lieten elkaar zo hun speelgoed zien.

In oktober kwamen Nick en Katrina met hun twee zoons naar Nederland. De voorlaatste avond voor ons eigen vertrek zaten we met z'n achten rond de eettafel achter een grote pan boerenkool. Het werd laat met wijn en bier erbij. En de kinderen hadden niet eens door dat ze verschillende talen spraken.

Het is nu ruim een halfjaar later en de warme Australische zomer ligt letterlijk en figuurlijk ver achter ons. Wij vierden kerst bij de familie van Nick en Katrina en deden mee aan de buurtborrel in hun straat. Zij vierden de verjaardag van onze buurjongen mee en gingen schaatsen met onze beste vrienden. Zowel wij als Nick en Katrina willen opnieuw ruilen, met elkaar of anderen. Voor komende zomer moeten we nog kiezen: ruilen we met de Tsjechen uit Olomouc of met de Fransen uit de buurt van Lyon?'

REGISTER

Verder lezen

Geld & recht

101 Slimme geldtips*
Belastingtips voor senioren*
Een goed pensioen*
Haal uw recht*
Het levenstestament*
Samenwonen*
Scheiden*
Slim nalaten & schenken*
Testament & overlijden*
Tips & toeslagen*
Uw recht bij geldzaken*

Gezondheid & voeding

Bewegen en fit blijven*
Blijf gezond!*
Gezond eten voor senioren*
Hart & vaten gezond
Het juiste medicijn*
Het Keuzedieet
Het Keuzedieet 2
Minder kans op kanker
Veilig eten
Vrouw & gezondheid*

Wijzer over geheugen*
Zelf dokteren*

Digitaal

Alles over digitale video
De leukste gratis apps*
Foto's bewerken
Gratis online software
Haal meer uit je tablet*
Langer plezier van je pc
Online privacy*
PC-EHBO*

Diversen

1001 Reparaties in huis
Buitenonderhoud
De mooiste Nederlandse steden*
Groen leven*
Lekker schoon!*
Prettig blijven wonen*
Water, elektriciteit & gas*
Weg die vlek!*

*ook verkrijgbaar als e-book

Bestellen?

Leden van de Consumentenbond ontvangen korting op deze boeken.
U bestelt ze eenvoudig in onze webwinkel op
www.consumentenbond.nl/webwinkel. U kunt ook telefonisch
bestellen via onze afdeling Service en Advies: **(070) 445 45 45.**
Bent u lid? Houd dan uw lidmaatschapsnummer gereed. We zijn op
werkdagen van 8 tot 20 uur bereikbaar (vrijdag van 8 tot 17.30 uur).

Uw lidmaatschap biedt meer dan u denkt!

- U ontvangt de **Consumentengids** of een van onze andere gidsen.
- Al onze uitgaven zijn 100% **onafhankelijk** en **advertentievrij**.
- U heeft 24 uur per dag toegang tot onze betrouwbare, **onlinetestinformatie** over meer dan 2000 producten en diensten.
- U kunt tot honderden euro's **besparen** op uw energierekening en zorgverzekering.
- U ontvangt 20-30% **korting** op boeken en extra gidsen van de Consumentenbond.
- U ontvangt van onze afdeling Service & Advies **gratis advies** over aankoop, service, garantie en – heel handig – uw rechten.
- U weet altijd wat de **Beste Koop** is en kunt gratis gebruikmaken van de **Beste Koop-App**.
- U ontvangt gratis de Consumentengids Auto, **Minigidsen** en diverse handige **apps**.
- U ontvangt wekelijks onze gratis **nieuwsbrief**.
- U kunt deelnemen aan **testpanels**.
- De Consumentenbond stelt samen met vele branches algemene **voorwaarden** op, waarbij rechten en plichten tweezijdig eerlijk worden vastgelegd.

Een compleet en actueel overzicht van uw lidmaatschap vindt u op www.consumentenbond.nl/voordeel

---

Contact
Service & Advies: (070) 445 45 45
Internet: www.consumentenbond.nl
Contactformulier: www.consumentenbond.nl/contact

Voorwaarden lidmaatschap en abonnement
Kijk op www.consumentenbond.nl/algemenevoorwaarden

 Volg ons ook op
www.facebook.com/consumentenbond
 www.youtube.com/consumentenbond
www.twitter.com/consumentenbond